SELECT MATERIAL FROM

¡AVANCE!
SEGUNDA EDICIÓN
INTERMEDIATE SPANISH

MARY LEE BRETZ
*Rutgers University,
Professor Emerita*

TRISHA DVORAK
University of Washington

CARL KIRSCHNER
Rutgers University

RODNEY BRANSDORFER
Central Washington University

CONSTANCE KIHYET
Saddleback College

Contributing Writer

MICHAEL MORRIS
Northern Illinois University

with additional materials

 Learning Solutions

Boston   Burr Ridge, IL   Dubuque, IA   New York   San Francisco   St. Louis
Bangkok   Bogotá   Caracas   Lisbon   London   Madrid
Mexico City   Milan   New Delhi   Seoul   Singapore   Sydney   Taipei   Toronto

Select Material from ¡Avance! Intermediate Spanish, Segunda Edición

This book is a McGraw-Hill Learning Solutions textbook and contains select material from the following sources:
¡Avance! Intermediate Spanish, Segunda Edición by Mary Lee Bretz, Trish Dvorak, Carl Kirschner, Rodney Bransdorfer, Constance Kihyet, with Michael Morris. Copyright © 2008 by The McGraw-Hill Companies, Inc.
Pasajes: Literatura, Séptima Edición by Mary Lee Bretz, Trisha Dvorak, Carl Kirschner and Constance Kihyet. Copyright © 2010, 2006, 2002, 1997, 1992, 1987, 1983 by The McGraw-Hill Companies, Inc.
Pasajes: Cultura, Séptima Edición by Mary Lee Bretz, Trisha Dvorak, Carl Kirschner, with Michael Morris and Mara Lea Brown. Copyright © 2010, 2006, 2002, 1997, 1992, 1987, 1983 by The McGraw-Hill Companies, Inc.
All reprinted with permission of the publisher. Many custom published texts are modified versions or adaptations of our best-selling textbooks. Some adaptations are printed in black and white to keep prices at a minimum, while others are in color.

3 4 5 6 7 8 9 0   QVS QVS   16 15 14 13

ISBN-13: 978-0-07-769125-7
ISBN-10: 0-07-769125-3
PART OF:
ISBN-13: 978-0-07-769126-4
ISBN-10: 0-07-769126-1

Learning Solutions Consultant: Brad Ritter
Production Editor: Lynn Nagel
Printer/Binder: Quad/Graphics
Cover Photo Credits: Keith Woodall, Ohio University

CONTENTS

Video on CD

Video on CD

CAPÍTULO 4

La familia   127

Video on CD

CAPÍTULO 5

Geografía, demografía, tecnología   157

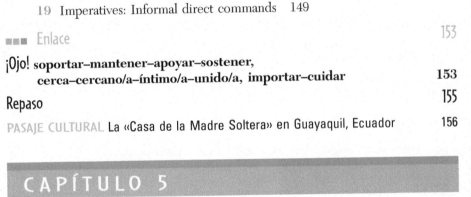

CAPÍTULO 6

El hombre y la mujer en el mundo actual   189

CAPÍTULO 7

El mundo de los negocios   219

Video on CD

CAPÍTULO 8
Creencias e ideologías   249

Video on CD

Appendices   A-1

CAPÍTULO 1

Tipos y estereotipos

Oaxaca, México

En este capítulo:

Describir y comentar*

- En el dibujo A, ¿cómo es la apariencia física de la estudiante de la izquierda? En su opinión, ¿adónde va ella en su tiempo libre?

- En el dibujo A, ¿qué rasgos de personalidad asocia Ud. con la estudiante de la derecha? ¿Qué hace ella en su tiempo libre? ¿Cree que estas estudiantes van a tener problemas como compañeras de cuarto? Explique.

- En el dibujo B, hay varios grupos de estudiantes. ¿Dónde están? ¿Qué hacen? En su opinión, ¿tienen la apariencia física de estudiosos los muchachos de la izquierda? ¿Cómo son?

- En el dibujo B, describa al estudiante que está a la derecha. ¿Qué hace? ¿Con quién está? ¿Qué tipo de persona parece ser? ¿Hay estudiantes coquetas o coquetones en este dibujo? ¿Dónde? Imagínese qué dicen.

---

*Use the **Vocabulario para conversar** on the next page to discuss the drawings.

▪▪▪ VOCABULARIO ... *para conversar*

asociar to associate
pertenecer to belong

la apariencia appearance
el/la atleta athlete
 un tipo muy atlético a very athletic person
el/la bromista joker
 el/la bromista de la clase class clown
la característica characteristic
la costumbre custom, habit
el/la deportista sportsman/sportswoman
el estereotipo stereotype
el/la estudioso/a bookworm
la imagen image, picture
el rasgo trait, feature

bruto/a stupid, dense
cómico/a funny
coquetón, coqueta flirtatious
estudioso/a studious
extrovertido/a extroverted, outgoing
introvertido/a introverted, shy
listo/a bright, smart
perezoso/a lazy
pesado/a dull, uninteresting
preconcebido/a preconceived
sensible sensitive
serio/a serious
típico/a typical
tonto/a silly, dumb
torpe clumsy, awkward
trabajador(a) hard-working

A Nombre los tipos o adjetivos de la lista anterior que se asocian con las personas que tienen las siguientes costumbres o características. ¿Qué otros rasgos o costumbres se asocian con cada tipo?

MODELO: un tipo que duerme mucho → perezoso

 otras características: trabaja poco, camina despacio, saca malas notas

un tipo que…

1. hace muchas bromas (*jokes*)
2. estudia en la biblioteca todo el tiempo
3. es más bien tímido
4. lleva ropa de última moda
5. pasa mucho tiempo en el gimnasio
6. siempre está en todas las fiestas

B Usando la lista de vocabulario u otras palabras, nombre las características que Ud. asocia con los siguientes personajes o personas.

1. los Simpson
2. Arnold Schwarzenegger
3. Jim Carrey
4. Jack Bauer. (de «24»)
5. los compañeros de «Friends»

C ¡NECESITO COMPAÑERO! Trabajando en parejas, arreglen las siguientes características según las cuatro categorías indicadas en la siguiente tabla. Pueden poner una característica en más de una categoría.

atlético	extrovertido	optimista	sincero
cómico	hablador	perezoso	sofisticado
coquetón	impulsivo	responsable	tonto
egoísta	inmaduro	seguro de sí mismo	torpe
estudioso	intelectual	sensible	trabajador

LENGUAJE Y CULTURA

No todas las palabras de una lengua se pueden traducir con exactitud a otra, especialmente cuando se trata del lenguaje popular o coloquial. Por ejemplo, imagínese que un amigo hispano* no encuentra las siguientes palabras en su diccionario bilingüe.

¿Puede Ud. explicarle en español lo que significan?

¿Cuáles son algunas características que se asocian con cada tipo?

- *jock*
- *loser*
- *geek*
- *moocher*
- *redneck*

características que una persona **puede** controlar	atlético, estudioso, perezoso,...
características que una persona *no* **puede** controlar	
características **típicas de los hombres**	
características **típicas de las mujeres**	

Después de clasificar las características, escojan las tres que Uds. consideran las más atractivas en sus amigos. Comparen sus respuestas con las de otros miembros de la clase. ¿Tienen Uds. opiniones muy diferentes? ¿Están todos de acuerdo sobre algunas características? ¿Cuáles? ¿Cuáles de estos rasgos asocian Uds. con sus compañeros de cuarto?

D Mire otra vez el dibujo de la página 2.

- ¿Cuál de las personas del dibujo A se parece a (*resembles*) la «estudiante típica» de esta universidad? Si ninguna, ¿cómo es la «estudiante típica»? ¿el «estudiante típico»?

- ¿Tiene Ud. un compañero / una compañera de cuarto? ¿Son Uds. semejantes o diferentes? Explique.

- ¿Qué estereotipos se presentan en los dibujos A y B? ¿Son falsas todas esas generalizaciones? ¿Cuáles cree Ud. que son más o menos verdaderas? ¿Hay otros tipos estudiantiles en esta universidad que no estén representados en los dibujos? Descríbalos.

---

*There are various terms in Spanish used to describe people and things from Spanish-speaking countries (**chicano/a, hispano/a, latino/a,** and so on), as there are in English (*Chicano, Hispanic, Latino,* and so on). In *¡Avance!,* **hispano/a** and *Hispanic* will be the preferred terms. You will learn more about these and the other terms in **Capítulo 9.**

No somos los únicos que estereotipamos

N **O HAY DUDA QUE** en este país existen muchos estereotipos acerca de los hispanohablantes. Como es común cuando se trata de estereotipos, hay algo de verdad en algunos, muchos exageran o deforman la realidad y otros son totalmente falsos. Pero, de lo que muchos norteamericanos no están conscientes es que las personas de otras culturas también nos estereotipan a nosotros. Lo interesante es que, frecuentemente, los estereotipos sobre tanto los hispanos como los norteamericanos, se originan en las mismas fuentes: los medios de comunicación y la opinión de personas que viajan al extranjero.

Muchas de las impresiones que tenemos los norteamericanos de los hispanos son creadas por la televisión, el cine, la música, la radio y los periódicos y revistas. Algunas de esas impresiones persisten desde hace muchos años,[a] a pesar de haber evidencia que las contradice, por ejemplo: el cliché del hispano que siempre rehuye[b] el trabajo, presentado en muchas comedias de televisión o cine. También, se ha explotado el mito del mexicano que pasa el día durmiendo debajo de un cacto para luego en la noche salir a beber y bailar hasta la madrugada.

Hasta la apariencia física del hispano es un estereotipo, por ejemplo: «todos son morenos, de pelo negro y bajos de estatura», «las mujeres llevan trajes de colores vivos y algunas, flores en el pelo». Otros estereotipos incluyen: «sus familias son grandes» y «viven en pueblos adormecidos y polvorientos[c]». Hay quienes opinan que estos estereotipos se deben al hecho de que[d] un buen número de inmigrantes hispanos viene de zonas rurales. La verdad es que al viajar por los países hispanos uno se da cuenta de[e] la enorme generalización de estas ideas.

Por otro lado,[f] ¿sabía Ud. que todos los norteamericanos vivimos en casas grandes y que muchos tenemos más de una? Ésta es una de las muchas falsas imágenes que se forman algunos hispanos por medio de los programas de televisión y películas filmados en este país. Muchos hispanos también creen que todos manejamos lujosos automóviles deportivos. Pero, ¿cómo es el coche que Ud. maneja? La realidad es que la mayoría de nosotros no tenemos coche de lujo —y muchos no tenemos ningún coche.

Otros hispanos creen que la dieta norteamericana consiste solamente en pollo frito, pizza y hamburguesas. Después de todo, los restaurantes norteamericanos que sirven esta clase de comida se han exportado a casi todos

Un McDonald's en La Paz, Bolivia

los países hispanos. ¡Claro que se sorprenden cuando ven que no todos los norteamericanos comemos esta clase de comida!

Hay que mencionar también que hay hispanos que tienen ideas positivas acerca de nosotros. Dicen que somos muy organizados, que respetamos las leyes y que somos laboriosos, cumplidores[g] y generosos, aunque también nos consideran arrogantes, tal vez por la forma en que han afectado a los países hispanos las decisiones de algunos de nuestros gobernantes. ■

---

[a]persisten... *have persisted for years*   [b]*avoids*   [c]pueblos... *sleepy, dusty towns*   [d]al... *to the fact that*   [e]se... *realizes*
[f]Por... *On the other hand*   [g]*reliable*

Lengua I

■■ 1 Gender and Number of Nouns

A. Gender of nouns

In Spanish, nouns (**los sustantivos**) are classified as masculine (used with the articles **el** and **un**) or feminine (used with the articles **la** and **una**).

el estereotipo *stereotype*   **la** imagen *image*
un rasgo *trait, feature*   **una** característica *characteristic*

Two primary clues can help you correctly identify the gender of most Spanish nouns.

1. **Meaning:** biological sex = grammatical gender

   When a Spanish noun refers to a male being, it is masculine; when the noun refers to a female being, it is feminine.

   el padre *father*   la madre *mother*
   el toro *bull*   la vaca *cow*

   When a noun refers to a being that can be of either sex, the corresponding article indicates gender. Sometimes the word will have a different form for masculine and feminine.

   el artista / **la** artista *artist*
   el español / **la** española *Spaniard*
   el estudiante / **la** estudiante *student*
   el profesor / **la** profesora *professor*

   The following nouns are exceptions; they may refer to either men or women, but their grammatical gender is fixed.

   el ángel *angel*   la persona *person*
   el individuo *individual*   la víctima *victim*

2. **Word ending**

   ■ Most nouns that end in **-l, -o, -n, -e, -r,** or **-s** are masculine.

   el amor *love*   el interés *interest*
   el café *coffee*   el libro *book*
   el examen *test*   el papel *paper*

   Some common exceptions are

   la gente *people*   la mano *hand*
   la imagen *image*   la parte *part*

   ■ Most nouns that end in **-a, -d, -ie, -ión, -is, -umbre,** or **-z** are feminine.

   la actitud *attitude*   la nariz *nose*
   la comida *food*   la serie *series*
   la costumbre *custom*   la televisión *television*
   la crisis *crisis*

A PROPÓSITO

Feminine nouns beginning with a stressed **a** sound use the articles **el/un** in the singular, but **las/unas** in the plural.

el agua fresca
cool water

las aguas frescas
cool waters

un arma automática
an automatic weapon

unas armas automáticas
some (a few) automatic weapons

el hada madrina
fairy godmother

las hadas madrinas
fairy godmothers

A PROPÓSITO

These nouns are feminine, although their popular, shortened forms do not end in **-a**.

la bicicleta → la bici
   bicycle

la fotografía → la foto
   photograph

la motocicleta → la moto
   motorcycle

Some common exceptions are

el avión *airplane*   el día *day*
el camión *truck*   el sofá *sofa*

Another group of exceptions contains many words ending in **-ma, -pa,** and **-ta.**

el atle**ta** *athlete*   el poe**ma** *poem*   el progra**ma** *program*
el dra**ma** *play*   el poe**ta** *poet*   el siste**ma** *system*
el ma**pa** *map*   el proble**ma** *problem* el te**ma** *theme*

PRÁCTICA   Indique el género de cada sustantivo con **el** o **la,** según el caso. ¡Cuidado! En los casos de sustantivos que pueden ser o masculino o femenino, dé ambos (*both*) artículos. ¿Hay algunos que no sigan las reglas?

1. _____ madre
2. _____ bromista
3. _____ dólar
4. _____ vez
5. _____ rey (*king*)
6. _____ capacidad
7. _____ mundo

8. _____ detalle
9. _____ atleta
10. _____ superficie
11. _____ muchedumbre
12. _____ cliente
13. _____ día
14. _____ águila

15. _____ sistema
16. _____ tradición
17. _____ persona
18. _____ verdad
19. _____ mes
20. _____ tesis
21. _____ traje

A PROPÓSITO

Some words have the same form but can change meaning by changing the article that precedes them. Here are a few common examples.

el cura *priest*
la cura *cure*

el Papa *the Pope*
la papa *potato*

el/la guía *guide* (*person*)
la guía *guidebook*

B. Plural of nouns

There are three basic patterns for forming plural nouns in Spanish.

1. Nouns that end in a vowel add **-s.**

    el hombr**e** *the man* → los hombre**s** *the men*
    una cart**a** *a letter* → unas carta**s** *some (a few) letters*

2. Nouns that end in a consonant add **-es.**

    la muje**r** *the woman* → las mujer**es** *the women*
    la pare**d** *the wall* → las pared**es** *the walls*
    el re**y** *the king* → los rey**es** *the kings*
    el me**s** *the month* → los mes**es** *the months*

3. Nouns that end in unstressed **-es** or **-is** have identical singular and plural forms. Their article indicates number.

    el lun**es** *Monday* → **los** lunes *Mondays*
    la cris**is** *the crisis* → **las** crisis *the crises*

PRÁCTICA   Dé las formas plurales de los sustantivos de **Práctica** en la sección anterior.

A PROPÓSITO

Some nouns undergo a spelling change in the plural.° In nouns ending in **-z,** the **z** changes to **c.**

un lápi**z** → unos lápi**c**es
a pencil → *some (a few) pencils*

una ve**z** → unas ve**c**es
one time → *some (a few) times*

In some nouns, accents must be added or dropped to maintain the stress of the singular form.

el examen → los ex**á**menes
exam → *exams*

la joven → las j**ó**venes
young woman → *young women*

la naci**ó**n → las naciones
nation → *nations*

el inter**é**s → los interes**es**
interest → *interests*

°See Appendix 1 and Appendix 2 for more information about these kinds of changes.

▪▪▪ 1 INTERCAMBIOS

AUTOPRUEBA   Complete las siguientes oraciones con artículos definidos (**el, la, los, las**).

1. No me gustan _____ esterotipos; prefiero tratar a cada persona como el individuo que es.

2. Después de almorzar, tengo que ir a _____ clase de contabilidad.

3. Me caen muy mal (*I dislike very much*) _____ personas perezosas.

4. ¿Quieres acompañarme a la fiesta de Nicolás _____ viernes que viene?

5. _____ actitudes de los estudiantes universitarios han cambiado (*have changed*) mucho en los últimos 25 años.

6. Michael Jordan es quizás _____ atleta más famoso de nuestra época.

Respuestas: 1. los 2. la 3. las 4. el 5. Las 6. el

A   Complete el siguiente diálogo con artículos definidos (**el, la, los, las**).* Se trata de (*It's about*) una manifestación (*demonstration*) en contra de la imagen negativa que muchos tienen de cierto grupo de personas.

ANA: Dicen por _____[1] televisión que hoy hay una protesta en _____[2] Plaza Mayor.

MANUEL: ¡Típico! ¿Quiénes protestan esta vez?

ANA: Un grupo de personas de _____[3] barrio San Nicolás.

MANUEL: ¡Ah, sí! ¡Allá viven todos _____[4] criminales de _____[5] ciudad!

ANA: Precisamente ése† es _____[6] problema. Están cansados de _____[7] estereotipos que muchos tienen sobre su barrio y van a hacer una manifestación con banderas blancas en _____[8] mano.

MANUEL: ¿Y quién organizó _____[9] manifestación?

ANA: _____[10] famoso padre García, que es un activista de _____[11] zona.

MANUEL: ¡Interesante! Vamos a ver qué comentarios e imágenes hay en _____[12] noticias.

■ ¿Qué pasa hoy en la Plaza Mayor de la ciudad? ¿Quiénes protestan? ¿Por qué?

■ ¿Sabe Ud. de grupos en este país que protestan en contra de los estereotipos negativos? ¿Cuál es su opinión sobre esos grupos?

B   Juanita es la típica estudiante que lo sabe todo. Siempre le corrige los errores a Juan, el estudiante más perezoso de la clase. Invente su conversación, según el modelo. ¡Cuidado! El nombre de pila (*first name*) de las personas aparece entre paréntesis para Ud.; supuestamente (*supposedly*) Juan sólo sabe los apellidos de las personas.

---

*Remember that **de** + **el** → **del**.

†See Appendix 6 for more information about demonstrative pronouns.

MODELO: (Óscar) De la Hoya **/** una pintora estupenda **/** ¡Qué va! →
        JUAN: De la Hoya es una pintora estupenda, ¿verdad?
     JUANITA: ¡Qué va! Es un boxeador estupendo.

1. (Fidel) Castro **/** un político español **/** ¡Claro que no!
2. (Arantxa) Sánchez Vicario **/** un atleta inglés **/** ¡Qué ignorancia!
3. (Sammy) Sosa **/** un deportista regular **/** ¡Qué tonto!
4. (Homer) Simpson **/** un «hombre» muy trabajador **/** ¡Qué absurdo!
5. (Jennifer) López **/** un actor famoso **/** ¡Qué bruto!

■■ 2 Basic Patterns of Adjective Agreement

A. Gender and number of adjectives

In Spanish, adjectives (**los adjetivos**) agree in gender and number with the noun they modify, according to the following patterns.

- Adjectives that end in **-o** have four different forms to indicate masculine, feminine, singular, and plural.

  -o, -os: el chico list**o** → los chicos list**os**
      bright boy → *bright boys*
  -a, -as: la chica list**a** → las chicas list**as**
      bright girl → *bright girls*

- Most adjectives that end in any other vowel or in a consonant have the same form for masculine and feminine. Like nouns, they show plural agreement by adding **-s** to vowels and **-es** to consonants.

Masculine	Feminine	Plural
el pantalón verd**e** *the green pants*	la bufanda verd**e** *the green scarf*	los zapatos verd**es** *the green shoes*
el sombrero azu**l** *the blue hat*	la falda azu**l** *the blue skirt*	las medias azul**es** *the blue stockings*
el hombre realist**a** *the realistic man*	la mujer realist**a** *the realistic woman*	las personas realist**as** *the realistic people*

Note, however, that adjectives of nationality that end in a consonant add **-a** to show feminine agreement.

el hombre francé**s** → la mujer frances**a**
the French man → *the French woman*

Adjectives that end in **-dor, -ón,** and **-án** also add **-a.**

un niño encanta**dor** → una niña encantador**a**
a charming (boy) child → *a charming (girl) child*

- When an adjective modifies two nouns, one masculine and the other feminine, the adjective is masculine plural.

Juan y María son baj**os.**   *Juan and María are short.*
Pedro y sus hermanas están cansad**os.**   *Pedro and his sisters are tired.*

A PROPÓSITO

As with nouns, some adjectives undergo a spelling change in the plural. In adjectives ending in **-z**, the **z** changes to **c.**

un niño feli**z** → unos niños feli**c**es
a happy child → *some (a few) happy children*

una mujer capa**z** → unas mujeres capa**c**es
a capable woman → *some (a few) capable women*

When the masculine singular form of an adjective has a written accent on the last syllable, the accent is omitted in the feminine and plural forms.

el idioma ingl**és** → la lengua ingl**e**sa
the English language

un problema com**ún** → unos problemas com**u**nes
a common problem → *some (a few) common problems*

PRÁCTICA   Complete las siguientes oraciones con la forma apropiada de los adjetivos indicados.

1. En esta clase (no) hay **estudiantes** (atlético, francés, listo, perezoso, trabajador).
2. Me caen bien/mal las **personas** (hablador, inmaduro, optimista, pesado, responsable).
3. (No) Me gustan las **películas** (cómico, complicado, fantástico, realista, triste).
4. En la televisión (no) hay **programas** (aburrido, bueno, educativo, español, interesante).
5. Una **opinión** (absurdo, común, falso, simplista, típico) que tienen los norteamericanos de los hispanos es que son perezosos.

B. Shortening of certain adjectives

■ The following adjectives have a short form before masculine singular nouns, but follow the usual pattern in all other cases.

alguno:	**algún** síntoma *some symptom*		**algun**os síntomas, **algun**a(s) característica(s) *some symptoms, some characteristic(s)*
bueno:	un **buen** hombre *a good man*		**buen**os hombres, una(s) **buen**a(s) mujer(es) *good men, a good woman (some good women)*
malo:	un **mal** día *a bad day*	*but*	**mal**os días, una(s) **mal**a(s) actitud(es) *bad days, a bad attitude (some bad attitudes)*
ninguno:	ning**ún** problema° *no problem*		**ningun**a pregunta° *no question*
primero:	el **primer** programa *the first program*		los **primer**os programas, la(s) **primer**a(s) clase(s) *the first programs, the first class(es)*
tercero:	el **tercer** piso *the third floor*		la **tercer**a calle *the third street*

■ The adjective **grande** becomes **gran** before both masculine and feminine singular nouns, but it follows the usual pattern in the plural.

grande:	un **gran** país, una **gran** ciudad *a great country, a great city*	*but*	los **grandes** países, las **grandes** ciudades *great countries, great cities*

C. Numbers

■ Most numbers are invariable in form and do not agree with the nouns they precede.

Hay **treinta** hombres y **cuatro** mujeres.   *There are thirty men and four women.*

°The forms of **ninguno** are used only with singular nouns.

Uno and larger numbers that end in **-uno,** however, have special forms, depending upon the gender and number of the noun they precede.

un hombre *a (one) man*	**veintiún** hombres *twenty-one men*	**cincuenta y un** hombres *fifty-one men*
una mujer *a (one) woman*	**veintiuna** mujeres *twenty-one women*	**cincuenta y una** mujeres *fifty-one women*

Cien is invariable when used alone or when followed by numbers larger than itself. However, it becomes **ciento** when it precedes numbers smaller than itself.

cien libros   *a (one) hundred books*

cien mil libros   *a (one) hundred thousand books*

but

ciento cincuenta libros   *a (one) hundred fifty books*

■ The number **mil** is not preceded by the indefinite article (**un/una**).

mil personas   *a (one) thousand people*

■ When used with a noun, the number **millón** always occurs with **de.**

un millón de habitantes   **dos millones de** habitantes
a (one) million inhabitants   *two million inhabitants*

PRÁCTICA 1   Don Negativo siempre contradice las afirmaciones de don Positivo. Invente conversaciones, según el modelo. ¡Cuidado! A veces el adjetivo *precede* al sustantivo.

> MODELO: Buenos Aires es **/** ciudad **/** (grande/insignificante)
> > DON POSITIVO: Buenos Aires es una gran ciudad.
> > DON NEGATIVO: Ud. se equivoca. (*You are mistaken.*) Buenos Aires es una ciudad insignificante.

1. España es **/** país **/** (bello/sucio)
2. «60 minutos» es **/** programa **/** (bueno/aburrido)
3. Chile produce **/** vinos **/** (magnífico/barato)
4. el ruso es **/** idioma **/** (fácil/difícil)
5. los alemanes tienen **/** carácter **/** (alegre/serio)

PRÁCTICA 2   Practique leyendo en voz alta las siguientes combinaciones de números y sustantivos. Después, escríbalas, prestando atención a la ortografía.

1. 31 niños
2. 120 atletas
3. 200 sillas
4. 2.000.000 de víctimas
5. 51 coquetas
6. 300.000 kilómetros

A PROPÓSITO

When writing numbers in Spanish, commas (**comas**) are generally used where periods (**puntos**) are used in English, and vice versa.

English: 2,343,000
Spanish: 2.343.000

English: 2.5%
Spanish: 2,5%

■■■ 2 INTERCAMBIOS

A ENTRE TODOS

1. A veces, juzgamos (*we judge*) a la gente por su apariencia física. ¿Qué características relacionadas con la personalidad se asocian con las siguientes personas?

   - una persona que lleva gafas oscuras
   - una persona que tiene el pelo rojo
   - una persona que lleva gafas gruesas (thick)
   - una persona que tiene el pelo rubio

   ¿Qué otros rasgos físicos se asocian generalmente con ciertas características de la personalidad?

2. ¿Puede revelar la ropa algo sobre la personalidad? Por ejemplo, ¿con qué nacionalidad o grupo étnico asocian algunos individuos las siguientes prendas (artículos) de ropa?

   - un paraguas
   - la ropa de poliéster
   - zapatos puntiagudos (pointy) y elegantes
   - un sombrero muy grande

3. ¿Revela la personalidad el tipo de vehículo que uno maneja? ¿Cuál es el estereotipo más común del conductor / de la conductora (*driver*) de los siguientes vehículos?

   - un Ferrari
   - un camión pickup
   - un Cadillac
   - una moto

B ¡NECESITO COMPAÑERO!

Con frecuencia, tenemos opiniones e imágenes falsas de otros lugares y grupos de gente. Por ejemplo, muchos neoyorquinos (*New Yorkers*) creen que todos los que viven en Nebraska son agricultores. Trabajando en parejas, describan la imagen estereotipada que se tiene de los siguientes lugares o grupos. Después, presenten su descripción a la clase para que sus compañeros adivinen el grupo o la región que Uds. describen.

MODELO: Nueva York → La gente es descortés y un poco loca y tiene una vida social muy activa. Todos viven apurados (*in a hurry*) y llevan pistola porque hay muchos criminales.

1. Texas
2. Maine
3. la Florida
4. esta región
5. los atletas
6. los miembros de una *fraternity* o *sorority*
7. las amas de casa
8. los políticos
9. los abogados

 ENTRE TODOS   Según lo que Ud. ha observado (*you have observed*) en estos intercambios, ¿qué piensa de las generalizaciones y los estereotipos? En su opinión, ¿son verdaderos o falsos? ¿Ayudan o son un obstáculo en las relaciones humanas? Explique.

■■ 3 Equivalents of *To Be: ser, estar*

Sometimes, two or more words in one language are expressed by a single word in another. For example, English *to do* and *to make* are both expressed by Spanish **hacer**. Likewise, English *to be* has numerous equivalents in Spanish; among them are **ser** and **estar**.

ser		estar	
soy	somos	estoy	estamos
eres	sois	estás	estáis
es	son	está	están

A. Principal uses of *ser* and *estar*

In general, the uses of **ser** and **estar** are clearly defined, and you must use either one or the other. The following are the most common of these uses.

Ser is used to establish identity or equivalence between two elements of a sentence (nouns, pronouns, or phrases).

Juan **es** médico. ⎫
Juan = médico. ⎭   *John is a doctor.* (profession)

Él **es** mi amigo. ⎫
Él = mi amigo. ⎭   *He is my friend.* (identification)

Dos y dos **son** cuatro. ⎫
Dos y dos = cuatro. ⎭   *Two and two are four.* (equivalence)

Soy mexicana. ⎫
Yo = mexicana. ⎭   *I am Mexican.* (nationality)

El reloj **es** de oro. ⎫
El reloj = de oro. ⎭   *The watch is (made of) gold.* (material)

°To review **tener** and **hacer** constructions, see Appendix 7.

Ser is also used to indicate

■ origin (with **de**).

Los Carrillo **son de** España. *The Carrillos are from Spain.*
Esta falda **es de** Guatemala. *This skirt is from Guatemala.*

■ time.

Son las 6:00 de la tarde. *It's 6:00 in the evening.*

■ dates.

Mañana **es** el 4 de agosto. *Tomorrow is August 4.*
Hoy **es** lunes. *Today is Monday.*

■ possession (with **de**).

Los libros **son del** profesor. *The books are the professor's.*
Ese carro **es de** Marta. *That car is Marta's.*

■ the time or location of an event.°

El concierto **es** a las 8:00. *The concert is (takes place) at 8:00.*
¿Dónde **es** el concierto? *Where is the concert? (Where does*
  ¿en el estadio?   *it take place?) In the stadium?*

Finally, **ser** is used to form constructions with the passive voice (grammar section 34).

Ese libro **fue escrito** por un *That book was written by a*
  autor bien conocido.   *well-known author.*

Estar is used

■ to indicate the location of an object.°

La librería **está** en la esquina. *The bookstore is on the corner.*
¿Dónde **está** la biblioteca? *Where is the library?*

■ to form the progressive tenses (grammar section 45).

Pedro **está corriendo.** *Pedro is running.*

B. *Ser* (norm) versus *estar* (change) with adjectives

In the preceding cases, you must use either **ser** or **estar.** Most adjectives, however, can be used with both verbs, and you must choose between the two.

Ser defines the norm with adjectives. **Estar** indicates a state or condition that is a change from the norm.

Norm: *ser*	Change: *estar*	Notes
El león es feroz. *The lion is ferocious.*	Ahora está manso. *It is tame (behaving tamely) now.*	**Ser** indicates the lion's characteristic temperament (being ferocious). **Estar** indicates an atypical state or behavior (tameness).
El agua de Maine es fría. *The water in Maine is cold.*	Hoy el agua está caliente. *Today the water feels warm.*	**Ser** indicates the expected quality (coldness). **Estar** indicates a quality that the speaker did not expect (warmth).

°Note the distinction between ¿**Dónde es** (*event*)? and ¿**Dónde está** (*object*)?

Similarly, **ser** establishes what is considered objective reality (the norm), and **estar** communicates a judgment or subjective perception on the part of the speaker. Whereas Spanish distinguishes between objective reality and subjective perception by the use of **ser** or **estar,** English often emphasizes the subjectivity of the speaker's observations with verbs such as *to seem, to taste, to feel,* and *to look.*

Objective Reality: *ser*	Subjective Judgment: *estar*	Notes
La niña es bonita. *The child is pretty.*	La niña está bonita hoy. *The child looks pretty today.*	**Ser** indicates that everyone considers her attractive. **Estar** reveals that the speaker perceives her as more attractive than usual today.
Los postres son muy ricos. *Desserts are delicious.*	Este postre está muy rico. *This dessert tastes delicious.*	**Ser** indicates that desserts in general are delicious. **Estar** expresses the speaker's opinion of this particular dessert.

Ser establishes an inherent characteristic of someone or something. **Estar** describes a condition or state. English often uses entirely different words to express this contrast.

Note that the distinction between **ser** and **estar** is not a distinction between temporary and permanent characteristics. For example, the characteristic **joven** is transitory, yet it normally occurs with **ser;** and the phrase **está enfermo** describes even someone with a long-term or incurable illness.

Characteristic: *ser*	Condition: *estar*	Notes
Concha es alegre. *Concha is a happy person.*	Concha está alegre. *Concha feels glad.*	**Ser** indicates that Concha's happiness is characteristic of her personality. **Estar** indicates that Concha's present state of cheerfulness is the result of some event or circumstance.
Ellos son aburridos. *They are boring.*	Ellos están aburridos. *They are bored.*	**Ser** indicates that they are boring by nature. **Estar** describes their current state of mind.

PRÁCTICA   Dé la forma apropiada: **es** o **está.** Si existe más de una posibilidad, explique la diferencia.

Luis _____ (americano, alto, cansado, trabajador, aburrido, en casa, contento, mi hermano, de Cuba, guapo, aquí, estudiante, listo, perezoso, introvertido, bien hoy, sucio, tonto, enfermo, feliz).

C. *Estar* + past participles: resultant condition

One type of adjective, the past or perfect participle (**el participio pasado**), occurs particularly frequently with **estar** to describe the state or condition that results when an event or circumstance causes a change. **¡Cuidado!** In this construction, the past participle must agree in gender and number with the noun it modifies. It may also modify nouns directly.

Event/Circumstance	Resultant Condition
Alguien cerró la puerta. → *Someone closed the door.* →	La puerta **está cerrada.** *The door is closed.*
Alguien rompió las sillas. → *Someone broke the chairs.* →	Las sillas **están rotas.** *The chairs are broken.*
La noticia preocupó a mis padres. → *The news worried my parents.* →	Mis padres **están preocupados.** *My parents are worried.*

A PROPÓSITO

The past participle is formed by adding **-ado** to the stem of **-ar** verbs and **-ido** to the stem of **-er** and **-ir** verbs.

cerrar → **cerrado**   vender → **vendido**   aburrir → **aburrido**

Many Spanish verbs have irregular past participles. Here are some of the common ones.

abrir:	**abierto**	hacer:	**hecho**	romper:	**roto**
cubrir:	**cubierto**	morir:	**muerto**	ver:	**visto**
decir:	**dicho**	poner:	**puesto**	volver:	**vuelto**
escribir:	**escrito**	resolver:	**resuelto**		

Compounds of these verbs have the same irregularity in the past participle.

describir: **descrito**   descubrir: **descubierto**   devolver: **devuelto**

PRÁCTICA   Complete las siguientes oraciones con la forma apropiada del participio pasado del verbo *en letra cursiva azul.*

1. Ayer trabajamos todo el día para *resolver* estos problemas. Esta mañana, por fin, todos los problemas están _____ .

2. Los anuncios estereotípicos *enojaron* a los clientes; ahora no van a comprar nada porque están muy _____ .

3. Mis amigas siempre se *pierden* (*get lost*). Llevo dos horas esperándolas. Creo que están _____ otra vez.

4. Dicen que cuando las personas *mueren,* van a un lugar hermoso. Mi tía está _____ y estoy seguro de que está en ese lugar.

5. Durante la Edad Media (*Middle Ages*), los europeos *escribían* los documentos importantes en latín. Por eso, estos documentos antiguos están _____ en latín.

AUTOPRUEBA Complete las siguientes oraciones con la forma apropiada de
ser o **estar,** según el contexto. ¡Cuidado! Todos los verbos están en el presente.

1. Aquella ventana _____ rota.

2. El baile _____ en el gimnasio de la escuela.

3. Los niños _____ jugando en su recámara.

4. Ya _____ las 11:00 de la noche y quiero acostarme.

5. La ciudad de Arecibo _____ en el noreste de Puerto Rico.

6. Ella _____ estadounidense, pero nosotras _____ de Colombia.

7. Nosotros _____ muy contentos de haber visitado (*to have visited*) esta
semana.

8. ¿ _____ (tú) estudiante en esta universidad?

_____

Respuestas: 1. está **2.** es **3.** están **4.** son **5.** está **6.** es, somos **7.** estamos **8.** Eres

---

A Las siguientes oraciones representan generalizaciones (algunas falsas y otras
ciertas) muy comunes. Complételas con la forma apropiada de **ser** o **estar,** según
el contexto. Luego, comente si Ud. está de acuerdo o no con cada generalización.

1. En los Estados Unidos, los republicanos _____ conservadores.

2. Las escuelas públicas no _____ bien financiadas; por eso, la educación que ofre-
cen no _____ buena.

3. Si una mujer _____ madre, debe _____ en casa con los niños.

4. Las personas mayores (*old*) con frecuencia _____ más liberales que las
personas jóvenes.

5. Los hombres que usan secador de pelo (*hair dryer*) y laca (*hair spray*) _____ poco
masculinos.

6. Los mejores autos del mundo _____ de Detroit.

7. Los hombres no _____ muy observadores; normalmente no saben si su casa
_____ limpia o sucia ni si su ropa _____ en buenas o malas condiciones.

8. Los norteamericanos _____ más interesados en el dinero que los europeos.

B GUIONES Nuestras expectativas acerca de una situación influyen nuestra
percepción. A continuación hay un dibujo con dos posibles contextos; cada contexto sugiere una interpretación diferente de lo que (*what*) pasa en el dibujo.
Trabajando en grupos de tres o cuatro personas, inventen por lo menos cinco
oraciones con **ser** o **estar** para explicar lo que pasa en el dibujo, según cada
contexto distinto. Sigan el modelo.

MODELO: **Contexto:** turistas estadounidenses
Vocabulario útil: bruto/a, de vacaciones, el diccionario bilingüe,
encontrar la solución, el restaurante

El hombre *es* Howard; la mujer *es* su esposa Louise. *Son* de Nueva
York. *Están* de vacaciones en la Argentina. El restaurante *es* muy elegante. Howard *está* buscando su diccionario bilingüe porque no sabe

mucho español. Louise no *está* preocupada todavía porque *está* segura que Howard va a encontrar la solución. El otro hombre *está* irritado; cree que todos los turistas *son* brutos.

1. **Contexto:** telenovela (*soap opera*)
   Vocabulario útil: el/la amante (*lover*), el anillo de compromiso (*engagement ring*), celoso/a (*jealous*), enamorado/a (*in love*), el ex esposo, proponer matrimonio, sorprendido/a

2. **Contexto:** novela de espionaje
   Vocabulario útil: el/la agente doble, el agente secreto / la agente secreta, asustado/a, el detective secreto / la detective secreta, la información robada, la pistola

C GUIONES ¿Qué ocurre cuando Paul y Karen pasan su primer semestre en la universidad? Describa los siguientes dibujos para contar su historia. Use **ser** o **estar,** según el contexto, e incorpore el vocabulario indicado si le parece útil.

1. padres, conservador **/** hijos, obediente **/** familia, pequeño, feliz **/** todos, contento

2. hijos, mayor **/** dejar a los padres **/** ir a la universidad **/** separación difícil, triste

3. padres, triste **/** perro, triste **/** recordar a los hijos **/** extrañarlos (*to miss them*) **/** querer verlos

4. padres, sorprendido **/** perro, furioso **/** apariencia física de los hijos, diferente **/** hijos, ¿diferente interiormente (*on the inside*)?

Lectura I

■■■ LA CONCIENCIA (PARTE 1)

Aproximaciones al texto*

Convenciones literarias (Parte 1)

Many types of literature follow certain rules that lead to typical or even stereotypical patterns in the development of the characters and the plot. These rules, known as *literary conventions (convenciones literarias)*, occur in all types of literature.

Every genre (*género*) and subgenre (*subgénero*)[†] have their own set of predetermined literary conventions that essentially establishes a "contract" between the author and the reader. For example, we know that a western follows different conventions than a murder mystery. Each genre is characterized by different kinds of characters, plots, settings (*ambientes*), and endings (*desenlaces*). Once identified, the genre allows the reader to make predictions about each of these elements.

A ¿Qué subgéneros corresponden a los personajes, argumentos o desenlaces típicos de las tablas a continuación?

Personajes			Subgéneros
1. Un hombre que lleva impermeable y fuma pipa	2. Un hombre en pantalones vaqueros con sombrero y chaqueta de cuero (leather)	3. Un individuo con una cabeza muy grande cubierta de antenas que emiten unos sonidos extraños	**a.** una película del oeste **b.** una película de ciencia ficción **c.** una novela de detectives

Argumentos			Subgéneros
1. Un hombre se enamora de una mujer y tiene muchas dificultades en conquistarla, pero al fin lo hace y se casan.	2. Un hombre se enamora de dos mujeres y no puede decidir a cuál de ellas ama más. Se casa con las dos (¡ellas no lo saben!) y se producen muchas complicaciones.	3. Un hombre se enamora de una mujer, pero su amor queda subordinado a la búsqueda (search) de un tesoro (treasure).	**a.** una comedia **b.** una novela rosa (romance) **c.** una historia de aventuras

---

*When possible, answers to **Aproximaciones al texto** and **Palabras y conceptos** are provided in the **Answer Appendix**.

[†]*Genre* refers to a class or category of literature. The major genres are the novel, poetry, drama, the short story, and the essay. Within a given genre there are many types of *subgenre*; for example, within the genre of the novel, there is the adventure story, the romance, science fiction, the murder mystery, and so on.

Desenlaces			Subgéneros
1. Un príncipe besa a una princesa dormida. Ella se despierta y una melodía romántica llena el teatro.	**2.** Una mujer amenaza (*threatens*) a su marido con abandonarlo. Él la mira con odio y le recuerda que la casa y todo su dinero están a nombre de él.	**3.** Un hombre vestido de negro con colmillos (*fangs*) muy largos y afilados da un grito diabólico y desaparece, tragado (*swallowed*) por la tierra.	**a.** una película de terror **b.** una telenovela (*soap opera*) **c.** un cuento de hadas (*fairy tale*)

Some kinds of literature follow the rules of their genre more closely than others. "Popular literature" that is aimed at a wider audience is usually more bound by literary convention than other kinds of literature. A well-known type of popular literature is the suspense story, or in Spanish **el cuento de suspenso**. It is similar to an Agatha Christie mystery or an Alfred Hitchcock episode of the classic television era in which the elements of surprise and irony play a vital role in the outcome of the plot.

B Lea las siguientes preguntas y contéstelas brevemente, basándose en su propia experiencia.

1. ¿Qué sabe Ud. del cuento de suspenso? ¿Cómo son los personajes? ¿Cómo es el argumento? Generalmente, ¿cómo termina?

2. ¿Cuáles son algunos de los problemas y conflictos que se tratan en esta clase de cuentos?

3. ¿Cómo es el lenguaje de estos cuentos? ¿popular? ¿serio? ¿emotivo? En su opinión, ¿refleja la forma de hablar de la clase baja? ¿de la clase media? ¿de los intelectuales?

4. ¿Cómo es el típico lector / la típica lectora del cuento de suspenso?

C ¡NECESITO COMPAÑERO! En parejas, exploren algunas respuestas para las siguientes preguntas.

1. ¿Qué tipos y estereotipos se podrían encontrar en una posada (*inn*) rural a principios del siglo xx? Comenten algunas de las características de un posadero (*innkeeper*) mayor que viaja con frecuencia, de una posadera joven que se queda sola en casa, de las criadas y de los mendigos (*beggars*) que frecuentarían el lugar.

2. Describan la actitud, acciones y aspecto físico de una persona desamparada (*homeless*) o de un vagabundo en la sociedad moderna. ¿Creen Uds. que habría sido semejante o diferente de uno en el siglo pasado? ¿Por qué sí o por qué no?

3. Lean las primeras líneas del cuento y expliquen el conflicto del personaje.

Ya no podía más.[1] Estaba convencida de que no podría resistir más tiempo la presencia de aquel odioso[2] vagabundo. Estaba decidida a terminar. Acabar de una vez,[3] por malo que fuera, antes que soportar su tiranía.
[1]*Ya... She couldn't stand it anymore* [2]*hateful* [3]*Acabar... To end it once and for all*

4. ¿Cómo reacciona el ser humano al enfrentarse con su conciencia? ¿Qué efecto tiene esto en sus acciones, reacciones y pensamientos? Expliquen.

D PAPEL Y LÁPIZ ¿Qué tal le resultó el análisis del cuento de suspenso? ¿Acertó? Elija dos o tres de los puntos a continuación y explórelos en su cuaderno de apuntes.

- Resuma las características que Ud. acaba de mencionar en la **Actividad B** y apúntelas en su cuaderno en un mapa semántico como el siguiente.

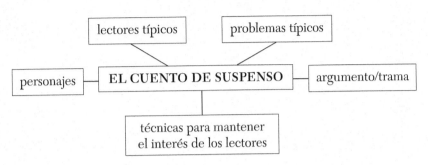

- En la televisión se presentan cuentos de misterio y suspenso; en ese formato se llaman telenovelas. Piense en una telenovela que Ud. (o sus amigos) mira con alguna frecuencia y explique sus temas.
- ¿Cuáles de las características que Ud. incluyó en el mapa se aplican también a la telenovela que acaba de identificar? ¿Hay características de la telenovela que no apuntó en el mapa? ¿Cuáles son?
- Escriba dos o tres oraciones en que resuma sus ideas sobre las semejanzas y diferencias entre el cuento de suspenso y la telenovela.

■■■ PALABRAS Y CONCEPTOS*

aguantar   to tolerate
amanecer   to break the dawn
arremolinar   to whirl around
azotar   to whip against
estremecerse   to shiver
marcharse   to leave, go away
mendigar   to beg
no poder (ue) más   to be at the end of one's rope
pedir (i, i) hospitalidad   to ask for hospitality
reponer fuerzas   to get back one's strength
soportar   to support, tolerate

la broma   joke

la calma   calm
la conciencia   conscience
la cuadra   stable
la huerta   garden
el huerto   orchard; garden
la ira   anger
la llamada   call
el Miércoles de ceniza   Ash Wednesday
la neblina   fog; mist
el posadero / la posadera   innkeeper
el pozo   well
la sorpresa   surprise
la tiranía   tyranny

---

*Although the **Palabras y conceptos** section is designed mainly for in-class use, some activities may be completed at home. When possible, answers are provided in the **Answer Appendix**.

la tormenta storm		**desamparado/a** homeless	
el vagabundo vagabond, bum		**extraño/a** unknown; strange	
el viento wind		**negruzco/a** blackish in color	
		odioso/a hateful	
andrajoso/a ragged		**siguiente** following	
boquiabierto/a stunned (*from* **boca abierta**)		**sorprendido/a** surprised	

A ¿Qué se asocia con las siguientes palabras y conceptos? Explique.

1. la conciencia
2. pedir hospitalidad
3. una tormenta

B ¿Qué ideas se asocian con los siguientes pares de palabras? Compare y contraste.

1. el vagabundo / el posadero
2. la calma / la tormenta
3. aguantar / no poder más

C En esta lectura, la autora usa algunas palabras que se derivan de otras muy conocidas, por ejemplo: **posadera** de **posada**. ¿Puede Ud. indicar el significado de cada par de palabras?

1. posadera y posadero / posada
2. nube / neblina
3. negro / negruzco
4. ojos / ojillos
5. temor / atemorizar
6. boca abierta / boquiabierta

D ENTRE TODOS   Compartan sus observaciones e hipótesis de la **Actividad C** con los otros grupos. ¿Hay muchas opiniones diferentes?

■ ¿Qué revela cada dibujo y cada texto sobre los personajes (las relaciones humanas y los conflictos que tendrán)? ¿sobre el ambiente del cuento?

■ ¿Dónde y en qué época ocurre el cuento?

■ ¿Cuál es la secuencia cronológica de los dibujos?

■ Fíjense en el título del cuento. ¿Pueden Uds. adivinar de qué va a tratar el cuento? Consideren algunas posibilidades.

E IMPROVISACIONES   Divídanse en grupos de tres o cuatro personas.
El profesor / La profesora les asignará (will assign) uno de los dos temas a
continuación. Cada grupo debe conversar sobre el tema asignado, usando las
palabras de la lista de vocabulario. Después, compartan sus conclusiones con
el resto de la clase.

1. Observen en la página 12 el primer dibujo del texto (la joven posadera hablando
   con el vagabundo en la puertecilla de la cocina). Busquen en el texto la parte que
   corresponde al dibujo, incluyendo el diálogo en que el vagabundo le pide hospitalidad por una noche. ¿Qué palabras de la lista corresponden al dibujo? ¿y en el
   texto que corresponde al dibujo? ¿Qué elementos del texto están representados
   en el dibujo? ¿Cómo se siente la posadera cuando oye lo que le pide el vagabundo?
   Y ¿cómo se siente después de darle posada al vagabundo: confiada, feliz, insegura
   o arrepentida?
   Basándose en el dibujo y en el diálogo entre la posadera y el vagabundo, hagan
   hipótesis sobre el argumento del texto que van a leer (piensen en los cuentos de
   suspenso o sicología). Por ejemplo, ¿cuál es el motivo del viejo, es decir, el que
   expresa directamente? ¿Tendrá otros motivos ocultos? ¿Qué va a hacer después
   de que le den posada? ¿Por cuánto tiempo va a quedarse? Busquen en la lista de
   vocabulario para obtener más ideas.

2. Lean el primer párrafo del texto y busquen el dibujo que corresponde a ese párrafo.
   ¿Qué palabras de la lista de vocabulario corresponden a cada dibujo? Busquen
   partes del texto que corresponden a los dibujos. ¿Quién llama a la puerta? ¿Qué
   tiempo hace afuera? En su opinión, ¿qué importancia tiene el tiempo (el viento,
   la lluvia, el frío) para el contexto?
   Basándose en los dibujos, hagan hipótesis sobre el texto que van a leer (piensen
   en los cuentos de suspenso o sicología). Por ejemplo, ¿qué relación puede existir
   entre la mujer que contesta la puerta y el vagabundo que llama? ¿De qué va a tratar la conversación entre ellos? Busquen en la lista de vocabulario para obtener más
   ideas.

F   Ahora vuelva a observar los dibujos. ¿Qué indican con respecto al desenlace
del cuento? Especule.

G ¡NECESITO COMPAÑERO!   En parejas, terminen cada afirmación a continuación con sus propias palabras.

1. Algo que hacen los vagabundos es…
2. Me gusta / No me gusta la calma antes de una tormenta porque…
3. Si alguien pide hospitalidad en mi casa, entonces…
4. Algo que los huéspedes (guests) deben hacer / no deben hacer es…
5. Para mí, la conciencia sirve para…

H   ¿Qué emociones o reacciones se asocian con las expresiones a
continuación?

1. Me gusta esta calma.
2. Dios le ampare.

3. Yo lo vi, con estos ojos.
4. Ya no podía más.

■■■ La conciencia (Parte 1)

España

SOBRE LA AUTORA *ANA MARÍA MATUTE (1926–) se considera una de las escritoras españolas más galardonadas (award-winning) de la época actual. Su producción literaria prolífica abarca (covers) muchos temas diversos, pero su predilección por historias sobre la juventud, la incomunicación, la pobreza y el sufrimiento la distinguen como portavoz femenina de la realidad de la posguerra española. Como testigo de la violencia y la opresión de la Guerra Civil Española (1936–1939) en los años de su adolescencia, Matute reconoce y se interesa por los efectos de esa guerra sobre la sociedad, la economía y las relaciones interpersonales. Entre los premios literarios que ha recibido se incluyen el Premio Nacional de Literatura y el Premio Nadal; además, ha sido nombrada para el Premio Nobel de Literatura en 1976. Su carrera distinguida culminó en 1998 con su ingreso a la Real Academia Española de la Lengua, siendo la tercera mujer en ocupar esta posición en más de tres siglos. La selección a continuación viene de su colección de cuentos, Historias de la Artámila (1961), en los cuales la autora describe algunos personajes familiares que recuerda de la región de Mansilla de la Sierra, donde pasaba sus vacaciones de verano en su juventud. Su estilo es lírico y descriptivo y presenta al lector una visión crítica de la sociedad durante la posguerra que se enreda (was entangled) en un abismo de incomunicación.*

1   Ya no podía (←)* más. Estaba (←) convencida de que no podría (→) resistir más tiempo la presencia de aquel odioso vagabundo. Estaba decidida a terminar. Acabar de una vez, por malo que fuera, antes que soportar su tiranía.

Llevaba (←) cerca de quince días en aquella lucha. Lo que no comprendía
5   (←) era (←) la tolerancia de Antonio para con aquel hombre. No: verdaderamente, era extraño.

El vagabundo pidió (←) hospitalidad por una noche: la noche del Miércoles de ceniza,[†]

exactamente, cuando se batía (←) el viento arrastrando (∩) un polvo negruzco,[1]
10   arremolinado, que azotaba (←) los vidrios de las ventanas con un crujido[2] reseco. Luego, el viento cesó (←). Llegó (←) una calma extraña a la tierra y ella pensó (←), mientras cerraba (←) y ajustaba (←) los postigos:[3] «No me gusta esta calma.»

Efectivamente, no había echado (←) aún el pasador[4] de la puerta cuando
15   llegó aquel hombre. Oyó (←) su llamada sonando (∩) atrás, en la puertecilla de la cocina:

[1]*viento… blackish wind*   [2]*creaking sound*   [3]*shutters*   [4]*bolt, lock*

*Vocabulary, grammatical structures, and verb tenses that may be unfamiliar to you are glossed at the bottom of the page. The past tenses, the future, and the present participle (-ing) are indicated with following symbols:

future → past ← present participle ∩

[†]Miércoles… *Ash Wednesday*: This day, which signals the beginning of observance of Lent in the Roman Catholic Church, or forty days before Easter, is marked by restraint, abstinence, and sobriety in accordance with church beliefs and customs.

—Posadera…

Mariana tuvo (←) un sobresalto.[5] El hombre, viejo y andrajoso, estaba allí, con el sombrero en la mano, en actitud de mendigar.

Dios le ampare… empezó (←) a decir. Pero los oji- llos del vagabundo le miraban (←) de un modo extraño.[6] De un modo que le cortó las palabras.[7]

Muchos hombres como él pedían la gracia del techo[8] en las noches de invierno. Pero algo había (←) en aquel hombre que la atemorizó[9] sin motivo.

El vagabundo empezó a recitar su cantinela:[10] «Por una noche, que le dejaran (→) dormir en la cuadra; un pedazo de pan y la cuadra: no pedía más. Se anun- ciaba la tormenta[11] … »

En efecto, allá afuera, Mariana oyó el redoble de la lluvia[12] contra los maderos de la puerta. Una lluvia sorda, gruesa,[13] anuncio de la tormenta próxima.

—Estoy sola —dijo Mariana secamente.[14] Quiero decir… cuando mi marido está por los caminos no quiero gente desconocida[15] en casa. Vete, y que Dios te ampare.

Pero el vagabundo se estaba quieto, mirándola (ᴖᴖ). Lentamente, se puso (←) su sombrero y dijo: —Soy un pobre viejo, posadera. Nunca hice mal a nadie.[16] Pido bien poco: un pedazo de pan…

En aquel momento las dos criadas, Marcelina y Salomé, entraron corriendo (ᴖᴖ). Venían (←) de la huerta, con los delantales [17] sobre la cabeza, gritando (ᴖᴖ) y riendo (ᴖᴖ). Mariana sintió (←) un raro alivio al verlas.[18]

—Bueno —dijo. Está bien… Pero sólo por esta noche. Que mañana cuando me levante no te encuentre aquí…

El viejo se inclinó (←), sonriendo (ᴖᴖ), y dijo un extraño romance de gracias.[19]

Mariana subió (←) la escalera y fue (←) a acostarse. Durante la noche la tor- menta azotó (←) las ventanas de la alcoba y tuvo un mal dormir.[20]

A la mañana siguiente, al bajar a la cocina, daban (←) las ocho en el reloj de sobre la cómoda.[21] Sólo entrar se quedó (←) sorprendida e irritada. Sen- tado a la mesa, tranquilo y reposado, el vagabundo se desayunaba (←) opípa- ramente:[22] huevos fritos, un gran trozo de pan tierno,[23] vino… Mariana sintió un coletazo de ira,[24] tal vez entremezclado de temor, y se encaró con[25] Salomé, que tranquilamente se afanaba (←) en el hogar:

—¡Salomé! —dijo y su voz le sonó (←) áspera, dura—. ¿Quién te ordenó (←) dar a este hombre… y cómo no se ha marchado (←) al alba[26]?

Sus palabras se cortaban (←), se enredaban (←) por la rabia[27] que la iba dominando (ᴖᴖ). Salomé se quedó (←) boquiabierta…

—Pero yo… dijo. Él me dijo…

---

[5]shock, fright [6]de… in a strange way [7]le… cut off her words, left her speechless
[8]pedían… asked for the favor of shelter, a roof over their heads [9]frightened [10]plea
[11]Se… The storm was stirring [12]redoble… pounding of the rain [13]sorda… deafening,
heavy [14]dryly [15]unknown [16]Nunca… I never harmed anyone [17]aprons [18]raro…
strange relief upon seeing them [19]romance… expression of gratitude [20]mal… bad night's
sleep [21]chest of drawers [22]sumptuously, lavishly, abundantly [23]freshly baked
[24]coletazo… lash of anger [25]se… confronted [26]al… at sunrise [27]anger, rage

El vagabundo se había levantado (←) y con lentitud se limpiaba (←) los
60 labios contra la manga.[28]

—Señora —dijo—, señora, Ud. no recuerda… Ud. dijo anoche: «Que le den
al pobre viejo una cama en el altillo,[29] y que le den de comer cuanto pida.»
¿No lo dijo anoche la señora posadera? Yo lo oí (←) bien claro… ¿O está arrepentida ahora?

65 Mariana quiso (←) decir algo, pero de pronto se le había helado la voz.[30]
El viejo la miraba (←) intensamente, con sus ojillos negros y penetrantes. Dio
media vuelta[31] y desasosegada[32] salió (←) por la puerta de la cocina, hacia el
huerto.

El día amaneció (←) gris, pero la lluvia había cesado (←). Mariana se estre-
70 meció (←) de frío. La hierba estaba empapada,[33] y allá lejos la carretera se
borraba[34] en una neblina sutil. Oyó detrás de ella la voz del viejo, y sin querer,
apretó (←) las manos una contra otra.

—Quisiera hablarle algo, señora posadera… Algo sin importancia.

Mariana siguió (←) inmóvil, mirando (∩∩) hacia la carretera.

75 —Yo soy un viejo vagabundo… pero a veces, los viejos vagabundos se
enteran de[35] las cosas. Sí: yo estaba allí. «Yo lo vi (←)», señora posadera. «Lo
vi, con estos ojos… »

Mariana abrió (←) la boca. Pero no pudo (←) decir nada.

—¿Qué estás hablando (∩∩) ahí,[36] perro? —dijo—. ¡Te advierto que mi
80 marido llegará (→) con el carro a las diez, y no aguanta bromas[37] de nadie!

—¡Ya lo sé, ya lo sé que no aguanta bromas de nadie! —dijo el vagabundo—. Por eso, no querrá (→) que sepa nada… nada de lo que yo vi aquel
día. ¿No es verdad?

Mariana se volvió (←) rápidamente. La ira había desaparecido.[38] Su cora-
85 zón latía,[39] confuso. «¿Qué dice? ¿Qué es lo que sabe… ? ¿Qué es lo que vio
(←)?» Pero ató (←) su lengua. Se limitó (←) a mirarle, llena de odio y de miedo.
El viejo sonreía (←) con sus encías sucias y peladas.[40]

—Me quedaré (→) aquí un tiempo, buena posadera: sí, un tiempo, para
reponer fuerzas, hasta que vuelva el sol. Porque ya soy viejo y tengo las pier-
90 nas muy cansadas. Muy cansadas…

Mariana echó (←) a correr. El viento, fino, le daba en la cara.[41] Cuando llegó
(←) al borde del pozo,[42] se paró (←). El corazón parecía (←) salírsele del pecho.

---

[28]*sleeve*   [29]*loft, attic*   [30]*se… her voice caught (lit. froze)*   [31]*Dio… She turned around*
[32]*uneasy, anxious*   [33]*soaked*   [34]*se… disappeared*   [35]*se… find out about*   [36]*there*   [37]*no…
doesn't put up with nonsense*   [38]*disappeared*   [39]*was beating*   [40]*encías… dirty, toothless gums*
[41]*le… was blowing in her face*   [42]*al… at the edge of the well*

■■■ COMPRENSIÓN

A ¿Cierto (C) o falso (F)? Corrija las oraciones falsas.

1. _____ La posadera admite que no puede continuar así.
2. _____ La noche que el viejo llegó, hacía buen tiempo.
3. _____ A Mariana no le gustaba la calma después de la tormenta.
4. _____ El vagabundo pidió hospitalidad por quince noches.
5. _____ Al oír «yo lo vi, con estos ojos», Mariana se sentía tranquila y en calma.

B   Los siguientes dibujos ilustran elementos mencionados en la primera parte de «La conciencia». ¿Cuáles de ellos corresponden exactamente a ciertos pasajes del texto? ¿Cuáles de ellos no corresponden exactamente? Explique por qué. ¿En qué pasaje o escena del texto está presente cada elemento?

1.

2.

3.

4.

5.

C   Llene los espacios con información de la primera parte de «La conciencia».

1. Mariana ya no _____ más tiempo.
2. Hacía _____ que ella luchaba con esa idea.
3. Había una calma extraña en la tierra, pero Mariana se sentía _____.
4. El vagabundo pidió _____ y por fin la posadera le dijo que sí.
5. Aquella noche, Mariana tuvo un mal dormir porque _____.
6. A la mañana siguiente, el vagabundo se encontraba en la cocina _____.
7. Cuando el viejo le dice a Mariana que ha visto algo, ella lo mira con _____.
8. Aunque ahora está por los caminos, _____ va a volver mañana.

▪▪▪ INTERPRETACIÓN

A   «La conciencia» viene de una colección de cuentos (Historias de la Artámila, 1961), en los cuales una narradora describe sus experiencias en el pueblo ficticio de Artámila y al mismo tiempo a los habitantes que se encuentran allí. ¿Puede Ud. identificar algunos tipos y estereotipos en la primera parte del cuento?

B   En este cuento, el lector / la lectora encuentra algunas sorpresas que contribuyen al ambiente de suspenso. No se sabe lo que va a pasar o cómo los personajes van a reaccionar. Piense en algunos pasajes en los que hay «suspenso» en la primera parte de «La conciencia» y explique. ¿Existe alguna ironía?

▪ **el/la narrador(a)** = la «voz» que relata la historia desde su propia perspectiva, la enfoca a su manera

¿Cuáles de las siguientes estrategias (u otras) utiliza la autora de «La conciencia» para mantener el interés de los lectores? Busque ejemplos en el texto.

- alternar el orden cronológico de los sucesos
- retener detalles importantes para crear un ambiente de suspenso
- crear personajes indecisos e impredecibles
- presentar sentimientos intensos y situaciones dramáticas
- combinar la narración con el diálogo
- darle al cuento un fin inesperado y abierto (sin conclusión definitiva)
- ¿ ?

■■■ APLICACIÓN

PAPEL Y LÁPIZ   Según el texto que Ud. acaba de leer, ¿hay algunos indicios de que haya conflicto entre los personajes del cuento? ¿Cuál es el conflicto que Mariana «no podía aguantar más» y cómo se va a resolver? ¿Piensa Ud. que su esposo tiene el mismo conflicto u otro diferente? Explore esto en su cuaderno de apuntes.

- Tomando en cuenta las características de un cuento de suspenso (los personajes, el argumento, la trama), ¿cómo cree Ud. que va a reaccionar el esposo de Mariana al encontrar al vagabundo en la posada? ¿Cree Ud. que su reacción va a ser diferente de la de Mariana? ¿Por qué sí o por que no?

- ¿Qué puede hacer Mariana para resolver la situación? ¿Y cómo va a reaccionar ante esto el vagabundo? Investigue las posibilidades.

- Si Ud. se encontrara (*were to find yourself*) en la misma situación de Mariana, ¿qué haría o diría? ¿Cómo reaccionaria su familia si Ud. le permitiera la entrada a su casa a un extraño?

Escriba un párrafo para contestar estas preguntas y explicar lo que cree que va a pasar en la segunda parte del cuento.

Lectura 2

■■■ LA CONCIENCIA (PARTE 2)
Aproximaciones al texto
Word guessing from context

Even though you do not know every word in the English language, you can probably read and understand almost anything in English without having to look up many unfamiliar words. You can do this because you have learned to make intelligent guesses about word meanings, based on the meaning of the surrounding passage (the context).

You can develop the same guessing skill in Spanish. Two techniques will help you. The first is to examine unfamiliar words to see whether they remind you of words in English or another language you know. Such words are called *cognates* (for example, *nation* and **nación**). The second technique is the same one you already use when reading in English, namely, scanning the context for possible clues to meaning.

Las siguientes oraciones están basadas en la primera parte de «La conciencia». Las palabras en letra cursiva (*italics*) son cognados. Las palabras subrayadas (*underlined*) pueden entenderse por el contexto; trate de adivinar su significado.

1. Estaba *convencida* de que no podría resistir más tiempo <u>la presencia de aquel odioso</u> *vagabundo*.
2. El hombre viejo y <u>andrajoso</u> estaba allí, con *el sombrero* en la mano, *en actitud* de <u>mendigar</u>.
3. <u>¡Te advierto</u> que mi marido llegará con *el carro* a las diez, y no <u>aguanta bromas</u> de nadie!

■■■■ PALABRAS Y CONCEPTOS

amenazar   to threaten

casarse (con)   to marry

dar(le) lástima (a alguien)   to pity (someone)

dormitar   to doze, snooze

estar harto/a (de)   to be fed up (with)

hacer algo gordo   to do something drastic

pasar hambre   to go hungry

pedir (i, i) dinero   to ask for money

sonreírse (i, i)   to smile

sentir (ie, i) piedad   to feel compassion, pity

subir mercancías   to pick up merchandise

temblar (ie)   to tremble, shake

tener fama (de)   to be known (for, as)

vigilar   to watch, keep a look out

la aldea   village

el aparcero   sharecropper

el comercio   business

la empalizada   fence

la holganza   leisurely stay

la niebla   fog, haze

el pordiosero   beggar

decidido/a   resolute, determined

desesperado/a   desperate

enamorado/a (de)   in love (with)

hosco/a   sullen, gloomy

temido/a   fearsome

ni siquiera   not even

A   Describa una posible relación entre cada grupo de palabras.

MODELO: extraño/a / temblar / amenazar →
Una persona tiembla cuando un hombre extraño la amenaza.

1. las mercancías / el carro / llevar
2. no poder más / acabar / la presencia de alguien
3. el pordiosero / sentir piedad / pasar hambre
4. temblar / la conciencia / desesperado/a
5. estar harto/a de / no poder más
6. la niebla / vigilar / hosco/a

■ **el antónimo** = palabra o expresión que expresa la idea contraria de otra

B Complete las oraciones con palabras de la lista. Luego indique si cada una es cierta (**C**) o falsa (**F**), según lo que ha leído en la primera parte del cuento.

MODELO: Mariana ya estaba ____ de la presencia de aquel viejo. →
Mariana ya estaba *harta* de la presencia de aquel viejo. (C)

aldea	comercio	harta	piedad
azotar	desesperada	hosco	temible

1. _____ Antonio y Mariana, además de ser posaderos, eran dueños del único _____ en la aldea.
2. _____ Durante la noche, la tormenta dejó de _____ las ventanas de su alcoba y por eso Mariana durmió tranquilamente.
3. _____ Cuando el viejo vagabundo le dijo a Mariana: «Yo lo vi, con estos ojos», ella no podía decir nada porque se sentía _____.
4. _____ El viejo vagabundo siente _____ por la posadera cuyo esposo es _____ y _____.
5. _____ El vagabundo dice que se quedará hasta que vuelva Salomé de la _____.

C Complete las oraciones a continuación con la forma correcta de las palabras y expresiones de las listas de vocabulario (**Partes 1 y 2**). Después, indique si en su opinión esas oraciones van a resultar ciertas o falsas en la segunda parte de «La conciencia». Justifique sus respuestas basándose en lo que ha leído y en lo que ve en los dibujos.

1. Mariana no _____ más y ahora está _____ a acabar de una vez.
2. Al principio, el _____ pidió hospitalidad para una noche, pero ahora empieza a _____ también.
3. Cuando Mariana ve que el viejo no se ha marchado a la mañana _____, se pone tan _____ e irritada que le dice que se vaya.
4. Antonio, el esposo de la posadera, tiene el único de la aldea, y por eso, debe marcharse cada semana para subir _____.
5. El vagabundo piensa que nadie, ni _____ los niños, tiene la conciencia limpia, y si a un niño se le dice que uno sabe algo que él ha hecho, el niño _____.
6. Según el viejo, la posadera debe _____ a su esposo porque él también tiene motivos para permitir la _____ de los pordioseros en su casa.

D ¿Cuáles de los siguientes temas cree Ud. que se van a mencionar en la segunda parte del cuento y cuáles no? Explique.

el adulterio	la infidelidad	la seguridad
el engaño / el	el matrimonio	económica
desengaño	la pobreza	la violencia
la infelicidad	la resignación	

La conciencia (Parte 2)

1 Aquél fue el primer día. Luego, llegó Antonio con el carro. Antonio subía (←) mercancías de Palomar cada semana. Además de posaderos tenían (←) el único comercio de la aldea. Su casa, ancha y grande, rodeada por el huerto, estaba a la entrada del pueblo. Vivían (←) con desahogo[1] y en el pueblo Antonio tenía (←)

5 fama de rico. «Fama de rico», pensaba (←) Mariana, desazonada.[2] Desde la llegada del odioso vagabundo, estaba pálida, desganada. «Y si no lo fuera,[3] ¿me habría casado (←) con él, acaso[4]?» No. No era difícil comprender por qué se había casado (←) con aquel hombre brutal, que tenía 14 años más que ella. Un hombre hosco y temido, solitario. Ella era guapa. Sí: todo el pueblo lo sabía (←)

10 y decía que era guapa. También Constantino, que estaba enamorado de ella. Pero Constantino era un simple aparcero, como ella. Y ella estaba harta de pasar hambre, y trabajos, y tristezas. Sí: estaba harta. Por eso se casó (←) con Antonio.

Mariana se sentía (←) un temblor extraño. Hacía (←) cerca de quince días que el viejo entró (←) en la posada. Dormía (←), comía (←) y se despiojaba

15 descaradamente[5] al sol, en los ratos en que éste lucía (←), junto a la puerta del huerto. El primer día Antonio preguntó (←):

—Y ése, ¿qué pinta ahí?[6]

—Me dio (←) lástima —dijo ella, apretando (ᔕ) entre los dedos los flecos de su chal.[7]

20 —Es tan viejo… y hace tan mal tiempo…

Antonio no dijo nada. Le pareció (←) que se iba (←) hacia el viejo como para echarle de allí. Y ella corrió (←) escaleras arriba. Tenía miedo. Sí: tenía mucho miedo… «Si el viejo vio a Constantino subir al castaño[8] bajo la ventana. Si le vio saltar a la habitación, las noches que iba Antonio con el carro, de camino… ¿Qué

25 podía querer decir, si no, con aquello de[9]… "lo vi todo, sí, lo vi con estos ojos"?»

Ya no podía más. No: ya no podía más. El viejo no se limitaba (←) a vivir en la casa. Pedía dinero, ya. Había empezado (←) a pedir dinero, también. Y lo extraño es que Antonio no volvió a hablar de él. Se limitaba a ignorarle. Sólo que, de cuando en cuando, la miraba (←) a ella. Mariana sentía (←) la fijeza[10]

30 de sus ojos grandes, negros y lucientes, y temblaba (←).

Aquella tarde Antonio se marchaba (←) a Palomar. Estaba terminando (ᔕ) de uncir los mulos al carro y oía (←) las voces del mozo mezcladas a[11] las de Salomé, que le ayudaba (←). Mariana sentía frío. «No puedo más. Ya no puedo más. Vivir así es imposible. Le diré (→) que se marche, que se vaya. La vida no

35 es vida con esta amenaza.» Se sentía enferma. Enferma de miedo. Lo de Constantino, por su miedo, había cesado (←). Ya no podía verlo. La sola idea le hacía castañetear[12] los dientes. Sabía (←) que Antonio la mataría (→). Estaba segura de que la mataría. Le conocía (←) bien.

Cuando vio el carro perdiéndose (ᔕ) por la carretera bajó a la cocina. El

40 viejo dormitaba (←) junto al fuego. Le contempló (←), y se dijo: «Si tuviera valor[13] le mataría.» Allí estaban las tenazas de hierro,[14] a su alcance. Pero no lo haría. Sabía que no podía hacerlo. «Soy cobarde. Soy una gran cobarde y tengo amor a la vida.» Esto la perdía (←): «Este amor a la vida… »

[1]con… comfortably [2]restless [3]si… if he were not [4]perchance [5]se… was delousing himself shamelessly [6]¿qué… what is he doing here? [7]flecos… fringes of her shawl [8]subir… climbing the chestnut tree [9]con… with that stuff about [10]stare, gaze [11]mezcladas… mixed with [12]chatter [13]Si… If I were brave (enough) [14]tenazas… iron tongs

—Viejo —exclamó. Aunque habló en voz
45 queda, el vagabundo abrió uno de sus ojillos mali-
ciosos. «No dormía», se dijo Mariana. «No dormía.
Es un viejo zorro»[15].

—Ven conmigo —le dijo. Te he de hablar.[16]

El viejo la siguió (←) hasta el pozo. Allí Mariana
50 se volvió a mirarle.

—Puedes hacer lo que quieras,[17] perro. Puedes decirlo todo a mi marido, si quieres. Pero tú te
marchas. Te vas de esta casa, en seguida…

El viejo calló (←) unos segundos. Luego, son-
55 rió (←).

—¿Cuándo vuelve el señor posadero?

Mariana estaba blanca. El viejo observó (←) su
rostro hermoso, sus ojeras.[18] Había adelgazado (←).

—Vete —dijo Mariana. —Vete en seguida.

60 Estaba decidida. Sí: en sus ojos lo leía (←) el
vagabundo. Estaba decidida y desesperada. Él tenía experiencia y conocía esos
ojos. «Ya no hay nada qué hacer», se dijo, con filosofía. «Ha terminado (←) el
buen tiempo. Acabaron (←) las comidas sustanciosas,[19] el colchón,[20] el abrigo.
Adelante, viejo perro, adelante. Hay que seguir.»

65 —Está bien —dijo—. Me iré (→). Pero él lo sabrá (→) todo…

Mariana seguía (←) en silencio. Quizás estaba aun más pálida. De pronto,
el viejo tuvo un ligero temor.[21] «Ésta es capaz[22] de hacer algo gordo. Sí: es de
esa clase de gente que se cuelga de un árbol[23] o cosa así.» Sintió piedad. Era
joven, aún, y hermosa.

70 —Bueno —dijo—. Ha ganado (←) la señora posadera. Me voy… ¿qué le
vamos a hacer? La verdad, nunca me hice (←) demasiadas ilusiones… Claro que
pasé (←) muy buen tiempo aquí. No olvidaré (→) los guisos[24] de Salomé ni el
vinito[25] del señor posadero… No lo olvidaré. Me voy.

—Ahora mismo —dijo ella, de prisa—. Ahora mismo, vete… Y ya puedes
75 correr, si quieres alcanzarle a él! Ya puedes correr, con tus cuentos sucios,[26]
viejo perro…

El vagabundo sonrió con dulzura. Recogió (←) su cayado[27] y su zurrón.[28]
Iba a salir, pero ya en la empalizada, se volvía (←):

—Naturalmente, señora posadera, yo no vi nada. Vamos: ni siquiera sé si había
80 algo que ver. Pero llevo muchos años de camino, ¡tantos años de camino! Nadie
hay en el mundo con la conciencia pura, ni siquiera los niños. No: ni los niños
siquiera, hermosa posadera. Mira a un niño a los ojos, y dile: «¡Lo sé todo! ¡Anda
con cuidado!» Y el niño temblará (→). Temblará como tu, hermosa posadera.

Mariana sintió algo extraño, como un crujido, en el corazón. No sabía si
85 era amargo o lleno de una violenta alegría. No lo sabía. Movió (←) los labios y
fue a decir algo. Pero el viejo vagabundo cerró la puerta de la empalizada tras
él, y se volvió a mirarla. Su risa era maligna, al decir:

—Un consejo, posadera: vigila a tu Antonio. Sí: el señor posadero también
tiene motivos para permitir la holganza en su casa a los viejos pordioseros.
90 ¡Motivos muy buenos, juraría yo,[29] por el modo como me miró!

La niebla, por el camino, se espesaba (←), se hacía baja.[30] Mariana le vio
partir, hasta perderse en la lejanía.

[15]*fox*   [16]*Te… I need to talk to you.*   [17]*lo… whatever you wish, desire*   [18]*bags under the eyes*
[19]*substantial, nourishing*   [20]*bedding, mattress*   [21]*fear*   [22]*capable*   [23]*se… hangs themselves
from a tree*   [24]*dishes*   [25]*nice wine*   [26]*cuentos… filthy stories, gossip*   [27]*walking stick, cane*
[28]*shepherd's bag, pouch*   [29]*juraría… I would promise/swear*   [30]*se… was closing in*

COMPRENSIÓN

A ¿Cierto (**C**) o falso (**F**)? Corrija las oraciones falsas.

1. _____ Antes de la llegada del vagabundo a su casa, Mariana siente una calma extraña en la tierra, pero dice que no le gusta esa calma.
2. _____ Mariana y Antonio se casaron por amor.
3. _____ Después de casarse, Mariana dejó de pensar en y de ver al otro hombre que estaba enamorado de ella.
4. _____ El viejo dice que ha visto algo, y los lectores saben lo que es.
5. _____ Cuando Antonio se enteró de la presencia del vagabundo en su casa, lo echó inmediatamente.
6. _____ Al salir, el vagabundo le aconseja a Mariana que vigile a su esposo.
7. _____ Se resuelven los conflictos presentados a lo largo de la narración.

B ¿Quién lo dijo o lo diría? Indique con cuál de los personajes de «La conciencia» asociaría Ud. cada una de las siguientes declaraciones y en qué contexto las habrían dicho.

M = Mariana   C = Constantino   S = Salomé

V = el vagabundo   A = Antonio

1. _____ ¡No se preocupe! Yo sólo le dije que había visto algo para hacerle pensar en las consecuencias.
2. _____ Cuando mi esposo no está en casa, no quiero gente desconocida aquí.
3. _____ ¿Por qué permites que un mendigo entre aquí durante mi ausencia?
4. _____ Voy a subir por el árbol al lado de tu habitación esta noche.
5. _____ No puedo casarme contigo, ya que eres tan pobre como yo.
6. _____ ¡No me grite! Sólo le serví el desayuno porque pensaba que Ud. le había dado permiso.
7. _____ Creo que mi esposa tiene un amante.
8. _____ Ud. debe estar al tanto de las acciones de su esposo/a.

C Junte las palabras usando **ser, estar** o **tener** en el tiempo imperfecto. Luego explique si la afirmación es cierta (**C**) o falsa (**F**), según el cuento.

1. _____ su casa, ancha y grande
2. _____ desde la llegada del vagabundo, ella, contenta y tranquila
3. _____ Antonio, hosco y temido; además él, 14 años más que ella
4. _____ ella, joven y guapa
5. _____ Constantino, un simple aparcero; él, enamorado de ella también
6. _____ el señor posadero, motivos para permitir esto
7. _____ ninguno de ellos, la conciencia pura

D Explique el significado de los siguientes lugares, cosas o conceptos en el cuento. ¿Con qué personaje(s) se relacionan y qué emociones o impresiones transmiten?

1. la tormenta
2. los ojos/ojillos
3. el silencio de Antonio
4. la conciencia
5. la niebla
6. el casarse por dinero
7. el castaño al lado de la alcoba de Mariana

E ¡NECESITO COMPAÑERO!   En parejas, contesten las preguntas a continuación.

1. Antes de la llegada del vagabundo, cesa el viento y llega una calma extraña que no le gusta a Mariana. Expliquen su actitud y la razón por la cual ella se encuentra en conflicto, es decir, entre la tormenta y la calma, a lo largo del cuento.

2. Los hechos imprevistos, las sorpresas y las reacciones de los personajes van creando suspenso en la narración, así que los lectores no saben lo que va a pasar de un pasaje a otro. Mencionen los que contribuyen más a crear la tensión dramática en la trama.

3. ¿Cuál es el efecto del diálogo en la progresión de la acción? ¿Y de los monólogos cuando Mariana habla consigo misma? ¿De qué manera sirven para avanzar la trama?

4. Al principio, Mariana siente piedad por el vagabundo, pero al final, el viejo la sintió por ella. ¿Pueden Uds. explicar la ironía de esta situación y su importancia dentro de la obra?

5. Uno de los personajes, Antonio, se desarrolla en una sola dimensión, y no habla directamente ni participa en los diálogos del cuento. ¿Qué valor tiene este hecho para la obra? ¿Creen Uds. que esto contribuye a la crisis de conciencia que sufre Mariana? Expliquen.

6. En su opinión, ¿cuál de los dos comprende mejor la sicología humana: el vagabundo o Mariana? Apoyen su respuesta con detalles del cuento.

7. En fin, ¿creen Uds. que el cuento presenta una visión positiva del ser humano o negativa? ¿Por qué?

F   Escriba un breve resumen (de dos o tres oraciones) del cuento usando seis o siete palabras clave (key) de las listas de vocabulario (**Partes 1 y 2**).

■■■ INTERPRETACIÓN

A   Conteste las siguientes preguntas según el cuento.

1. EL AMBIENTE
- ¿Dónde ocurre la acción? ¿Parece que sucede en un pueblo o país en particular o puede suceder en muchos otros lugares? Explique.
- ¿Cómo es la posada? ¿y la aldea? ¿Qué indica sobre la vida de los personajes su domicilio actual?
- ¿Cuándo ocurre la acción? ¿En qué década o siglo? ¿En qué estación del año o fecha especial? ¿Cree Ud. que esto tiene alguna importancia simbólica?

2. EL CONFLICTO
- ¿Por qué pidió el viejo hospitalidad aquella noche? ¿Qué tiempo hacía?
- ¿Cómo reacciona Mariana cuando oye la llamada en la puertecilla de la cocina?
- Aunque al principio ella rechaza la petición del viejo, Mariana le da permiso cuando insiste por segunda vez. ¿Por qué?
- ¿Cómo es el esposo de Mariana? ¿y el hombre que estaba enamorado de ella antes de su matrimonio? ¿Por qué decidió ella casarse con Antonio?
- ¿Cuál es el conflicto entre Mariana y su esposo? ¿entre ella y el vagabundo? ¿entre ella y su conciencia? ¿Cómo se intensifica a lo largo de los quince días?
- En sus propias palabras, ¿cuál es el conflicto básico del cuento?

B Al final del cuento, se sugiere que Mariana debe vigilar a su esposo, Antonio, en el futuro. En su opinión, ¿por qué será esto? ¿Qué motivos tendrá él para consentir al vagabundo en su casa? ¿Cómo cree Ud. que va a seguir este matrimonio? ¿o cree que va a terminar? ¿Cómo?

C En su opinión, ¿es típico en los cuentos de suspenso el tema que se trata en este cuento? ¿Qué otros temas son típicos de este género? Indique cuáles de los siguientes temas son más apropiados o menos apropiados para un cuento o historia de suspenso, y también agregue algunos otros. ¿Qué revela esto sobre el género?

el abandono de la casa	la mala conciencia
el amor prohibido	la mentira
los encuentros clandestinos	los secretos
el engaño y la decepción	la vigilancia secreta
la infelicidad	

D ENTRE TODOS Estudien la lista de adjetivos a continuación. Seleccionen los adjetivos más apropiados para describir a cada uno de los tres personajes principales: Mariana, el vagabundo y Antonio. En su opinión, ¿hay otros adjetivos que también se podrían aplicar a estos personajes? ¿Cuáles son?

alegre	indiferente
astuto/a	insensible
avergonzado/a	intolerante
celoso/a	irritado/a
brutal	maligno/a
cansado/a	mentiroso/a
culpable	odioso/a
débil	pálido/a
decidido/a	sensible
dependiente	sinvergüenza
desesperado/a	sorprendido/a
dominante	sospechoso/a
engañado/a	temido/a
frío/a	tímido/a
fuerte	tolerante
hipócrita	tranquilo/a
independiente	

- ¿Cuál(es) de estos adjetivos usaría Mariana para describir a su esposo? ¿y al vagabundo? ¿Y cuáles usarían Antonio y el vagabundo para describir a ella? ¿Cómo describirían Uds. a Mariana? ¿y a su esposo? ¿y al vagabundo? Agreguen otros adjetivos que crean necesarios.

- ¿Con cuál de los personaje(s) les es más fácil a Uds. identificarse? ¿Por qué?

- ¿Cuáles de los personajes, episodios y acontecimientos de este cuento les parecen más intensos o dramáticos? ¿Cuáles les parecen más verosímiles? Expliquen.

■■■ APLICACIÓN

A Generalmente, los cuentos de suspenso tienen que ver con lo imprevisto y lo inesperado. ¿Qué elementos imprevistos o inesperados figuran en la trama de «La conciencia»?

B Típicamente, en los cuentos de este tipo se encuentran elementos irónicos, como por ejemplo cuando Mariana dice: «No me gusta esta calma». ¿Cuál es la ironía de esta afirmación?

C ¿Cómo cree Ud. que continuarán o terminarán las relaciones entre Mariana y Antonio? ¿Cómo resulta ser la vida de ella? ¿Cree Ud. que el desenlace del cuento explica el significado del título? ¿Quién(es) tiene(n) «la conciencia» sucia? ¿Cree Ud. que el desenlace tendría que ser diferente si el cuento se llevara a la televisión o al cine? ¿Por qué sí o por qué no?

D PAPEL Y LÁPIZ Según la conversación en clase, ¿cómo se imagina Ud. el fin de la historia de Mariana? ¿Prefiere Ud. un fin realista según el cual ella sigue casada con Antonio o un fin romántico en el cual ella se va con Constantino y abandona su vida actual? Explore esto en su cuaderno de apuntes. Describa en uno o dos párrafos cómo terminaría Ud. la obra. Indique el formato (telenovela / película de cine / programa de televisión / drama) que llevaría a cabo su versión y cómo sería el público al que se dirigiera.

E IMPROVISACIONES En grupos de tres o cuatro estudiantes, contesten las siguientes preguntas.

- ¿Cuál es la actitud hacia los desamparados en su ciudad/estado/país?

- ¿Cómo describirían Uds. la reacción típica hacia una persona que pide hospitalidad en este país? ¿Son parecidas a las maneras en que se trata a los desamparados en otros países?

- ¿Cómo se trata el tema del matrimonio infeliz y el adulterio en la literatura y en los programas de televisión en este país?

- ¿Cómo se manifiestan los conflictos de la conciencia en la vida moderna, especialmente en la literatura y los medios de comunicación?

- ¿Les parece que es posible tener una conciencia totalmente limpia y/o arrepentida? Expliquen.

Ahora, escriban una escena (dramática, cómica, de telenovela o de otro tipo) que trate el tema de la conciencia y prepárense para representarla ante la clase. Pueden elegir entre los siguientes personajes: la mujer infeliz e infiel con su amante, el esposo dominante y el amante de su esposa, o el vagabundo y el esposo de la posadera.

Lengua II

■■ 4 Subject Pronouns and the Present Indicative

A. Subject pronouns

Singular	Plural
yo	nosotros, nosotras
tú	vosotros, vosotras
Ud., él, ella	Uds., ellos, ellas

Tú is used with persons with whom you have an informal relationship: family members (in most Hispanic cultures), close friends, and children. **Usted** (abbreviated **Ud.** or **Vd.**) is used in more formal relationships or to express respect. The plural form of both **tú** and **usted** is **ustedes** (**Uds.** or **Vds.**), except in Spain, where **vosotros/as** is used in informal situations.

Subject pronouns (**los sujetos pronominales**) are not used as frequently in Spanish as they are in English, because Spanish verb endings indicate the person. For example, **comemos,** with its **-mos** ending, can only mean *we eat.* Spanish subject pronouns *are* used, however, for clarity, emphasis, or contrast.

> **Él** no come pescado, pero **ella** sí.   *He doesn't eat fish, but she does.*

B. Uses of the present indicative

The Spanish present indicative (**el presente de indicativo**) regularly expresses

- an action in progress or a situation that exists at the present moment.

  > ¿Qué **haces**?   *What are you doing?*

- an action that occurs regularly (although it may not be in progress at the moment), or a situation that exists through and beyond the current moment.

  > Todos los días **voy** a la universidad.   *I go to the university every day.*
  > En Seattle **llueve** con frecuencia.   *It rains frequently in Seattle.*

- an action or situation that will take place in the near future.

  > Mañana **salimos** a las 3:00 de la tarde.   *Tomorrow we are leaving (going to leave) at 3:00 in the afternoon.*

A PROPÓSITO

In some parts of Central and South America, but most notably in Argentina, **tú** is replaced by the pronoun **vos.** The **vos** verb endings for present tenses (indicative, subjunctive, and some commands) differ from the **tú** endings, for example:

vos hablás ⟷ **tú habl**as
Sent**á**te (**vos**). ⟷ **S**i**é**nt**a**te (**tú**).

There is often variation within the **vos** verb forms. For example, the following negative commands are both possible **vos** forms, depending on the region and sometimes the social class of the speaker:

No lo piens**es.** ⟷ **No lo p**ens**és.**

C. Forms of the present indicative of regular verbs

Here are the principal parts of stem-constant and stem-changing regular verbs.

	-ar Verbs		*-er* Verbs		*-ir* Verbs	
no stem change	*habl*ar		*com*er		*viv*ir	
	hablo	hablamos	como	comemos	vivo	vivimos
	hablas	habláis	comes	coméis	vives	vivís
	habla	hablan	come	comen	vive	viven
e → ie	*c*e*rrar*		*qu*e*rer*		*sug*e*rir*	
	cierro	cerramos	quiero	queremos	sugiero	sugerimos
	cierras	cerráis	quieres	queréis	sugieres	sugerís
	cierra	cierran	quiere	quieren	sugiere	sugieren
o → ue	*rec*o*rdar*		*v*o*lver*		*d*o*rmir*	
	recuerdo	recordamos	vuelvo	volvemos	duermo	dormimos
	recuerdas	recordáis	vuelves	volvéis	duermes	dormís
	recuerda	recuerdan	vuelve	vuelven	duerme	duermen
e → i					*p*e*dir*	
					pido	pedimos
					pides	pedís
					pide	piden

■ The underlined segments in the chart are person/number endings.

tú	**-s**		**vosotros/as**	**-is**
nosotros/as	**-mos**		**Uds./ellos/ellas**	**-n**

With the exception of the preterite, you will see the same person/number endings in all of the Spanish verb forms that you will study.

■ In the present tense, stem changes occur in all forms except **nosotros** and **vosotros**. There are three patterns: **e → ie, o → ue, e → i.** In vocabulary lists, stem changes are indicated in parentheses after the verb: **cerrar (ie), volver (ue), pedir (i, i).**°

■ Remember that the stem-changing verbs **decir (i), tener (ie),** and **venir (ie)** have an additional irregularity in the first-person singular (**yo**) forms: **digo, tengo, vengo.**

A PROPÓSITO

Jugar is the only verb that changes **u → ue.**

juego	jugamos
juegas	jugáis
juega	juegan

PRÁCTICA   Laura y su hermano gemelo (*twin brother*) Luis son estudiantes súper serios. ¿Cómo se compara Ud. con ellos? Conteste las siguientes preguntas.

1. Tenemos doce clases este semestre. ¿Y Ud.?
2. Nunca almorzamos. ¿Y Ud.?
3. Volvemos temprano de las vacaciones para estudiar. ¿Y Ud.?
4. Sólo dormimos de tres a cuatro horas cada noche. ¿Y Ud.?
5. Preferimos las clases a las 8:00 de la mañana. ¿Y Ud.?

°A second vowel in parentheses after a verb in a vocabulary list refers to additional stem changes in the preterite and in the present participle: **preferir (ie, i), morir (ue, u), pedir (i, i).** These forms will be described in later chapters.

6. Recordamos todo lo que (*that*) aprendemos. ¿Y Ud.?
7. Pasamos al ordenador (*computer*) nuestros apuntes (*notes*) de clase. ¿Y Ud.?
8. Nunca tomamos cerveza durante la semana. ¿Y Ud.?

D. Forms of the present indicative of irregular verbs

You have already reviewed the irregular conjugations of **ser** and **estar**. **Ir** and **oír** are two other common Spanish verbs whose conjugations are exceptions to the regular patterns.

ir		oír	
voy	vamos	oigo	oímos
vas	vais	oyes	oís
va	van	oye	oyen

A number of other verbs have an irregular form only in the stem of the first-person singular, whereas their other forms follow the regular pattern. Here are several of the most common ones.

caer: **caigo**, caes, cae…
conocer: **conozco**, conoces, conoce…
dar: **doy**, das, da…
hacer: **hago**, haces, hace…
pertenecer: **pertenezco**, perteneces, pertenece…

poner: **pongo**, pones, pone…
saber: **sé**, sabes, sabe…
salir: **salgo**, sales, sale…
traer: **traigo**, traes, trae…
ver: **veo**, ves, ve…

The following verb groups are sometimes classed as "irregular," although their changes are predictable according to normal rules of Spanish spelling (see Appendix 2).

Verbs that end in **-guir:**   sigo, sigues, sigue…
Verbs that end in **-uir:**   construyo, construyes, construye…
Verbs that end in **-ger:**   escojo, escoges, escoge…

E. *Ir a, acabar de,* and *soler*

There are three verbs that, when followed by the infinitive of another verb, have special meanings.

■ **Ir + a** + *infinitive* expresses English *to be going to (do something).*

Voy a ver una película.
¿Qué **vas a hacer** este fin de semana?

I am going to watch a movie.
What are you going to do this weekend?

■ **Acabar + de** + *infinitive* expresses English *to have just (done something).*

Acabo de ver una película.
Mi mejor amiga **acaba de llegar.**

I have just watched a movie.
My best friend has just arrived.

■ **Soler** + *infinitive* expresses English *to usually (do something).*

¿Dónde **sueles almorzar**?
Suelo ir al cine los miércoles.

Where do you usually have lunch?
I usually go to the movies on Wednesdays.

A PROPÓSITO

Conocer means *to know* in the sense of *to be familiar with* (a person, place, or thing). **Saber** means *to know* (facts).

Conozco a Juan, pero no **sé** dónde vive.
I'm acquainted with Juan, but I don't know where he lives.

When followed by an infinitive, **saber** means *to know how to (do something).* As in English, it can be paraphrased using the verb **poder** (*to be able, can*).

Sé esquiar. (**Puedo** esquiar.)
I know how to ski. (I can ski.)

PRÁCTICA Imagínese que Ud. y su familia están visitando al Sr. y a la Sra. de Tal, que son muy aficionados al turismo. Conteste las preguntas que ellos les hacen con la forma apropiada de la primera persona (singular o plural), según el contexto.

1. Cuando viajamos, llevamos ropa de muchos colores. ¿Y Ud.?
2. Les damos muy buenas propinas (*tips*) a los meseros. ¿Y Ud.?
3. Solemos sacar fotos de todo. ¿Y Ud.?
4. Mi esposo consigue muchos mapas y folletos (*brochures*) de cada lugar. ¿Y Uds.?
5. Mi esposa oye todas las explicaciones de los guías. ¿Y Uds.?
6. Traemos muchos recuerdos (*souvenirs*). ¿Y Ud.?
7. Acabamos de regresar de las Islas Canarias. ¿Y Ud.?
8. Conocemos toda Europa y el Caribe. ¿Y Ud.?
9. El próximo año vamos a viajar muchísimo. ¿Y Ud.?

■■■ 4 INTERCAMBIOS

AUTOPRUEBA Complete los siguientes minidiálogos con la forma apropiada del verbo entre paréntesis, según el contexto.

1. __ Solemos ir a la playa de vacaciones. ¿Y Ud.?
   __ (Soler) ir a las montañas donde tengo un rancho.
2. __ ¿Conocen Uds. a mi hermano Alberto?
   __ Sí, lo (conocer) muy bien.
3. __ ¿Oyes un ruido afuera?
   __ No, no (oír) nada.
4. __ ¿Cuántas horas duermen Uds. cada noche?
   __ Pues, Sergio (dormir) sólo cuatro o cinco horas, pero yo (dormir) al menos ocho.
5. ¿A quién le (pertenecer) esta bolsa? ¿A ti?
6. Luisa está muy triste porque (extrañar) a su familia.
7. Nos gustan mucho tus fiestas. Siempre (divertirse) mucho.
8. ¿A qué hora (almorzar) tú? ¿Antes o después de mediodía?

Respuestas: 1. Suelo **2.** conocemos **3.** oigo **4.** duerme, duermo **5.** pertenece **6.** extraña **7.** nos divertimos **8.** almuerzas

A Complete las siguientes oraciones con frases usando verbos que Ud. considere apropiados, según el contexto.

1. Soy un estudiante típico / una estudiante típica de esta universidad. Por las noches, yo normalmente (nunca) _____ .

2. Generalmente, los fines de semana mis amigos y yo (nunca) _____.

3. El turista típico / La turista típica, cuando viaja, (nunca/siempre) _____.

4. Por lo general, los políticos (nunca) _____.

5. Ese chico / Esa chica se prepara para ser deportista profesional; por eso (nunca) _____.

B Haga conjeturas sobre (*Imagine*) lo que van a hacer y lo que acaban de hacer los siguientes individuos.

MODELO: Un estudiante típico está en la librería (*bookstore*) universitaria. →
Va a comprar una camiseta con el nombre de la universidad.
Acaba de vender todos los libros del semestre pasado.

1. Un estudiante típico está en el estadio.

2. Ud. y sus amigos están de vacaciones en Cancún.

3. Salimos de clase y estamos muy contentos.

4. El vecino / La vecina de Ud. regresa a casa a las 3:00 de la mañana.

5. Un tipo muy atlético entra en un gimnasio.

6. Los padres de Ud. lo/la llaman por teléfono.

7. Una muchacha muy estudiosa sale de la biblioteca.

8. Dos novios están en el parque.

C Use las siguientes preguntas para entrevistar a ocho compañeros de clase. (Hágale una pregunta diferente a cada compañero/a.) En su cuaderno o en una hoja de papel aparte, escriba el nombre de cada persona que Ud. entrevista y los datos (información) que le da. Siga el modelo. Luego, compare sus respuestas con las de sus compañeros. ¿Qué tienen en común sus respuestas? ¿Qué diferencias hay?

MODELO: Nombre: Mary S.
Pregunta: 1
Ella suele escuchar música cuando va en coche, cuando viaja y mientras estudia. Prefiere la música clásica.

1. ¿Cuándo sueles escuchar música? ¿Qué clase de música prefieres?

2. ¿Qué sueles hacer cuando vas de viaje?

3. ¿Cuál es tu rutina cuando vuelves a casa después de las clases?

4. ¿Qué aficiones (*hobbies*) tienes? ¿Qué haces para divertirte?

5. ¿Qué clase de película (libro, comida,…) prefieres?

6. ¿A qué grupos o asociaciones perteneces? ¿Qué actividades hacen Uds. allí?

7. ¿En qué circunstancias sueles practicar el español?

8. ¿Qué sueles hacer antes de esta clase? ¿Qué sueles hacer después?

D ¿Quiénes son los individuos que están en la foto de la página siguiente? ¿Dónde están? ¿Qué hacen?

■ Use su imaginación para inventar un posible diálogo entre estas personas. ¿De qué hablan? ¿Por qué están allí? ¿En qué piensan? ¿Qué van a hacer después?

■ Cuando Ud. sale con sus amigos, ¿es su manera de divertirse parecida a o diferente de la de este grupo? ¿Piensa que ésta es una buena forma de divertirse? ¿Por qué sí o por qué no?

Málaga, España

E Describa los siguientes dibujos con todos los detalles que pueda.

- ¿Quiénes están en cada dibujo? ¿Cómo son? ¿Qué relación existe entre los varios individuos? ¿Dónde están? ¿Qué hacen? ¿Qué acaba de pasar en cada dibujo? ¿Qué va a pasar después?

- Cada dibujo presenta una imagen estereotipada de un país o de un grupo de personas. Identifique el país o la nacionalidad de la gente en cada dibujo y explique en qué consiste el estereotipo. Según algunas personas, ¿cómo suelen actuar los individuos de este grupo?

1.

2.

3.

■■ 5 Direct Objects

Objects receive the action of the verb. The direct object (**el complemento directo**) is the primary object of the verbal action. It answers the question *who(m)?* or *what?* The direct object can be a single word or a complete phrase.

David oye a **las chicas.**
María va a pagar **la cuenta.**
Javier sabe **que vienes mañana.**

David hears (whom?) *the girls.*
María is going to pay (what?) *the bill.*
Javier knows (what?) *that you're coming tomorrow.*

A. Direct object pronouns

Direct object pronouns (**los pronombres de complemento directo**) replace nouns or phrases that have been mentioned previously.

me	*me*	nos	*us*
te	*you (informal)*	os	*you all (informal)*
lo (le)°	*him, it, you (formal)*	los (les)°	*them, you all (formal)*
la	*her, it, you (formal)*	las	*them, you all (formal)*

David oye a **las chicas,** pero yo no **las** oigo.
Javier sabe **que vienes mañana,** pero Jorge no **lo** sabe.
María va a pagar **la cuenta** porque Camila no **la** puede pagar.

David hears the girls, but I don't hear them.
Javier knows that you are coming tomorrow, but Jorge doesn't know (it).
María is going to pay the bill because Camila can't pay it.

but Necesito **un lápiz.** ¿Tienes **uno**? *I need a pencil. Do you have one?*

In the last example, the direct object noun (**un lápiz**) is nonspecific (any pencil) and for this reason cannot be replaced by a direct object pronoun. Expressions that answer the question *how?* or *where?* are not direct objects and cannot be replaced by direct object pronouns either.

—¿Cuándo van a la fiesta?

—Vamos (allí) como a las 8:30.

—¿Hablan muy rápidamente?
—Sí, hablan rápidamente.
(Sí, hablan así.)

—*When are you going* (where?) *to the party?*

—*We're going* (there) *around 8:30.*

—*Do they talk* (how?) *rapidly?*
—*Yes, they talk rapidly.* (Yes, they talk that way.)

B. Placement of direct object pronouns

In Spanish, object pronouns generally precede conjugated verbs. When the conjugated verb is followed by an infinitive or present participle, the object pronoun may attach to the end of either of these forms.

¿La casa? { ¿**La** puedes ver?
             ¿Puedes ver**la**?

¿El informe? { Está escribiéndo**lo** ahora.
                Lo está escribiendo ahora.

The house? Can you see it?

The report? She's writing it now.

°**Le(s)** is used instead of **lo(s)** in many parts of Spain and in some parts of Spanish America as the direct object pronoun.

Lo (*It*) is never used as the subject of a sentence. The English subject pronoun *it* has no equivalent in Spanish; it is simply not expressed.*

Llueve.
It's raining.

Está en la mesa.
It's on the table.

Lo/La corresponds only to the English direct object pronoun *it*.

¿El libro? Debes leer**lo**.
The book? You should read it.

¿La película? Debes ver**la**.
The movie? You should see it.

Direct object pronouns attach to affirmative commands, but precede negative commands.

Este candidato parece muy trabajador. ¡Contráten**lo**!	*This candidate seems to be a hard worker. Hire him!*
El otro candidato parece perezoso. No **lo** contraten.	*The other candidate seems lazy. Don't hire him.*

PRÁCTICA   Juan el perezoso conversa sobre sus hábitos de estudio con Luis y Laura, los gemelos súper estudiosos. Invente sus diálogos usando los pronombres de complemento directo.

MODELO: hacer los ejercicios del cuaderno →
            JUAN: ¿Hacen siempre **los ejercicios del cuaderno**?
            LAURA: ¡Claro que **los** hacemos siempre! ¿Y tú?
            JUAN: No **los** hago nunca.

1. recordar la lección
2. seguir los consejos (*advice*) del profesor / de la profesora
3. necesitar usar el diccionario
4. escribir las composiciones
5. llevar el libro a clase
6. repasar los apuntes de clase
7. escuchar CDs en el laboratorio de lenguas
8. saber la fecha del examen

■■■ 5 INTERCAMBIOS

AUTOPRUEBA   Complete las siguientes oraciones con pronombres de complemento directo (**me, te, lo, la, nos, los, las**), según el contexto.

1. A Marisol le encantan las novelas de amor y _____ lee todo el tiempo.
2. Respetamos a la Sra. Robles porque _____ consideramos muy trabajadora.
3. Algunas mujeres dicen que los hombres son imposibles porque no _____ entienden.
4. No puedo acompañarte mañana porque Susana ya _____ invitó al cine.
5. Estamos muy contentos esta noche porque Tomás _____ va a entretener con su guitarra.
6. ¡Sergio, mi amigo! ¿Por qué no me saludaste cuando _____ vi en el parque ayer?
7. Pablo hace mucho para ayudar a los pobres, y es por eso que _____ admiramos.

_____

Respuestas: 1. las 2. la 3. los 4. me 5. nos 6. te 7. lo

[■] A   GUIONES   Describa las diferentes escenas que hay en el parque, usando las palabras y frases indicadas y los siguientes dibujos. Luego, imagínese lo que va a pasar después y conteste las preguntas. Utilice pronombres de complemento

_____

*The subject pronouns **él** and **ella** are occasionally used to express the English subject *it*, but this usage is infrequent.

directo cuando sea posible. ¡Cuidado! En este ejercicio y otros ejercicios similares en *¡Avance!*, los diagonales dobles (**//**) significan: «iniciar una nueva oración».

MODELO: Una pareja de ancianos estar sentado **//** mirar gente y charlar (*to chat*) **//** acabar de comprar pasteles

> ¿Qué van a hacer ellos con los pasteles? ¿comer en el parque? ¿dejar para los pájaros? ¿llevar a casa y comer allí? →

Una pareja de ancianos está sentada en el parque. Mira a la gente y charla. Ellos acaban de comprar pasteles. No los van a comer en el parque; no los van a dejar para los pájaros tampoco. Van a llevarlos a casa y comerlos allí.

1.   **2.**   **3.**   **4.**

1. José tener tortuga **/** sacar de paseo **//** los otros niños mirar y señalar **//** José no verlos
    > ¿Qué va a hacer José con la tortuga? ¿llevar a casa? ¿regalar? ¿dejar libre (*free*)?

2. María pasear en bicicleta **/** perder cartera **//** su amigo ver y saludar **//** María no ver
    > ¿Qué va a hacer su amigo? ¿recoger (to *pick up*)? ¿guardar (to *keep*)? ¿llamar?

3. jóvenes jugar al béisbol **//** Nora y Enrique tratar de coger (*to try to catch*) pelota **//** Enrique no ver a Nora **//** Nora tampoco ver a Enrique **//** Jorge mirar alarmado
    > ¿Qué va a pasar? ¿chocar (*to collide*)? ¿coger?

4. ladrón correr con el maletín **//** policía seguir **//** la gente mirar
    > ¿Qué va a pasar? ¿ladrón escaparse? ¿policía atrapar? ¿gente ayudar?

B Los siguientes diálogos presentan dos actitudes muy comunes hoy en día. Cambie los sustantivos *en letra cursiva azul* por pronombres de complemento directo o por sujetos pronominales cuando sea posible, o simplemente elimine la expresión repetida. Luego, comente los diálogos usando las preguntas que siguen.

1. **A:** Quiero este sombrero y voy a comprar *este sombrero.*

    B: ¡Pero *ese sombrero* es muy caro! ¿Por qué no buscas *ese sombrero* en otra tienda?

    A: No, *este sombrero* es exclusivo y no tienen *este sombrero* en ningún otro lugar. Voy a comprar *este sombrero* a cualquier precio: yo merezco (*deserve*) *este sombrero.*

    - ¿Dónde están estas personas? ¿Qué quiere hacer la persona A?
    - ¿Qué opina la persona B? ¿Cómo responde la persona A?
    - ¿Qué opina Ud.? ¿Asocia la actitud de la persona A con un hombre o con una mujer? Explique.

2. **C:** Todos los abogados son deshonestos. ¡Detesto *a los abogados!*

    D: Pero eso es un estereotipo. Los abogados pueden ayudarte. A veces necesitas *a los abogados*.

    C: No vas a convencerme. Simplemente no soporto (*I can't stand*) *a los abogados.*

- ¿De qué hablan estas personas? ¿Qué opiniones tiene cada una sobre el tema?

- ¿Está Ud. de acuerdo con la persona C o con la persona D? ¿Por qué?

- ¿Qué percepción tiene la gente de los médicos? ¿de los mecánicos? ¿de los periodistas? ¿de los atletas profesionales? ¿Qué opina Ud.? Trabaje con un compañero / una compañera para inventar diálogos en que expresen opiniones generalizadas sobre las personas que tienen estas profesiones.

Enlace

¡OJO!

	Examples	Notes
trabajar **funcionar**	Todos **trabajamos** mucho para vivir. *We all work hard for a living.*	In Spanish, *to work* meaning *to do physical or mental labor* is expressed by the verb **trabajar.**
	Mi reloj ya no **funciona.** *My watch doesn't work (run) anymore.* ¿Sabes cómo **funciona** este aparato? *Do you know how this gadget works?*	*To work* meaning *to run* or *to function* is expressed by the verb **funcionar.**
bajo **corto** **breve**	Mis padres son **bajos** y por eso yo sólo mido cinco pies. *My parents are short, and so I'm only five feet tall.*	Shortness of height is expressed in Spanish with **bajo.**
	Tus pantalones son demasiado **cortos.** *Your pants are too short.*	Shortness of length is expressed by **corto.**
	La conferencia fue muy **breve (corta).** *The lecture was very brief (concise, short).*	*Short* in the sense of *concise* or *brief* is expressed with either **corto** or **breve.** (Note that all these adjectives are generally used with **ser.**)

	Examples	Notes
mirar **buscar** **parecer**	Quiero **mirar** la televisión. *I want to watch TV.*	*To look* is expressed in Spanish by **mirar** when it means *to look at* or *to watch*.
	¡Mira! Allí hay un Rolls Royce. *Look! There's a Rolls Royce.*	The command form of **mirar** is often used to call someone's attention to something.
	¿Qué **buscas**? *What are you looking for?*	*To look for* is expressed by **buscar**.
	Parece que va a llover. *It looks like it's going to rain.*	When *to look* expresses a hypothesis (*to look like, to seem,* or *to appear*), **parecer** is used.

A VOLVIENDO AL DIBUJO Elija la palabra que mejor complete cada oración.

Carmen es una estudiante muy atlética que (funciona/trabaja)[1] muy duro para mantenerse en forma.[a] Ahora está en su cuarto haciendo gimnasia y escuchando música. Alguien toca a la puerta. Carmen la abre y ve a una joven (baja/corta)[2] con maletas y libros, que la (mira/parece)[3] con una expresión de pregunta. «(Mira/Parece)[4] una estudiosa», piensa Carmen.

ROSA: Hola. Me llamo Rosa. Estoy (buscando/mirando)[5] la habitación 204.

CARMEN: Aquí es. Yo soy Carmen. Vamos a ser compañeras de cuarto. ¡Entra!

Después de una (baja/breve)[6] pausa, durante la cual ella (busca/mira)[7] la habitación con curiosidad, Rosa habla.

ROSA: ¡Tu estéreo (funciona/trabaja)[8] muy bien!

CARMEN: ¡Ah, sí! ¿Te molesta la música?

ROSA: ¡Qué va! Me gusta mucho. En el restaurante donde (funciono/trabajo)[9] tocan ese tipo de música… También veo que tienes equipo para hacer ejercicio. ¿Puedo usarlo?

CARMEN: ¡Claro! ¿Haces ejercicio con frecuencia?

ROSA: ¡Sí, sí! Es muy importante para mí. Todas las mañanas salgo a correr.

CARMEN: ¡Qué bien! Pues podemos correr juntas.

La conversación continúa, y en (bajo/corto)[10] tiempo Carmen y Rosa se llevan muy bien. (Mira/Parece)[11] que van a tener buenas relaciones después de todo. Muchas veces las personas no son lo que (miran/parecen).[12]

[a]*en… in shape*

B Exprese en español las palabras y expresiones *en letra cursiva azul*.

1. *We aren't working* today because *it looks* as if it's going to rain.
2. My watch *looks* expensive, but *it doesn't work* very well.
3. *Look!* There's an insect in my soup!
4. *I'm looking for* a *short* man. His name is Pedro Ramírez.
5. Yes, I know him. He *works* at the university.
6. It's a very *short* movie, but it's boring.

■■■ REPASO*

The answers to Activity A in all **Repaso** sections are found in Appendix 8.

A Complete el siguiente párrafo con la forma apropiada de los verbos. Cuando se dan varias palabras entre paréntesis, escoja la palabra apropiada.

Los estereotipos, ¿inevitables?

Los estereotipos (ser/estar/haber)[1] malos —todos (ser/estar/haber)[2] de acuerdo en eso. (Ser/Estar/Haber)[3] necesario pensar en (las/los)[4] personas como individuos y no como representantes de distintos grupos. Cuando alguien (considerar)[5] a un individuo como miembro de un determinado grupo, siempre (expresar)[6] generalizaciones que en su mayor parte[a] (ser/estar/haber)[7] falsas. Estas generalizaciones, a su vez,[b] (producir)[8] estereotipos que luego (causar)[9] (muchas/muchos)[10] problemas. Pero cuando nosotros (intentar)[11] eliminar las generalizaciones, pronto (estar)[12] ante[c] (un/una)[13] dilema: En realidad, ¿(ser/estar/haber)[14] posible pensar en cada uno de los 6 mil millones[d] de habitantes del mundo como individuos? Hasta cierto punto, las generalizaciones (ser/estar/haber)[15] inevitables.

También, todos (comprender)[16] que el ser humano no (vivir)[17] aislado, sino que[e] (formar)[18] parte de un grupo cultural. Y (ser/estar/haber)[19] (gran/grandes)[20] diferencias entre los grupos. Decir que no (ser/estar/haber)[21] grupos diferentes o que todos los grupos (ser/estar/haber)[22] iguales es, en el fondo,[f] la peor[g] de las generalizaciones.

[a]en... *largely* [b]a... *in turn* [c]*faced with* [d]6... *6 billion* [e]sino... *but rather* [f]en... *if the truth be told* [g]la... *the worst*

B Describa cómo *son* las personas que están delante del espejo. Luego describa cómo *están* reflejadas las personas en el espejo. ¿Están ambos contentos con su nueva apariencia física?

Imagínese que Ud. está delante de un espejo que cambia su apariencia física o personalidad de una manera favorable. ¿Cómo está Ud. reflejado/a en el espejo? ¿Y cómo es Ud. en realidad?

---

*The answers to Activity A in all **Repaso** sections are found in Appendix 8.

Pasaje cultural*

Antes de ver

- ¿Qué ideas o estereotipos se asocian con Colombia y, específicamente, con la ciudad de Medellín? ¿Ha oído Ud. (*Have you heard*) hablar del cartel de Medellín?

- La ciudad de Medellín quiere cambiar su imagen con la ayuda de un vídeo promocional. ¿Qué ideas espera encontrar en este vídeo? ¿Qué aspectos de la ciudad cree que no estarán (*won't be*) en el vídeo?

- Ahora lea con cuidado las actividades en **Vamos a ver** antes de ver el vídeo por primera vez.

Vamos a ver†

A ¿Qué lema (*slogan*) se usa para promocionar la ciudad de Medellín?

B ¿Cuáles de los siguientes aspectos de Medellín aborda (*addresses*) el vídeo? Considere las imágenes, la canción, la narración y la entrevista con el alcalde (*mayor*).

1. ❑ el arte
2. ❑ la industria
3. ❑ las universidades
4. ❑ los deportes
5. ❑ la gente
6. ❑ la arquitectura
7. ❑ la seguridad (*safety*)
8. ❑ el progreso
9. ❑ la historia
10. ❑ la comida
11. ❑ las fiestas
12. ❑ la medicina

Después de ver

- Trabajando en grupos o en parejas, preparen una lista de los elementos eficaces (*effective*) y otra de los elementos ineficaces (*ineffective*) del vídeo promocional de Medellín. ¿Qué cosas cambiarían Uds. (*would you change*) para mejorar el vídeo?

- Utilizando como modelo el vídeo de Medellín, piensen en un lema y cinco imágenes que usarían (*you would use*) en un vídeo promocional para la ciudad donde Uds. viven. Compartan sus ideas con la clase.

- Busque una página Web con información «oficial» sobre una ciudad de un país hispanohablante. ¿Tiene la ciudad un lema como Medellín? ¿Qué clase de información se da? ¿Qué clase de información no se da? ¿Le parece atractiva la ciudad? ¿Por qué sí o por qué no?

Medellín, capital industrial de Colombia

Video on CD

Medellín, Colombia

WWW

---

*The video segments in **Pasaje cultural** are actual clips from Hispanic television and may be difficult to understand at first. As you watch them, don't try to understand every word but rather listen to get the general message—the gist—of each segment.

†The **Vamos a ver** activities are designed for general comprehension and assume that you have watched the video carefully just once. The *Cuaderno de práctica* contains other activities related to the video that assume that you have watched it a second time.

CAPÍTULO 2

La comunidad humana

Jóvenes de La Habana, Cuba

En este capítulo:

Describir y comentar

The ¡Avance! Online Learning Center with ActivityPak (**www. mhhe.com/avance2**) contains new interactive activities to practice the material presented in this chapter.

- Describa a las personas del dibujo. ¿Cómo son? ¿Qué hacen? ¿Qué grupos puede Ud. identificar? ¿Qué semejanzas y diferencias nota Ud. entre los diversos grupos?

- ¿Observa Ud. en el dibujo ejemplos de conflicto entre los individuos? ¿Dónde? ¿Qué hacen? ¿Hay ejemplos de cooperación o colaboración entre las personas? ¿Dónde? ¿Qué pasa en estos intercambios?

- En el dibujo hay una mezcla de lo tradicional y lo moderno. ¿Qué cosas representan lo tradicional? ¿lo moderno? ¿Se puede ver algún aprecio por la cultura indígena? ¿Dónde, y en qué sentido? En este país, ¿existe la misma actitud hacia la cultura indígena? Explique.

apreciar   to hold in esteem, think well of
compartir   to share
despreciar   to look down on
discriminar (contra)   to discriminate (against)
(no) llevarse bien (con)   (not) to get along well (with)
respetar   to respect

el antepasado   ancestor
el aprecio   esteem
el contraste   contrast
el/la descendiente   descendant

el desprecio   scorn, contempt
el/la indígena   native (indigenous) inhabitant
el/la indio/a   Native American
la mezcla   mixture
la población   population
la raza   race (*ethnic*)
la tradición   tradition

con respecto a   with respect to
lo moderno*   modern things
lo tradicional*   traditional things

A   ¿Qué palabra o frase del cuadro asocia Ud. con cada palabra o frase de la lista? Explique en qué basa su asociación. ¿Son sinónimos? ¿antónimos? ¿Es una palabra o frase un ejemplo de la otra?

1. el antepasado
2. el/la descendiente
3. el/la indígena
4. apreciar
5. compartir
6. lo tradicional
7. la raza
8. la mezcla
9. el conflicto
10. la población

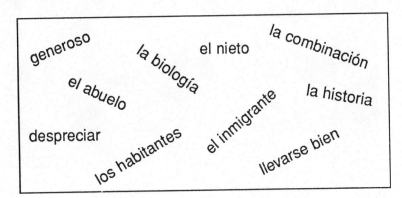

generoso
la biología
el nieto
la combinación
el abuelo
despreciar
los habitantes
el inmigrante
la historia
llevarse bien

LENGUAJE Y CULTURA

Hay muchas palabras y expresiones en inglés que tienen su origen en las culturas indígenas norteamericanas. Imagínese que un amigo hispano no conoce las siguientes palabras. ¿Cómo le explicaría Ud. (*would you explain*) su significado en español?

■ *kayak*
■ *tepee*
■ *papoose*

Ciertas expresiones indígenas han adquirido (*have acquired*) un sentido especial para nosotros. ¿Cómo explicaría Ud. el significado de las siguientes expresiones?

■ *to bury the hatchet*
■ *to have a pow-wow*
■ *to pass the peace pipe*

*Any adjective combined with **lo** expresses an abstract idea or quality. The English equivalent generally uses the adjective + *thing(s)* (in the sense of *aspect* or *part*).

Prefiero lo tradicional a lo moderno.   *I prefer traditional things over modern ones.*

¡Eso es lo más interesante!   *That's the most interesting part!*

La diversidad hispana

EN ESTE PAÍS muchos creen que todos los hispanos se parecen y que hasta son idénticos físicamente. Tienen la imagen de una persona baja de estatura, de pelo y ojos oscuros y de piel morena. En parte, esta idea se basa en el hecho de que muchos de los inmigrantes hispanos que llegan a este país tienen ascendencia indígena, lo cual se refleja en sus rasgos. Pero la verdad es que en el mundo hispano hay tanta variedad física entre sus habitantes como en este país. Hay hispanos cuyos antepasados llegaron (por su propia voluntad o forzosamente[a]) de África, Asia, Europa y aun del Caribe. Algunos de ellos buscaban libertad religiosa u oportunidades económicas. Otros eran perseguidos políticamente en su país de origen. A continuación se presentan algunos ejemplos de la riqueza racial, étnica y aun lingüística de los países hispanohablantes.

La Argentina: Se dice que la Argentina es el país más europeo de Sudamérica. Hay argentinos cuyos[b] antepasados emigraron a Sudamérica de Francia, Alemania, Suiza, España y sobre todo de Italia. Hoy en día el 40% de los argentinos dice que tiene raíces italianas. La primera ola[c] de inmigrantes llegó alrededor de 1880 en busca de trabajo. Algunos grupos llegaron en los años 30, huyendo[d] del régimen de Hítler mientras que otros refugiados se establecieron en la Argentina poco después de la Segunda Guerra Mundial.

Costa Rica: En la década de 1870, varios jamaiquinos de descendencia africana llegaron a la costa caribeña de Costa Rica para trabajar en las compañías bananeras. Hoy en día en la ciudad de Limón, se oye todavía el inglés criollo que hablaban esos inmigrantes.

México: En un pueblo llamado Cuauhtémoc, cerca de la ciudad de Chihuahua, viven más de 30.000 menonitas, miembros de una secta religiosa que se originó en Suiza en el siglo XVI. Para escaparse de la persecución religiosa en Europa primero huyeron al Canadá en el siglo XIX. Luego, un grupo de ellos se estableció en México después de que el gobierno mexicano les ofreció tierra para cultivar. Se distinguen por su manera de vestir tradicional, su apariencia física (son altos, de pelo rubio y piel blanca) y son conocidos por dedicarse a la producción de queso y otros productos lácteos.[e] Aunque muchos menonitas hoy hablan español, algunos de ellos retienen el dialecto alemán que hablaban sus antepasados en Suiza hace siglos.

El Perú: En el Perú hay una colonia de personas de origen japonés cuyos antepasados empezaron a llegar después del año 1899. Primero encontraron trabajo en las minas y plantaciones, pero con el tiempo, muchos de ellos abrieron su propio negocio. El antiguo presidente peruano Alberto Fujimori es de descendencia japonesa.

La República Dominicana: El pueblo de Samaná fue fundado por un grupo de esclavos que huyó de los Estados Unidos en la década de 1820. Hoy en día, sus descendientes se llaman «americanos» y algunos todavía hablan un dialecto que se parece al inglés hablado en el siglo XIX. Se nota la influencia de los inmigrantes originales en la comida y la arquitectura de Samaná también. ■

[a]por... *voluntarily or by force* [b]*whose* [c]*wave* [d]*fleeing* [e]*dairy*

Una pareja de Lima, Perú

B En el pueblo donde vive Ud., ¿existen lugares como la plaza del dibujo de la página 38? En este país, ¿dónde se puede ver una situación como ésa? ¿Qué hace la gente en ese lugar? ¿Qué grupos (étnicos, generacionales, etcétera) suelen estar presentes? ¿Qué tiene Ud. en común con los miembros de esos grupos? ¿la cultura? ¿la religión? ¿la edad? ¿otra cosa?

C ¿Conoce Ud. a sus abuelos? ¿a sus bisabuelos (*great-grandparents*)? ¿Qué sabe Ud. de ellos? ¿De dónde son? ¿Es Ud. descendiente de indígenas norte-americanos? ¿de otro grupo étnico?

D ¿Se lleva Ud. bien con sus parientes? ¿Los visita con frecuencia? ¿Lo/La visitan ellos a Ud.? En general, entre los miembros de su familia, ¿de qué asuntos (*issues*) hablan y de qué asuntos *no* hablan? ¿políticos? ¿religiosos? ¿económicos? ¿sociales? ¿otros? Explique su respuesta.

Lengua I

■■ 6 Impersonal *se* and Passive *se*

The pronoun **se** has many uses in Spanish. Here are two of the most frequent uses.[*]

Impersonal *se*	Passive *se*[†]
se + third-person singular verb	se + third-person $\begin{Bmatrix} \text{singular} \\ \text{plural} \end{Bmatrix}$ verb + noun noun + se + third-person $\begin{Bmatrix} \text{singular} \\ \text{plural} \end{Bmatrix}$ verb
1. Se dice que la comunicación es clave. *They say that communication is key.*	4. Aquí se venden zapatos. *Shoes are sold here.*
2. En esta ciudad se vive muy bien. *One lives very well in this city.*	5. En Cataluña se hablan catalán y español. *Catalan and Spanish are spoken in Catalonia.*
3. En algunos países no se respeta a los indígenas. *In some countries, people don't respect the indigenous people.*	6. En general, se utiliza el catalán en las conversaciones familiares. *In general, Catalan is used in family conversations.*

In semantic terms, the impersonal **se** (**se impersonal**) and the passive **se** (**se pasivo**) are related in that in both constructions, the agent of an action is either unknown or unimportant. That is, the speaker merely wishes to communicate that an

---

[*]You will learn more uses of **se** in grammar sections 8, 32, and 36.

[†]You will learn more about the passive **se** construction (and another way to form the passive voice, using **ser**) in grammar section 34.

LENGUAJE Y CULTURA

Creyendo que su viaje a través del océano Atlántico lo había llevado (*had taken him*) a la India, Cristóbal Colón llamó «indios» a los habitantes de las tierras recién descubiertas. En este país, hoy en día el término «indio» ha sido (*has been*) sustituido por el término «indígena norteamericano» (*Native American*). Asimismo (*Similarly*), en Hispanoamérica se usa la palabra «indígena» en vez de «indio» en la mayoría de los contextos.

In the impersonal **se** (**se impersonal**) construction, the **se** is acting as the indefinite (unknown or unimportant) subject. Some common English equivalents of this **se** are: *one*, *you* (general), *people* (general), or *they* (general). In Spanish this **se** is always considered to be third-person singular, and therefore, the verb will always be in the third-person singular as well. (See examples 1–3 in the preceding chart.)

In the passive **se** (**se pasivo**) construction, the **se** is considered an unchanging part of the verb, and the thing being acted upon becomes the subject (i.e., a passive construction). Since the subject (the thing being acted upon) can be either third-person singular or plural, the verb must also be in the third-person singular or plural in order to agree with its subject. (See examples 4–6 in the preceding chart, paying special attention to the verb agreements.)

PRÁCTICA 1   Las siguientes oraciones tienen un sujeto expresado. Cámbialas por oraciones impersonales, utilizando el **se** impersonal y haciendo otras modificaciones necesarias como en el modelo.

> MODELO: Los indígenas luchan por mantener (*strive to maintain*) sus tradiciones. →
> Se lucha por mantener las tradiciones indígenas.

1. Algunos jefes menosprecian (*underestimate*) a sus empleados.
2. Aun en el siglo XXI, hay personas que discriminan contra otras razas.
3. Por lo general, los estudiantes respetan a los profesores de esta universidad.
4. Mucha gente aprecia lo que hicieron nuestros antepasados para mejorar nuestra vida.
5. Algunos creen que todos deben compartir con los demás (*others*) lo que tienen.

PRÁCTICA 2   Las siguientes preguntas tienen un sujeto expresado. Primero, reformúlelas sustituyendo el sujeto por el **se** pasivo o el **se** impersonal. ¡Cuidado! A veces usará (*you will use*) un verbo en singular y otras veces uno en plural. Luego, indique con **P** (pasivo) o con **I** (impersonal) el tipo de construcción que Ud. ha utilizado (*you have used*) en cada caso.

A PROPÓSITO

Many common expressions in Spanish incorporate the impersonal **se** or the passive **se**. Here are a few common ones that you can use to ask for information.

¿Cómo **se dice** _____ en español?
How do you say _____ in Spanish?

¿Cómo **se deletrea** _____?
How do you spell _____ ?

¿Cómo **se hace** _____?
How do you make/do _____ ?

> MODELO: P Ⓘ ¿Creen muchas personas que la vida estudiantil es fácil? →
> ¿Se cree que la vida estudiantil es fácil?

1. P I ¿Creen muchas personas que todos los estudiantes universitarios consumen drogas?
2. P I En este país, ¿consideran muchas personas la diversidad como algo positivo?
3. P I En esta universidad, ¿habla la gente mucho de asuntos políticos o sociales?
4. P I ¿Dan aquí fiestas en las residencias cada semana los estudiantes de primer año?
5. P I En esta universidad, ¿escriben los estudiantes composiciones en todas las clases o solamente en las clases de inglés?
6. P I Normalmente en esta universidad la gente no trabaja mucho, ¿verdad?
7. P I En esta universidad, ¿vende mucha gente sus libros al final del curso?
8. P I En esta universidad, ¿respetan muchos estudiantes a los profesores?

6 INTERCAMBIOS

AUTOPRUEBA Complete las siguientes oraciones con la forma apropiada del presente de los verbos entre paréntesis, según el contexto. ¡Cuidado! Debe usar el **se** pasivo.

1. En Paraguay se (hablar) dos idiomas: el guaraní y el español.
2. Se (usar) más el español en el mundo de los negocios.
3. Se (oír) más el guaraní en las zonas rurales.
4. Generalmente se (aprender) el guaraní en casa, aunque se (enseñar) los dos idiomas en la escuela.
5. En tiempos pasados despreciaban el guaraní, pero hoy en día se (fomentar [*to promote*]) el bilingüismo en Paraguay.

Respuestas: **1.** hablan **2.** usa **3.** oye **4.** aprende, enseñan **5.** fomenta

A Utilice el **se** pasivo o impersonal para contestar las preguntas de **Práctica 2** de la página 42. Luego, diga si Ud. está de acuerdo o no con esas opiniones y explique por qué.

MODELO: ¿Se cree que la vida estudiantil es fácil? →
Sí, se cree que la vida estudiantil es fácil, pero no es cierto.
Se presentan muchas dificultades y problemas.
Por ejemplo…

B ¡NECESITO COMPAÑERO! Trabajando en parejas, completen las siguientes oraciones con el **se** pasivo o impersonal. Luego, compartan sus opiniones con el resto de la clase.

MODELO: En Italia _____. →
En Italia se come mucho espagueti.

1. En la clase de español _____.
2. En esta universidad _____.
3. En las calles de una ciudad grande _____.
4. En las escuelas secundarias _____.
5. En los países hispanos _____.
6. En mi residencia estudiantil (apartamento, casa) _____.
7. ¿ ?

C ENTRE TODOS

- ¿En qué países del mundo se vive bien? ¿Qué se necesita para vivir bien? ¿Se puede vivir en este país sin coche? ¿sin saber inglés? ¿sin saber leer?
- ¿Qué clase de comida se come en este país? ¿en los barrios asiáticos? ¿en los barrios hispanos? ¿en otras partes? ¿en su casa?

7 Indirect Objects

Remember that objects receive the action of the verb. The direct object is the primary object of the verbal action, answering the question *what?* or *whom?*

Since third-person object
pronouns may have more
than one meaning, the ambiguity is often clarified by using
a prepositional phrase with **a.**

Le doy el libro
   { a él.
   { a ella.

*I'm giving
   the book*
   { *to him.*
   { *to her.*

Les escribo
   { a ellos.
   { a Uds.

I'm writing
   { *to them.*
   { *to you all.*

The prepositional phrase with **a**
is also used for emphasis.

Me da el libro **a mí,** no **a ella.**
*He's giving the book to me, not
   to her.*

| Los niños llevan **regalos** a la fiesta. | *The children take (what?) gifts to the party.* |
| ¿Conocen Uds. a **la señora?** | *Do you know (whom?) the lady?* |

The indirect object (**el complemento indirecto**) is the person or thing involved in or affected by the action in a secondary capacity. The indirect object frequently answers the question *to whom?, for whom?,* or *from whom?*

Los niños le llevan regalos a **su amigo.**	*The children take gifts (to whom?) to their friend.*
Ellos le piden dinero al **gobierno.**	*They request money (from whom?) from the government.*
Paula les abre la puerta a **los niños.**	*Paula is opening the door (for whom?) for the children.*

Note that in Spanish the indirect object noun is preceded by the preposition **a,** regardless of the corresponding English preposition.

Indirect object pronouns

The Spanish indirect object pronouns (**los pronombres de complemento indirecto**) are identical to the direct object pronouns, except in the third-person singular and plural.

me	*me, to me*	nos	*us, to us*
te	*you, to you*	os	*you all, to you all*
le	{ *him, to him* { *her, to her* { *you, to you*	les	{ *them, to them* { *you all, to you all*

Mis padres **me** prestan dinero.	*My parents lend me money.*
Los Sres. García **le** escriben a **su hijo** con frecuencia.	*Mr. and Mrs. García write to their son frequently.*
«Dear Abby» **les** da consejos a **muchas personas.**	*"Dear Abby" gives advice to many people.*

In sentences with **le** or **les,** as in the latter two examples, both the indirect object pronoun and its corresponding noun appear in the sentence together when the indirect object is mentioned. If the meaning of the indirect object pronoun is clear, however, the indirect object noun can be dropped.

| —¿Qué **le** escribes **a tu madre?** | *—What are you writing to your mother?* |
| —**Le** escribo una carta. | *—I'm writing her a letter.* |

Like direct object pronouns, indirect object pronouns

■ precede conjugated verbs and negative commands.

| Siempre **me** escriben a principios del mes. | *They always write (to) me at the beginning of the month.* |
| No **me** escriba a esta dirección. | *Don't write (to) me at this address.* |

■ attach to affirmative commands.

| Escríba**me** a mi nueva dirección. | *Write (to) me at my new address.* |

■ can precede or attach to infinitives and present participles.*

No **le** voy a prestar el dinero. ⎫
No voy a prestar**le** el dinero. ⎭   *I'm not going to lend him the money.*

Les estoy escribiendo ahora mismo. ⎫
Estoy escribiéndo**les** ahora mismo. ⎭   *I'm writing (to) them right now.*

PRÁCTICA 1   Forme oraciones nuevas utilizando los diferentes sujetos entre paréntesis.

MODELO: *Yo* te comprendo bien. ¿Por qué no *me* cuentas tu problema?
(Juan) →
Juan te comprende bien. ¿Por qué no le cuentas tu problema?

1. Allí viene *Pablo.* ¿Por qué no *le* pides ayuda? (María y Juan)
2. Aquí estoy *yo,* pues. ¿Por qué no *me* dicen nada Uds.? (Fernando)
3. *Juan* no tiene las entradas. ¿Por qué no *le* compran algunas Uds.? (yo)
4. *Ellos* salen pronto para España. ¿Vas a escribir*les*? (nosotros)

PRÁCTICA 2   Conteste las siguientes preguntas con las palabras entre paréntesis.

MODELO: ¿Qué les das a los niños? (dulces) →
Les doy dulces.

1. ¿Qué te dan tus padres (hijos, amigos)? (dinero)
2. ¿Qué le explicas a tu amiga? (mis problemas)
3. ¿Qué nos dice el profesor / la profesora? («Buenos días.»)
4. ¿Qué me traen mis hermanos? (libros)

■■■ 7 INTERCAMBIOS

AUTOPRUEBA   Complete las siguientes oraciones con el pronombre de complemento indirecto (**me, te, le, nos, les**) apropiado, según el contexto.

1. Hoy en día los estudiantes no _____ escriben cartas a sus padres. Prefieren usar el correo electrónico o los llaman por teléfono.
2. Creemos que el compañero de Rafael no puede hablar. Nunca _____ dice nada.
3. Cuando mis padres regresan de un viaje, siempre _____ traen un recuerdo.
4. Un hombre cortés siempre _____ abre la puerta a una mujer.
5. Escucha, mi hijo, y _____ cuento una historia.
6. A Uds. _____ voy a dar mi dirección porque quiero que me visiten.

_____

Respuestas: 1. les 2. nos 3. me 4. le 5. te 6. les

_____

*All object pronouns *must* be attached to infinitives and present participles when these are not accompanied by a conjugated verb; for example, with an infinitive that follows a preposition: **Voy a su casa para *darle* el dinero.**

A Este dibujo se hace una crítica a la sociedad. Se presenta a un grupo de consumidores de un producto especial. Examine el dibujo para poder contestar las preguntas que siguen.

1. ¿Quiénes son los clientes de esta fábrica? ¿Qué «producto» les ofrece la fábrica?

2. ¿Qué hacen el hombre y la mujer qué están al fondo (*background*) con el técnico de computadoras? ¿Qué le explican? ¿Qué les muestra el técnico en la pantalla (*screen*) de la computadora?

3. ¿Qué crea el científico en su laboratorio que las personas esperan con tanto interés?

4. Cuando los bebés llegan a la sala de espera de los clientes, ¿qué les hace inmediatamente las empleadas? (curar el ombligo, poner talco, poner el pañal [*diaper*])

5. Al final, ¿qué le dan los nuevos padres a la empleada? ¿y qué les da ella a ellos a cambio (*in return*)?

■ ¿Qué opina Ud. del mensaje de este dibujo? ¿Es cómico? ¿triste? ¿prometedor (*hopeful*)? ¿aterrador (*frightening*)? ¿Por qué?

■ ¿Qué problemas le puede traer a una sociedad una «fábrica de niños»? ¿Qué beneficios le puede traer? ¿Cómo sería (*would be*) la comunidad resultante? ¿Sería más diversa o más uniforme? Explique.

B GUIONES Trabajando en grupos de tres o cuatro personas, contesten las siguientes preguntas generales para describir los dibujos. Incorporen complementos pronominales cuando sea posible. ¡Usen la imaginación!

■ ¿Quiénes son estas personas? ■ ¿Dónde están?

■ ¿Cuál es la relación entre ellas? ■ ¿Qué hacen?

■ ¿Cómo son físicamente? ■ ¿Por qué lo hacen?

1. escuchar, explicar, hacer una pregunta, pasar un recado (*note*)

2. acabar de, dar las gracias, escribir, mandar

3. gritar, hacer la tarea, jugar

4. dar, leer, pedir

C Una comunidad depende de la ayuda mutua, la cual refleja las necesidades y las capacidades de sus miembros. Por ejemplo: Yo te presto mis discos de jazz y tú me llevas al supermercado en tu coche. ¿En qué consiste la ayuda mutua en los siguientes casos? ¡Cuidado! En la mayoría de los casos hay que usar un pronombre de complemento directo o indirecto.

MODELO: el pueblo y el gobierno →
    El pueblo le da dinero al gobierno. El gobierno le da servicios al pueblo.

1. el perro (o el gato) y el ser humano

2. los jóvenes y los mayores

3. la nación en general y un grupo con el cual Ud. se identifica o al cual pertenece

4. los estudiantes y los profesores

5. Ud. y su hermano/a (compañero/a de cuarto, esposa/a, mejor amigo/a)

Comparta algunas de sus ideas con su compañero/a de clase.

■■ 8 Sequence of Object Pronouns

When both a direct and an indirect object pronoun appear in a sentence, the indirect object pronoun (which usually refers to a person) precedes the direct object pronoun (which usually refers to a thing).

—No entiendo el problema. ¿**Me lo** puedes explicar?
—Sí, **te lo** explico ahora mismo.

—*I don't understand the problem. Can you explain it to me?*
—*Yes, I'll explain it to you right now.*

When the direct and indirect object pronouns are both in the third person, the indirect object pronoun (**le/les**) is replaced by **se**.

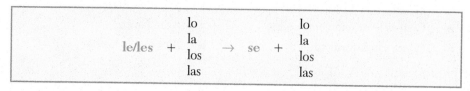

le/les	+	lo la los las	→ se +	lo la los las	

—María todavía no tiene los papeles.
—Bien. **Se los** envío.

—*María still doesn't have the papers.*
—*Fine. I'll send them to her.*

—Esas familias necesitan comida y medicinas.
—De acuerdo. La agencia puede mandár**selas**.°

—*Those families need food and medicine.*
—*Fine. The agency can send them to them.*

PRÁCTICA 1   En los siguientes diálogos entre Voz y Eco, hay una repetición innecesaria de algunos sustantivos. Cambie los sustantivos repetidos por complementos pronominales.

MODELO: VOZ: ¿Les venden los indígenas su artesanía a los turistas?
ECO: Sí, les venden su artesanía a los turistas. →
Sí, se la venden.

1. VOZ: ¿Les explican los indígenas sus costumbres a los europeos?
   ECO: Sí, les explican sus costumbres a los europeos.

2. VOZ: ¿Les quitan las tierras a los indígenas?
   ECO: Sí, les quitan las tierras a los indígenas.

3. VOZ: ¿Prometen los europeos devolverles las tierras a los indígenas?
   ECO: Sí, prometen devolverles las tierras a los indígenas, pero nunca les entregan las tierras a los indígenas.

4. VOZ: ¿Le piden los indígenas cambios al gobierno?
   ECO: Sí, le piden cambios al gobierno, pero éste (*the latter*) no quiere hacer los cambios muy pronto.

PRÁCTICA 2   Conteste las siguientes preguntas con las palabras entre paréntesis. Elimine la repetición innecesaria utilizando complementos pronominales.

MODELO: ¿Quién le da los regalos a Gloria? (sus padres) →
Sus padres se los dan.

°When two object pronouns attach to an infinitive, a written accent must be added to the infinitive so that the stress remains on the last syllable of the infinitive.

1. ¿Quién les explica los complementos pronominales a los estudiantes? (la profesora)

2. ¿Quién te mandó esas cartas? (mi novia)

3. ¿Quién nos va a prestar el dinero? (el banco)

4. ¿Quién le dice mentiras a Alicia? (su compañera)

■■■ 8 INTERCAMBIOS

AUTOPRUEBA Complete las siguientes preguntas con pronombres de complemento directo e indirecto, según el contexto.

1. —Perdone, profesora, no comprendo esta pregunta.

   ¿_____ _____ puede explicar?

   —Claro que sí, ahorita _____ _____ explico.

2. —Mesero, no tenemos el menú todavía. ¿_____ _____ puede traer?

   —En un segundo _____ _____ doy.

3. —Felipe, ¿le vas a regalar esas flores a tu novia?

   —Sí, _____ _____ voy a regalar.

4. —¿Les entregan Uds. la tarea tarde de vez en cuando (*occasionally*) a sus profesores?

   —¡Claro que no! ¡Nunca _____ _____ entregamos tarde!

5. —Ana, ¿me prestas tu lápiz?

   —No, no _____ _____ puedo prestar porque _____ necesito yo.

   Respuestas: 1. me la, te la **2.** nos lo, se lo **3.** se las **4.** se la **5.** te lo, lo

---

■ **A** ¡NECESITO COMPAÑERO! Imagínese que un amigo / una amiga le pregunta a Ud.: «¿A quién debo darle las siguientes cosas, a ti o a mi mejor amigo/a?» Contéstele según su preferencia. ¡Cuidado! Es preferible guardar lo mejor para sí mismo/a (*yourself*) y darle el resto a la otra persona, como se hace en los modelos.

MODELOS: ¿mucho trabajo? → Se lo debes dar a él/ella.

¿un día de vacaciones? → Me lo deber dar a mí.

Cosas: un boleto de lotería, una botella de champaña, unos CDs de música clásica, un diccionario bilingüe, dinero, una foto del presidente, los libros de física, un pasaje de ida (*one-way*) a Universal Studios, un reloj despertador (*alarm clock*)

Y ahora, imagínese que el mismo amigo / la misma amiga le pregunta: «¿A quiénes les debo hacer los siguientes favores, a ti y a tu mejor amigo/a o a otras dos personas?» Conteste según los modelos.

MODELOS: ¿lavar la ropa? →
Nos la debes lavar a nosotros.

¿regalar un CD de Frank Sinatra? →
Se lo debes regalar a ellos.

Favores: conseguir entradas para la última (*latest*) película, dar una casa en Acapulco, enviar unas flores, limpiar el cuarto, preparar la cena, regalar unos calcetines morados (*purple*), servir pulpo (*octopus*)

B ENTRE TODOS   La comunicación entre la gente permite el intercambio de opiniones diversas. También permite apreciar las diferencias que existen entre todos. Trabajando con dos o tres compañeros de clase, háganse las siguientes preguntas y contéstenlas para averiguar cómo se comunican con otras personas. Luego compartan lo que han aprendido (*you have learned*) con los demás grupos. Usen los complementos pronominales siempre que puedan.

1. ¿Qué le dices a una persona en el momento de conocerla? ¿Le estrechas la mano o le das un beso en la mejilla (*cheek*)? ¿Cómo saludas a las personas cuando llegas a una fiesta? ¿A quiénes sueles saludar dándoles uno o dos besos?

2. ¿Tienes amigos de otros países? ¿De dónde son? ¿Les hablas en su propio idioma? ¿Te hablan ellos en inglés? ¿Te hablan de su país? ¿Qué te cuentan? ¿Qué información sobre este país compartes con ellos? ¿Qué clase de información les interesa más? ¿Les mandas mensajes de correo electrónico o los llamas por teléfono? ¿Por qué?

3. ¿A quién le pides ayuda cuando tienes un problema de salud? ¿un problema económico? ¿un problema en tus estudios? ¿un problema sentimental? ¿Para qué clase de problema te piden ayuda tus amigos?

4. ¿Cómo reaccionas si una persona desamparada te pide dinero en la calle? ¿si te pide comida? ¿si un miembro de una secta religiosa te pide dinero? ¿si un predicador o predicadora de barricada (*soapbox preacher*) te ofrece consejos?

C ENTRE TODOS

- ¿Le da Ud. sus CDs favoritos a su major amigo/a si se los pide? ¿Le da su suéter más nuevo? ¿Qué más le pide él/ella? ¿Se lo da? ¿Qué *no* le da en ninguna circunstancia? ¿Qué le da él/ella a Ud.?

- ¿Le compra flores a su novio/a? ¿Le canta canciones de amor? ¿Le compra diamantes? ¿Le escribe cartas románticas? ¿Se las escribe en español? ¿Qué le va a regalar para su cumpleaños?

- ¿Siempre les hablo a Uds. en español? ¿En qué circunstancias no les hablo en español? Explíquenme por qué. Cuando Uds. me hacen preguntas, ¿me las hacen en español? ¿Eso está bien? ¿Por qué sí o por qué no? ¿Siempre me entregan (*do you hand in*) la tarea a tiempo? ¿En qué circunstancias no me la entregan a tiempo? ¿Y cuáles son algunas buenas excusas que saben para esos momentos? Si me entregan algo tarde, ¿me piden disculpas? ¿Cómo me las piden? Denme algunos ejemplos.

Literatura

▪▪▪ LA LLORONA
Aproximaciones al texto

Myths, legends, fairy tales, and folktales are forms of popular literature that have developed across the centuries in many cultures. Myths usually involve divine beings and serve to explain some fundamental mystery of life. For example, the Greek myth of

Persephone explains the cycle of the four seasons. Persephone was the beautiful daughter of Demeter, the goddess of the harvests. When Persephone was kidnapped by Hades (the god of the underworld) and forced to marry him, Demeter swore that she would never again make the earth green. Zeus (the king of the gods) intervened in the dispute. As a result, Persephone was allowed to return to the earth for part of the year but was obliged to spend the other part with her husband Hades in the underworld. Consequently, Demeter makes the earth flower, then go brown, according to the presence or absence of her beloved daughter.

Folktales and legends involve people and animals. They sometimes explain natural phenomena (how the skunk got its stripes, for example) or justify the existence of certain social and cultural practices, thus underscoring cultural values and ideals. In our own culture, for instance, there are many stories about Abraham Lincoln. Although some are based in fact, all are embellished to bring out certain American values, such as honesty, individual freedom, and the belief that hard work will lead to success, regardless of economic and social status.

■■■ PALABRAS Y CONCEPTOS

ahogar(se) to drown
amonestar to warn
arrepentirse de to regret
atreverse a to dare
gritar to shout
hacer caso (de) to pay attention to, heed
parar(se) to stop, detain
traicionar to betray

el/la amante lover
la boda wedding
la calleja narrow street
la capa cape
la catedral cathedral
la conquista conquest
la época epoch, age
el fantasma ghost, phantom

el lago lake
el lamento cry, lament
la leyenda legend
el llanto lament, weeping
la Llorona legendary figure of a weeping woman
la luna moon
la orilla shore
el rostro face
la sangre blood

enloquecido/a crazed, insane
indígena indigenous, native
lleno/a full
mestizo/a of mixed race
muerto/a dead
oscuro/a dark, obscure

▪▪▪ La Llorona

México

SOBRE EL AUTOR *NO SE PUEDE DARLE CRÉDITO a ningún escritor determinado por la creación de la leyenda de La Llorona. Como toda leyenda o cuento folclórico, viene de una creación colectiva, cuyo estilo y detalles se han transmitido, pulido (polished) y refinado de generación en generación. La versión de «La Llorona» reproducida aquí trata de una versión antigua y colonial que le hace pensar al lector / a la lectora en los eventos históricos de la época colonial y su efecto en la conciencia colectiva de una nación.*

1   DURANTE LA EPOCA DEL VIRREINATO[1] de la Nueva España, en lo que es ahora la
gran ciudad de México, se oía hablar con frecuencia de la triste historia de una
mujer que andaba por las calles lamentándose (ꖴ)* en voz alta y llorando (ꖴ).
Aunque la gente sentía curiosidad de saber la causa de este llanto, muchos ni
5   se atrevían a salir a las callejas coloniales porque tenían miedo de verla. Pero,
¿por qué temían verla y qué es lo que habrían visto?

Pues, se ha dicho (←) que era una dama que andaba por las calles y plazas con un vestido blanco y vaporoso. Su pelo oscuro, muy largo, se movía
con el viento. Llevaba también un velo[2] blanco que le cubría el rostro. Esta
10   mujer agónica tenía la costumbre de pararse y gritar delante de las iglesias,
delante de las imágenes de santo o cruces en nichos iluminadas y, en particular, enfrente de la gran catedral en la Plaza Mayor. Los testigos afirman que
siempre lanzaba[3] un triste lamento antes de correr hacia las orillas de un lago
cercano, como si estuviera[4] buscando (ꖴ) algo o a alguien. La gente se pre-
15   guntaba quién sería aquella figura fantasmagórica.[5] Algunos creían que era
una diosa azteca que lloraba por la destrucción de su raza, mientras que otros
aseguraban que era «la Malinche», la mujer que había regresado (←) del más
allá[6] para pagar por su traición[7] contra su pueblo. Sólo una anciana en toda la
ciudad sabía quién era en realidad aquel fantasma y había visto a esta figura
20   un par de veces durante sus largos años. Ella les contaba a sus nietos esta historia para que todo el mundo se enterara del[8] origen de la leyenda colonial.

Según ella, hace mucho tiempo, y poco después de la conquista de México,
había una mujer muy bella y esbelta[9] que vivía en un barrio humilde de la capital. Esta mujer se llamaba doña Luisa de Olveros y era de raza mestiza, es decir,
25   descendiente de madre indígena y padre español. Un día, mientras paseaba
por la Plaza Mayor, conoció (←) a un joven capitán español, don Nuno, miembro de la prestigiosa y noble familia de los Montesclaros.

Poco tiempo después, los dos se enamoraron (←). Doña Luisa quería
casarse con el apuesto[10] capitán aunque, al principio, no estaban claras las
30   intenciones del capitán. Al enterarse del romance entre su hija y el capitán

---

[1]*vice-royalty, colony governed by the viceroy*   [2]*veil*   [3]*let out*   [4]como... *as if she were*
[5]quién... *who that ghostly figure could be*   [6]del... *from the great beyond*   [7]*treason*
[8]se... *would know about*   [9]*slender*   [10]*dashing*

*In order to help you recognize the past, future, and progressive tenses, they are indicated by
in-text symbols through **Capítulo 5.** Past tenses are indicated by (←), future tenses by (→),
and progressive tenses (the *-ing* form in English) by (ꖴ).

español, el padre de doña Luisa, preocupado por la situación, la amonestaba
severamente.

—Hija mía, un capitán español de sangre pura nunca se casaría[11] con una
mujer de raza mestiza, aunque sea la más bella y esbelta del mundo.

35 Así que le recomendó (←) a su hija que sería mejor que no volviera a pensar en el capitán.[12] A pesar de estas amonestaciones, doña Luisa, quien estaba
profundamente enamorada del apuesto capitán, sin hacerle caso a su padre,
seguía sus relaciones apasionadas. Poco después, ella se fue a vivir en un barrio
elegante, donde don Nuno la había instalado (←) para visitarla todos los días.

40 Aunque la pareja parecía feliz, todo empezó (←) a cambiar poco a poco. La
pareja tuvo (←) tres hijos en muy poco tiempo, pero a pesar de las promesas,
doña Luisa y don Nuno no legalizaron (←) su unión. Todos los que los conocían
decían que doña Luisa trataba de complacer[13] a don Nuno en todo, pero, a
pesar de esto, parece que don Nuno iba perdiendo (∩) interés en ella. Cada vez

45 que ella le pedía que se casaran (→), don Nuno le daba una excusa para no
hacerlo. Aunque él seguía manteniéndola a ella y a sus niños pequeños de la
misma forma que antes, don Nuno se iban distanciando (∩).

El tiempo pasaba y doña Luisa se sentía cada día más sola y dolorida sin
las atenciones de Nuno. Su amante casi no la visitaba y evitaba a los niños

50 también. Sus pobres hijos sólo contaban con su madre, que se ponía cada vez
más triste y deprimida. Un día, movida por un terrible presentimiento, doña
Luisa decidió (←) visitar la casa elegante donde vivía su amante con sus padres.
Al acercarse a la casa elegante, notó que había una fiesta. Se celebraba la
próxima boda de don Nuno con una joven española de sangre noble. Deses-

55 perada e histérica, doña Luisa entró (←) para confrontar al padre de sus hijos.
Delante de todos los invitados, le pidió (←) a su novio que no se olvidara de sus
promesas y responsabilidades con sus hijos. Pero don Nuno, altivo y arrogante,
la echó (←) de la casa con un comentario cruel, diciéndolo que nunca se casaría
(→) con una mujer mestiza de sangre india. Doña Luisa se puso enloquecida.

60 Humillada y desconsolada, no podía aceptar que su amante la hubiera abandonado (←) después de sus promesas de amor. Llorando, corrió (←) hasta su

[11]se… *would marry*   [12]que… *to forget about the captain*   [13]*please*

casa, y entre muchas lágrimas y gritos, maldecía[14] su sangre indígena y su linaje.[15] Su tristeza fue (←) más grande cuando entró en la casa y vio (←) a sus tres hijos inocentes que la miraban bien asustados por el aspecto que tenía.

65 Doña Luisa, entre sollozos[16] y gritos, los acusó (←) de ser la causa de su ruptura con don Nuno. «Han arruinado (←) mi vida con Nuno», pensaba doña Luisa, y empezó a tratarlos mal. Los niños lloraban desconsoladamente, pero la mujer enloquecida no les hacía caso. En un momento de desesperación y locura, pensó que tal vez pudiera[17] recuperar a su amante si pudiera dedicarse

70 solamente a él, sin el estorbo de sus hijos. Lo que pasó (←) después es como una pesadilla.[18] Llevó (←) a sus hijos hasta las orillas del lago y, trastornada, los tiró[19] a las aguas frías y turbulentas. Los pobrecitos se ahogaron (←) bajo la luz de una luna llena. Ella volvió (←) a casa y empezó (←) a esperar que don Nuno volviera (→). Cada día esperaba verlo llegar, pero él nunca volvió. Cada

75 noche escuchaba ella los gritos de sus niños muertos, y se arrepentía de sus acciones. Por eso, empezó a pasear por las orillas del lago llorando y gimiendo:[20] «Ay, ay, ay, mis pobres hijitos… ¿dónde los encontraré (→)?» Por fin, una noche, ya no pudo (←) más y se tiró a las aguas frías del mismo lago, donde murió (←) ahogada.

80 Desde aquella noche, su alma sigue llorando, lamentándose y sufriendo (∽). Muchos testigos dicen que durante las noches de luna, se puede oír una voz femenina que lamenta su soledad y repite: «Ay, mis hijos. Aquí los tiré (←), aquí los tiré (←), pero ¿adónde han ido (←)? ¿cuándo los encontraré?» Luego, dicen que una figura de mujer agonizante aparece, con los ojos rojos por el llanto y la figura

85 de un cadáver. Recorre caminos, visita los pueblos y las grandes ciudades, cruza arroyos y ríos, sube montes y montañas, pero no deja de llorar. Algunos creen que ella va en busca de niños inocentes para robarlos. Otros piensan que llega a las ventanas de las casas para hablar con los niños adentro. No se detiene en ningún lugar el tiempo suficiente para que alguien la pueda ver de cerca, pero todos

90 dicen que inspira miedo. Ya que siempre está llorando (∽), gimiendo(∽),

[14]*cursed*   [15]*lineage*   [16]*moans*   [17]tal... *perhaps she could*   [18]*nightmare*   [19]*threw*   [20]*moaning*

buscando (∿), gritando (∿) y lamentándose (∿) por sus pobres hijos, la llaman «La Llorona». Su historia no tiene fin, puesto que todos la cuenta de diferentes maneras. Desde aquel entonces, su fama sigue aumentando (∿) con cada generación. Nadie sabe dónde y cuándo aparecerá (→) la figura de La Llorona otra vez.

■■■ COMPRENSIÓN

A Indica las palabras de la derecha que se asocian con cada uno de los personajes. Se puede usar algunas palabras más de una vez.

1. _____ doña Luisa de Olveros
2. _____ don Nuno
3. _____ el padre de doña Luisa
4. _____ los hijos de doña Luisa y don Nuno

a. un capitán
b. una madre
c. un esposo
d. triste y desconsolado/a
e. un padre dedicado
f. de raza mestiza
g. de sangre pura
h. la caballerosidad (*chivalry*)
i. enamorado/a
j. desenamorado/a
k. maltratado/a
l. traicionero/a
m. culpable (*guilty*)
n. orgulloso/a y arrogante
o. condenado/a a muerte
p. responsable
q. irresponsable
r. bien conocido/a en la mitología

Ahora, haga una descripción detallada de uno de los personajes principales de la lista y explique su papel en la leyenda. En su opinión, ¿cuál de ellos es culpable de esta tragedia tan horrible? ¿Por qué? ¿Cree Ud. que podría pasar algo semejante hoy en día? Explique.

B ¿Cierto (**C**) o falso (**F**)? Corrija las oraciones falsas.

1. _____ La acción ocurre poco después de la conquista de Tenochtitlán, la capital azteca.
2. _____ Doña Luisa y su amante eran españoles nobles de sangre pura.
3. _____ El padre de doña Luisa permite que su hija se vea con el capitán español.
4. _____ Doña Luisa y el capitán decidieron casarse en la catedral.
5. _____ Después de un tiempo, don Nuno le prestaba menos atención a doña Luisa.
6. _____ Mientras doña Luisa le suplicaba a don Nuno, él la rechazó cruelmente.
7. _____ Cuando doña Luisa volvió a sus hijos, los ahogó en el lago.
8. _____ Según la leyenda, la mujer triste se conoce como La Llorona porque vaga (*wanders*) por las calles lamentando la pérdida de sus niños.

C Complete cada una de las oraciones con el imperfecto del verbo entre paréntesis. Luego ponga las siguientes oraciones en orden cronológico (de 1 a 9) según la leyenda de La Llorona.

_____ Cuando el capitán la atendía, la bella mestiza (quedar) impresionada por los buenos modales de él.

_____ El padre de doña Luisa le (amonestar) a su hija que un hombre de sangre pura no se casaría con ella.

_____ Mientras doña Luisa (pasear) por la Plaza Mayor, conoció a don Nuno.

_____ La pareja tuvo tres hijos que (vivir) con su madre.

_____ Doña Luisa no (querer) escuchar las predicciones de su padre preocupado.

_____ Cuando ella no (poder) más con la situación, se puso enloquecida y mató a sus hijos.

_____ Don Nuno, cada vez más arrogante, (celebrar) la próxima boda con una noble española cuando su amante llegó a la mansión de los Montesclaros.

_____ Se (oír) llantos de una mujer agonizante, especialmente en las noches de luna llena.

_____ Mientras que ella le (suplicar) a su amante, él la arrojó a un lado cruelmente.

Ahora, vuelva a pensar en la trama de la leyenda. En su opinión, ¿cuál es el punto culminante? ¿Por qué piensa Ud. eso?

■■■ INTERPRETACIÓN

A Conteste las siguientes preguntas sobre los personajes de la leyenda.

■ ¿Cuántos personajes aparecen en la leyenda? ¿Son sencillos complicados? ¿Se desarrollan en una sola dimensión o en varias dimensiones? Qué valores representa cada uno?

■ De los atributos que siguen, ¿cuáles se pueden aplicar a los distintos personajes y cuáles no se pueden aplicar a ninguno? ¿Qué revela esta preferencia por ciertas características en vez de otras en la leyenda?

amable	desilusionado/a	infiel	protector(a)
arrogante	enamorado/a	irreflexivo/a	refinado/a
atento/a	fuerte	justo/a	rico/a
bello/a	generoso/a	neurótico/a	romántico/a
bueno/a	humilde	noble	traicionero/a
cruel	impulsivo/a	pobre	vengativo/a
débil	indiferente	preocupado/a	

B ¡NECESITO COMPAÑERO! Piensen en el ambiente de «La Llorona». En cualquier historia, el ambiente tiene muchas características, pero algunas de ellas son más importantes que otras. Por ejemplo, todas estas características son típicas del ambiente de un cuento (o novela o película) del oeste.

los caballos	el ganado (*cattle*)	el polvo
las cantinas (*saloons*)	la injusticia / la justicia	romántico
los espacios abiertos	un paisaje árido	la violencia

De estas características, ¿cuáles les parecen a Uds. que son las más básicas o esenciales para un cuento (una novela o película) del oeste? ¿Por qué?

Ahora, hagan una lista de todas las características del ambiente de la leyenda de La Llorona. Usen adjetivos o sustantivos, palabras o frases. Indiquen cuáles son las caractertísticas más importantes de su lista. Por ejemplo, ¿cuáles parecen explicar o motivar la presencia de otras características en su lista? ¿Es posible eliminar u omitir algunas de las características de la lista sin cambiar radicalmente la leyenda?

C Las leyendas y los mitos normalmente sirven tanto para explicar ciertas creencias y opiniones o para reforzar valores culturales.

■ ¿Qué creencias sobre la época colonial de México se explican en la leyenda de La Llorona? Busque en el texto el lugar concreto donde se encuentra la información.

■ ¿Qué valores o creencias culturales (o humanas) —especialmente los que tratan del amor apasionado, los lazos familiares y la justicia— se exaltan? Piense, por ejemplo, en las características de los personajes y del ambiente y en las relaciones entre los mestizos y los españoles de sangre pura.

■ En su opinión, ¿presenta la leyenda una visión positiva o negativa de los españoles durante la época colonial de México? Explique.

■■■ APLICACIÓN

A ¿En qué sentido se puede decir que el cuento folclórico, la leyenda y el cuento de suspenso tienen algunas características en común? Piense en el tipo de lectores que los leen, en los personajes, en el lenguaje y en los tipos de conflicto que presentan.

B ¿Cree Ud. que las leyendas, los mitos y el folclore tienen sentido en el mundo moderno o que son géneros para generaciones pasadas? Explique. ¿Puede Ud. nombrar algunas leyendas todavía populares en la cultura norteamericana? ¿Son leyendas conocidas por todos o forman parte de la herencia étnica o geográfica de ciertos grupos determinados?

Lengua II

■■ 9 The Imperfect Indicative

Events or situations in the past are expressed in two simple past tenses in Spanish: the imperfect (**el imperfecto**) and the preterite.*

A. Forms of the imperfect

Almost all Spanish verbs have regular forms in the imperfect tense.

---

*You will review the forms and uses of the preterite in grammar sections 12 and 14.

-ar Verbs		-er/-ir Verbs			
tomaba	tomábamos	quería	queríamos	escribía	escribíamos
tomabas	tomabais	querías	queríais	escribías	escribíais
tomaba	tomaban	quería	querían	escribía	escribían

In the imperfect, the first- and third-person singular forms are identical. There is no stem change or **yo** irregularity in any verb. Note the placement of accents.

Only three Spanish verbs are irregular in the imperfect.

A PROPÓSITO

The imperfect form of **hay (haber)** is **había** (*there was/were*).

ser		ir		ver	
era	éramos	iba	íbamos	veía	veíamos
eras	erais	ibas	ibais	veías	veíais
era	eran	iba	iban	veía	veían

The verb **ver** is irregular only in that its stem retains the **e** of the infinitive ending in all persons. Note the placement of accents.

B. Uses of the imperfect

The imperfect tense derives its name from the Latin word meaning *incomplete*. It is used to describe actions or situations that were not finished or that were in progress at the point of time in the past that is being described. The use of the imperfect tense to describe the past closely parallels the use of the present tense to describe actions in the present.

When the imperfect tense is used, attention is focused on the action in progress or on the ongoing condition, with no mention made of or attention called to the beginning or end of that situation. For this reason, the imperfect is used to describe the background for another action: the time, place, or other relevant information.

Description of	Present	Past
an action or condition in progress	Leo el periódico. *I'm reading the paper.*	Leía el periódico. *I was reading the paper.*
an ongoing action or condition	La casa está en la esquina. *The house is on the corner.*	La casa estaba en la esquina. *The house was on the corner.*
the hour (telling time)	Son las 8:00. *It is 8:00.*	Eran las 8:00. *It was 8:00.*
habitual or repeated actions	Salgo con mi novio los viernes. *I go out with my boyfriend on Fridays.*	Salía con mi novio los viernes. *I used to go out with my boyfriend on Fridays.*
	Estudio por la mañana. *I study in the morning.*	Estudiaba por la mañana. *I used to study in the morning.*
an anticipated action	Mañana tengo un examen. *Tomorrow I have an exam.*	Al día siguiente tenía un examen. *On the next day I had (was going to have) an exam.*
	Vamos a la playa. *We're going to the beach.*	Íbamos a la playa. *We were going to the beach.*

PRÁCTICA   Cambie los verbos en el presente al imperfecto.

Durante el siglo pasado y la primera parte de éste, las diferencias entre la vida urbana y la rural son[1] más notables que en la época actual ya que[a] hay[2] menos contacto entre las dos zonas. En aquel entonces,[b] la gente que vive[3] en el campo no tiene[4] la ventaja de los rápidos medios de comunicación; no ve[5] la televisión, ni escucha[6] la radio ni va[7] al cine. Estos tres medios de comunicación todavía no existen.[8] Muchos no saben[9] leer y por eso no leen[10] ni periódicos ni revistas. Las noticias culturales, políticas y científicas que reciben[11] los habitantes de las ciudades llegan[12] al campo con mucho retraso.[c] Los campesinos, especialmente si están[13] a bastante distancia de una ciudad, no se dan[14] cuenta de los cambios sociales que ocurren[15] en los centros urbanos. Al mismo tiempo, los de la ciudad muchas veces no entienden[16] ni pueden[17] apreciar los asuntos que les preocupan[18] a las personas que viven[19] en el campo.

[a]ya… *since*   [b]En… *Back then*   [c]*delay*

■■■ 9 INTERCAMBIOS

AUTOPRUEBA   Manuel habla de cómo era su vida cuando tenía 6 años. Complete las siguientes oraciones con la forma apropiada del imperfecto del verbo entre paréntesis. Cuando yo tenía 6 años,…

1. …mis padres no me (permitir) salir de la casa solo.
2. …mis hermanos me (acompañar) a la escuela todos los días.
3. …mis hermanos y yo (ver) dibujos animados en la televisión los sábados.
4. …yo no (comer) legumbres.
5. …yo (pasar) mucho tiempo con mis abuelos.
6. …los domingos todos (ir) al cine.

Respuestas: 1. permitían **2.** acompañaban **3.** veíamos **4.** comía **5.** pasaba **6.** íbamos/iban

A   ¡NECESITO COMPAÑERO!   Trabajando con un compañero / una compañera de clase, completen las siguientes oraciones. Primero cambien los verbos entre paréntesis al imperfecto y luego digan si las oraciones expresan sus recuerdos personales de cuando tenían 10 años.

Cuando yo tenía 10 años…

1. …la vida me (parecer) muy complicada.
2. …(tener) los mismos intereses que tengo ahora.
3. …(ser) consciente de ser miembro de un grupo étnico.
4. …(obedecer) a mis padres en todo.
5. …(preferir) estar con otros; no me (gustar) estar solo/a.
6. …me (interesar) la historia de mis antepasados.

Y ahora ¿cómo son Uds.? Identifiquen por lo menos una oración que les inspire diferentes sentimientos ahora.

■ ¿Qué no podía hacer la mujer en 1900 que sí puede hacer ahora? ¿Qué otros grupos tienen más derechos/oportunidades ahora de los que tenían en 1900? ¿los indígenas norteamericanos? ¿los grupos inmigrantes? ¿los afroamericanos? ¿los obreros? ¿los viejos? ¿los jóvenes? ¿los hombres? ¿la policía? Justifique su opinión con ejemplos concretos.

■ ¿Qué sabemos ahora que no sabíamos en 1900? ¿Qué inventos tenemos ahora que no teníamos en aquel entonces? ¿Qué problemas tenemos ahora que no teníamos? ¿Qué problemas teníamos que ya no tenemos?

C ¡NECESITO COMPAÑERO! Hágale preguntas a su compañero/a para averiguar a quién acudía él/ella (*he/she turned to*) a la edad indicada en los siguientes casos y por qué. Se debe usar el imperfecto del verbo y tratar de incorporar complementos pronominales en las respuestas.

MODELO: pedir dinero (13)
¿A quién le pedías dinero cuando tenías 13 años? →
Se lo pedía a mi hermano mayor porque él siempre lo tenía y no les decía nada a mis padres.

1. pedir dinero (13)
2. pedir consejos (académicos/sentimentales) (16)
3. dar consejos (académicos/sentimentales) (16)
4. contar chistes (10)
5. hacer favores especiales (10)
6. pedir protección/ayuda en caso de peligro (*danger*) o injusticia (8)

ENTRE TODOS Hagan una tabla de las respuestas más frecuentes. ¿Qué indican los resultados?

D GUIONES Los siguientes dibujos representan los recuerdos de cuatro adultos de lo que hacían cuando eran niños. Describa los recuerdos usando las palabras sugeridas. No olvide que se usa el imperfecto para describir en el pasado.

1. jugar, estar contento, tener amigos, ser popular, llevar ropa vieja

2. estar sola, leer, ser triste, llevar gafas, no tener amigos

3. estar con familia, ser feliz, llevar ropa nueva, ir a la iglesia

4. ser malo, tirar bolas de papel, asustar a otros niños, no respetar

■■ 10 Reflexive Structures

A structure is reflexive (**reflexivo**) when the subject and object of the action are the same.

> **Yo** puedo ver**me** en el espejo.   *I can see myself in the mirror.*

A. Reflexive pronouns

The reflexive concept is signaled in English and in Spanish by a special group of pronouns. The English reflexive pronouns end in *-self/-selves;* the Spanish reflexive pronouns (**los pronombres reflexivos**) are identical to other object pronouns except in the third-person singular and plural.

Subject	Reflexive	Subject	Reflexive
yo	me	I	myself
tú	te	you	yourself
él		he	himself
ella }	se	she	herself
usted		you	yourself
nosotros/as	nos	we	ourselves
vosotros/as	os	you	yourselves
ellos		they	themselves
ellas }	se	you	yourselves
ustedes			

Like other object pronouns, reflexive pronouns

- precede conjugated verbs and negative commands.

  Me levanto.   *I get up (I'm getting up).*
  No **te** levantes.   *Don't get up.*

- attach to affirmative commands.

  Levánte**se**, por favor.   *Get up, please.*

- can attach to or precede infinitives and present participles.

  Voy a levantar**me** ahora. }
  Me voy a levantar ahora. }   *I'm going to get up now.*

  ¿Por qué estás levantándo**te** ahora? }
  ¿Por qué **te** estás levantando ahora? }   *Why are you getting up now?*

B. Reflexive meaning

Many verbs in Spanish may be used reflexively° or nonreflexively, depending on the speaker's intended meaning. Compare the following pairs of sentences.

°Many verbs and expressions that use reflexive pronouns, such as **llevarse mal,** do *not* convey the idea of the subject doing something to or for itself. This section focuses on the use of reflexive pronouns to express (1) true reflexive actions and (2) reciprocal actions. You will study other functions of reflexive pronouns in grammar sections 32 and 36.

Reflexive pronouns *must* be used when the subject does some action to a part of his or her own body.

¡Cuidado! Vas a cortar**te el dedo.**
Careful! You're going to cut your finger.

Since reflexive actions, by definition, indicate that the subject is doing something to himself/herself, the definite article—not the possessive adjective—is used with the body part or the possession in this structure.

Nonreflexive	Reflexive
El niño **mira** el juguete. *The child is looking at the toy.*	El niño **se mira**. *The child is looking at himself.*
Los pacientes **aprecian** a los médicos. *The patients think highly of the doctors.*	Los médicos **se aprecian**. *The doctors think highly of themselves.*
Le escribiste a Carlos, ¿no? *You wrote to Carlos, didn't you?*	**Te escribiste** un recado, ¿no? *You wrote yourself a note, right?*

Here are some of the most common reflexive verbs used for talking about daily routines.

afeitarse	*to shave*	peinarse	*to comb one's hair*
bañarse	*to bathe*	pintarse	*to put on makeup*
(des)vestirse	*to (un)dress*	ponerse	*to put on (clothing)*
ducharse	*to shower*	quitarse	*to take off (clothing)*
lavarse	*to wash*	secarse	*to dry*

Me afeito todos los días. — *I shave every day.*
¿Por qué no **te pones** el suéter? — *Why don't you put on your sweater?*

C. The reciprocal reflexive

The plural reflexive pronouns (**nos, os,** and **se**) can be used to express mutual or reciprocal actions, expressed in English with *each other*.

Nosotros **nos** escribimos muy a menudo. — *We write to each other very frequently.*

Vosotros **os** veis con frecuencia, ¿no? — *You (all) see each other a lot, don't you?*

Van a encontrar**se** en el bar. — *They're going to meet (each other) in the bar.*

Many sentences can be interpreted as having either reciprocal or reflexive meanings, as in this example.

Leonardo y Estela **se miran** en el espejo.
{ *Leonardo and Estela look at each other in the mirror.* (reciprocal)
Leonardo and Estela look at themselves in the mirror. (reflexive) }

PRÁCTICA 1   Conteste las preguntas de la página siguiente, primero según el dibujo y luego según los demás sujetos indicados.

Vocabulario útil: el espejo, el jabón, el pañuelo

°Masculine forms are used unless both subjects are feminine, and use of definite articles in the clarifying phrase is optional.

Some reflexive verbs may take a direct object in addition to the reflexive pronoun. Thus, you may need to use two pronouns together. The reflexive pronoun will always precede the direct object pronoun.

—¿Va a **quitarse los zapatos** Manuel?

—*Is Manuel going to take off his shoes?*

—Sí, va a **quitárselos.**

—*Yes, he's going to take them off.*

A PROPÓSITO

When context is not sufficient to determine whether a construction is reciprocal or reflexive, the reciprocal is indicated by the clarifying phrase **uno a otro** (**una a otra / unos a otros / unas a otras**).

Jorge y Olga se respetan (**el**) **uno a(l) otro.**°

Jorge and Olga respect each other.

Paloma y Olga se respetan (**la**) **una a (la) otra.**°

Paloma and Olga respect each other.

1. ¿Qué hace? (la mujer, yo, tú)

2. ¿Qué hacían? (ellos, Uds., nosotros)

3. ¿Qué va a hacer? (la señora, tú, Ud.)

PRÁCTICA 2   Conteste las siguientes preguntas negativamente como si fuera (*as if you were*) Manuel, un papá moderno con tres hijos. Indique que las personas mencionadas en las preguntas se hacen la acción. Recuerde usar los pronombres de complemento directo cuando pueda.

> MODELO: —¿Siempre despiertas a tu esposa Olga? →
> —No, ella se despierta.

1. —¿Siempre bañas a Luisito?

2. —¿Siempre le quitas el pijama a Alfonsito?

3. —¿Siempre le pones los calcetines a Carmencita?

4. —¿Siempre les preparas el desayuno a tus hijos?

▪▪▪▪ 10 INTERCAMBIOS

AUTOPRUEBA   Complete las siguientes oraciones con la forma apropiada del presente del verbo entre paréntesis. ¡Cuidado! En algunos casos, debe usar el reflexivo y en otros no.

1. Marta (peinar) todos los días.

2. Ana es muy creída (*self-centered*); siempre (mirar) en el espejo.

3. Los militares tienen que (afeitar) todos los días.

4. Voy a (bañar) al perro porque huele (*he smells*) muy mal.

5. Uds. necesitan (quitar) los zapatos antes de entrar en la casa.

6. Mis amigos colombianos y yo (ver) una vez al año.

7. El bebé está durmiendo. No hablo porque no lo quiero (despertar).

8. Elena (comprar) un coche nuevo.

Respuestas: 1. se peina **2.** se mira **3.** afeitarse **4.** bañar **5.** quitarse **6.** nos vemos **7.** despertar **8.** se compra

---

A   GUIONES   Describa los dibujos de la página siguiente con la forma apropiada —o reflexiva o no reflexiva— usando los verbos indicados.

Vocabulario útil: la bota, la nevada, la reina, la serpiente, el vaquero

1. matar   **2.** poner   **3.** quitar   **4.** bañar

Ahora, elija uno de los dibujos e invente una historia explicando por qué el individuo del dibujo hace lo que hace y describiendo las consecuencias de lo que hace.

B ¡NECESITO COMPAÑERO! Todos tenemos costumbres muy particulares, ¿verdad? Trabajando en parejas, háganse preguntas para averiguar en qué circunstancias cada uno de Uds. hace las siguientes acciones. Usen la forma de **tú** en las preguntas y los complementos pronominales para evitar la repetición innecesaria en las respuestas.

1. lavarse la cara con agua muy fría/caliente

2. comprarse un regalito

3. ponerse ropa vieja

4. ponerse ropa muy elegante

5. escribirse recados para recordar algo

6. darse un baño largo y caliente

7. darse palmadas en la espalda (*pats on the back*)

8. gritarse

¿Son Uds. muy similares o muy diferentes? Cuando compartan su información con la clase, mencionen por lo menos *una* acción que *los dos* hacen cuando están en circunstancias semejantes.

C GUIONES Describa los siguientes dibujos usando los verbos indicados. Luego, elija uno de los dibujos e invente una «catástrofe» que resulta de la acción descrita.

1. ladrar, mirar   **2.** abrochar   **3.** dar de comer   **4.** servir

D GUIONES Examine los siguientes dibujos y haga oraciones usando el vocabulario indicado. ¿Cuáles de las acciones son reflexivas? ¿Cuáles no son reflexivas? ¿Hay también acciones recíprocas?

1. el vendedor / la cliente / pelear, gritar

2. los chicos / las chicas / saludar, abrazar

3. la mujer / bañar, relajar

4. las muchachas / mirar, hablar

5. la niña / las uñas / pintar

6. el mesero / el cliente / servir, devolver

Enlace

▪▪▪ ¡OJO!

	Examples	Notes
pensar pensar en pensar de pensar que	**Pienso;** luego existo. *I think; therefore, I am.* **Piensa (Cree) que** se ha asimilado muy bien. *He thinks (He believes) that he has assimilated very well.*	Used alone, **pensar** means *to think,* referring to mental processes. **Pensar** is also synonymous with **creer,** meaning *to have an opinion about something.*

(continúa)

	Examples	Notes
	¿**Piensan venir** con nosotros? *Are they planning to come with us?*	Followed by an infinitive, **pensar** means *to intend* or *to plan* (*to do something*).
	Pienso en mi novio. *I'm thinking about my boyfriend.*	**Pensar en** means *to have general thoughts* (*about someone or something*).
	¿Qué **piensas de** mi familia? *What do you think of (about) my family? (What is your opinion of it?)*	**Pensar de** indicates an opinion or point of view; it is generally used in questions.
	Pienso que es una familia divertida. *I think it's a fun family.*	**Pensar de** is frequently answered with **pensar que.**
consistir en **depender de**	La clase **consiste en** ejercicios prácticos. *The class consists of practical exercises.*	The English expression *to consist of* is expressed in Spanish with **consistir en.**
	Dependen de sus hijos económica y emocionalmente. *They depend on their children financially and emotionally.*	*To depend on* corresponds to Spanish **depender de.**
enamorarse de **casarse con** **soñar con**	**Se enamoró de** la hija de unos exiliados chilenos. *He fell in love with the daughter of Chilean exiles.*	*To fall in love with someone* is expressed by **enamorarse de alguien.**
enamorarse de **casarse con** **soñar con**	Mi abuelo **se casó** por segunda vez **con** una rusa. *My grandfather got married for the second time to a Russian woman.*	*To marry* is expressed by **casarse,** followed by **con** when the person one marries is specified.
	Soñó con su esposo muerto. *She dreamed about (of) her dead husband.*	English *to dream about (of)* is expressed in Spanish with **soñar con.**

VOLVIENDO AL DIBUJO   El dibujo que aparece en esta página es el mismo que Ud. vio en la sección **Describir y comentar.** Examínelo y luego escoja la palabra que mejor complete cada oración de acuerdo con el contexto. ¡Cuidado! También hay palabras del capítulo anterior.

1. El chico en el centro mira a las chicas que pasan. Él se enamora (a/con/de)[1] una de ellas y quiere casarse (a/con/de)[2] ella en el futuro. Piensa (de/en/que)[3] ella todo el día. Sus amigos dicen que (busca/mira/ parece)[4] enfermo porque no come ni duerme bien. Su vida consiste (con/de/en)[5] ir al trabajo y pensar (a/de/en)[6] su novia. Dice que su felicidad depende (a/de/en)[7] ella y por eso él sueña (con/de/en)[8] ella todas las noches. ¡Vaya chico!

2. Los hombres detrás del joven enamorado juegan al ajedrez. El juego consiste (a/de/en)⁹ mover las piezas para hacer un jaque mate[a] al rey. Cada persona piensa (de/en/que)¹⁰ sus jugadas y las analiza con cuidado porque la victoria puede depender (a/de/en)¹¹ su decisión.

3. Por generaciones, la gente de esta ciudad usó el reloj del ayuntamiento[b] para organizar su vida. Ahora el reloj ya no (funciona/trabaja)¹² y desde entonces todos siempre llegan atrasados a sus citas. En este momento, ellos piensan (de/en/que)¹³ son las 6:10 de la tarde y por eso, nadie (funciona/trabaja)¹⁴. En realidad, son las 3:10.

[a]jaque… *check mate*   [b]*town hall*

■■■ REPASO*

A Complete el siguiente párrafo con el presente de **ser** y **estar,** según el contexto.

Nuestra imagen de los indígenas norteamericanos

Para muchos estadounidenses, los indígenas norteamericanos _____¹ figuras muy conocidas y misteriosas a la vez. Cuando los jóvenes todavía _____² en la escuela primaria, estudian la historia de estos «primeros americanos». Pocahontas, Hiawatha y Sitting Bull _____³ nombres tan familiares como George Washington, Betsy Ross y Abraham Lincoln. Para ellos, los indígenas norteamericanos _____⁴ solamente personajes históricos, románticos; _____⁵ en los libros pero no en la vida real. Por eso ellos se sorprenden cuando leen sobre los conflictos entre los indígenas norteamericanos y el gobierno federal. Aunque muchos indígenas norteamericanos prefieren _____⁶ invisibles, no todos _____⁷ contentos con el estatus inferior que esto implica, y algunos lo rechazan.[a] _____⁸ triste notar que los conflictos de hoy _____⁹ los mismos de años pasados: tierra y libertad.

[a]*reject*

B ¡NECESITO COMPAÑERO!   Trabajando en parejas, háganse y contesten preguntas sobre su origen étnico. Luego, compartan con la clase lo que han aprendido (*have learned*). Usen los siguientes puntos como guía y recuerden usar las formas de **tú.**

- el origen étnico de sus padres y otros parientes
- si algunos parientes todavía viven en otro país
- si conoce a alguno de ellos
- si tiene un antepasado famoso o interesante y cómo era
- si se habla o hablaba otro idioma en su casa
- si toda su familia suele o solía reunirse con frecuencia
- las costumbres —fiestas, comidas, etcétera— que hay o había en su familia que conservan rasgos de un grupo étnico determinado

---

*Activity A focuses on material from previous lessons; Activity B reviews structures in the current lesson.

La lengua española y su historia

Video on CD

Alfonso x el Sabio, rey de España 1221–1284

El español es la lengua romance que cuenta con el mayor número de hablantes. Hoy en día más de 400 millones de personas lo hablan en el mundo. La historia del español revela el contacto con muchas otras lenguas y culturas. El rey Alfonso x el Sabio (*the Wise*) (1221–1284) es el primer rey que inicia el uso del español, en vez del latín, como la lengua de cultura.* Poco a poco, el **castellano** (de la región de **Castilla**) o sea, el español, se enriquece con aportaciones (*contributions*) de otras lenguas mientras se sigue formando. En 1492 Antonio de Nebrija publica la primera *Gramática Castellana,* y así el español llega a ser la primera lengua que se estudia científicamente. Para los siglos XVI y XVII, el español se impone como lengua internacional.

¿Qué lenguas contribuyen directamente al desarrollo del español? ¿Qué palabras de esas otras lenguas todavía se usan en español? Lea con cuidado las siguientes afirmaciones acerca de la historia del español y luego mire el vídeo y escuche el texto que lo acompaña para descubrir esta información.

Antes de ver

- ¿Sabía Ud. que todas las lenguas toman prestadas (*borrow*) palabras de otras lenguas? ¿Sabe Ud. algunas palabras en inglés que vienen del español? ¿Sabe Ud. algunas palabras en español que vienen del inglés? ¿de otras lenguas?

- Ahora, lea con cuidado la actividad en **Vamos a ver** antes de ver el vídeo por primera vez.

Vamos a ver

Escoja la respuesta que mejor conteste cada oración, según el vídeo.

1. En España, las tres lenguas que coexisten actualmente con el español son _____.
   a. el latín, el quechua y el rumano
   b. el catalán, el gallego y el vascuence (el euskera)
   c. el árabe, el náhuatl y el latín

2. A partir del siglo XV, ¿cuál de los siguientes grupos de lenguas tiene mayor impacto en el desarrollo del español?
   a. las lenguas romances
   b. las lenguas indígenas
   c. las lenguas norteamericanas

3. Aproximadamente el 10% de las palabras españolas tiene origen _____.
   a. latín
   b. portugués
   c. árabe

---

*Es decir, la lengua que se habla en las cortes y en las iglesias, y en que se escriben los libros y otros documentos.

4. El acontecimiento (*event*) que ayuda más a la expansión del español es _____.
   a. la llegada (*arrival*) de los españoles al continente americano
   b. la fundación de la Real Academia Española
   c. la independencia de los países hispanoamericanos

Después de ver

■ Las palabras inglesas modernas *campus, naïve, broccoli* y *democracy* vienen de una de las siguientes lenguas: italiano, griego, francés o latín. ¿Pueden Uds. adivinar (*guess*) a qué lengua pertenece cada una? ¿Qué opinan de las aportaciones que otras lenguas hacen al inglés? ¿Creen que es bueno que las lenguas sigan evolucionando (*keep evolving*) o que es mejor que no cambien con el tiempo y que resistan las influencias externas (*external*)? Expliquen.

■ En el vídeo se mencionan varias palabras en español que vienen del árabe y de las lenguas indígenas. Busque información sobre esas influencias externas en el desarrollo del español. ¿Cuántas palabras más puede encontrar? Comparta esta información con sus compañeros de clase. ¡A ver quién prepara la lista más extensa!

Costumbres y tradiciones

En este capítulo:

Pamplona, España

85

Describir y comentar

The *¡Avancel Online Learning Center* with ActivityPak (**www. mhhe.com/avance2**) contains new interactive activities to practice the material presented in this chapter.

- ¿Qué hacen las personas del dibujo A? ¿Sabe Ud. con qué religión se asocia esta tradición?

- ¿Qué celebran los jóvenes del dibujo B? ¿Qué actividades asocia Ud. con esta celebración?

- ¿Qué están celebrando los niños del dibujo C? ¿Qué objetos son importantes en esta celebración? ¿Cómo celebraba Ud. este evento y cómo lo celebra ahora?

- ¿Cuáles de las actividades de las tres escenas le parecen normales a Ud.? ¿Cuáles le parecen un poco extrañas? ¿Hacía Ud. o hace cosas parecidas?

■■■ VOCABULARIO ... *para conversar*

aceptar to accept

asustar to frighten

cumplir to complete, fulfill

   cumplir _____ **años** to turn _____ years old

disfrazarse (de) to disguise oneself (as)

festejar to celebrate; to "wine and dine"

gastar una broma to play a prank

hacer travesuras (a) to play tricks (on)

morir (ue, u) to die

rechazar to reject

tener miedo to be afraid

la bruja witch

   el Día de las Brujas* Halloween

el cementerio cemetery

el cumpleaños birthday

el Día de los Muertos (de los Difuntos)* All Souls' Day

el Día de Todos los Santos* All Saints' Day

el disfraz costume, disguise

los dulces candy; sweets

el esqueleto skeleton

el fantasma ghost

el más allá the hereafter; life after death

el miedo fear

el monstruo monster

la muerte death

   el/la muerto/a dead person

la Semana Santa Holy Week (*week prior to Easter*)

la vela candle

travieso/a mischievous

lo sobrenatural the supernatural

A ¿Qué palabra no pertenece al grupo? Explique por qué. ¡Cuidado! A veces hay más de una respuesta.

1. el cumpleaños, el Día de los Difuntos, la Navidad, las Pascuas (*Easter*)
2. aceptar, apreciar, despreciar, querer
3. asustar, los dulces, el miedo, el monstruo

B ¡NECESITO COMPAÑERO! Sigan el modelo de la página siguiente para hacer un cuadro o mapa semántico para las siguientes palabras. Primero, pongan en el centro la palabra objeto (*target*); luego, completen el cuadro con todas

---

*The customs associated with these celebrations in this country and in Hispanic countries are quite different. All Saints' Day (November 1) and All Souls' Day (November 2) are days when Hispanic Catholics, in general, honor the memory of dead friends and relatives by visiting the cemetery and placing flowers on their graves, celebrating Mass, and lighting candles to pray for their souls. These are solemn occasions, but in some countries they include elements that would seem out of place in this country: for instance, taking children to the cemetery to have a picnic there. It is important to remember that, even though many religious beliefs are shared throughout the Hispanic world, the specific customs celebrated during these days vary from country to country.

Although the disguises and pranks of Halloween have long been a peculiarly North American tradition, they have begun to appear among the middle and upper-middle classes in parts of the Hispanic world. In Puerto Rico, Peru, and Colombia, for example, children celebrate **el Día de las Brujas** just like their North American counterparts. In many parts of the Hispanic world, particularly in the Caribbean, it is common to celebrate **Carnaval** (Mardi Gras) with several days of street dancing, large meals, and costume parties.

las palabras o ideas que asocien con ella, según las categorías indicadas. No es necesario limitarse a las palabras de la lista de vocabulario.

MODELO: asustar →

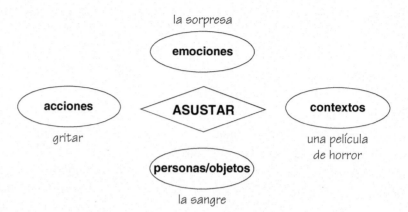

1. lo sobrenatural
2. disfrazarse
3. el cumpleaños
4. la muerte

Ahora, comparen sus cuadros con los de los demás grupos. ¿Revelan experiencias muy semejantes o muy diferentes?

C Conteste las siguientes preguntas.

■ Cuando Ud. era niño/a, ¿celebraba el Día de las Brujas? ¿de qué manera? ¿Salía disfrazado/a? ¿Qué disfraz solía llevar? ¿Prefería salir disfrazado/a de personaje real o ficticio? ¿Por qué? ¿Cuál era su disfraz favorito?

■ ¿Gastaba Ud. bromas el 31 de octubre? ¿de qué tipo? ¿Sabían sus padres lo que hacía?

■ Ahora que Ud. es mayor, ¿celebra el 31 de octubre con sus amigos? ¿Cómo lo celebran Uds.?

Lengua I

■■ 11 *Gustar* and Similar Verbs

English has several verb pairs in which one verb expresses a positive feeling and the other a related negative feeling.

POSITIVE	NEGATIVE
I like that.	*I dislike that.*
That pleases me.	*That displeases me.*

Occasionally, in any given language, a positive form exists without the corresponding negative form, or vice versa. For example, English has no direct opposite for *disgust*. Following the pattern of the other word pairs, however, we could invent such a word: **gust,* meaning *to cause a positive reaction* (the opposite of *disgust*).

La medicina alternativa en Hispanoamérica

EN HISPANOAMÉRICA se usa una gran variedad de recursos para curar las enfermedades, tanto físicas como emocionales y aun espirituales. Por supuesto, hay muchos hospitales modernos y médicos competentes, graduados de las mejores universidades locales o extranjeros. Pero al mismo tiempo mucha gente depende de los métodos alternativos tradicionales, que no se basan en las ciencias, para curar las enfermedades.

Las personas que ejercen este tipo de medicina se llaman «curanderos» y sus métodos se originan en parte en las prácticas curativas de los indígenas de la época precolombina. También reflejan las contribuciones de otros grupos, incluso las de los africanos que fueron importados como esclavos en los siglos XVII y XVIII, y las de los grupos evangélicos que se han establecido en la región más recientemente.

Las civilizaciones indígenas que ocupaban el continente americano antes de la llegada de los europeos contaban con especialistas en varios aspectos de la medicina. Algunos se especializaban en el uso de plantas medicinales y otros en el tratamiento de los males[a] espirituales. Éstos creían que la salud se relacionaba no sólo con el cuerpo físico sino también con el espíritu. Por eso, sus remedios se aplicaban con el propósito de devolver la salud del cuerpo y también la del alma y del espíritu. A veces, esto incluía la práctica de ceremonias para exorcizar algún espíritu maligno[b] que se ocupara

Hierbas medicinales (Puerto Vallarta, México)

el cuerpo de un enfermo. Como se pedía la intervención de los dioses para curar al paciente, esta actividad se consideraba sagrada y los curanderos recibían la estimación de un sacerdote.*

En algunas culturas hasta la ropa puede tener una función curativa. En los países andinos, se tejen[c] símbolos especiales en la ropa para garantizar la buena salud u otro beneficio. Hay ropa para mujeres que lleva símbolos de niños o cosechas que representan la fertilidad y el deseo de reproducirse. Otras prendas de ropa llevan símbolos como el sol, la luna, las montañas, los animales y los ríos que expresan el deseo de una vida sin hambre, inundaciones, sequía,[d] incendios u otras calamidades naturales.

El uso de las plantas desempeña un papel importante en la medicina alternativa también. Muchas de estas plantas se encuentran en las selvas tropicales de la región y los curanderos afirman que tienen propiedades medicinales. Hoy, algunas empresas farmacéuticas

extranjeras investigan los atributos de algunas de estas plantas para ver si se pueden ofrecer la cura de alguna enfermedad «incurable».

El movimiento evangélico actual en Hispanoamérica también se asocia con la curación de los enfermos. En este caso, son los pastores de las iglesias quienes tratan los males de los creyentes, siguiendo el ejemplo de Jesucristo, quien, según el Nuevo Testamento, curaba a los enfermos. Los creyentes afirman que la imposición de manos puede aliviar sus dolencias[e] y creen que la buena salud depende de la integración de la mente, cuerpo y espíritu.

Aunque hay escépticos que todavía dudan que los remedios alternativos sean eficaces, muchos médicos norteamericanos han comenzado a reconocer el valor de tratar al paciente en términos emocionales y espirituales —y no sólo sus síntomas físicos. ■

[a]*ills* [b]*evil* [c]*se… are woven* [d]*inundaciones… floods, drought* [e]*afflictions*

---

*Teniendo en cuenta esta idea, considere la relación entre las palabras **el cura** (*priest*) y **la cura** (*cure*).

That *gusts me.	*That disgusts me.*
He *gusts you.	*He disgusts you.*

In the hypothetical sentence *That *gusts me*, the pronoun *that* is the subject and *me* is the object.

A. Use of *gustar*

Spanish actually has such a word pair: **disgustar** has a counterpart, **gustar,** the equivalent of our invented English verb *to *gust.* The Spanish sentence that corresponds to *That *gusts me* is **Eso me gusta.** Here, **eso** is the subject and **me** is the object. Changing the subject to **libro** produces the following sentence.

El libro me gusta.	*The book *gusts me.*

If the subject changes from **libro** to **libros,** the verb also changes from singular to plural, just as you would expect.

Los libros me gustan.	*The books *gust me.*

In contrast to the English construction, in which the verb generally follows the subject, in the Spanish **gustar** construction the usual word order is to have the subject following the verb. The meaning, however, remains the same.

Me gusta eso.	*That *gusts me.*
Me gustan los libros.	*The books *gust me.*

Indirect object pronouns are used with **gustar.** As in other sentences that contain indirect objects, a prepositional phrase may be used to clarify or emphasize an object pronoun. This phrase may either follow or precede the verb.

A ti te gusta el libro.	*The book *gusts you.*
Nos gusta esquiar a nosotros.°	*Skiing *gusts us.°*
No le gustan a Lupe los perros.	*Dogs don't *gust Lupe.*

B. Meaning of *disgustar, gustar,* and *caer bien/mal*

There are some important differences in the meaning of the verbs **disgustar** and **gustar. Disgustar** is not as emphatic as English *to disgust;* the verbs *to annoy* or *to upset* express its meaning more accurately. When referring to individuals, **gustar** expresses a strongly positive reaction or physical attraction. The expressions **caer bien** and **caer mal** are more commonly used to refer to individuals that one likes or dislikes.

Ese hombre **me cae bien,** pero esos tipos de allí **me caen** muy **mal.**	*That man over there strikes me positively, but those folks over there strike me all wrong (rub me the wrong way).*
En serio, Diego no **me cae bien.**	*Really, I just do not like Diego.*

PRÁCTICA   Forme oraciones nuevas, sustituyendo las palabras *en letra cursiva azul* por las que aparecen entre paréntesis.

1.   Me gusta *la película.* (los libros de historia, comer, los deportes, lo moderno, las vacaciones, escribir composiciones en español)

°When the subject is an action, Spanish uses the infinitive (**esquiar**), whereas English uses the gerund (*skiing*).

2. *A nosotros nos* gustan las fiestas. (ella, ti, Ud., mí, ellos, él)

3. Me cae bien *tu primo*. (tus hermanos, mis compañeros de cuarto, el profesor, Antonio)

◼◼◼ 11 INTERCAMBIOS

AUTOPRUEBA   Complete las siguientes oraciones con un pronombre de complemento indirecto (**me, te, le, nos, les**) y la forma apropiada del verbo entre paréntesis, según el contexto.

1. Este examen (preocuparle) mucho porque llevo una mala nota en este curso.

2. No podemos estudiar en casa porque (molestarle) mucho el ruido.

3. A mis padres (caerle) bien mi novia. Creen que ella es muy simpática.

4. Noto que Uds. no escuchan la película. ¿No (interesarle) el tema?

5. A mi abuela (disgustarle) los perros porque ladran mucho.

6. Generalmente no (gustarle) las legumbres a los niños.

7. A mí (importarle) la felicidad de mis amigos.

Respuestas: 1. me preocupa **2.** nos molesta **3.** les cae **4.** les interesa **5.** le disgustan **6.** les gustan **7.** me importa

---

A   Conteste las siguientes preguntas, según sus propias preferencias y experiencias.

1. ¿Qué (no) le gusta a Ud.? (comer chiles, la comida de la cafetería universitaria, la gente mentirosa, los libros de historia, las películas románticas, ¿ ?)

2. ¿Qué (no) le preocupa? (la cuenta telefónica, el futuro, las notas en la clase de español, ¿ ?)

3. ¿Qué (no) le interesa? (aprender otro idioma, los clubes exclusivos, los deportes, los programas en la televisión, ¿ ?)

ENTRE TODOS

- ¿Le gustan las fiestas? ¿Qué le gusta hacer en las fiestas?

- ¿Le gustan las personas honestas? ¿el líder de este país? ¿los políticos en general? ¿los atletas profesionales?

- ¿A quién(es) en la clase le(s) gustan las personas ruidosas? ¿chistosas? ¿serias?

B   Describa la reacción de cada persona hacia la cosa indicada. Use los verbos **caer bien/mal, disgustar, gustar, importar, interesar** y **preocupar** para hablar de las reacciones. Luego, justifique sus opiniones.

MODELO: yo: los deportes →
Me interesan mucho los deportes porque juego en el equipo de baloncesto universitario.

1. mi mejor amigo/a: el invierno

2. Papá Noel: los niños

3. mi mejor amigo/a y yo: los exámenes finales

4. mis abuelos (padres, hijos): la música moderna

5. mi novio/a (esposo/a, mejor amigo/a): los animales

6. yo: lo tradicional

7. tú: los regalos

8. los bibliotecarios: el ruido

C De pequeño/a, ¿era Ud. un niño típico / una niña típica o era diferente de sus amigos/as? Conteste las siguientes preguntas, indicando su propia reacción y también la de otros de su edad. Use las formas apropiadas de **disgustar, gustar, interesar** y **preocupar** en el imperfecto.

MODELOS: De niño/a, ¿le gustaba dormir la siesta por la tarde? →
Era un niño típico / una niña típica: a mí no me gustaba y a los otros niños tampoco les gustaba.
Era un niño / una niña diferente: a mí me gustaba, pero a los otros niños no les gustaba.

De niño/a, ¿le gustaba(n)...

1. ... las verduras (*vegetables*)?
2. ... las películas animadas de Disney?
3. ... la escuela?
4. ... la tarea?
5. ... tomar lecciones de música o de baile?
6. ... leer?
7. ... estar solo/a?
8. ... las tiras cómicas con Batman?
9. ... hacer cosas peligrosas?
10. ... ponerse ropa elegante?

Ahora, nombre dos preferencias más: una que lo/la *diferenciaba* de los otros de su edad y otra que lo/la *identificaba* con ellos.

D ¡NECESITO COMPAÑERO! Háganse y contesten preguntas para describir su vida, sus gustos y sus preferencias de niño/a. Usen verbos en el imperfecto. Pueden incluir también sus propios detalles.

MODELO: vivir: el campo / la ciudad →
—¿Vivías en el campo?
—Sí, y me gustaba mucho porque...

1. vivir: con quién
2. llevarte bien: con los otros miembros de tu familia
3. gustar: ir al cine / al parque
4. tener: un perro / un gato; llamarse: el animal
5. gustar: asistir a la escuela
6. preferir: estar con tus amigos / estar solo/a
7. practicar: deporte; tomar: lecciones de baile o de música
8. apreciar más que nadie (*more than anyone*): a quién

ENTRE TODOS En general, ¿era Ud. más feliz cuando era niño/a? ¿Era su vida más fácil o más difícil? ¿En qué sentido? ¿Cree Ud. que su vida era más interesante que ahora? Explique.

■■ 12 Forms of the Preterite

In **Capítulo 2,** you reviewed the forms and uses of the imperfect tense. The preterite (**el pretérito**) is the other simple form of the past tense in Spanish.* It is used when the speaker focuses on the beginning or the end of an action in the past.

---

*The uses of the preterite and the imperfect tenses are contrasted in grammar section 14.

A. Verbs that are regular in the preterite

All regular verbs and all **-ar** and **-er** verbs that have stem changes in the present have the regular preterite forms shown in the following chart. Note that the preterite **tú** form ends in **-ste** instead of the normal **-s** ending you've seen for **tú** in other tenses.

-ar Verbs	-er Verbs	-ir Verbs
hablé	corrí	escribí
hablaste	corriste	escribiste
habló	corrió	escribió
hablamos	corrimos	escribimos
hablasteis	corristeis	escribisteis
hablaron	corrieron	escribieron

Note the written accents on the first- and third-person singular forms. The **nosotros/as** forms of **-ar** and **-ir** verbs are identical in the present tense and in the preterite; context will determine meaning. **-Er** verbs, however, do show a present/preterite contrast in the **nosotros/as** form (**corremos/corrimos**).

B. *-Ir* stem-changing verbs

In grammar section 4 you reviewed the forms of **-ir** stem-changing verbs in the present tense. These verbs show a slightly different stem change in the preterite, but *in the third-person singular and plural forms only.*

Present Tense e → ie Preterite e → i		Present Tense o → ue Preterite o → u		Present Tense e → i Preterite e → i	
preferí	preferimos	dormí	dormimos	pedí	pedimos
preferiste	preferisteis	dormiste	dormisteis	pediste	pedisteis
prefirió	prefirieron	durmió	durmieron	pidió	pidieron

Here are some of the most common verbs of this type. The first vowel(s) in parentheses refer(s) to the stem change in the present tense. The last vowel in parentheses refers to the stem change in the preterite.

divertirse (ie, i) *(to have a good time)*	morir (ue, u)	seguir (i, i)
	pedir (i, i)	servir (i, i)
dormir (ue, u)	preferir (ie, i)	sonreír (i, i) *(to smile)*
medir (i, i)	reír(se) (i, i) *(to laugh)*	sugerir (ie, i)
mentir (ie, i)	repetir (i, i)	vestir(se) (i, i)

°These spelling changes and accent rules are practiced in the *Cuaderno de práctica*. They are also discussed in more detail in Appendices 1 and 2.

A PROPÓSITO

Verbs with infinitives that end in **-car**, **-gar**, and **-zar** have a spelling change in the first-person singular of the preterite.

bus**car** → bus**qué**

lle**gar** → lle**gué**

comen**zar** → comen**cé**

When the stem of an **-er** or **-ir** verb ends in a vowel (for example, **leer, caer**), the **i** of the third-person preterite ending changes to **y**.

le + i**ó** → le**yó**, le**yeron**

ca + i**ó** → ca**yó**, ca**yeron**

Such verbs also require accent marks on the second-person singular and plural forms and on the first-person plural of the preterite.°

le**íste**, le**ísteis**, le**ímos**
ca**íste**, ca**ísteis**, ca**ímos**

A PROPÓSITO

The verbs **reír(se)** and **sonreír** drop the **i** of the stem in the third-person singular and plural forms of the preterite.

(son)ri + i**ó** → (son)ri**ó**

They also have a written accent in the second-person singular and plural and first-person plural forms.

(son)re**íste**, (son)re**ísteis**, (son)re**ímos**

C. Verbs with irregular preterite stems and endings

All verbs in this category have irregular stems and share the same set of irregular endings. Note that these forms have *no written accents*. The preterite forms of **tener** and **venir** are examples of verbs of this category.

tener		venir	
tuve	tuvimos	vine	vinimos
tuviste	tuvisteis	viniste	vinisteis
tuvo	tuvieron	vino	vinieron

The following verbs—and any compounds ending in these verbs (**poner** → **componer, hacer** → **deshacer,** and so on)—share the same endings as **tener** and **venir.**

andar:	**anduv-**	hacer:	**hic-**	querer:	**quis-**
decir:	**dij-**	poder:	**pud-**	saber:	**sup-**
-ducir:	**-duj-**°	poner:	**pus-**	traer:	**traj-**
estar:	**estuv-**				

The preterite of **hay (haber)** is **hubo** (*there was/were*).

D. *Dar, ir,* and *ser*

Dar is an **-ar** verb that uses the regular **-er** verb preterite endings. **Ser** and **ir** have identical preterite forms; context will determine meaning.

dar		ir/ser	
di	dimos	fui	fuimos
diste	disteis	fuiste	fuisteis
dio	dieron	fue	fueron

PRÁCTICA   Complete las siguientes oraciones, según el modelo.

> MODELO: Hoy no pienso *comer,* pero ayer _____ mucho. →
> Hoy no pienso comer, pero ayer comí mucho.

1. Hoy no pienso *estudiar* (correr, dormir, leer, manejar), pero ayer _____ mucho.

2. Este año los estudiantes no *estudian* (ganan, juegan, pierden, salen), pero el año pasado _____ mucho.

3. Este año tú no *festejas a muchos amigos* (gastas muchas bromas, sigues muchos cursos, vas a Centroamérica, vienes a clase conmigo), pero el año pasado _____.

Ahora complete las siguientes oraciones, poniendo los verbos en el pretérito y también cambiando los sustantivos por complementos pronominales.

°Verbs with this form include **traducir (traduje, tradujiste,...), conducir (conduje, condujiste,...),** and **reducir (redujo, redujiste,...),** among others.

A PROPÓSITO

The third-person singular form of **hacer** has an irregular spelling in the preterite: **hizo.**

Verbs whose preterite stem ends in **-j** drop the **i** from the third-person plural endings.

dij + **i**eron → dijeron

produj + **i**eron → produjeron

traduj + **i**eron → tradujeron

traj + **i**eron → trajeron

MODELO: Pablo no quería *escuchar las cintas*, pero ayer _____. →
Pablo no quería escuchar las cintas, pero ayer las escuchó.

4. Pablo no quería *traducir el párrafo* (darme los dulces, decirles la verdad, hacerle el favor, reírse, repetir las palabras), **pero ayer** _____.

5. Esta vez ellos no van a *asustarnos* (rechazar las ideas, servirles cerveza a los niños, sonreírnos, traerle regalos a Marta, ver los disfraces), **pero la vez pasada sí,** _____.

6. Este año mi sobrinita no *se disfraza* (hacerle travesuras a su hermano, pedirles dulces a los vecinos, sacarles fotos a los amiguitos), **pero el año pasado sí,** _____.

▪▪▪ 12 INTERCAMBIOS

AUTOPRUEBA Complete el siguiente párrafo con la forma apropiada del pretérito de los verbos entre paréntesis, según el contexto.

Para el primer día de escuela María Elena, una niña de 5 años, (vestirse)[1] con un vestido rojo muy bonito. (Ponerse)[2] los zapatos, y su mamá le (servir)[3] el desayuno. Sus padres le (dar)[4] una mochila nueva para sus libros y toda la familia (salir)[5] para la escuela. Rumbo[a] a la escuela, (encontrarse: ellos)[6] con la familia Pérez, que también acompañaba a su hija Graciela a la escuela. Cuando todos (llegar)[7] a la escuela, los padres (saludar)[8] a la maestra. La mamá de María Elena les (prometer)[9] regresar a mediodía a recoger[b] a las dos niñas. Todos (despedirse),[10] los padres (irse)[11] y María Elena y Graciela (comenzar)[12] su primer día de escuela.

[a]*On the way*   [b]*pick up*

Respuestas: 1. se vistió **2.** Se puso **3.** sirvió **4.** dieron **5.** salió **6.** se encontraron **7.** llegaron **8.** saludaron **9.** prometió **10.** se despidieron **11.** se fueron **12.** comenzaron

A Todos los años, el 28 de diciembre, Pepito celebra el Día de los Inocentes* gastando bromas a sus familiares y amigos. Cambie los verbos del presente al pretérito para indicar lo que Pepito hizo el año pasado. Luego, conteste las preguntas que siguen.

Pepito se levanta[1] temprano y pone[2] un insecto de plástico en el desayuno de su hermanita. Después, llama[3] por teléfono a un amigo y le cuenta[4] una mentira.[a] Su mamá se enoja[5] mucho. Luego, Pepito va[6] a la escuela para gastar más bromas. En la escuela, Pepito esconde[7] una rana[b] en la mochila de su compañera, dibuja[8] una caricatura insultante de la maestra en una pared y finalmente le

[a]*lie*   [b]*frog*

---

*The origin of the **Día de los Inocentes** stems from when King Herod, upon hearing of the birth of Jesus, ordered the death of every child under the age of 2. (Note the proximity in dates between the celebration of Christmas and the **Día de los Inocentes:** December 25 and 28, respectively). Arguably, it would be rather gruesome to commemorate the death of thousands of innocent children with a special holiday. However, the word **inocente** has a double meaning in Spanish. It can mean *not guilty,* or it can mean *naive.* Thus in modern times, the **Día de los Inocentes** is set aside for playing tricks on others in order to take advantage of the naiveté in everyone.

miente[9] a su maestra. Cuando vuelve[10] a casa, se viste[11] con la ropa de su papá, cierra[12] la puerta de su cuarto, se ríe[13] y se duerme[14c] feliz.

[c]se... *he falls asleep*

ENTRE TODOS

■ ¿Se parece el Día de los Inocentes a algún día en particular en este país? ¿A qué día se parece? ¿En qué se parecen los dos días?

■ Piensa en un primero de abril inolvidable (*unforgettable*) de cuando era niño/a. ¿Qué hizo? ¿Qué hicieron sus amigos?

B GUIONES Trabajando en parejas, narren en el pretérito la siguiente secuencia de acciones. Incorporen las expresiones sugeridas y otras y usen complementos pronominales cuando sea posible.

1.   **2.**   **3.**   **4.**   **5.**

6.   **7.**   **8.**

1. un día el jefe, confiarle (*to entrust*) dinero a la empleada
2. la mujer, decidir guardar (*to keep*) el dinero / poner el dinero en la bolsa / hacer las maletas
3. después, salir del pueblo en coche
4. llegar al Motel Bates
5. allí conocer a Norman / hablarse un rato / entonces ella, firmar su nombre / Norman, darle la llave de su habitación
6. en seguida ir a su habitación / decidir ducharse

7. Norman, disfrazarse de su madre / abrir la puerta / entrar al cuarto de la mujer
8. sorprenderla en la ducha / matarla a puñaladas (*to stab to death*)

La secuencia incluye una famosa escena de muerte de una película estadounidense muy conocida ¿Pueden Uds. identificarla?

C ENTRE TODOS

■ ¿Qué hizo Ud. ayer? ¿Hizo algo interesante el mes pasado? ¿el año pasado? Piense en un día festivo como el Cuatro de Julio o el Día de Acción de Gracias. ¿Qué sucedió? Ahora piense en un día horrible. ¿Qué pasó?

■ ¿Miró Ud. la televisión anoche? ¿Qué programas vio? ¿Cuál le gustó más? ¿menos? ¿Por qué? ¿Qué pasó en el programa? ¿Qué más hizo anoche?

■ Piense en la primera vez que salió con un chico / una chica. ¿Con quién salió? ¿Adónde fueron? ¿Cómo llegaron allí? ¿Qué hicieron? ¿Quién pagó la cuenta? ¿A qué hora volvieron a casa? ¿Besó Ud. al chico / a la chica? ¿Salió con él/ella otra vez? ¿Por qué sí o por qué no?

Trabajando en grupos de tres o cuatro personas, narren en el pretérito la siguiente secuencia de acciones. Usen el vocabulario indicado y otras palabras que Uds. crean necesarias. Cuando sea posible, traten de evitar la repetición innecesaria, usando complementos pronominales.

Una noche de Brujas

1. vestirse, peinarse, disfrazarse de

2. vestirla, pintarle la cara, disfrazarla de

3. ir de casa en casa, pedirles dulces a los vecinos, darles dulces a los vecinos

4. asustar a los vecinos, hacer travesuras, divertirse mucho

5. volver a casa, comer demasiados dulces, ponerse enfermos

■■ 13 *Hacer* in Expressions of Time

The verb **hacer** is used in two different constructions related to time: to describe the duration of an action or event, and to describe the amount of time elapsed since the end of an action or event.

A. *Hacer:* Duration of an action in the present

To describe the length of time that an action has been in progress in the present, Spanish uses either of two constructions.

> **hace** + *period of time* + **que** + *conjugated verb in present tense*
>
> OR
>
> *conjugated verb in present tense* + **desde hace** + *period of time*

Hace dos años **que trabajo** aquí. }
Trabajo aquí **desde hace** dos años. } *I've been working (I've worked) here for two years.**

Questions about the duration of events can be phrased in two ways.

¿**Cuánto tiempo hace que** trabajas aquí? }
¿**Hace cuánto tiempo que** trabajas aquí? } *How long have you been working here?*

---

*Note that English uses a perfect-tense form to describe the same situation: *I have been working, I have worked.*

Other time expressions may be used to ask more specific questions.

¿Hace mucho/poco tiempo
    que trabajas aquí?
            Have you been working here for a
                long/short time?

B. *Hacer:* **Time elapsed since completion of an action**

To describe the amount of time that has passed since an action ended (corresponding to English *ago*), Spanish uses either of two patterns. Both are very similar to those used for actions in progress.

> **hace** + *period of time* + **que** + *conjugated verb in preterite*
>
> OR
>
> *conjugated verb in preterite* + **hace** + *period of time*

Since the focus is on a completed action, the verb for that action is conjugated in the preterite. However, the present-tense form **hace** is always used to measure the time.

Hace cuatro años **que°** vi esa
    película.   *I saw that film four years ago.*
Vi esa película **hace** cuatro años.

Questions with the *ago* structure can be phrased in two ways.

¿**Cuánto tiempo hace que**
    viste esa película?
                            How long ago did
¿**Hace cuánto tiempo que**   *you see that movie?*
    viste esa película?

Other time expressions may be used to ask more specific questions.

¿**Hace mucho/poco tiempo que**   *Did you see that movie a*
    viste esa película?   *long/short time ago?*

PRÁCTICA   Combine las dos oraciones de dos formas, usando expresiones con **hacer.**

MODELOS: Tengo 10 años. Aprendí a leer a los 6 años. →
            Hace cuatro años que sé leer. (Sé leer desde hace cuatro años.)
            Hace cuatro años que aprendí a leer. (Aprendí a leer hace cuatro años.)

1. Tengo 25 años. Empecé a asistir a la universidad cuando tenía 20 años.
2. Raúl tiene 12 años. Aprendió a montar en bicicleta a los 6 años.
3. Berenice fue a España en 1994 y todavía está allí.
4. La clase empezó a las 11:00 y ya son las 11:50.
5. El padre de Rafael se murió cuando Rafael tenía 12 años. Ahora Rafael tiene 20 años.
6. Julio se enfermó en 2004. Todavía está enfermo.

°In spoken Spanish, **que** is frequently omitted in this structure: **Hace cuatro años vi esa película.**

A PROPÓSITO

To describe an action, condition, or event that was ongoing at some point in the past—but is no longer—Spanish uses a version of the **hace** construction with a verb in the imperfect.

Hace cien años las mujeres no **tenían** el derecho de votar.
One hundred years ago women didn't have the right to vote (but they do now).

Hace dos años que yo **estudiaba** en la universidad.
Two years ago I was studying (I studied) at the university (but I don't anymore).

■■■ 13 INTERCAMBIOS

A Use información personal sobre sus amigos o gente conocida para formar oraciones, según el contexto. Use también una expresión de tiempo con **hacer**. Luego, explique brevemente cada oración.

MODELOS: una experiencia con lo sobrenatural →
Leí un libro de cuentos de Edgar Allan Poe hace varios años.
Los cuentos son buenos, pero ¡no me gusta lo sobrenatural!

una preferencia personal →
Hace muchos años que me gustan las alcachofas (*artichokes*).
De niña, no me gustaban para nada.

1. una experiencia con lo sobrenatural

2. un episodio de gran importancia personal

3. una preferencia personal

4. una habilidad o capacidad común y corriente

5. un talento especial

6. la muerte de alguien importante

7. una experiencia feliz

8. una experiencia que Ud. prefiere olvidar

9. un episodio de gran importancia política o económica

10. ¿ ?

B ¡NECESITO COMPAÑERO! Háganse y contesten preguntas para descubrir la siguiente información. Luego, compartan lo que han aprendido (*you have learned*) con la clase.

1. ¿Cuánto tiempo hace que *aprendiste a leer* (aprender a cocinar, conocer a una persona realmente estupenda, darle un regalo a alguien, hacer un viaje en avión, leer una buena novela, llevar disfraz, sacar la licencia de conducir)?

Jane Anderson Stone

A graveside service for Jane Anderson Stone, 58, will be held at 1 p.m. Friday at the Smalltown Cemetery. A resident of Smalltown, Mrs. Stone died Sunday at Smalltown Hospital.

Born June 17, 1947, in Kingsland, the daughter of John J. Anderson and the late Mary Burns Anderson, Mrs. Stone graduated from the University of Ourstate and taught in the Clearlake School District for 20 years.

Her survivors include her husband of 33 years, Peter M. Stone; her son William B. Stone of Shelton; daughters Roberta Crandall of Riverside and Margaret Westrick of Smalltown; and 7 grandchildren.

The family suggests that remembrances in Mrs. Stone's name be made to the National Cancer Foundation.

American Memorial is in charge of arrangements.

1.

Mark Brown

Gooden's sales manager

On Tuesday, Mark Brown, 73, died in Sunflower Hospital after a long battle with cancer.

Born in Chicago on December 15, 1932, he served in the U.S. Navy and was a longtime employee of Gooden's.

An avid golfer, Mr. Brown also enjoyed playing cards and was devoted to his family.

Mr. Brown was preceded in death by his wife, Louise Morrow Brown, and was the beloved father of Richard A. Brown of Albuquerque, N.M.

Friends may call at the Roses Funeral Home, 11234 Blues Ave. in Sunflower, on Thursday from 2 to 4 and 7 to 9 p.m. Funeral services will be held at 1 p.m. Friday at St. Paul's Church in Sunflower. Interment will be in St. Paul's Cemetery.

2.

2. ¿Cuánto tiempo hace que *vives en esta ciudad* (asistir a esta universidad, conocer a tu mejor amigo/a, estudiar español, no hacer un viaje, no ver a tus padres/hijos, no tomar vacaciones, tener esa ropa que llevas, vivir en esta ciudad)?

C ¡NECESITO COMPAÑERO! A la izquierda y a continuación se presentan cuatro esquelas (*death notices*), dos típicas de la cultura norteamericana y dos típicas de la hispana. ¿Qué semejanzas y contrastes notan Uds.?

■ Primero, examinen con cuidado las esquelas en inglés, marcando en la tabla los datos que se encuentran en por lo menos una de ellas.

■ Después examinen las esquelas en español, marcando en la tabla los datos que se encuentran en por lo menos una de ellas.

✝

EL SEÑOR

DON JOSÉ MOCHÓN SANTIAGO

HA FALLECIDO EN LEÓN
EL DÍA 29 DE JULIO DE 2005
a los sesenta y tres años de edad
Habiendo recibido los Santos Sacramentos y la bendición de Su Santidad

D. E. P.

Su esposa, doña Carmen Toha Abella; hijos, don Popi, don Paco, doña Marisa, doña María del Carmen y don Juanjo Mochón Toha; hijos políticos, don Amador, doña Lía y don Yeyo; madre política, doña María Rebull; hermanas, doña Anita, doña María Luisa y doña Consuelo; hermanos políticos, don Pedro, doña Monse, doña Conchita, doña Toñeta, doña Daidi, don Juan, doña María José, doña Teresa, don Álvaro, doña Adriana, don Manuel, don Rafael y don Vicente; nietos, tíos, sobrinos, primos y demás familia.

Suplican a usted asistan a las exequias y misa de funeral que tendrán lugar hoy, lunes, día 30 del corriente, a las doce de la mañana, en la iglesia parroquial de Santa Marina la Real, y seguidamente a dar sepultura al cadáver.

Capilla ardiente: Sala número 3. Calle Julio del Campo.
Casa doliente: San Juan de Prado, 3.

3.

✝

DON ENRIQUE CRIADO CRESPO

NOTARIO JUBILADO
FALLECIÓ CRISTIANAMENTE
EN BARCELONA
a los setenta y tres años de edad
EL DÍA 29 DE JULIO DE 2005

D. E. P.

Sus afligidos esposa, hijos y demás familia, al participar a sus amigos y conocidos tan sensible pérdida, les suplican un recuerdo en sus oraciones y la asistencia al acto del entierro, que tendrá lugar mañana, día 31, a las once de la mañana, en las capillas del I.M.S.F., área de Collserola (provincia de Barcelona), donde se celebrará la ceremonia religiosa. No se invita particularmente.

4.

¿Qué información se incluye?	NORTEAMÉRICA		ESPAÑA	
	1	2	3	4
1. el nombre de la persona que murió	❏	❏	❏	❏
2. su dirección	❏	❏	❏	❏
3. la fecha en que murió	❏	❏	❏	❏
4. el lugar donde falleció (murió)	❏	❏	❏	❏
5. la causa de su muerte	❏	❏	❏	❏
6. la edad que tenía cuando murió	❏	❏	❏	❏
7. el lugar de su nacimiento	❏	❏	❏	❏
8. la profesión de sus hijos	❏	❏	❏	❏
9. el nombre de sus parientes cercanos	❏	❏	❏	❏
10. alguna información sobre su vida	❏	❏	❏	❏

		NORTEAMÉRICA		ESPAÑA	
		1	2	3	4
11.	la hora y el lugar del entierro	☐	☐	☐	☐
12.	la hora y el lugar de la ceremonia fúnebre	☐	☐	☐	☐
13.	otros datos o características:				
	■ ¿ ?	☐	☐	☐	☐

Ahora, analicen su tabla. ¿Qué información encontraron Uds. en las esquelas de ambas culturas? ¿Qué información o elementos encontraron sólo en las esquelas de una cultura? Expliquen.

ENTRE TODOS

■ ¿Nota Ud. algún vocabulario especial en estas esquelas? Con respecto al estilo o formato, ¿qué semejanzas y diferencias nota entre las esquelas de ambas culturas?

■ En su opinión, ¿qué sugieren estas semejanzas y diferencias con respecto a las culturas norteamericana e hispana?

Lectura I

■■■ LAS POSADAS DE MEXICO Y LA VIRGEN DE GUADALUPE
Aproximaciones al texto

Además de la Tomatina de Buñol, hay muchas otras costumbres y tradiciones seculares en el mundo hispano. Sin embargo, la influencia de la religión es casi inevitable en las culturas hispanas. Hay muchas costumbres y tradiciones que tienen los dos aspectos: uno religioso y otro secular. En la **Lectura 2,** Ud. va a enterarse de una costumbre en que se combinan lo religioso y lo secular: las Posadas de México. También va a leer sobre una de las tradiciones religiosas más fuertes que hay en las culturas hispanas: la Virgen de Guadalupe.

■■■ PALABRAS Y CONCEPTOS

animar   to enliven, motivate
cargar en andas   to carry in a procession
desempeñar un papel   to play a role
encargarse de   to take charge of

entregar   to give, deliver
fortalecer   to strengthen
pedir (i, i) posada   to request lodging
rechazar   to reject

(continúa)

reconocer to recognize

recordar (ue) to remember; to recall, bring to mind; to remind

referirse (ie, i) a to refer to

ubicarse to be located

el ajuste adjustment

el arzobispo archbishop

el atrio churchyard

la búsqueda search

la capilla chapel

el cerro hill

la cima top (*of a hill or mountain*)

la colonia neighborhood (*Mexico*)

el culto devotion

la curación cure

la diosa goddess

los dulces candy

la época season, time of year

el gasto expense

el juguete toy

el milagro miracle

el nicho small religious shrine

la oración prayer

el Papa Pope

la parada stop

el pastor shepherd

el pedido request

la peregrinación pilgrimage

el/la peregrino/a pilgrim

el personaje character

la pintura painting

la posada inn

la prueba test; proof

el pueblo town; people

los Reyes Magos Three Wise Men, Magi

la rima rhyme

la tilma *a small blanket-like shawl, similar to a sarape, but made of cactus fibers*

la vela candle

angustiado/a agonized; agonizing

estrecho/a close

extenso/a extensive

grabado/a imprinted

guadalupano/a *pertaining to the Virgin of Guadalupe*

indígena m., f. indigenous

navideño/a pertaining to Christmas

allí mismo right there

en aquel entonces at that time

por consiguiente consequently

A ¿Cuáles de las palabras de la lista de vocabulario asocia Ud. con lo religioso y cuáles no tienen ninguna relación obvia con la religión? Haga una lista de dos columnas y explique sus respuestas.

B Busque antónimos en la lista de vocabulario.

1. aceptar
2. ahora mismo
3. debilitar
4. dejar caer (*to drop*)
5. deprimir (*to depress*)
6. distante
7. el ingreso (*income*)
8. la infección
9. la respuesta
10. no hacer caso
11. olvidar

C ¡NECESITO COMPAÑERO! En parejas, conversen sobre lo que hacen en su familia durante la época navideña, la época de Janucá o la época de otra celebración importante para Uds. Luego, compartan lo que han aprendido con otra pareja. ¿Qué diferencias o semejanzas hay en sus experiencias?

C ¡NECESITO COMPAÑERO! En parejas, conversen sobre lo que hacen en su familia durante la época navideña, la época de Janucá o la época de otra celebración importante para Uds. Luego, compartan lo que han aprendido con otra pareja. ¿Qué diferencias o semejanzas hay en sus experiencias?

D ¡NECESITO COMPAÑERO! En parejas, hagan una lista y conversen sobre algunos símbolos que representan este país. Expliquen cuáles son y por qué creen Uds. que representan este país. Luego, compartan sus ideas con la clase.

E ¡NECESITO COMPAÑERO! Entre los símbolos que mencionaron en la **Actividad D**, ¿incluyeron en su lista algunos símbolos religiosos también? Comenten por qué sí o por qué no. Luego, compartan sus ideas con la clase.

■■■ Las Posadas de México y la Virgen de Guadalupe

Las Posadas

1 Las Posadas es el nombre de una serie de celebraciones que tienen lugar por nueve noches consecutivas durante la época navideña en México. Todos los años, del 16 al 24 de diciembre, la gente se junta cada noche para celebrar una de estas fiestas tradicionales que conmemoran las nueve noches que María y
5 José anduvieron de Nazaret a Belén,[1] buscando (ᴖᴖ) posada antes del nacimiento de Jesús.° Las Posadas tienen una función religiosa, pero como lo indica la palabra «celebración», también tienen una función divertida y social. Hay variaciones en la forma en que se celebran las Posadas de un lugar a otro, pero los pasos básicos son los mismos cada noche: (1) la procesión, (2) el pedir
10 posada y (3) la fiesta al final. En esta lectura, se va a explicar una posada tradicional de una colonia típica que tiene una iglesia central donde toda la gente puede reunirse para la fiesta al final.

Cada noche, una familia determinada organiza y da la posada para toda la colonia. En algunos casos esto significa que la familia se encarga de pagar los
15 gastos del evento, pero por lo general todas las familias de la colonia cooperan ya que es cada vez más costoso dar una posada hoy en día. De todos modos, cada familia hace lo que puede porque es un honor dar una posada. La noche de la posada, todos los invitados se reúnen para la procesión.

Los dos elementos más importantes de la procesión son María y José. De
20 vez en cuando los jóvenes de la familia anfitriona,[2] u otros jóvenes de la colonia, simplemente cargan en andas las figuras de María y José. Pero por lo general dos niños, una vestida de María y otro vestido de José, desempeñan los papeles de la Santa Pareja.[3] En este caso, si la familia puede conseguir un burro,

[1]*Bethlehem* [2]*host* [3]Santa... *Holy Couple*

°Otra de las interpretaciones es que las nueve noches representan los nueve meses de embarazo (*pregnancy*) de María.

Las piñatas son típicas en todas las posadas tradicionales mexicanas.

25 la pequeña María se sienta sobre el burro y el pequeño José los guía durante la procesión.

El líder de la procesión es un muchacho vestido de ángel que recuerda al ángel que guió a José y María en su búsqueda original. Después del ángel y los pequeños María y José siguen otros jóvenes que representan a los Reyes Magos, más ángeles y pastores con báculo[4] o farol.[5] Al final, van los adultos y
30 los músicos. Algunos miembros de la procesión llevan velas y todos cantan canciones solemnes sin música o recitan oraciones en conjunto. Así pasa la procesión por las calles de la colonia para hacer una parada y pedir posada en algunas casas previamente designadas.

Al llegar a cada casa, los músicos empiezan a tocar la canción tradicional
35 «Pidiendo (ᴖᴖ) posada». Para esta canción, los peregrinos se juntan frente a la puerta cerrada de la casa y dialogan con los dueños que se quedan adentro. Es decir, los peregrinos piden posada cuando cantan el primer verso y los dueños los rechazan con otro verso. Así van alternando[6] (ᴖᴖ) versos, pidiendo (ᴖᴖ) posada y siendo (ᴖᴖ) rechazados, dos o tres veces antes de que los peregrinos
40 se vayan a pedir posada ezn otra casa.[†]

Cuando la procesión llega a la iglesia, es decir, el lugar designado para la celebración, la mitad del grupo entra en el atrio y cierra la reja.[7] La otra mitad, que incluye a María y José y los otros personajes principales de la procesión, se queda afuera. Los de adentro desempeñan el papel de los dueños de la
45 posada y los de afuera piden posada por última vez. Ambos grupos cantan otros versos de la misma manera que antes, pero esta vez los dueños de la

---

[4]*walking staff*   [5]*paper lantern*   [6]van… *they go back and forth alternating*   [7]*wrought-iron gate*

[†]Muchas veces los peregrinos no hacen estas paradas adicionales para no prolongar el evento: Van directo al lugar donde serán recibidos.

posada por fin aceptan a la Santa Pareja. El tono de la canción cambia a uno de alegría, se abre la reja, los dos grupos se reúnen y todos siguen cantando (♫♫) los otros versos de celebración antes de comenzar la fiesta final.

En una fiesta de posada tradicional, hay varias piñatas, pero hay por lo menos una que tiene la forma de una estrella. Esta piñata recuerda la estrella que apareció sobre Belén para anunciar el nacimiento de Jesús y que guió a los Reyes Magos al mismo pueblo. Las piñatas típicamente contienen fruta, caña de azúcar,[8] cacahuates,[9] dulces, a veces juguetes y aun hasta monedas[10] pequeñas. También hay algunas rimas que todos recitan mientras una persona intenta romper la piñata. Una de esas rimas es

Dale,[11] dale, dale, no pierdas el tino[12]
porque si lo pierdes, pierdes el camino.[13]
Ahora sí le das, ahora no le das.

Otras dos partes indispensables de cualquier fiesta de posada son los aguinaldos y el ponche. Los aguinaldos son bolsitas llenas de galletitas,[14] dulces y juguetes que reciben los niños. El ponche es una bebida caliente hecha de frutas hervidas,[15] (piña, manzana, guayabas, uvas y otras) caña de azúcar, canela[16] y otros ingredientes. Se sirve solo a los jóvenes y con ron o brandy a los adultos.

Una fiesta de posada también puede incluir algún tipo de comida ligera,[17] música y hasta fuegos artificiales. Algunos bailan, muchos conversan, otros simplemente observan, pero la intención es que todos se diviertan.

Ambos aspectos de las Posadas, lo religioso y lo secular, tienen su función. La procesión y el pedir posada sirven para recordarles a los adultos, y enseñarles a los niños, la historia de María y José. La fiesta al final sirve para divertirse y fortalecer las relaciones entre los miembros de la comunidad. Pero, ¿de dónde viene la influencia religiosa de ésta y otras celebraciones del mundo hispano? No hay una sola influencia, pero sin duda, una de las más importantes en México es la de la Virgen de Guadalupe.

La Virgen de Guadalupe

La imagen de la Virgen de Guadalupe, o simplemente la Virgen, se encuentra por todo México. Hay centenares[18] de nichos dedicados a ella. Hay un sinfín[19] de representaciones de ella en los autobuses, camiones, coches, taxis, etcétera, en las casas e iglesias y en muchos negocios también. Millones de personas, desde los más pobres hasta los más ricos, hacen peregrinaciones para honrarla o hacerle alguna petición especial. Es un símbolo nacional y un símbolo de la mezcla racial y cultural que es México. Algunos la han nombrado (←) «Patrona de México», «Reina de México», «Patrona de Latinoamérica» y aun «Madre de las Américas», extendiendo () su influencia por todo el continente americano. Los políticos y revolucionarios a través de la historia de México han reconocido (←) la influencia de la Virgen, invocando () su nombre para animar a la gente y fomentar la causa de ellos, o respetándola () para no suicidarse políticamente ante el pueblo. En fin, la Virgen de Guadalupe ha penetrado (←) tanto en el ser mexicano[20] que algunos dirían[21] que la Virgen es México. Pero, ¿de dónde procede esta imagen que se ha reproducido (←) tantos millones de veces? ¿Por qué aceptaron los aztecas con tanta pasión a la

---

[8]caña... *sugar cane*   [9]*peanuts*   [10]*coins*   [11]*Hit it*   [12]*aim*   [13]*way*   [14]*little cookies*   [15]*boiled*
[16]*cinnamon*   [17]*light*   [18]*hundreds*   [19]un... *an endless amount*   [20]ser... *Mexican heart or soul*
[21]*would say*

Esta tilma original de Juan Diego presenta la imagen de la Virgen de Guadalupe, recurrente en la historia y la cultura de México desde hace casi cinco siglos.

Virgen cuando ella era un símbolo de la religión de los españoles? ¿Cómo llegó a ser ella tan importante para México?

La imagen de la Virgen de Guadalupe es el resultado del «Milagro de Tepeyac». El 9 de diciembre de 1531, Juan Diego, un azteca recientemente

95 convertido al catolicismo, pasaba por la cima del Cerro de Tepeyac cuando la Virgen María se le apareció.[22] Ella le dijo: «Mi hijo, visita al arzobispo y dile que mande construir una capilla en este cerro en mi honor.» Juan Diego fue a la catedral para hablar con el arzobispo, pero el arzobispo pensó que el azteca estaba loco y no lo recibió.

100 Al día siguiente, Juan Diego pasaba nuevamente por la cima del cerro cuando la Virgen se le apareció por segunda vez. Juan Diego le dijo que el arzobispo no lo había recibido[23] y la Virgen le contestó: «Hijo mío, tienes que volver a la catedral e insistir en hablar con el arzobispo.» Juan Diego se fue y esta vez el arzobispo sí lo recibió. Pero el arzobispo le dijo: «Está bien, pero tráeme

105 una docena de rosas de Castilla como prueba de la aparición de la Virgen.» Desgraciadamente, las rosas de Castilla no existían en México en aquel entonces y Juan Diego pasó otro día angustiado por la prueba del arzobispo.

El 12 de diciembre, Juan Diego iba apresurado[24] para la casa de un pariente enfermo. Al llegar al Cerro de Tepeyac no quiso pasar por la cima del cerro por-

110 que no quería que la Virgen le preguntara[25] sobre el asunto. Pero cuando Juan Diego intentó pasar alrededor del pie del cerro sin ser visto, la Virgen se le

[22]*se… appeared to him* [23]*no… had not received him* [24]*in a hurry* [25]*no… he didn't want the Virgin to ask him*

apareció por tercera vez. Mientras Juan Diego le contaba lo de la prueba, milagrosamente aparecieron varios arbustos[26] de rosas de Castilla alrededor de los dos. La Virgen le dijo: «Tranquilo, mi hijo. ¿Ves todas esas flores alrededor de nosotros? Recoge varias docenas de ellas y llévaselas al arzobispo.» Juan Diego recogió las rosas, las puso en su tilma para cargarlas y se fue para la catedral para entregarle la prueba al arzobispo. Cuando el arzobispo lo recibió, Juan Diego abrió su tilma, dejando () caer las rosas, y allí mismo, grabada en su tilma, se veía la imagen de la Virgen de Guadalupe.

El arzobispo mandó construir la capilla en el Cerro de Tepeyac de acuerdo con el pedido de la Virgen. Durante los ocho años que siguieron, más de 8 millones de aztecas se convirtieron al catolicismo. Pero había otros factores que fomentaron el culto a la Virgen.

El culto guadalupano nació, por una parte, de la fusión de lo español con lo indígena. Había algunas coincidencias interesantes entre la Virgen de Guadalupe y Tonantzín, una de las diosas más importantes de los aztecas.

Una de las posibles traducciones al español del nombre Tonantzín era «Madre Tierra». Los españoles también se referían a la Virgen como madre, de alguna forma u otra. La capilla de la Virgen se encontraba donde antes había existido[27] un viejo templo de Tonantzín. Es decir, los aztecas que antiguamente habían ido[28] a Tepeyac para honrar a Tonantzín, ahora iban al mismo lugar para honrar a la nueva «Madre».

La imagen de la Virgen era morena, o por lo menos parecía ser más indígena que española. Esto les daba a los aztecas una conexión obvia y muy estrecha con la Virgen de Guadalupe.

La fecha del milagro, el 12 de diciembre, coincidía con el festival azteca de Tonantzín. Este festival se celebraba el 22 de diciembre en el calendario juliano. Pero en 1582, el Papa Gregorio XXIII hizo un ajuste de diez días para cambiar al calendario gregoriano—el que hoy se usa en casi todo el mundo. De esa manera, el día 22 de diciembre se convirtió en el 12 de diciembre.

Ante todas esas coincidencias, los españoles trataron de evitar una asociación entre Tonantzín y la Virgen. Pero esa misma asociación resultó ser un punto clave en la aceptación de la Virgen por los aztecas y, por consiguiente, en la conversión de tantos de ellos al catolicismo y en la extensa difusión del culto a la Virgen. Aún hoy en día, algunos se refieren a la Virgen de Guadalupe con el nombre de «Santa María de Tonantzín».

Hoy, la misma tilma de Juan Diego se puede apreciar en la moderna Basílica de Nuestra Señora de Guadalupe, que se ubica al pie del mismo Cerro de Tepeyac en la ciudad de México. La imagen no es pintura ni fotografía, simplemente es. Varios científicos han hecho (←) investigaciones y pruebas acerca de la imagen durante los últimos tres siglos, pero nadie ha encontrado (←) ninguna indicación de que sea creación de manos humanas. Miles de devotos le han atribuido (←) milagros personales a la Virgen: la curación de alguna enfermedad grave o condición seria, la protección en algún momento de peligro o hasta éxito en la vida personal y profesional. Es verdad que hay algunos escépticos que no creen, pero lo importante es que millones de mexicanos creen que la imagen es auténtica y que tienen una conexión personal y muy estrecha con su «Virgen Morena». Por eso no es sorprendente que algunos digan: «La Virgen *es* México.»

[26]*bushes* [27]había... *had existed* [28]habían... *had gone*

COMPRENSIÓN

A ¿Cierto o falso? Indique si las siguientes oraciones son ciertas (**C**) o falsas (**F**), según la primera parte de la **Lectura 2:** Las Posadas. Luego, corrija las oraciones falsas.

1. _____ Una posada es una celebración estrictamente religiosa.

2. _____ La familia que recibe el honor de dar una posada tiene que pagar todos los gastos.

3. _____ El enfoque (*focus*) principal de la procesión es la Santa Pareja.

4. _____ Una parte importante de pedir posada es tomar ponche y romper piñatas.

5. _____ En la última parada, los dueños de la posada rechazan a María y José, todos entran en el atrio de la iglesia y empieza la celebración.

6. _____ Durante la fiesta al final, los niños reciben aguinaldos que contienen dulces, juguetes y a veces monedas pequeñas.

B Conteste las siguientes preguntas con oraciones completas, según la segunda parte de la **Lectura 2:** La Virgen de Guadalupe.

1. ¿Quién era Juan Diego? ¿Cuántas veces se le apareció la Virgen?

2. ¿Qué pasó la primera vez que Juan Diego fue a la catedral?

3. ¿Por qué estaba tan preocupado Juan Diego después de su segunda visita a la catedral?

4. ¿Cuál fue el Milagro de Tepeyac?

5. ¿Cuáles fueron los primeros resultados del milagro?

6. ¿Por qué cree Ud. que la Virgen escogió a Juan Diego para este milagro?

C ¡NECESITO COMPAÑERO! Las siguientes ideas vienen de la **Lectura 2**. En parejas, busquen dos o tres puntos que apoyen (*support*) o que ejemplifiquen (*are examples of*) cada idea general.

1. Las Posadas tienen una función religiosa.

2. Las Posadas tienen una función social.

3. La influencia de la Virgen de Guadalupe es muy extensa en México.

4. La diosa azteca Tonantzín ayudó en la formación y extensión del culto a la Virgen en México.

INTERPRETACIÓN

A ¿Cree Ud. que está bien que existan costumbres tan excéntricas como la Tomatina de Buñol? ¿Cuáles son algunas de las ventajas y desventajas de costumbres como ésta? Explique. ¿Le gustaría a Ud. (*would you like*) participar en la Tomatina de Buñol algún día? ¿Por qué sí o por qué no? Luego, comparta sus ideas con un compañero / una compañera de clase.

B ¡NECESITO COMPAÑERO! En parejas, piensen en los varios aspectos de las costumbres presentadas en este capítulo. Hagan una lista de los aspectos que más les impresionaron o sorprendieron y expliquen por qué les afectaron así. Luego, compartan su lista con la clase para ver cuáles fueron los aspectos más llamativos.

C ENTRE TODOS Divídanse en grupos de tres. Su profesor(a) le asignará a cada grupo la **Lectura 1,** la primera parte de la **Lectura 2** o la segunda parte de la **Lectura 2** para analizar. Primero, determinen cuál es la idea principal de la selección. Después, comenten si su conocimiento (*knowledge*) personal de las costumbres de este país, o de su familia, ayudó a Uds. a anticipar el contenido de la selección y de qué forma los/las ayudó. Finalmente, elijan a una persona del grupo para que le explique las opiniones del grupo a la clase.

D En la **Lectura 2** se presenta la idea de que la religión es una fuerte influencia en las costumbres y tradiciones del mundo hispano. En su opinión, ¿es bueno o malo esto? Explique.

▪▪▪ APLICACIÓN

A PAPEL Y LÁPIZ Volviendo al tema de la **Actividad C** de la sección **Palabras y conceptos** antes de la **Lectura 2,** describa en más detalle lo que hacen Ud. y su familia durante la época de una celebración importante para Uds.

▪ Explique cuál es la celebración, si es una celebración religiosa o secular y qué hacen en términos generales.

▪ Relate una anécdota de algo chistoso que ocurrió alguna vez en una de esas celebraciones mencionadas. Incluya una descripción de la escena (qué año era, quiénes estaban allí, dónde estaban, qué hacían, etcétera), qué pasó (el evento chistoso) y cómo reaccionaron Ud. y sus familiares.

▪ Optativo (*Optional*): Si su anécdota tiene una moraleja (*moral*) que le haya beneficiado a Ud. en la vida, explique cuál es y cómo lo/la ha ayudado.

B ¡NECESITO COMPAÑERO! Según las lecturas de este capítulo, la Tomatina de Buñol es una celebración que es pura diversión mientras que las Posadas combinan un aspecto religioso y solemne con un aspecto secular y divertido.

▪ En parejas, hagan una lista de las celebraciones más comunes en este país, dividiéndolas en tres categorías: (1) celebraciones religiosas, (2) celebraciones seculares y (3) celebraciones que combinan lo religioso con lo secular.

▪ Después, miren su lista para ver si hay alguna categoría que contenga más celebraciones o menos. ¿Qué significan los resultados? ¿Qué pueden decir sobre la influencia de la religión en este país? ¿A qué se debe (*To what is due*) la influencia religiosa o la falta de influencia religiosa en este país?

▪ Conversen sobre otros ejemplos de la influencia o falta de influencia religiosa en la cultura de este país. ¿Qué opinan de esos ejemplos? ¿Creen que debe haber cambios en la situación o está bien tal como está? Expliquen.

C PRO Y CONTRA   Divídanse en grupos de cuatro o seis estudiantes.

Primer paso: Identificar

La mitad de cada grupo va a preparar una lista de todos los argumentos que apoyen las siguientes afirmaciones. La otra mitad va a preparar una lista de los argumentos que las rechacen. Todos tienen 10 minutos para preparar su lista.

1. Debe haber más influencia religiosa en la política de este país.
2. Debe haber más influencia religiosa en las escuelas públicas de este país.
3. Debe haber más influencia religiosa en la sociedad en general de este país.

Segundo paso: Presentar

Cada grupo debe elegir dos secretarios: uno para anotar (*jot down*) en la pizarra el lado afirmativo y otro para anotar el lado negativo. Los estudiantes de cada grupo presentarán (*will present*) todas las ideas de su lista alternativamente punto por punto.

ENTRE TODOS   Examinen las dos listas para cada afirmación.

- ¿Cuál de las dos, la afirmativa o la negativa, encuentran más convincente?
- ¿Hay otras ideas que los otros miembros de la clase puedan agregar? ¿Cuáles son?

D En la segunda parte de la **Lectura 2**, se menciona que varios científicos han hecho investigaciones sobre la imagen de la Virgen de Guadalupe en la tilma de Juan Diego. Busque información en el Internet sobre algunas de estas investigaciones y sus resultados. Apunte los datos de algunas de las pruebas y los resultados sorprendentes que Ud. encuentra. ¿Qué opina Ud. de esa imagen? ¿Cree que es un verdadero milagro? ¿Cree que hay una explicación científica? Explique. Luego, comparta sus apuntes y opiniones con la clase.

E Otro factor que se menciona en la segunda parte de la **Lectura 2** es la influencia indígena (Tonantzín) en una tradición de la cultura moderna de México (la Virgen de Guadalupe). ¿Hay algunas costumbres o tradiciones de este país que muestran influencias de las culturas que existían aquí antes de la llegada de los europeos? Comente sobre cuáles son y cómo esas influencias se manifiestan en las costumbres modernas de este país.

Lengua II

■■ 14 Preterite/Imperfect Contrast

When describing events or situations in the past, Spanish speakers must choose between the preterite and the imperfect. The choice depends on the aspect of the event or situation that the speaker wants to describe.

A. Beginning/end versus middle

In theory, every action has three phases or aspects: a beginning (**un comienzo**), a middle (**un medio**), and an end (**un fin**). When a speaker focuses on the beginning or the end of an action, the preterite is used. When he or she focuses on the middle (a past action in progress, a repeated past action, or a past action that has not yet happened), the imperfect is used. Read the following text carefully, paying attention to the uses of the preterite and the imperfect.

◢◤ A PROPÓSITO ◢◤

Although English sometime[s] uses a progressive verb form—*was approaching, was wagging*—to signal an action in progress, the simple past tense—*it seemed, it had, it wore*—may also have this meaning, depending on the context. Learning to use the preterite and imperfect correctly does not involve matching English forms to Spanish equivalents but rathe[r] paying attention to contextua[l] clues that signal middle (imperfect) or nonmiddle (preterite).

Era[1] marzo, y toda Sevilla celebraba[2] el Jueves Santo. Era[3] una noche estrellada, hacía[4] un poco de fresco y había[5] tantos turistas como sevillanos. Algunos, los que venían[6] a participar en las celebraciones todos los años, estaban[7] muy emocionados, pero los otros simplemente querían[8] ver las actividades de ese día tan especial.

El evento comenzó[9] cuando varios grupos de hombres sacaron[10] figuras religiosas de las iglesias y empezaron[11] a llevarlas en procesión por las calles de Sevilla. Mientras los hombres caminaban[12], la gente que orillaba[13] las calles gritaba[14]: «¡Guapa!» Al momento en que la procesión pasaba[15] enfrente de la catedral, todas las campanas sonaron[16].

It was[+] March, and all of Seville was celebrating[−] Holy Thursday. It was[×] a starry night, it was[÷] a little cool, and there were[=] as many tourists as Sevillians. Some, the ones that came[±] to participate in the celebrations every year, were[∓] very excited, but the others merely wanted[°] to see the activities of that special day.

The event started[′] when several groups of men removed[+″] religious figures from the churches and started[++] to take them in a procession through the streets of Seville. While the men walked[+−], the people that lined[+×] the streets shouted[+÷], "Beautiful!" At the moment that the procession was passing[+=] in front of the cathedral, all the bells rang[+±].

Después de la procesión, los hombres devolvieron[17] las figuras a las iglesias y cada quien se encontró[18] con su familia. Muchos fueron[19] a tomar algo en algún bar o restaurante, pero otros regresaron[20] a casa donde tuvieron[21] una reunión familiar. Como siempre, fue[22] un día lleno de emociones para toda la ciudad.

After the procession, the men returned[+∓] the figures to the churches and each one met up with[+°] his family. Many went[+′] to have something in a bar or restaurant, but others returned[−″] home where they had[−+] a family gathering. As always, it was[−−] an exciting day for the whole city.

---

[1]middle: in progress [2]middle: in progress [3]middle: in progress [4]middle: in progress [5]middle: in progress [6]middle: repeated [7]middle: in progress [8]middle: in progress [9]beginning [10]end [11]beginning [12]middle: simultaneous [13]middle: in progress [14]middle: simultaneous [15]middle: in progress [16]end [17]end [18]end [19]end [20]end [21]end [22]end

B. Context of usage

The contrast between middle and non-middle helps to explain why certain meanings are usually expressed in the preterite, whereas others are generally expressed in the imperfect.

■ Emotions, mental states, and physical descriptions are generally expressed in the imperfect. This information is usually included as background or explanatory material—conditions or circumstances that were *ongoing* or *in progress* at a particular time.

> Algunos, los que venían a participar en las celebraciones todos los años, **estaban** muy emocionados, pero los otros simplemente **querían** ver las actividades de ese día tan especial.

Descriptions of weather and feelings are often included as background "circumstances" or "explanations."*

> **Era** una noche estrellada, **hacía** un poco de fresco y había tantos turistas como sevillanos.

■ When a story is narrated, several successive actions in the past are expressed in the preterite. Here the focus is usually on each individual action's having *taken place* (i.e., having begun or been completed) before the next action happens.

> El evento **comenzó** cuando varios grupos de hombres **sacaron** figuras religiosas de las iglesias y **empezaron** a llevarlas en procesión por las calles de Sevilla.

■ Actions that are considered simultaneous are expressed in the imperfect. The focus is on two (or more) actions *in progress* at the same time.

> Mientras los hombres **caminaban,** la gente que orillaba las calles **gritaba:** «¡Guapa!»

■ When an ongoing action in the past is interrupted by another action, the ongoing action is expressed in the imperfect. The interrupting action is expressed in the preterite.

> Al momento en que la procesión **pasaba** enfrente de la catedral, todas las campanas **sonaron.**

■ When the endpoint or the duration of an action is indicated, the preterite is used, regardless of whether the action lasted a short time or a long time.

> Como siempre, **fue** un día lleno de emociones para toda la ciudad.

C. Meaning changes with tense used

In a few cases, two distinct English verbs are needed to express what Spanish can express by the use of the preterite or the imperfect of just one verb. Note that, in all of the following examples, the preterite expresses an action at either its beginning or ending point, and the imperfect expresses an ongoing condition.

---

*See Appendix 7 for a review of some of these common idiomatic expressions with **hacer** and **tener.**

	Preterite: Action	Imperfect: Ongoing Condition
conocer	**Conocí** a mi mejor amigo en 1999. *I met* (action that marked the beginning of our friendship) *my best friend in 1999.*	Ya **conocía** a mi mejor amigo en 2000. *I already knew* (ongoing state) *my best friend in 2000.*
pensar	De repente, **pensé** que era inocente. *Suddenly it dawned on me* (action that marked the beginning of the thought) *that he was innocent.*	**Pensaba** que era inocente. *I thought* (ongoing opinion) *that he was innocent.*
poder	**Pude** dormir a pesar del ruido de la fiesta. *I managed (was able) to sleep* (action of sleeping took place) *despite the noise from the party.*	**Podía** hacerlo, pero no tenía ganas. *I was able* (had the ability) *to do it, but I didn't feel like it.* (Being able to do something and actually doing it are two separate things.)
no querer	Me invitó al teatro, pero **no quise** ir. *She invited me to the theater, but I refused to go.* (Action—saying no—took place.)	Me invitó al teatro, pero **no quería** ir. *She invited me to the theater, but I didn't want to go.* (This describes only what your mental state was; wanting or not wanting to do something and actually doing it are separate things.)
querer	El vendedor **quiso** venderme seguros; me costó mucho trabajo deshacerme de él. *The salesman tried to sell me insurance* (act of trying to sell took place); *it took a lot of hard work to get rid of him.*	El vendedor **quería** venderme seguros, pero se le olvidaron los formularios. *The salesman wanted to sell me insurance* (mental state only), *but he forgot the forms.*
saber	Elvira **supo** que Jaime estaba enfermo. *Elvira found out* (action that marked the beginning of knowing) *that Jaime was sick.*	Elvira **sabía** que Jaime estaba enfermo. *Elvira knew* (ongoing awareness) *that Jaime was sick.*
tener	**Tuve** una fiesta ayer. *I had* (action took place) *a party yesterday.*	**Tenía** varios buenos amigos mientras estaba en la escuela. *I had* (ongoing situation) *several good friends while I was in school.*
tener que	**Tuve que** ir a la oficina anoche. *I had to go* (and did go) *to the office last night.*	**Tenía que** ir a la oficina. *I was supposed to go* (mental state of obligation, no action is implied one way or the other) *to the office.*

PRÁCTICA Lea el siguiente párrafo y decida si los verbos entre paréntesis indican el medio de la acción o no. Luego, dé la forma correcta de cada verbo (pretérito o imperfecto), según el caso.

La historia de un ex novio

I used to have (tener)[1] a boyfriend named Hector. He was (ser)[2] very tall and handsome, and we used to spend (pasar)[3] a lot of time together. We would go (ir)[4] everywhere together. That is, until he met (conocer)[5] a new girl, Jane. He talked to her (hablarle)[6] once and then invited her (invitarla)[7] to a big dance. He told me (decirme)[8] that it was because he felt sorry for her (tenerle compasión),[9] but I didn't believe him (creérselo).[10] I wanted (querer)[11] to kill him! But I decided (decidir)[12] to do something else. Since I knew (saber)[13] where she lived (vivir),[14] I went (ir)[15] over to her house to tell her what a rat Hector was (ser).[16] But when I got there (llegar),[17] I saw (ver)[18] that his car was (estar)[19] parked in front. I got (ponerme)[20] so angry that I started (empezar)[21] to slash his tires. Just then, Hector came out (salir)[22] of the house. When he saw me (verme),[23] he yelled (gritar)[24] and ran (correr)[25] toward me . . .

(*Continúa en Repaso,* **Capítulo 6.**)

▪▪▪ 14 INTERCAMBIOS

AUTOPRUEBA   Complete la siguiente narración con la forma apropiada de los verbos entre paréntesis. ¡Cuidado! Debe usar el pretérito o el imperfecto, según el contexto.

Un día, mientras yo (manejar)[1] por la autopista, (oír)[2] un ruido muy fuerte y (darse)[3] cuenta que apenas (poder)[4] controlar el coche. (Lograr[a])[5] parar el coche al lado de la autopista y (bajar[b])[6] para ver qué (pasar).[7] ¡(Tener)[8] una llanta[c] desinflada!

(Abrir)[9] el baúl[d] para sacar la llanta auxiliar. Pero (tener)[10] un problema: ¡No (haber)[11] ninguna llanta auxiliar! ¿Qué iba a hacer? Dichosamente,[e] en ese momento (detenerse)[12] otro vehículo cerca del mío. El chófer me (preguntar)[13] si me (poder)[14] ayudar, y le (explicar: yo)[15] cuál (ser)[16] el problema. El hombre me (invitar)[17] a subir a su coche e/y (ir: nosotros)[18] a la estación de servicio para comprar una llanta nueva. Finalmente (regresar: nosotros)[19] a mi coche, donde el hombre me (ayudar)[20] a cambiar la llanta. (Estar: yo)[21] muy agradecido por su ayuda.

[a]*To manage*   [b]*to get out*   [c]*tire*   [d]*trunk*   [e]*Luckily*

Respuestas: 1. manejaba 2. oí 3. me di 4. podía 5. Logré 6. bajé 7. pasaba 8. Tenía 9. Abrí 10. tenía 11. había 12. se detuvo 13. preguntó 14. podía 15. expliqué 16. era 17. invitó 18. fuimos 19. regresamos 20. ayudó 21. Estaba

▪ **A** La historia de la página siguiente describe los recuerdos de una puertorriqueña acerca del Día de los Muertos durante los primeros años de su vida, antes de mudarse (*moving*) a los Estados Unidos. Lea la historia por completo y luego escoja la forma correcta del los verbos, según el contexto. Al final, conteste las preguntas.

Hace trece años que vivo en los Estados Unidos, pero los primeros diecisiete años de mi vida los viví en una casa grande de madera frente al cementerio. Desde una de las ventanas de mi cuarto siempre (pude/podía)[1] ver los portones[a] del cementerio. Casi cada día, había uno o dos entierros y desde mi ventana (conté/contaba)[2] las coronas[b] de flores y (observé/observaba)[3] a mucha gente llorar.

Una costumbre de mi abuela paterna (fue/era)[4] ir al cementerio el Día de los Muertos. Ella siempre (puso/ponía)[5] flores y velas en las tumbas de nuestros parientes muertos, parientes que yo no (conocí/conocía)[6] porque habían falle-cido antes de que yo naciera.[c] Frente a alguna tumba, yo (vi/veía)[7] que los labios de mi abuela se (movieron/movían)[8]. Ella (rezó/rezaba)[9d] por el descanso de las almas[e] de nuestros parientes. (Fue/Era)[10] muy devota.

Recuerdo una vez, cuando yo (tuve/tenía)[11] 8 años, mis primos, e inclusive mi padre, (compraron/compraban)[12] velas. Pero ellos no las (pusieron/ponían)[13] en las tumbas ni tampoco (rezaron/rezaban)[14]. Sin que nadie los observara,[f] las (pusieron/ponían)[15] en la carretera,[g] se (escondieron/escondían)[16] detrás de las murallas[h] del cementerio y (empezaron/empezaban)[17] a hacer ruidos extraños. La gente que esa noche pasaba por allí y (vio/veía)[18] las velas encendidas y (oyó/oía)[19] los ruidos (comenzó/comenzaba)[20] a correr asustada, mientras que detrás de las murallas del cementerio, mis primos y mi papá se (rieron/reían)[21] sin parar. Todavía nos reímos cuando recordamos esa noche.

[a]gates [b]wreaths [c]habían… *they had passed away before I was born* [d]rezar = *to pray* [e]souls
[f]Sin… *Without anyone observing them* [g]road [h]walls

- ¿A Ud. le han contado (*have [they] told*) sus padres la historia de alguna trave-sura que ellos hicieron cuando eran jóvenes? ¿Qué travesura hicieron?

- Cuando Ud. escuchó esa historia por primera vez, ¿pensó que era cómica? ¿Qué piensa ahora?

B Lea el siguiente párrafo y conjugue los verbos indicados, según el contexto.

Cuando yo (ser)[1] más joven, (gustarme)[2] mucho ir a leer a la vieja biblioteca de mi pueblo. Yo (creer)[3] que la biblioteca (ser)[4] un lugar misterioso porque (haber)[5] muchos libros antiguos y porque todo el mundo (hablar)[6] en voz baja. En días lluviosos y oscuros, el edificio (parecer)[7] embrujado.[a] Generalmente yo (ir)[8] por las tardes porque entonces (ver)[9] al Sr. Panteón, un bibliotecario muy extraño y algo lúgubre,[b] tan flaco[c] que (parecer)[10] esqueleto. Siempre me (hablar)[11] de la historia de la biblioteca y me (ayudar)[12] a alcanzar los libros en los estantes más altos.

Un día cuando yo (llegar)[13], (notar)[14] que el Sr. Panteón no (estar)[15]. (Poner)[16] mi mochila en una mesa; (ir)[17] a pedirle ayuda a otro bibliotecario. Pero todos (estar)[18] ocupados y nadie (poder)[19] ayudarme. Frustrado, (decidir: yo)[20] regresar a casa y (volver)[21] a la mesa para recoger mi mochila. Pero, ¡qué raro! Al lado de la mochila, amontonados[d] con cuidado, (estar)[22] los libros… ¿Cómo (llegar)[23] a estar allí?

[a]bewitched [b]gloomy [c]skinny [d]piled up

ENTRE TODOS

- ¿Qué pasó? ¿Cómo explica Ud. que los libros estaban en la mesa? ¿Quién los puso allí?

- ¿A quién en la clase le ha pasado (*has happened*) algo semejante? Cuénteselo a la clase.

C ¿Recuerda Ud. la secuencia de acciones que se describió en la página 82? Debajo de los dibujos, se han agregado (*have been added*) algunos detalles descriptivos que sirven de fondo (*background*) a las acciones principales. Narre el cuento de nuevo, cambiando los verbos *en letra cursiva azul* al imperfecto o al pretérito, según el contexto. Si puede, añada más detalles a la historia.

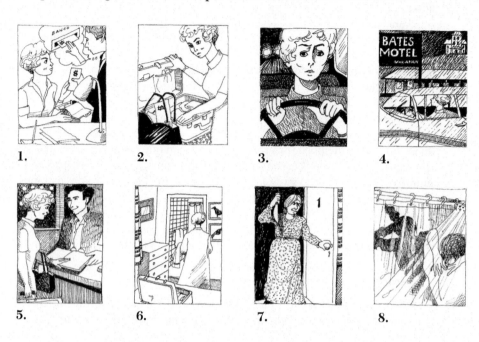

1.   2.   3.   4.

5.   6.   7.   8.

1. un día, el jefe, *confiarle* dinero a la empleada / ella, *llamarse* Marian / *ser* una mujer joven y ambiciosa / pero no *estar* satisfecha / *querer* un cambio en su vida

2. la mujer, *deber* depositar el dinero / *decidir* guardarlo / ya que *tener* miedo de las autoridades / *necesitar* salir del pueblo inmediatemente / *poner* el dinero en la bolsa / *hacer* las maletas

3. después, ella, *salir* del pueblo en coche / *estar* nerviosa

4. la mujer, *estar* cansada / *llegar* al Motel Bates / en el motel, *haber* habitaciones vacantes / ella, *pensar* que allí *poder* descansar un poco antes de continuar su viaje / *haber* una enorme casa cerca / *llover* y *hacer* mal tiempo

5. en el hotel, la mujer, *conocer* a Norman / él, *ser* un joven guapo y tímido / *parecer* simpático / ellos, *hablarse* un rato / entonces ella, *firmar* su nombre en el registro / no *haber* otros huéspedes (*guests*) en el motel / Norman, *darle* la llave de su habitación

6. en seguida, ella, *ir* a su habitación / *tener* hambre / *pensar* salir a comer algo más tarde / por eso, *decidir* ducharse

7. Norman, *vivir* solo con su madre / madre, *estar* muerta / Norman, *estar* un poco demente (loco) / *tener* dos personalidades / *disfrazarse* de su madre / *abrir* la puerta / *entrar* al cuarto de la mujer mientras ella *ducharse*

8. ella, no *darse* cuenta del peligro / Norman, *sorprenderla* en la ducha / *matarla* a puñaladas

D ¡NECESITO COMPAÑERO! Usando los verbos sugeridos y añadiendo otros detalles necesarios, narren una pequeña historia para cada uno de los dibujos de la página siguiente. (Para el número 6, tienen que hacer un dibujo e inventar su

propia historia.) Antes de empezar, decidan qué aspecto de cada acción (el medio de la acción o no) quieren indicar y conjuguen cada verbo en el pretérito o en el imperfecto, según el caso.

1. ser las 12:00 / jugar / llamar / no tener hambre / preferir jugar

2. recibir corbata de su tía / ser muy fea / no gustarle / decidir devolverla / hablar con la dependienta / ver a su tía

3. tener unos 10 años / ser un muchacho travieso / siempre hacer cosas que no deber hacer / encontrar unos cigarrillos / fumar / llegar su madre

4. ser una noche oscura / hacer muy mal tiempo / estar solos en la casa / leer / oír unos ruidos extraños / estar asustados / no querer ir a investigar

5. ser su aniversario / ir a comer a un restaurante elegante / pedir una gran comida / estar muy contentos / abrir la cartera para pagar la cuenta / descubrir / no tener / no aceptar tarjetas de crédito / tener que lavar los platos

6. ¿ ?

E ¡NECESITO COMPAÑERO! Háganse y contesten preguntas para obtener la siguiente información sobre la niñez de un compañero / una compañera de clase. Recuerden usar las formas de **tú** en las preguntas. Luego, compartan con la clase lo que han aprendido (*you have learned*) sobre la niñez de su compañero/a.

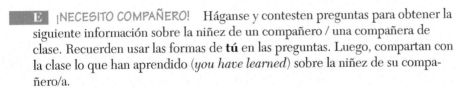

1. una cosa que le gustaba muchísimo
2. un lugar que le parecía especial
3. una persona que influía mucho en su vida de una manera positiva
4. algo que tenía que hacer todos los días y que no le gustaba
5. algo que hizo sólo una vez pero que le gustó mucho

6. una cosa con la que siempre tenía mucho éxito

7. una ocasión en que estaba muy orgulloso/a de sí mismo/a

8. una cosa buena que hizo para otra persona

■■ 15 Relative Pronouns: *que, quien*

A series of short sentences in a row sounds choppy; often there are no smooth transitions from one idea to another. By linking several short sentences together to make longer ones, you can form sentences that have a smoother, more fluid sound.

A. Simple versus complex sentences

A *simple sentence* (**oración sencilla**) consists of a subject and a predicate (verb with or without a complement).

David compró el disfraz.   *David bought the costume.*
El disfraz estaba en la tienda.   *The costume was in the store.*
El muerto era médico.   *The deceased was a doctor.*
Enterraron al muerto ayer.   *They buried the deceased man yesterday.*

A *complex sentence* (**oración compleja**) is really two simple sentences that share a common element and are combined into one. The first simple sentence, which communicates the main idea, becomes the independent or main clause (**cláusula independiente/principal**). (An independent clause can stand alone as a coherent sentence.) In the second simple sentence, the element in common with the first (e.g., **el disfraz** in the following table) is replaced by a relative pronoun (**pronombre relativo**) creating a dependent or subordinate clause (**cláusula dependiente/subordinada**). (A dependent clause *cannot* stand alone as a coherent sentence.)

	Spanish	English
two simple sentences	David compró **el disfraz.**	*David bought the costume.*
	El disfraz estaba en la tienda.	*The costume was in the store.*
independent clause	David compró **el disfraz**	*David bought the costume*
dependent clause	que estaba en la tienda	*that was in the store*
complex sentence	David compró **el disfraz** que estaba en la tienda.	*David bought the costume that was in the store.*

B. *Que* versus *quien*

There are three principal relative pronouns in English: *that, which,* and *who/whom.* In Spanish, all three are usually expressed by the relative pronoun **que.**

Laura leyó el libro **que** compró.   *Laura read the book that she bought.*
Mi coche, **que** está estacionado allí, es azul.   *My car, which is parked there, is blue.*
Éste es el artículo de **que** te hablé.   *This is the article that I spoke to you about.*
Vi al hombre **que** estaba aquí ayer.   *I saw the man who was here yesterday.*

Although *who/whom* is usually expressed in Spanish by **que,** in two cases *who/whom* may be expressed by **quien(es).**

1. When *who/whom* introduces a nonrestrictive clause

Julia, **quien (que)** no estuvo ese día, fue el líder del grupo.
Julia, who was not there that day, was the leader of the group.

Carmen y Loren, **quienes (que)** hoy viven en Newark, son de Cuba.
Carmen and Loren, who today live in Newark, are from Cuba.

Nonrestrictive clauses, which are always set off by commas, are embedded in sentences almost as an afterthought or an aside. If they are removed, the essential meaning of the sentence remains unchanged. When the replaced element is a person, either **que** or **quien(es)** may be used to introduce the clause. Although **que** is more common in spoken language, **quien(es)** is preferred in writing.

2. When *whom* follows a preposition or is an indirect object*

No conozco al hombre **de quien** hablaba.
I don't know the man he was talking about (about whom he was talking).

La persona **a quien** vendimos el coche nos lo pagó en seguida.
The person we sold the car to (to whom we sold the car) paid us for it immediately.

In colloquial English we often end sentences and clauses with prepositions: *I don't know the man he was talking **about;** The person we sold the car **to** paid us for it immediately.* In Spanish, however, a sentence may *never* end with a preposition. When a prepositional object is replaced by a relative pronoun, the preposition and pronoun are both moved to the front of the embedded sentence, as in the following examples from more formal English: *I don't know the man **about whom** he was talking; The person **to whom** we sold the car paid us for it immediately.*

En resumen

■ When it is *possible* to use a relative pronoun in English, it is *necessary* to use one in Spanish.

■ Unless there is a preposition or a comma, always use **que.**

PRÁCTICA   Complete las siguientes oraciones con **que** o **quien(es),** según el contexto.

1. Mucha gente desprecia a las personas _____ son algo diferentes.

2. Las películas _____ más me asustan son las de Stephen King.

3. Hay muchos rasgos _____ compartimos con esos grupos étnicos.

4. Estoy segura de que la mujer con _____ hablan es bruja.

5. ¿Cuáles son las características _____ se asocian con lo sobrenatural?

6. Los indígenas de _____ hablábamos son descendientes de los primeros habitantes del continente.

---

*When *whom* is a direct object, **quien** can be used, but in contemporary speech it is more common to omit the object marker **a** and introduce the embedded element with **que: La persona a quien vimos allí es muy famosa.** → **La persona que vimos allí es muy famosa.**

Relative pronouns are ofter omitted in English.

The car (that) we bought isn't worth anything.
He doesn't know the man (tha we were talking with.

In contrast, relative pronouns are *never* omitted in Spanish.

El coche **que** compramos no vale nada.
No conoce al hombre **con quien** hablábamos.

7. La noche del 31 de octubre muchos niños, _____ llevan disfraces distintos, van de casa en casa pidiendo dulces.

8. Los esqueletos y calaveras con _____ se decora la casa simbolizan la muerte.

LENGUAJE Y CULTURA

Hay muchas expresiones en inglés en que se usa la palabra *dead* pero que no tienen nada que ver con la muerte. Explique en español el significado de las siguientes frases.

1. *dead wrong*
2. *dead set against*
3. *a dead ringer for . . .*
4. *a deadbeat*
5. *dead center*
6. *the dead of winter*

En cambio, muchas frases que sí se relacionan con la muerte y la vejez (*old age*) disfrazan su verdadero significado. Ahora explique la relación que tienen las siguientes expresiones con la muerte.

1. *a funeral home/parlor*
2. *to buy the farm*
3. *a rest home*
4. *a memorial park*

▪▪▪ 15 INTERCAMBIOS

AUTOPRUEBA Combine los siguientes pares de oraciones sencillas para formar una sola oración compleja, usando **que** o **quien(es),** según el contexto.

1. Los padres de Gloria son de Puerto Rico. Los Padres de Gloria viven en Nueva York.

2. Nuestra casa se encuentra en la esquina de la próxima calle. Nuestra casa es roja.

3. Teresa hablaba del vecino. Pero no conocíamos al vecino.

4. Vimos un anillo de diamantes en la tienda. Pablo me compró un anillo de diamantes.

5. Le compré chocolates a Rosalva. Rosalva ya comió los chocolates.

Respuestas: **1.** Los padres de Gloria, que (quienes) viven en Nueva York, son de Puerto Rico. **2.** Nuestra casa, que se encuentra en la esquina de la próxima calle, es roja. **3.** Teresa hablaba del vecino que (a quien) no conocíamos. **4.** Pablo me compró un anillo de diamantes que vimos en la tienda. **5.** Rosalva ya comió los chocolates que le compré.

A Junte los siguientes pares de oraciones, omitiendo la repetición innecesaria por medio de pronombres relativos apropiados.

MODELO: El cementerio es el famoso Forest Lawn. Hablaron del cementerio. →
El cementerio de que hablaron es el famoso Forest Lawn.

1. Los disfraces representan brujas, piratas y animales. Los jóvenes llevan los disfraces en Carnaval.

2. En México hay mucha gente. Esta gente celebra el Día de la Independencia el 16 de septiembre.

3. Pienso invitar a la fiesta a todas las personas. Trabajo con estas personas.

4. La edad es un tema. La edad asusta a mucha gente en las fiestas de cumpleaños.

5. Todas las personas eran parientes del niño. Estas personas asistieron a su fiesta de cumpleaños.

6. La mezcla de razas constituye un elemento característico de la cultura nacional. Esta mezcla resultó de la conquista.

B GUIONES Trabajando en grupos de tres o cuatro personas, narren una breve historia para los dibujos de la página siguiente. Utilicen el pretérito y el imperfecto y traten de usar complementos pronominales y los pronombres relativos para evitar la repetición innecesaria.

Vocabulario útil: la bibliotecaria, el equipo antifantasma, los rayos láser, combatir, darse cuenta, llamar, estar satisfecho, medir, proteger

1.

2.

3.

4.

5.

6.

Enlace

■■■ ¡OJO!

	Examples	Notes
hora vez tiempo	¿Qué **hora** es? ¿No es **hora** de comer? *What time is it? Isn't it time to eat?* Estudié dos **horas** anoche. *I studied for two hours last night.*	The specific time of day or a specific amount of time is expressed with the word **hora.**
(continúa)	He estado en Nueva York muchas **veces.** *I've been in New York many times.*	*Time* as an *instance* or *occurrence* is **vez,** frequently used with a number or other indicator of quantity.

	Examples	Notes
	No tengo **tiempo** para ayudarte. *I don't have time to help you.*	**Tiempo** refers to *time* in a general or abstract sense.
	Nunca llegan **a tiempo.** *They never arrive on time.*	The Spanish equivalent of *on time* is **a tiempo.**
el cuento **la cuenta**	**El cuento** es largo pero muy interesante. *The story is long but very interesting.*	**Cuento** means *story, narrative,* or *tale.*
	Mi padre me pidió **la cuenta** y después me la devolvió; no la pagó él. *My father asked me for the bill and then gave it back to me; he didn't pay it.*	**Cuenta** means *bill (money owed), calculation,* or *account.*
pagar **prestar atención** **hacer caso (de)** **hacer (una) visita**	Tuvimos que **pagar** todos los gastos de su educación. *We had to pay all the expenses related to his education.*	The verb **pagar** expresses to *pay for (something).*
	Algunos estudiantes nunca les **prestan atención** a sus maestros. *Some students never pay attention to their teachers.*	*To pay attention* (and *not let one's mind wander*) is expressed with **prestar atención.**
	No le **hagas caso;** es tonto. *Don't pay any attention to him; he's a fool.*	*To pay attention* in the sense of *to heed* or to *take into account* is **hacer caso (de).**
	Vamos a **hacerle visita** este verano. *We're going to pay her a visit this summer.*	The equivalent of *to pay a visit* is **hacer (una) visita.**

A VOLVIENDO AL DIBUJO   Los siguientes párrafos se refieren al dibujo que Ud. vio en **Describir y comentar.** Elija la palabra o expresión que mejor complete cada oración. ¡Cuidado! También hay palabras de los capítulos anteriores.

1. La procesión consistía (en/de/con)[1] un grupo de hombres que llevaban figuras religiosas. El recorrido[a] dependía (en/de/con)[2] las circunstancias. Si estaba lloviendo, el recorrido iba a ser más (bajo/corto)[3]. Durante la procesión, un turista quería sacar una foto, pero los hombres no le (prestaban/pagaban)[4] atención. Los hombres (miraban/parecían)[5] muy serios y no tenían (hora/vez/tiempo)[6] para distracciones.

2. Los tres jóvenes se divertían tanto que no (realizaron / se dieron cuenta de)[7] que su amiga no estaba con ellos. Ella (miraba/parecía)[8] muy confundida y (buscaba/miraba)[9] a sus amigos. Ella pensó: «Ya me perdí (otro tiempo / otra vez / otra hora)[10].»

3. El niño que celebraba su cumpleaños recibió un robot, pero no (funcionaba/trabajaba)[11]. La niña no (pagaba/prestaba)[12] atención porque leía y soñaba (en/de/con)[13] el príncipe (del cuento / de la cuenta)[14]. Ella estaba enamorada (en/de/con)[15] él y quería casarse (en/de/con)[16] él. La madre del niño pensaba (de/en/que)[17] era tarde. Ya era (hora/tiempo/vez)[18] de regresar a casa.

[a]*route*

B ENTRE TODOS

■ De niño/a, ¿le leían cuentos sus padres (abuelos, tíos,…) en voz alta a Ud.? ¿Qué cuentos le gustaban más: los de hadas, los de acción y de aventuras, los de fantasmas o los de horror? ¿Todavía le gusta ese tipo de cuento? ¿Le gusta escuchar los cuentos narrados (por ejemplo, en los libros grabados en cinta [*books on tape*]) o prefiere leerlos?

■ Cuando Ud. era más joven, ¿le pagaban sus padres todos sus gastos? En general, ¿qué tipo de gasto tenía que pagar Ud. personalmente? En su opinión, ¿quién debe pagar la cuenta cuando un hombre y una mujer salen juntos? Cuando Ud. quiere pagar (o insiste en pagar), ¿qué hace su pareja? ¿Se molesta o le da igual (*does he/she care*)? En los siguientes casos, ¿quién debe pagar, Ud. o la persona con quien está? ¿Por qué?

la primera cita   una cita con unos amigos íntimos
una cita con su novio/a   una cita con sus padres
   (de hace algún tiempo)

¿Hay situaciones en que el uno o el otro *deba* pagar? Explique.

REPASO

A En el siguiente diálogo, hay mucha repetición innecesaria de complementos. Léalo por completo y luego elimine los complementos innecesarios, sustituyéndolos por los pronombres y adjetivos apropiados.

Una conversación en la clase de español del profesor O'Higgins

O'HIGGINS: Bueno, estudiantes, es hora de entregar[a] la tarea de hoy. Todos tenían que escribirme una breve composición sobre la originalidad, ¿no es cierto? ¿Me escribieron la composición?

JEFF: Claro. Aquí tiene Ud. la composición mía.

O'HIGGINS: Y Ud., Sra. Chandler, ¿también hizo la tarea?

CHANDLER: Sí, hice la tarea, profesor O'Higgins, pero no tengo la tarea aquí.

O'HIGGINS: Ajá. Ud. dejó la tarea en casa, ¿verdad? ¡Qué original!

[a]*to turn in*

CHANDLER: No, no dejé la tarea en casa. Sucede que mi hijo tenía prisa esta mañana, el coche se descompuso[b] y mi marido llevó el coche al garaje.

O'HIGGINS: Ud. me perdona, pero no veo la relación. ¿Me quiere explicar la relación?

CHANDLER: Bueno, anoche, después de escribir la composición, puse la composición en mi libro como siempre. Esta mañana salimos, mi marido, mi hijo y yo, en el coche. Siempre dejamos a Paul —mi hijo— en su escuela primero, luego mi marido me deja en la universidad y entonces él continúa hasta su oficina. Esta mañana, como le dije, mi hijo tenía mucha prisa y cogió mi libro con sus libros cuando bajó del coche. Desgraciadamente no vi que cogió mi libro. Supe que cogió mi libro cuando llegamos a la universidad. Como ya era tarde, no pude volver a la escuela de mi hijo. Así que mi marido se ofreció a buscarme el libro. Pero el coche se descompuso y...

O'HIGGINS: Bueno, Ud. me puede traer la tarea mañana, ¿no?

CHANDLER: Sin duda, profesor.

[b]se... *broke down*

B Imagínese que acaban de morirse las siguientes personas.

1. un hombre muy rico y muy tacaño (*stingy*)

2. un donjuán

3. una mujer que miente mucho

4. el dictador de un país muy pobre

5. una mujer que no cree en Dios

Al llegar al más allá, tienen que justificar, frente a San Pedro, su comportamiento en la Tierra para poder entrar al cielo. Es necesario comentar lo bueno... y también lo malo. Para comenzar, complete las siguientes oraciones de la forma en que lo harían (*would do*) estas personas recién muertas. Añada información para completar las historias.

Yo siempre _____, pero una vez _____.

Yo nunca _____, pero un día _____.

Yo solía _____, pero en 1999 _____.

Y Ud., ¿qué le diría (*would you say*) a San Pedro sobre su vida para que él le permitiera entrar al cielo?

El Día de los Difuntos en Oaxaca, México

En todo el mundo hispano se celebra el Día de los Difuntos (el Día de los Muertos), pero la forma en que se celebra varía de país a país e incluso de una región a otra dentro de un mismo país. La manera en que se celebra este día en Oaxaca, México, es muy particular. Allí existe una herencia (*heritage*) religiosa indígena muy arraigada (*deeply rooted*).

Antes de ver

- ¿Cuánto sabe Ud. de la celebración del Día de los Difuntos en México? ¿Qué clase de ritos piensa que forman parte de esta celebración en Oaxaca?

- Ahora lea con cuidado la actividad en **Vamos a ver** antes de ver el vídeo por primera vez.

Vamos a ver

¿Cuáles de las siguientes costumbres y creencias del Día de los Difuntos puede Ud. identificar como propias de los oaxaqueños?

Oaxaca, México

1. ❑ La gente pone velas y flores en las tumbas y reza por las almas de los muertos.

2. ❑ Se dedican dos días del mes de noviembre a la memoria de los muertos.

3. ❑ Los adultos, igual que los niños, visitan el cementerio por la noche.

4. ❑ Todos se disfrazan de brujas y fantasmas.

5. ❑ Se cree que los muertos regresan a la vida el primer día de noviembre.

6. ❑ La creación de los altares demuestra el amor que se les tiene a los difuntos.

7. ❑ Los niños van de tumba a tumba pidiéndole dulces a la gente en el cementerio.

8. ❑ Se hacen altares para los difuntos frente a casas y restaurantes.

Después de ver

- Trabajando en grupos, hagan una lista de por lo menos cuatro características de la celebración del *Memorial Day* y otra del Día de los Difuntos en Oaxaca. Comparen sus listas con las de los otros grupos. De estas listas, ¿se puede llegar a una conclusión sobre algunos de los valores culturales de los dos países?

- Busque información sobre otras fiestas o tradiciones en México. ¿Cuáles son parecidas a las de este país? ¿Cuáles son distintas? ¿Cuáles le parecen más interesantes? Comparta esta información con sus compañeros de clase.

La familia

En este capítulo:

San Miguel de Allende, México

127

Describir y comentar

The ¡Avance! Online Learning Center with ActivityPak (**www.mhhe.com/avance2**) contains new interactive activities to practice the material presented in this chapter.

■ ¿Qué pasa en cada dibujo? ¿Dónde están las personas y qué hacen? ¿En qué dibujos aparecen parientes viejos? ¿En qué dibujos hay conflictos generacionales? ¿Cómo se van a resolver? Compare y contraste las emociones que se presentan en los dibujos.

■ Identifique a cada pariente que aparece en el dibujo C. ¿Qué pasa en la reunión? ¿Qué hacen las personas? ¿Ocurren en la familia de Ud. escenas similares? ¿Cuándo?

casarse con   to marry

castigar   to punish

criar   to raise, bring up

cuidar   to take care of

disciplinar   to discipline

discutir   to argue

divorciarse de   to divorce

enamorarse (de)   to fall in love (with)

estar a cargo (de)   to be in charge (of)

golpear   to hit

llevar una vida (feliz/difícil)   to lead a (happy/difficult) life

mimar   to indulge, spoil (*a person*)

pelear(se)   to fight

portarse bien/mal   to behave/misbehave

el cariño   affection

el castigo   punishment

la crianza   child-rearing

la disciplina   discipline

el divorcio   divorce

el/la hijo/a único/a   only child

el/la huérfano/a   orphan

el matrimonio   matrimony; married couple

el noviazgo   courtship

el/la novio/a   boyfriend/girlfriend; fiancé(e)

la pareja   couple; partner

el/la viudo/a   widower/widow

bien educado/a, mal educado/a*   well-mannered, ill-mannered

cariñoso/a   affectionate

malcriado/a   bad-mannered, ill-mannered

Los parientes

el/la abuelo/a   grandfather/grandmother

el/la bisabuelo/a   great-grandfather/great-grandmother

el/la bisnieto/a   great-grandson/great-granddaughter

el/la cuñado/a   brother-in-law/sister-in-law

el/la esposo/a   husband/wife; spouse

el/la hermano/a   brother/sister

el marido   husband

la mujer   wife

el/la nieto/a   grandson/granddaughter

la nuera   daughter-in-law

los padres   parents

el/la primo/a   cousin

el/la sobrino/a   nephew/niece

el/la suegro/a   father-in-law/mother-in-law

el/la tío/a   uncle/aunt

el yerno   son-in-law

A   ¡NECESITO COMPAÑERO!   Trabajando en parejas, creen un cuadro o mapa semántico para las palabras y expresiones en la página siguiente. Sustituyan la palabra **mimar** del modelo por otra palabra o expresión y completen el cuadro con ideas que se asocien con el nuevo concepto. No es necesario limitarse a las palabras de la lista de vocabulario para hacer sus asociaciones.

---

*Many native Spanish speakers from Spain use **estar** with **educado/a**: many Latin Americans use **ser**.

MODELO: mimar →

egoísta, malcriado

consecuencias

razones ◇ MIMAR ◇ **acciones**

amor

permitirle todo

personas

los niños pequeños

1. enamorarse
2. pelearse
3. portarse bien

B ¡NECESITO COMPAÑERO! Es fácil ver que varias de las palabras y expresiones de la lista de vocabulario sugieren un orden cronológico: el noviazgo, el matrimonio, el divorcio. De las palabras y expresiones de la lista de vocabulario, ¿cuántas pueden Uds. poner en orden cronológico? Trabajando en parejas, hagan una cronología para todas las palabras que puedan. Pero, ¡prepárense para explicarle sus decisiones a la clase!

C Explique la diferencia entre cada par de palabras.

1. el noviazgo / el matrimonio
2. los padres / los parientes
3. los suegros / los sobrinos

4. un huérfano / un viudo
5. el padre o la madre / los padres
6. la cuñada / la nuera

D Defina brevemente en español los términos de la lista de vocabulario que se refieren a «los parientes».

MODELO: el abuelo →
Mi abuelo es el padre de mi padre o de mi madre.

A PROPÓSITO

Possessive adjectives precede the noun to which they refer and agree with it in number and, in the case of **nuestro** and **vuestro**, gender.°

mi, mis	*my*	nuestro/a/os/as	*our*
tu, tus	*your*	vuestro/a/os/as	*your*
su, sus	*his, her, your, its*	su, sus	*their, your*

E ENTRE TODOS

■ Cuando Ud. era niño/a, ¿qué actividades se hacían con frecuencia en su familia? ¿En qué actividades participaba toda la familia?

■ ¿Qué actividades eran típicas del verano? ¿del fin de semana?

■ ¿De qué tareas domésticas estaban a cargo Ud. y sus hermanos?

°See Appendix 5 for more information about patterns of agreement.

La función de la familia extendida hispana

CUANDO SE HABLA de la familia en los países hispanos, con frecuencia se menciona el concepto de la familia extendida. En este país este concepto nos trae la imagen de los abuelos, los padres y los hijos que viven bajo un mismo techo.[a] Pero realmente no es esto lo que significa el término. Así como en nuestro país, en las familias hispanas no es raro que los padres vivan con sus hijos aparte de los abuelos, tíos, primos y otros familiares, aunque otros miembros de la familia vivan muy cerca. Entonces, ¿qué significa «familia extendida»? Este concepto abarca[b] algunas ideas que tienen que ver con[c] las responsabilidades de la familia, sobre todo con los otros miembros de la familia.

En la familia hispana tradicional se conservan los valores y las costumbres tradicionales, es decir, que vienen desde hace siglos. Hay mucho respeto por los ancianos y por sus contribuciones pasadas y presentes a la familia, y los logros de los antepasados se consideran como una herencia para las generaciones futuras. Al mismo tiempo los miembros de la familia saben que pueden contar con[d] el apoyo espiritual, emocional y económico de los demás cuando lo necesitan. En la familia extendida hispana uno nunca está solo. Esta ayuda es recíproca también. La persona que ayuda a un pariente hoy puede ser la que recibe ayuda en el futuro.

También son importantes los papeles que desempeñan los hombres y las mujeres.[e] El concepto del machismo es bien conocido, pero es difícil que una persona no hispana comprenda cómo funciona el machismo en la familia hispana. El ideal del machismo exige que los hombres tengan la responsabilidad de mantener[f] a la familia. Deben merecer respeto, ser honestos, proteger la honra de su familia y ejercer su autoridad sobre la familia con prudencia. Y mientras que prevalece[g] la idea de que el hombre es el que manda y toma todas las decisiones, es la mujer la que dirige la casa familiar. Ella debe estar dispuesta a sacrificarse para el bienestar de la familia y ser fiel a su esposo. Además, la mujer debe servir de ejemplo a la familia con sus virtudes y darle apoyo a quien lo necesite.

Pero hoy en día la familia hispana está cambiando, lentamente. El número de divorcios ha subido[h] y mucha gente ha abandonado[i] su vida tradicional en el campo para buscar trabajo en las ciudades. Al mismo tiempo hay más posibilidades que los jóvenes reciban educación y luego obtengan una carrera. El efecto de estos cambios en la estructura económica y moral de la familia está todavía por verse.[j] ■

[a]*roof*   [b]*includes*   [c]*tienen… have to deal with*   [d]*contar… depend on*   [e]*papeles… roles that men and women play*   [f]*support*
[g]*prevails*   [h]*ha… has gone up*   [i]*ha… have abandoned*   [j]*está… is yet to be seen*

Una familia de Santiago de Chile

Lengua I

LENGUAJE Y CULTURA

Las siguientes expresiones se utilizan con bastante frecuencia cuando se trata de la experiencia familiar norte-americana. ¿Puede Ud. explicar cada una en español?

- *to be grounded*
- *allowance*
- *crybaby*
- *tattletale*
- *teenager*

¿Qué otras expresiones agregaría Ud. (*would you add*) a la lista? ¡Explíquelas en español!

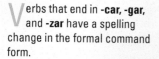

A PROPÓSITO

Verbs that end in **-car, -gar,** and **-zar** have a spelling change in the formal command form.

-car: buscar → bus**c**o → bus**que**
-gar: llegar → lle**g**o → lle**gue**
-zar: empezar → empie**z**o → empie**ce**

For more information on this type of spelling change, see Appendix 2.

■■ 16 Imperatives: Formal Direct Commands

The imperative (**el imperativo**) is used to express direct commands (**los mandatos directos**). It has four basic forms in Spanish: singular/plural formal **Ud./Uds.** commands and singular/plural informal **tú/vosotros** commands.°

A. Forms of formal commands

To form singular formal (**Ud.**) commands, start with the **yo** form of the present indicative. Change the **-o** ending to **-e** for **-ar** verbs and to **-a** for **-er** and **-ir** verbs. To form plural formal (**Uds.**) commands, add the **-n** ending to the singular command.

	Present Indicative	Commands	
	Yo	*Ud.*	*Uds.*
***-ar* verbs**	hablo → pienso →	hable piense	hablen piensen
***-er* verbs**	como → tengo →	coma tenga	coman tengan
***-ir* verbs**	vivo → oigo →	viva oiga	vivan oigan

The use of **Ud./Uds.** makes the command more formal or more polite, but this use is optional.

Hable más despacio, por favor.   *Speak more slowly, please.*
¡No **coman** Uds. esa fruta!   *Don't eat that fruit!*

If the present indicative **yo** form of a verb does *not* end in **-o** (for example, **sé** or **voy**), the formal commands are irregular. Note the use of accents.

Infinitive	Present Indicative	Commands	
	Yo	*Ud.*	*Uds.*
dar	doy →	dé	den
estar	estoy →	esté	estén
ir	voy →	vaya	vayan
saber	sé →	sepa	sepan
ser	soy →	sea	sean

°You will review the forms and uses of informal commands in grammar section 19.

B. Placement of pronouns with formal commands

Object and reflexive pronouns are attached to affirmative commands and precede negative commands.

¿Esos libros? Pónga**los** allí.
¿Esas cosas viejas? No **las** ponga aquí.
¡No **se** bañe con cualquier jabón!
¡Báñe**se** con Cristal!

Those books? Put them over there.
Those old things? Don't put them here.
Don't bathe with just any soap!
Bathe with Cristal!

If two object pronouns are used, the indirect or reflexive pronoun precedes the direct-object pronoun.

Este vino está muy bueno.
   Sírva**noslo** ahora, por favor.
Este vino está muy bueno,
   pero no **nos lo** sirva ahora.

This wine tastes very good.
   Serve it to us now, please.
This wine tastes very good, but
   don't serve it to us now.

PRÁCTICA   Los Sres. Gambas están en la oficina del consejero familiar. Cambie las siguientes sugerencias del consejero por mandatos formales directos. ¡Cuidado! Hay mandatos en singular y en plural.

MODELO: Sres. Gambas, Uds. deben leer mi libro sobre la crianza de
            los niños. →
            Lean Uds. mi libro sobre la crianza de los niños.

1. Sr. Gambas, Ud. nunca debe gritarles a sus hijos.
2. Sres. Gambas, Uds. deben enseñarles a ser responsables.
3. Sra. Gambas, Ud. no debe mimarlos.
4. Sres. Gambas, Uds. no deben comprarles pistolas ni otros juguetes violentos.
5. Sra. Gambas, Ud. debe obligarlos a tomar clases de música y de gimnasia.
6. Sres. Gambas, Uds. no deben discutir delante de los niños.
7. Sres. Gambas, Uds. deben darles igual trato (*treatment*) a los niños y a las niñas.
8. Sr. Gambas, Ud. debe pasar más tiempo con los hijos porque la relación entre padre e hijos es muy importante.

▪▪▪ 16 INTERCAMBIOS

AUTOPRUEBA   Los médicos les dan consejos a sus pacientes todos los días. Cambie los siguientes consejos del médico por mandatos formales directos.

1. Señor, debe dejar de fumar.
2. Señora, debe dormir siete u ocho horas por noche.
3. Señora, debe comer menos dulces.
4. Señor, no debe tomar tanto.
5. Señora, debe evitar el estrés.
6. Señor, debe consultar conmigo más frecuentemente.

Respuestas: 1. Deje de fumar. **2.** Duerma siete u ocho horas por noche. **3.** Coma menos dulces. **4.** No tome tanto. **5.** Evite el estrés. **6.** Consulte conmigo más frecuentemente.

A PROPÓSITO

In modern Spanish, the infinitive is increasingly used for impersonal commands, such as those on signs in public places.

No fumar.
No smoking.

No entrar.
Do not enter.

A PROPÓSITO

Attaching a pronoun or pronouns to a command form changes the number of syllables in the word. For this reason, a written accent is required on the penultimate (next-to-last) syllable of the basic command form.°

ponga → **póngalo, póngaselo**

°The one-syllable **dar** commands are exceptions to this rule. The **Ud.** command has an accent to distinguish it in spelling from the preposition **de** (*of, from*): **dé.**

A ¿Qué sugerencias ofrece Ud. para resolver las siguientes situaciones? Use mandatos formales y dé por lo menos un mandato afirmativo y un mandato negativo para cada situación.

MODELO: Tengo hambre. →
   Cómase un biftec con patatas fritas. Pero si Ud. está a dieta, haga algún ejercicio físico y no piense en la comida.

1. Tengo un examen mañana.
2. Tengo dolor de cabeza.
3. Estamos casados, pero no estamos contentos.
4. Tenemos que ir a Nueva York.
5. No sé qué ropa llevar a una fiesta elegante.
6. No tengo dinero y necesito pagar el alquiler (*rent*) de la casa.
7. Mi esposo/a está muy enfadado/a conmigo.

B ¡NECESITO COMPAÑERO! Imagínese que Ud. y su compañero/a trabajan para la revista mensual española *Mamás y Papás* en la sección que les ofrece consejos a los nuevos padres, contestando sus cartas en la revista. Las siguientes cartas han llegado (*have arrived*). ¿Qué les recomiendan Uds. a los padres en cada caso? Traten de ofrecer por lo menos dos sugerencias, en forma de mandato, para cada caso. ¿Qué dicen las otras parejas al respecto?

Nietos imposibles

Los hijos de mi nuera son insoportables. Aunque los quiero mucho —al fin y al cabo son mis nietos— me molesta que no tengan ningún sentido de responsabilidad ni de sus obligaciones ni deberes. Su madre les hace todo, y cuando le digo que les debe pedir que la ayuden con los quehaceres domésticos, me dice que ella, de niña, odiaba este tipo de trabajo y que no quiere someter a sus hijos a la misma situación. ¿Cómo puedo convencerla de que los niños sí deben compartir el trabajo de casa aunque lo odien? ■

Mi hijo se deja dominar

Supongo que no escriben muchos hombres a este consultorio, pero no soporto más observar cómo mi hijo Jaime, de 3 años, se deja dominar por otro chico, uno o dos años mayor que él, hijo de unos vecinos. ¿Qué les parece, por ejemplo, la siguiente escena? Mi hijo está tranquilamente jugando con su caja de construcciones; cuando aparece el otro, acapara[a] todos los tacos[b] y se pone a construir un garaje. Y Jaime no sólo se lo permite sino que incluso le mira embelesado.[c] ¿Se convertirá en[d] un ser sin voluntad propia? ■

Un niño difícil

Nuestro hijo Aarón es muy cariñoso y colaborador en casa, pero en el colegio va siempre mal, y ya ha repetido[e] el 2° año. Al principio de cada curso, los profesores nos dicen que es aplicado, aunque le cuesta aprender, y al final nos dicen que es problemático, malhablado y que no se esfuerza. ¿Por qué es tan diferente en casa y en el colegio? ¿Debemos ser más severos con él? ¿Debemos cambiarle de centro? ■

[a]*hoards*   [b]*studs (construction)*   [c]*enthralled*   [d]*Se... Will he turn into*   [e]*ha... he has repeated*

C ENTRE TODOS De nuevo les toca a los miembros de la clase ser consejeros. ¿Qué línea de conducta (*course of action*) les sugieren Uds. a las personas en las siguientes circunstancias? ¡Cuidado! Las respuestas deben hacerse con mandatos formales.

1. Un amigo quiere algo más que amistad conmigo y yo no quiero eso. Hoy me compró un regalo muy caro. ¿Lo guardo (*Should I keep it*) o se lo devuelvo?
2. Quiero salir con un chico que todavía no parece saber que existo. ¿Lo llamo yo o espero hasta que él se fije en mí (*he notices me*)?

3. Mi novia fuma mucho y esto me irrita muchísimo. Hemos hablado (*We've spoken*) de esto muchas veces, pero la situación no cambia. ¿Lo aguanto (aguantar: *to put up with*) o hago algo más drástico?

4. Este semestre mis notas son horribles. ¿Se lo explico a mis padres o no les digo nada?

5. Mis padres no me comprenden para nada y siempre tenemos tensiones y conflictos. ¿Busco ayuda profesional para toda la familia o no hago nada?

6. Cuando estoy en casa de mis padres, me imponen reglas de conducta estrictas. ¿Obedezco sus reglas o sigo mis propias preferencias?

7. Tengo un hermano menor que me ha dicho (*has told me*) en confianza que está experimentando con las drogas. ¿Se lo digo a mis padres o le guardo el secreto?

8. Mi hermana menor tiene 16 años; es muy mala estudiante y quiere abandonar la escuela para buscar trabajo. ¿La animo (animar: *to encourage*) o la desanimo?

■■ 17 The Subjunctive Mood: Concept; Forms; Use in Noun Clauses

A. The subjunctive mood: Concept

As you know, one way to indicate that you want someone to do something is to give a direct command.

—Tóquelo de nuevo, Sam.   —*Play it again, Sam.*

Commands are not always stated directly, however.

—¿Cómo?   —*What?*
—Quiero que Ud. lo toque   — *I want you to play it again.*
de nuevo.

The idea of a command is present in the last sentence, but it is now part of (embedded in) a longer sentence that begins with **Quiero que.** Embedded commands can be used to give orders to anyone.

Quiere que **nosotros estemos** aquí.	*She wants us to be here.*
Es necesario que **yo hable** con el jefe primero.	*It's necessary for me to talk to the boss first.*
Prefieren que **los niños lleven** botas.	*They prefer that the children wear boots.*

The forms used to express both direct and embedded commands are part of a general verbal system called the subjunctive mood (**el modo subjuntivo**).

A *mood* designates a particular way of perceiving an event. (A *tense*, in contrast, indicates when—present, past, future—an event takes place.) The present, preterite, and imperfect forms you have studied thus far are part of the indicative mood (**el modo indicativo**), which signals that the speaker perceives an event as fact or objective reality. In contrast, the subjunctive mood describes what is beyond the speaker's experience or knowledge, what is unknown. In the preceding Spanish sentences, note that the information conveyed by the subjunctive forms—**estemos, hable, lleven**—is not fact but rather someone's wish that an event take place, with the possible fulfillment of that wish still in the future.

B. The present subjunctive: Forms

To form the present subjunctive, start with the **yo** form of the present indicative. Remove the **-o** ending and add **-e, -es, -e, -emos, -éis, -en** for **-ar** verbs and **-a, -as, -a, -amos, -áis, -an** for **-er** and **-ir** verbs.

A PROPÓSITO

The subjunctive occurs in some English sentences, too.

I prefer that *she be* home by 12:00.
We insist that *he turn in* the keys.

There are few direct correspondences, however, between the use of the subjunctive in English and in Spanish. In most cases, the subjunctive in Spanish is expressed in English by the indicative or an infinitive.

Esperamos que **esté** en casa para las 12:00.
We hope that she is home by 12:00.

Quiere que la **llamemos.**
She wants us to call her.

A PROPÓSITO

The spelling changes for the formal direct commands of **-car, -gar,** and **-zar** verbs appear in all forms of the present subjunctive.

busque, busques...
llegue, llegues...
empiece, empieces...

See Appendix 2 for more information.

Infinitive	Present Indicative: *yo*	Present Subjunctive
hablar	hablo →	hable, hables, hable,...
comer	como →	coma, comas, coma,...
vivir	vivo →	viva, vivas, viva,...

Most verbs that have a spelling change in the **yo** form of the present indicative show that change in all forms of the present subjunctive.

Infinitive	Present Indicative: *yo*	Present Subjunctive
conocer	conozco →	conozca, conozcas, conozca,...
poner	pongo →	ponga, pongas, ponga,...
tener	tengo →	tenga, tengas, tenga,...

In **-ar** and **-er** stem-changing verbs, the pattern of stem change is the same as in the present indicative: all forms change except **nosotros/as** and **vosotros/as.**

pensar		*volver*	
piense	pensemos	vuelva	volvamos
pienses	penséis	vuelvas	volváis
piense	piensen	vuelva	vuelvan

-Ir stem-changing verbs show the present indicative stem change in the same persons in the present subjunctive. In addition, they show the preterite stem change (e → i, o → u) in the **nosotros/as** and **vosotros/as** forms.

pedir		*dormir*	
pida	pidamos	duerma	durmamos
pidas	pidáis	duermas	durmáis
pida	pidan	duerma	duerman

All verbs whose present indicative **yo** form does not end in **-o** have irregular present subjunctive forms.

A PROPÓSITO

Since the first- and third-person singular forms of the present subjunctive are identical, subject pronouns are used when necessary to avoid ambiguity.

¿Quieres que vaya **yo** o prefieres que vaya **ella**?
Do you want me to go, or do you prefer that she go?

dar	*estar*	*ir*	*saber*	*ser*
dé*	esté	vaya	sepa	sea
des	estés	vayas	sepas	seas
dé*	esté	vaya	sepa	sea
demos	estemos	vayamos	sepamos	seamos
deis	estéis	vayáis	sepáis	seáis
den	estén	vayan	sepan	sean

The present subjunctive of **hay** is **haya.**

---

*As with the formal command, the first- and third-person singular form **dé** has a written accent to distinguish it from the preposition **de.**

PRÁCTICA°   Cambie los infinitivos por la forma indicada del presente de subjuntivo.

1. La profesora prefiere que yo (escribir una composición, estar contento/a, hablar español, no dormirse sobre el escritorio, venir a clase todos los días).

2. Nuestros padres quieren que nosotros (comer muchas legumbres, no decir mentiras, portarse bien, ser alegres, volver a casa temprano).

3. Yo sugiero que Ud. (cerrar la puerta, hacer mucho ejercicio, ir a casa de sus padres, lavarse las manos antes de comer, pedir la paella).

4. Es importante que ellos (abrir la puerta, dar una caminata, leer muchos libros, respetar las leyes, ver una buena película).

5. Espero que tú (mandarle una carta a tu abuela, no discutir con tus parientes, saber las conjugaciones del presente de subjuntivo, salir con ese chico / esa chica interesante de tu clase, sugerir un buen restaurante).

6. Quizás Uds. (asistir a muchos conciertos, beber demasiado, recordar el pasado, reírse mucho, seguir las reglas de la sociedad).

C. The subjunctive mood: Requirements for use in noun clauses

In order for the subjunctive to be used in noun clauses (**cláusulas nominales**), three conditions must be met: (1) the sentence must contain a main clause and a subordinate clause; (2) the main clause and the subordinate clause must have different subjects; and (3) the main clause must communicate certain messages. Compare the following sentences.

Quiero **agua.**	*I want water.*
Quiero **que me traigas agua.**	*I want you to bring me water.*

In the first sentence, **agua** is a noun describing what the speaker wants (*water*). In the second sentence, **que me traigas agua** is a clause, acting as a noun, describing what the speaker wants (*you to bring me water*).

1. Every clause contains a subject and a conjugated verb. The first of the previous example sentences has only one clause (a simple sentence), whereas the second (a complex sentence) has both a main (independent) clause and a subordinate (dependent) clause.

2. The subjunctive is used in a subordinate clause when its subject is different than the subject of the main clause.[‡] In the first of the following examples, there is no change of subject, so the infinitive is used. In the second sentence, there is a change of subject, so the subjunctive is used in the subordinate noun clause.

No quiero **mimar a mis hijos.**	*I don't want to spoil my children.*
No quiero **que mi marido mime a nuestros hijos.**	*I don't want my husband to spoil our children.*

3. The subjunctive occurs in a subordinate clause only when the main clause communicates certain messages such as persuasion, doubt, or emotional reactions.

°There are more exercises on this grammar point in subsequent sections.

[†]The use of **que** after **ojalá** is optional.

[‡]An exception to this rule is found with expressions of doubt, which will be explained in grammar section 22.

Mamá **espera** que **me case** algún día.	*Mom hopes (that) I get married someday.*
Dudo que esos dos **se enamoren.**	*I doubt (that) those two will fall in love.*
Me alegro que no **nos peleemos** así.	*I'm glad (that) we don't fight like that.*

Literatura

■■■ EL NIETO

Aproximaciones al texto

La «desfamiliarización»

In popular literature, such as romances, soap operas, and comic books, texts do not have many possible interpretations; rather, they fulfill the reader's expectations along conventional lines. Readers often enjoy this type of literature because they know what to expect.

As a reading or viewing public becomes more sophisticated, however, it finds this fulfillment of expectations boring and begins to demand more. This phenomenon is apparent today in the movie industry, which often takes a well-known film type and parodies or spoofs it, turning the conventions inside out. This process is called "defamiliarization." For instance, there have been many parodies of the classic cowboy movie, one example of which is *Cat Ballou*. In this film the cowboy who comes to rescue the lady in distress turns out to be a drunk, and the helpless female proves to be more than capable of defending herself *and* taking care of the wayward hero. A similar reversal of expectations occurs in a detective story that has no solution or one in which the detective "did it."

Breaking with convention or with the literary pattern is very common in literature and in other art forms that are not addressed specifically to a mass audience. In the defamiliarization process, texts shake readers free from their preconceived ideas and make them see phenomena as if for the first time.

Obviously, there are limits to the use of defamiliarization, since a total break with literary convention would impede communication. Most writers work within a middle range, using and reshaping conventional materials to create new expressions and new approaches to human reality.

■■■ PALABRAS Y CONCEPTOS

agradecer   to thank
alargar   to hand, pass (*something to someone*)
arreglar   to fix

arrimarse   to come close
asomarse   to lean out of (*a window or opening*)

detener (ie) to stop (*something*)	**el carnet** ID card
estar encargado de to be in charge of	**la cuadra** (city) block
picar hielo to chip ice	**el marco** frame
ponerse de pie to stand up	**las obras** (construction) works
reparar to fix, repair	**el plano** plan, architectural drawing
restaurar to restore	**la restauración** restoration
sudar to sweat	**el retrato** photo, portrait
tropezar (ie) con to bump into	**el sudor** sweat
valer la pena to be worth the effort	
volverse (ue) to turn around	**agradecido/a** thankful
la acera sidewalk	**a cuadros** plaid
el anciano / la anciana old man / old woman	**calle arriba/abajo** up/down the street
la barba beard	
la bodega grocery store	

▪▪▪ ▪ El nieto

SOBRE EL AUTOR   *ANTONIO BENÍTEZ ROJO* (*1931–2005*)*, cuentista, ensa-yista y novelista, nació en la Habana, Cuba. En 1967 ganó el prestigioso Premio Casa de las Américas donde luego sirvió de director para el Centro de Estudios Caribeños. También fue profesor de español en Amherst College, Massachusetts, donde le dieron el título de «Thomas B. Walton Jr. Memorial Professor of Spanish».*

1   **EL HOMBRE DEBÍA SER**[1] **UNO** de los arquitectos encargados de las obras de res-tauración del pueblo, pues se movía de aquí para allá con los bolsillos prendi-dos de lapiceros[2] y bolígrafos de colores. Podía tener unos treinta años, tal vez algo más, pero no mucho más, pues su barba era apretada[3] y de un castaño
5   parejo,[4] y en general, hacía buena figura con sus ajustados[5] pantalones de tra-bajo y camisa a cuadros, con sus botas españolas y el rollo de planos en la mano y su gorra[6] verde olivo, verdaderamente maltrecha y desteñida.[7]

   Quizá por ser mediodía no había obreros en los andamios,[8] ni junto a las pilas de arena y escombros,[9] ni sobre la armazón[10] de tablas[11] que apenas

---

[1]debía… *must have been*   [2]bolsillos… *pockets full of mechanical pencils*   [3]*thick*   [4]*castaño…
even chestnut color*   [5]*tight-fitting*   [6]*cap*   [7]*maltrecha… worn and faded*   [8]*scaffolding*
[9]pilas… *heaps of sand and debris*   [10]*framework*   [11]*planks*

10   dejaba ver la fachada[12] de la gran casa, alzada[13] mucho tiempo atras[14] en el costado[15] más alto de la plaza de hermoso empedrado.[16] El sol recortaba[17] las cornisas[18] de tejas[19] rojas, sin duda ya restauradas, de las casas vecinas, y caía plomo[20] sobre la pequeña casa, de azotea achatada y muros roídos,[21] que se embutía en la hilera[22] de construcciones remozadas[23] como un diente

15   sin remedio.

      El hombre caminó calle abajo, hasta llegar frente a la pequeña casa, y allí se volvió y miró hacia la plaza del pueblo, tal vez para juzgar cómo marchaban las obras de la gran casa. Al poco rato desplegó[24] el plano, volvió a mirar calle arriba e hizo un gesto de inconformidad mientras dejaba que el plano se enro-

20   llara por sí solo.[25] Fue entonces que pareció reparar en[26] el sol, pues salió de la calle y se arrimó a la ventana cerrada de la pequeña casa; se secó el sudor con un pañuelo y miró de nuevo hacia las obras.

      —¿Quiere un vaso de limonada? —dijo la anciana de cara redonda que se había asomado (←) al postigo.[27]

25   El hombre se volvió con un gesto de sorpresa, sonrió agradecido y dijo que sí. Enseguida la puerta se abrió, y la figura amable y rechoncha[28] de la anciana apareció en el vano[29] y lo invitó a entrar.

      De momento el hombre no parecía distinguir bien el interior de la casa, pues tropezó con un sillón[30] de rejillas hundidas y saltadas a trechos,[31] que

30   empezó a balancearse[32] con chirridos[33] a un lado de la sala.

[12]*façade*   [13]*constructed*   [14]*mucho… long time ago*   [15]*side*   [16]*cobblestones*   [17]*was outlining*   [18]*cornices*   [19]*roof tiles*   [20]*a… directly*   [21]*azotea… flattened roof and damaged walls*   [22]*se… was crammed into the row*   [23]*rejuvenated*   [24]*he unfolded*   [25]*se… roll up by itself*   [26]*reparar… to notice*   [27]*shutter*   [28]*chubby*   [29]*opening*   [30]*rocking chair*   [31]*rejillas… sagging and partially cracked cane work*   [32]*rock*   [33]*con… creaking*

—Siéntese —sonrió la anciana—. Ahora le traigo la limonada. Primero voy a picar hielo —agregó como si se excusara (←) por anticipado[34] de cualquier posible demora.[35]

El hombre detuvo el balanceo del sillón y, después de observarlo, se sentó cuidadosamente. Entonces, ya habituado a la penumbra[36] de la sala, miró a su alrededor:[37] la consola[38] de espejo manchado,[39] el otro sillón, el sofá con respaldo[40] en forma de medallones, los apagados paisajes[41] que colgaban de las paredes. Su mirada resbaló[42] indiferente por el resto de los objetos de la habitación, pero, de repente, se clavó[43] en la foto de carnet que, en un reducido marco de plata, se hallaba[44] sobre la baja mesa del centro.

El hombre, precipitadamente, se levantó del sillón y tomó el retrato, acercándoselo (ᘯ) a los ojos. Así permaneció, dándole (ᘯ) vueltas en las manos, hasta que sintió los pasos[45] de la anciana aproximarse por el corredor. Entonces lo puso en su lugar y se sentó con movimientos vacilantes.

La anciana le alargó el plato con el vaso.

—¿Quiere más? —dijo con su voz clara y cordial, mientras el hombre bebía sin despegar[46] los labios del vaso.

—No, gracias —replicó éste poniéndose (ᘯ) de pie y dejando (ᘯ) el vaso junto al retrato—. Es fresca su casa —añadió sin mucha convicción en la voz.

—Bueno, si no se deja entrar el sol por el frente, se está bien. Atrás, en el patio, no hay problemas con el sol; tampoco en la cocina.

—¿Vive sola?

—No, con mi esposo —dijo la anciana—. Él se alegra mucho de que estén arreglando (ᘯ) las casas de por aquí. Fue a la bodega a traer los mandados[47]... ¿Usted sabe si piensan arreglar esta casa?

—Pues... bueno, habría que ver[48]...

—Es lo que yo le digo a mi esposo —interrumpió la anciana con energía—. Esta casa no es museable.[49] ¿No es así como se dice? Lo leí en una revista.

El hombre sonrió con embarazo[50] e hizo ademán[51] de despedirse. Caminó hacia la puerta seguido de la mujer.

—Le agradezco mucho —dijo—. La limonada estaba muy buena.

—Eso no es nada —aseguró la mujer al tiempo que abría la puerta al resplandor[52] de la calle—. Si mañana está todavía por aquí y tiene sed, toque sin pena.[53]

—¿Esa persona del retrato... es algo suyo[54]? —preguntó el hombre como si le costara[55] encontrar las palabras.

—Mi nieto —respondió la mujer—. Esa foto es de cuando peleaba contra la dictadura[56] en las lomas[57] de por aquí. Ahora se casó y vive en La Habana.

El hombre sólo atinó[58] a mover la cabeza y salió con prisa de la casa. Una vez en la calle, se detuvo, pestañeó[59] bajo el intenso sol y miró hacia la puerta, ya cerrada.

—¿Van a reparar nuestra casa? —le preguntó un anciano que llevaba dos grandes cartuchos[60] acomodados en el brazo; de uno de ellos salía una barra de pan.[61]

---

[34]por... *in advance* [35]*delay* [36]oscuridad [37]*surroundings* [38]*wall table* [39]*black-spotted* [40]*back* [41]apagados... *faded landscapes* [42]*glided* [43]se... *it was riveted* [44]se... estaba [45]*footsteps* [46]sin... *without removing* [47]*groceries* [48]habría... *we would just have to see* [49]*a museum piece* [50]*embarrassment* [51]*gesture* [52]*brightness* [53]toque... *don't hesitate to knock* [54]algo... *someone related to you* [55]como... *as if it were hard for him* [56]*dictatorship (of Batista in 1958)* [57]*hills* [58]*managed* [59]*blinked* [60]*grocery bags* [61]barra... *baguette*

75   —Trataremos de hacerlo —dijo el hombre—. Pero usted sabe cómo son estas cosas… Aunque creo que sí. En realidad vale la pena.

    —Desentonaría[62] mucho en la cuadra —dijo el anciano—. Le quitaría presencia[63] a las demás —añadió con un dejo de astucia.[64]

    —Sí, tiene razón —respondió el hombre mirando (ᴖᴖ) hacia la casa—. La
80 estuve viendo (ᴖᴖ) por dentro. Por dentro está bastante bien.

    —Ah, menos mal. El problema es el techo, ¿no? Pero eso no sería[65] un problema grande, ¿no? La de al lado[66] tampoco tenía techo de tejas, y mírela ahora lo bien que luce.[67]

    De improviso[68] el anciano dio unos pasos hacia el hombre y, abriendo (ᴖᴖ)
85 la boca, le observó detenidamente[69] el rostro.[70]

    —Usted es… —empezó a decir con voz débil.

    —Sí.

    —¿Ella lo reconoció? —preguntó el hombre después de pasarse la lengua por los labios.

90   —Creo que no. Adentro estaba un poco oscuro. Además, han pasado (←) años y ahora llevo barba.

    El anciano caminó cabizbajo[71] hacia el poyo[72] de la puerta y, colocando (ᴖᴖ) los cartuchos en la piedra, se sentó trabajosamente[73] junto a ellos.

    —Vivíamos en La Habana, pero los dos somos de aquí. Éste es un pueblo
95 viejo. Quisimos regresar y pasar estos años aquí. No tenemos familia. Es

---

[62]*It would be out of place*   [63]Le… *It would take away from the effect*   [64]dejo… *trace, touch of shrewdness*   [65]no… *wouldn't be*   [66]La… *The house next door*   [67]*it looks*   [68]De… *Unexpectedly*   [69]*attentively*   [70]cara   [71]*head down*   [72]*stone bench*   [73]con dificultad

natural, ¿no? —dijo el anciano, ahora mirándose (∩∩) los zapatos, gastados[74] y torcidos en las puntas[75]—. El mismo día en que llegamos... Ahí mismo —dijo señalando (∩∩) un punto en la acera—, ahí mismo estaba el retrato. ¿Usted vivía cerca?

100   —No, andaba por las lomas. Pero a veces bajaba al pueblo. Tenía una novia que vivía... Me gustaba caminar por esta plaza —dijo el hombre señalando (∩∩) vagamente calle arriba—. Me parece que comprendo la situación —añadió dejando (∩∩) caer el brazo.

    —No, no puede comprender. No tiene la edad para comprender... La gente

105 de enfrente, los de al lado, todos creen que usted es su nieto. Tal vez ella misma.

    —¿Por qué sólo *su* nieto?

    —La idea fue de ella —respondió el anciano—. Siempre fue muy dispuesta,[76] dispuesta y un poco novelera.[77] Es una pena que no hayamos podido (←) tener familia. Ella, ¿comprende?

110   —Lo siento.

    —¿Qué va a hacer? —preguntó el anciano, mirando (∩∩) al hombre con ojos vacíos.

    —Pues, dígale a la gente de enfrente y de al lado que el nieto de La Habana vino a trabajar un tiempo aquí.

115   El anciano sonrió y sus ojos cobraron brillo.[78]

    —¿Le sería mucha molestia[79]venir esta noche por acá? —El hombre fue junto a él y lo ayudó a levantarse.

    —Sería[80] lo natural, ¿no le parece? —dijo mientras le alcanzaba[81] los cartuchos.

---

[74]*worn out*   [75]torcidos... *turned up at the toes*   [76]*clever*   [77]*given to inventing stories*
[78]cobraron... *shone*   [79]¿Le... *Would it be too much trouble for you*   [80]*It would be*
[81]*handed*

■■■ COMPRENSIÓN

A   Cambie los verbos entre paréntesis por la forma apropiada del presente de indicativo o de subjuntivo, según el contexto. Luego diga si las oraciones son ciertas (**C**) o falsas (**F**) y corrija las falsas.

1. _____ El hombre le manda a la anciana que le (traer) un vaso de limonada.

2. _____ La anciana no quiere que el hombre (entrar) en su casa, ya que está sola.

3. _____ El hombre dice que (hacer) fresco dentro de la casa.

4. _____ El anciano quiere que los obreros (arreglar) su casa.

5. _____ El hombre insiste en que la mujer le (decir) de quién es el retrato.

6. _____ El anciano sabe que el retrato (ser) del arquitecto.

7. _____ El anciano espera que el arquitecto (volver) esa noche.

8. _____ El arquitecto dice que no (poder) volver porque tiene mucho trabajo.

B ¡NECESITO COMPAÑERO!   Determinen a cuál(es) de los personajes corresponde cada uno de los siguientes objetos. Luego, comparen sus resultados con los de los otros estudiantes. Si algunos dieron respuestas diferentes, discutan hasta que todos estén de acuerdo con las asociaciones hechas.

los bolígrafos de colores

la camisa a cuadros

la gorra verde olivo

la limonada

el marco

los mandados

los planos

los zapatos gastados

el sillón

C Busque en el cuento dónde se encuentra exactamente la siguiente información.

1. por qué la pareja vive en esa casa

2. por qué el joven está allí

3. por qué la vieja dice que el hombre del retrato es su nieto

■■■ INTERPRETACÍON

A A continuación se mencionan algunos de los pensamientos y acciones de los personajes del cuento. Explique la causa de cada uno. ¡Cuidado! Puede haber más de una respuesta para cada oración.

1. La anciana le ofrece un vaso de limonada al hombre.

2. El hombre mira con mucha atención el retrato que está sobre la mesa.

3. Para la anciana, el hombre del retrato que está en la mesa es su nieto.

4. El anciano invita al hombre a volver esa misma noche.

5. El hombre dice que va a volver a visitar a los ancianos.

■■■ APLICACIÓN

A El cuento «El nieto» presenta un concepto de familia que no tiene lazos consanguíneos, es decir, que no se basa en relaciones de sangre. ¿Qué otros ejemplos de familias sin lazos consanguíneos se ven en la sociedad moderna? ¿Cree Ud. que la sociedad contemporánea acepta totalmente el matrimonio sin hijos? ¿Hay algunas maneras que se han institucionalizado hoy en día de «inventar» a un hijo o a un nieto? Explique.

B Para la anciana del cuento, tener hijos es un hecho de gran importancia. ¿Es tan importante para el marido de ella? ¿Es igualmente importante para las mujeres hoy en día? ¿y para los hombres? ¿Cuáles de las siguientes afirmaciones le parecen que reflejan la opinión de un sector considerable de la gente de hoy?

1. Los matrimonios que deciden no tener hijos son egoístas.

2. El hombre que no puede tener hijos no es hombre.

3. La gente debe poder decidir si quiere formar una familia o no.

4. La gente que no tiene hijos va a sentirse más solitaria en la vejez que la que tiene hijos.

5. La pareja sin hijos es más feliz.

6. El matrimonio tiene como fin principal la reproducción.

7. La pareja sin hijos es más responsable socialmente hoy en día, ya que la sobrepoblación es un problema grave para nuestro planeta.

Lengua II

■■ 18 Uses of the Subjunctive: Persuasion

As you know, the subjunctive occurs in subordinate clauses only when the main clause communicates certain messages. One of these is *persuasion:* a request that someone else do something. The action that may or may not occur as a result of the request is expressed with the subjunctive, because it is outside the speaker's experience or reality.

Esperan que llevemos una vida feliz.	*They hope (that) we lead a happy life.*
Prefiero que no me visiten con tanta frecuencia.	*I prefer (that) they not visit me so frequently.*
Es necesario que disciplinen a sus hijos.	*It is necessary that you discipline your children.*

It is impossible to provide a list of all the verbs that express persuasion; remember that it is the *concept* of persuasion in the main clause that results in the use of the subjunctive in the subordinate clause. The following expressions of persuasion occur in the exercises in this chapter. Make sure you know their meanings before beginning the exercises.

es importante que	aconsejar que	pedir (i, i) que
es (im)posible que	decir (i, i) que	permitir que
es (in)admisible que	dejar que	preferir (ie, i) que
es necesario que	desear que	prohibir que
es obligatorio que	escribir que	querer (ie) que
es preferible que	esperar que	recomendar (ie) que
importa que	insistir en que	sugerir (ie, i) que
	mandar que	

PRÁCTICA Escoja uno de los verbos del cuadro anterior y conjúguelo para crear una oración lógica como en el modelo. Puede haber (*There may be*) varias respuestas posibles.

MODELOS: Todos los padres _____ que sus hijos se porten bien. →
Todos los padres **esperan** que sus hijos se porten bien.
Todos los padres **desean** que sus hijos se porten bien.

1. Todas las mamás _____ que su hija se case con un hombre bueno.
2. Cada esposa recién (*recently*) casada _____ que su marido se lleve bien con su suegra.
3. Un buen padre nunca _____ que su hija de 12 años esté fuera de la casa toda la noche.
4. A veces los abuelos _____ que los nietos hagan cosas que no deben hacer.
5. Se (impersonal) _____ que cada pareja tenga un largo noviazgo antes de casarse.

Some verbs like **decir** and **escribir** can either transmit information or convey a request. When information is transmitted, the indicative is used in the subordinate clause; when a request is conveyed, the subjunctive is used in the subordinate clause.

INFORMATION:
Él les dice que **van** al parque.
He tells them (that) they are going to the park.

REQUEST:
Él les dice que **vayan** al parque.
He tells them to go to the park.

■■■ 18 **INTERCAMBIOS**

AUTOPRUEBA   Cambie los infinitivos entre paréntesis por la forma apropiada del presente de subjuntivo, según el contexto.

1. Esperamos que Uds. nos (recordar) durante su viaje.

2. Es obligatorio que los estudiantes (asistir) a clase todos los días.

3. Insisto en que ellos me (hacer) visita mientras están en Chicago.

4. Generalmente se prohíbe que la gente (comer) en las bibliotecas.

5. ¿Recomienda Ud. que (salir: nosotros) ahora o en la mañana?

6. No me importa que Eduardo (tener) todo el dinero del mundo.

7. Papá nos dice que (encontrar) sus llaves.

8. Sugiero que (lavarse: tú) las manos antes de comer.

Respuestas: 1. recuerden **2.** asistan **3.** hagan **4.** coma **5.** salgamos **6.** tenga **7.** encontremos **8.** te laves

---

A   En el siguiente párrafo un adolescente expresa sus opiniones sobre la crianza de los hijos. ¿Cuántos ejemplos del subjuntivo para persuadir puede Ud. identificar?

¿Jóvenes alguna vez? ¿Los padres? ¡Imposible! Les encuentran defectos a mis amigos; me critican la ropa, el peinado,[a] la música… En fin, me lo critican todo. Me prohíben salir durante la semana, pero no me dejan hablar mucho por teléfono. No hacen caso de mis problemas e incluso me critican delante de mis amigos.

Definitivamente no voy a ser como ellos. Voy a dejar que mis hijos hablen todo lo que quieran por teléfono porque la comunicación es importante. Voy a dejar que se vistan como quieran y que se peinen a su gusto. Al fin y al cabo,[b] ¡es su pelo! Si tienen problemas, quiero que me los cuenten y que tengan confianza en mí. Es imprescindible[c] que nunca los critique delante de sus amigos y que les dé mucha libertad personal, pues así aprenderán[d] a ser personas felices e independientes.

Mi madre me dice que ella se hizo las mismas promesas a mi edad, pero no me lo creo. Todas las madres dicen eso.

[a]*hairstyle*   [b]Al… *After all*   [c]absolutamente necesario   [d]*they will learn*

■ ¿Está Ud. de acuerdo con los puntos de vista de este adolescente? ¿Por qué sí o por qué no?

■ ¿Qué cosas les permiten sus padres a Ud. y a sus hermanos? ¿Qué cosas les prohíben o les critican? Si Ud. ya tiene hijos, ¿qué cosas les permite, les prohíbe o les critica?

■ Y Ud., ¿va a permitirles y prohibirles las mismas cosas a sus hijos? Si Ud. ya tiene hijos, ¿cree que ellos van a permitirles y prohibirles las mismas cosas a sus propios hijos (a los nietos de Ud.)? Explique.

B   María Luisa se prepara para su primera cita. Todos sus parientes y amigos le dan consejos. Explique los consejos que le dan, siguiendo el modelo.

MODELO: padre: decir / volver temprano →
Su padre le dice que vuelva temprano.

1. madre: aconsejar / ir con otra pareja
2. hermano menor: pedir / no volver temprano
3. hermana mayor: decir / ponerse una falda larga y botas
4. abuela: recomendar / tener cuidado porque hay mucho tráfico
5. mejor amiga: sugerir / llevar un perfume exótico
6. chico con quien va a salir: pedir / traer dinero

Y ¿qué le aconseja Ud. a María Luisa que haga para prepararse para su primera cita?

C Los padres siempre les dan consejos a sus hijos para ayudarlos a resolver sus problemas. ¿Qué consejos típicos le dan sus padres a Ud. en las siguientes situaciones?

MODELO: Si alguien me golpea, me dicen que _____. →
Si alguien me golpea, me dicen que le devuelva la bofetada (*hit him or her back*).

1. Si voy a llegar tarde a casa, me piden que _____.
2. Si una persona desconocida me habla, me dicen que _____.
3. Si mi hermano/a menor me molesta, me recomiendan que _____.
4. Si voy a entrar en una tienda de porcelanas, me piden (¡por favor!) que _____.
5. Si voy a pasar la noche en casa de un amigo / una amiga, insisten en que _____.
6. *Invente Ud. una situación para que sus compañeros sugieran consejos.*

D GUIONES Trabajando en grupos de tres o cuatro personas, describan lo que quieren las personas en los siguientes dibujos. Usen las preguntas que siguen como guía y añadan todos los detalles que necesiten. Después, inventen un breve diálogo para acompañar cada dibujo.

1. el chicle, el supermercado / hacer cola, pagar la cuenta
2. la pareja / espiar, pedir la mano, no querer
3. los novios / dejarlos solos, hablar sin parar
4. dejar en paz, jugar al fútbol / ocupado

- ¿Cómo son las personas?
- ¿Quiénes son? (¿Cuál parece ser la relación entre ellos?)
- ¿Dónde están?
- ¿Cuál es el dilema?
- ¿Cómo van a resolverlo?

E Por lo general, en cada familia hay reglas que obedecer y papeles que los miembros de la familia adoptan. Utilizando las expresiones entre paréntesis y formando oraciones con el subjuntivo, explique las siguientes reglas de una familia tradicional. Después, explique cómo es la situación en su propia familia o cómo cree que va a ser cuando Ud. tenga hijos.

MODELO: es preferible **/** los hombres **/** hacer las reparaciones de la casa →
En la familia tradicional, es preferible que los hombres hagan las reparaciones de la casa. En mi propia familia, es importante que todos —hombres y mujeres— ayudemos a reparar la casa. Cuando yo tenga hijos, voy a permitir que las muchachas participen en todos los trabajos de la casa.

1. es preferible **/** las mujeres **/** hacer toda la limpieza de la casa
2. es necesario **/** los hermanos menores **/** obedecer a los mayores
3. es importante **/** los hermanos mayores **/** darles buen ejemplo a los menores
4. es deseable **/** la madre **/** quedarse (*stay*) en casa para criar a los hijos
5. es obligatorio **/** los hijos **/** estar en casa por la noche a cierta hora (*a specific time*)
6. es preferible **/** los padres **/** escoger la ropa y el peinado de los hijos
7. es inadmisible **/** los hijos **/** imponerles reglas a los padres

F ENTRE TODOS Divídanse en grupos de tres o cuatro estudiantes. Su profesor(a) les asignará (*will assign*) uno de los siguientes temas para comentar. Después, compartan sus conclusiones con el resto de la clase.

1. La vida familiar está llena de conflictos entre sus miembros. Por ejemplo, ¿creen Uds. que hay riñas (*quarrels*) y peleas en todas las familias? ¿Es normal o natural esto? ¿O indica un problema grave? ¿Qué pueden hacer los padres para evitar los conflictos entre sus hijos? ¿Cómo pueden fomentar la cooperación entre ellos? ¿Es importante que haya autoridad y disciplina? ¿Por qué sí o por qué no?

2. ¿Hasta qué punto presenta la televisión a la familia norteamericana tal como es en realidad? Identifiquen algunas comedias, series y telenovelas que traten el tema de la vida familiar. ¿Qué tipos de familia se representan en esos programas? ¿Qué tipos de familia *no* se representan, normalmente? ¿Qué pueden Uds. inferir de esto?

3. ¿Hay realmente una separación entre las generaciones? Señalen las actitudes típicas de los miembros de la generación de sus padres con respecto a temas como la educación sexual, la homosexualidad, el matrimonio interracial, la pena capital, el aborto, etcétera. ¿Cuál es la actitud más común de su propia generación hacia estos temas? Si algún día Uds. tienen hijos, ¿cuál va a ser la actitud de ellos hacia estos temas? Si Uds. ya tienen hijos, ¿cuál es la actitud de ellos y cuál va a ser la actitud de sus hijos (los nietos de Uds.) hacia estos temas?

4. Hoy en día, muchos políticos utilizan el tema de los valores familiares como punto clave de sus campañas. Pero ¿se refieren todos a las mismas ideas? Hagan una lista de esos valores y pónganlos en orden, según la importancia que les dan Uds. ¿Es deseable que el gobierno fomente o regule esos valores? ¿Hasta qué punto? ¿Cómo debe hacerlo? ¿O es necesario que otros grupos (la comunidad, la familia o incluso el individuo mismo) asuman esa responsabilidad? Expliquen.

■■ 19 Imperatives: Informal Direct Commands

Unlike formal (**Ud./Uds.**) commands, the informal **tú** and **vosotros/as** commands (**los mandatos informales**) have two different forms: one for affirmative and one for negative.

With only a few exceptions, affirmative **tú** commands are identical to the third-person singular present-indicative forms. Meaning is made clear by context.

Affirmative *tú* Commands		
-*ar* Verbs	**-*er* Verbs**	**-*ir* Verbs**
hablar: habla	comer: come	vivir: vive
pensar: piensa	entender: entiende	pedir: pide

The following verbs have irregular affirmative **tú** command forms.

decir:	**di**	ir:	**ve**	salir:	**sal**	tener:	**ten**
hacer:	**haz**	poner:	**pon**	ser:	**sé**	venir:	**ven**

The negative **tú** command for all verbs is the same as the second-person singular form of the present subjunctive.

Negative *tú* Commands		
-*ar* Verbs	**-*er* Verbs**	**-*ir* Verbs**
hablar: no hables	comer: no comas	vivir: no vivas
pensar: no pienses	entender: no entiendas	pedir: no pidas
almorzar: no almuerces	hacer: no hagas	salir: no salgas

The **vosotros/as** affirmative commands for all verbs are formed by replacing the **-r** ending of the infinitive with **-d.**

Affirmative *vosotros/as* Commands		
-*ar* Verbs	**-*er* Verbs**	**-*ir* Verbs**
hablar: hablad	comer: comed	vivir: vivid
pensar: pensad	entender: entended	pedir: pedid
almorzar: almorzad	hacer: haced	salir: salid

Negative **vosotros/as** commands, like negative **tú** commands, are the same as the corresponding form of the present subjunctive.

Negative *vosotros/as* Commands		
-*ar* Verbs	**-*er* Verbs**	**-*ir* Verbs**
hablar: no habléis	comer: no comáis	vivir: no viváis
pensar: no penséis	entender: no entendáis	pedir: no pidáis
almorzar: no almorcéis	hacer: no hagáis	salir: no salgáis

En resumen

■ Remember that with the exception of affirmative **tú** and affirmative **vosotros/as** commands, all command forms are identical to the corresponding forms of the present subjunctive.

Command Forms of *hablar*			
Person	**Subjunctive**	**Negative Commands**	**Affirmative Commands**
tú	hables	no hables	habla
vosotros/as	habléis	no habléis	hablad
Ud.	hable	no hable	hable
Uds.	hablen	no hablen	hablen

PRÁCTICA 1   A veces los padres no están de acuerdo sobre lo que debe o no debe hacer su hijo/a. Cuando este niño / esta niña le hace las siguientes preguntas a su mamá, recibe una respuesta negativa, pero cuando se las hace a su papá, recibe una respuesta afirmativa. Escriba cómo contestarían (*would answer*) la madre y el padre cada pregunta, incorporando los complementos pronominales cuando sea posible. Siga el modelo.

MODELO: ¿Puedo mirar *Viaje a las estrellas?* →
(madre): No, no lo mires.
(padre): Sí, míralo.

1. ¿Puedo poner los CDs?
2. ¿Puedo comer estos chocolates?
3. ¿Tengo que hacer la cama?
4. ¿Puedo beber esa cerveza?
5. ¿Puedo ir al cine?
6. ¿Puedo cortarme el pelo?
7. ¿Puedo salir a jugar?
8. ¿Puedo ponerme mi mejor ropa ahora?

PRÁCTICA 2   Conchita y su abuelo, don Tomás, tienen problemas similares. Lea los problemas y luego, usando las palabras entre paréntesis, escriba mandatos informales (para Conchita), mandatos formales (para don Tomás) y mandatos en plural para los dos. Use la forma de **Uds.** o de **vosotros,** según le indique su profesor(a).

Problema	Conchita	Don Tomás	Los dos
Me duele la cabeza. (tomar una aspirina)	Toma una aspirina.	Tome (Ud.) una aspirina.	Tomen/Tomad una aspirina.
1. Estoy muy cansado/a. (acostarse)			
2. Tengo hambre. (comer algo)			
3. Quiero ir a mi casa. (irse)			
4. Necesito ropa nueva. (comprarla)			
5. No sé qué regalarle a Miguel. (darle dinero)			
6. Tengo frío. (ponerse el abrigo)			

▪▪▪ 19 INTERCAMBIOS

AUTOPRUEBA   Cristina es muy indecisa y quiere que sus amigos decidan por ella. En las siguientes situaciones, dile qué debe decidirse, siguiendo el modelo.

MODELO: ¿Estudio francés o japonés? →
Estudia francés. No estudies japonés.

1. ¿Como sopa o ensalada?

2. ¿Viajo a México o a Italia?

3. ¿Salgo esta noche o mañana?

4. ¿Me acuesto temprano o tarde?

5. ¿Me pongo sandalias o zapatos deportivos?

6. ¿Camino o tomo el autobús?

7. ¿Escucho música o miro la televisión.

Respuestas: **1.** Come… No comas… **2.** Viaja… No viajes… **3.** Sal… No salgas… **4.** Acuéstate… No te acuestes… **5.** Ponte… No te pongas… **6.** Camina… No tomes… **7.** Escucha… No mires…

A Complete las siguientes oraciones con las recomendaciones que Ud. considere adecuadas para su hermano/a menor. Utilice la forma apropiada del mandato informal.

1. Si quieres tener muchos amigos, (no) _____.
2. Si no quieres tener problemas con papá y mamá, (no) _____.
3. Si no quieres enfermarte, (no) _____.
4. Si quieres llevarte bien conmigo, (no) _____.
5. Si quieres evitar problemas románticos, (no) _____.

B ¡NECESITO COMPAÑERO! Es posible que el mandato sea la forma verbal que los niños escuchan con más frecuencia. Trabajando en parejas, hagan una lista de los mandatos (por lo menos *dos* para cada situación) que los niños suelen oír en las siguientes situaciones. Traten de usar tantos verbos diferentes como puedan.

1. en la escuela
2. en una tienda elegante
3. en la iglesia, la sinagoga, el templo, etcétera
4. en un restaurante o una cafetería
5. en un vehículo (coche, tren, autobús, avión, etcétera)

C GUIONES Trabajando en grupos de tres o cuatro personas, describan lo que pasa en los siguientes dibujos. Usen las preguntas como guía para expresar el mandato más común que se usaría (*would be used*) en cada situación. ¡Cuidado! En cada caso es necesario decidir si el mandato más apropiado es para **Ud., Uds.** o **tú.**

1.   2.   3.   4.

Vocabulario útil: la biblioteca, el camarero, una cena elegante, una cena informal, el humo, el periódico, el sillón, hacer ruido, molestar, pedir, toser (*to cough*)

- ¿Quiénes son las personas?
- ¿Dónde están?
- ¿Cuál es el dilema?
- ¿Cómo se va a resolver?
- ¿Qué mandato van a usar?

ENTRE TODOS

- Expresen los mensajes *de otra manera sin usar un mandato directo.*

Enlace

■■■ ¡OJO!

	Examples	Notes
soportar mantener apoyar sostener	No puedo **soportar** su actitud. *I can't stand her attitude.*	**Soportar** means *to tolerate* or *to put up with.*
	Mi tío rico **mantiene** a toda la familia. *My rich uncle supports the whole family.*	**Mantener** means *to support financially.*
	La **apoyo** en la campaña política actual. *I'm supporting her in the current political campaign.*	**Apoyar** means *to support* in the sense of *to back* or *to favor.*
	Él **sostiene** al niño en sus brazos. *He holds the child in his arms.*	*To support* in the physical sense of *hold* or *hold up* is expressed by **sostener.**
cerca cercano/a íntimo/a unido/a	Nuestra casa está muy **cerca de** la playa. *Our house is very close to the beach.*	When *close* refers to the physical proximity of people or objects, Spanish uses **cerca** (adverb), **cerca de** (preposition), or **cercano/a** (adjective).
	La ciudad más **cercana** es Albuquerque. *The closest city is Albuquerque.*	
	Mi pariente más **cercano** es mi padre. *My closest relative is my father.*	**Cercano/a** can also describe the degree of blood relationship between relatives.
	Elena y Mercedes son amigas **íntimas.** *Elena and Mercedes are close friends.*	When *close* describes friendship or emotional ties, **íntimo/a** is used.
	En general, la familia hispana es muy **unida.** *In general, the Hispanic family is very close-knit.*	**Unido/a** expresses the closeness of family ties (but not blood relationships).
importar cuidar	¿Te **importa** si abro la ventana? *Do you care (mind) if I open the window?* —¿A qué hora salimos? —No me **importa.** —*What time shall we leave?* —*I don't care. (It doesn't matter to me.)*	When *to care* has the meaning of *to be interested in,* it is expressed in Spanish by **importar.** This construction works just like **gustar:** the person who is interested is expressed by an indirect-object pronoun, and the subject of the verb is the item that causes the interest. This construction is often equivalent to the English expressions *to matter to* (*someone*).

(continúa)

Examples	Notes
importar **cuidar** La señora Pérez **cuidó** a su madre por muchos años. *Mrs. Pérez cared for her mother for many years.* Si no **te cuidas,** te vas a enfermar. *If you don't take care of yourself, you're going to get sick.*	*To care for* or *to take care of* is expressed with **cuidar.** When used reflexively, it means *to take care of oneself.*

A VOLVIENDO AL DIBUJO   Elija la palabra que mejor complete cada oración. ¡Cuidado! También hay palabras de los capítulos anteriores.

Toda mi familia estuvo presente cuando me gradué de la universidad. Esto no me sorprendió, porque somos muy (cercanos/unidos)[1] y siempre nos (apoyamos/mantenemos)[2] mutuamente. Mi hermano, que también es mi amigo (íntimo/unido)[3], (miraba/parecía)[4] un loco sacando fotos de todo. ¡Mis padres estaban tan emocionados! Ellos (funcionaron/trabajaron)[5] muy duro para (mantenerme/soportarme)[6] y pagar mis estudios, pues les (cuida/importa)[7] mucho que sus hijos reciban una educación universitaria. Creo que todos soñábamos (con/de/en)[8] ese momento tan especial. También mi hermanita, quien asiste a una escuela (cercana/íntima)[9] a mi universidad, participó con mucho interés en el acontecimiento.

Cuando pienso (de/en)[10] todo el afecto que mi familia expresó en ese momento, me considero muy afortunada. Es normal que a veces tengamos problemas y hay días en que no puedo (mantener/soportar)[11] el carácter de mi madre o los chistes de mi hermano. También tengo que sacrificar algunas noches para (cuidar/importar)[12] a mi hermanita cuando mis padres salen. Sin embargo, todos ellos me han enseñado que la vida familiar consiste (de/en)[13] dar y recibir apoyo y comprensión.

B ENTRE TODOS

- ¿Quién es su pariente más cercano? ¿Vive Ud. cerca de él/ella? Si no, ¿lo/la visita con frecuencia? ¿Tiene Ud. una familia grande? ¿muy unida? ¿Tiene un amigo íntimo / una amiga íntima entre sus parientes?

- ¿Cree Ud. que se ha hecho (*it has become*) más difícil ser padre/madre en la actualidad? ¿Es más difícil criar a una familia hoy de lo que era en el pasado? Explique. ¿Cuáles son algunos de los problemas que tienen los padres actuales que no tenían los padres de antes?

- En su opinión, ¿cuál de sus compañeros de clase va a ser famoso/a? ¿rico/a? ¿abogado/a? ¿vagabundo/a (*bum*)? ¿inventor(a)? En este momento, ¿a sus padres les importan sus planes para el futuro? ¿Están ellos de acuerdo con sus planes?

■■■ REPASO

A Complete la siguiente historia, dando la forma apropiada del verbo. Cuando se dan varias palabras entre paréntesis, escoja la palabra apropiada.

Los paseos[a] con mi abuelo

Durante los últimos años de su vida, mi abuelo vivió con mi tía Georgina, su única hija soltera. Cuidar a mi abuelo (ser)[1] una labor difícil y mi tía siempre (mirar/parecer)[2] cansada. Un día, los dos (llegar)[3] a mi casa con una maleta.

—Norah, yo (ser/estar)[4] muy cansada y el médico me recomienda que tome unas vacaciones. Por favor, cuida a papá durante esta semana. No olvides darle su medicina. También es importante que salga a caminar todos los días —(decirle)[5] mi tía a mi madre.

Sin mucho entusiasmo, mi madre (recibir)[6] a mi abuelo, con (que/quien)[7] no se llevaba muy bien. Mi madre (decidir)[8] darle mi cuarto y yo (tener)[9] que dormir en el cuarto de mi hermano. Así que a mí tampoco (gustarme)[10] la idea.

A la mañana siguiente, después del desayuno, mi madre (decirme)[11]:
—Miguel, tu abuelito quiere que vayas al parque con él. ¡No te preocupes! Va a ser un paseo (bajo/corto)[12].

Yo no (querer)[13] salir con un anciano (que/quien)[14] me era prácticamente desconocido, pero (ponerme)[15] la chaqueta y (salir)[16] con él.

Esa mañana, (hacer)[17] sol y el parque (ser/estar)[18] lleno de vida. Al principio, (caminar: nosotros)[19] en silencio, pero después, mi abuelo (comenzar)[20] a hablarme de sus viajes y experiencias y (preguntarme: él)[21] sobre mis amores. Descubrí con sorpresa que él (ser/estar)[22] más comprensivo[b] que mis padres y que (escucharme)[23] con interés. Además, siempre (tener: él)[24] una historia interesante que se relacionaba con mis propias experiencias.

Durante esa semana, salí de paseo todas las mañanas con mi abuelo, mi nuevo amigo. Después, cuando (volver: él)[25] a casa de mi tía, yo (visitarlo)[26] con frecuencia.

—Abuelo, ¡cuéntame una historia! —yo (pedirle)[27] cada (tiempo/vez)[28] que salíamos a caminar.

[a]*walks* [b]*understanding*

B ¡NECESITO COMPAÑERO! Trabajando en parejas, háganse preguntas con el subjuntivo para averiguar qué tipo de padres/madres Uds. serán (*may be*) en el futuro o son ahora. Expliquen las respuestas de «Depende».

¿Vas a permitir (Permites) que tus hijos… ?	SÍ	NO	DEPENDE
1. fumarse (*to cut*) las clases	❏	❏	❏
2. usar drogas alucinógenas	❏	❏	❏
3. mirar mucho la televisión	❏	❏	❏
4. ponerse aretes y hacerse tatuajes (*tattoos*)	❏	❏	❏
¿Vas a insistir (Insistes) en que tus hijos… ?			
5. asistir a la universidad	❏	❏	❏
6. trabajar desde la adolescencia	❏	❏	❏
7. ayudar con los quehaceres de la casa	❏	❏	❏
8. aprender otro idioma	❏	❏	❏

La «Casa de la Madre Soltera» en Guayaquil, Ecuador

Video on CD

Esther Guarín de Torres es una estudiante de derecho (*law*). Ella vivió en carne propia (personalmente) el calvario (*suffering*) de muchas mujeres embarazadas (*pregnant*) y desamparadas (abandonadas) que deambulan (*wander*) sin protección por las calles de Guayaquil. Aunque Esther tenía pocos recursos económicos, quería ofrecerles a las futuras madres un albergue (*shelter*) en donde dar a luz (*to give birth*). Por esta razón, ella fundó la «Casa de la Madre Soltera (*Single*)».

Antes de ver

- ¿Qué tipos de servicios y beneficios espera Ud. que ofrezca este tipo de albergue?

- ¿Cree Ud. que la «Casa de la Madre Soltera» se parecerá (*will resemble*) a sitios similares en las ciudades de este país o será muy distinta?

- Ahora lea con cuidado la actividad en **Vamos a ver** antes de ver el vídeo por primera vez.

Vamos a ver

«Casa de la Madre Soltera», Guayaquil, Ecuador

Según este segmento de vídeo, ¿cuáles de los siguientes servicios o beneficios reciben las mujeres que se albergan en la «Casa de la Madre Soltera»?

1. ☐ un ambiente familiar de comprensión y cariño
2. ☐ ayuda de la policía contra los parientes abusivos
3. ☐ orientación maternal
4. ☐ entrenamiento (*training*) en carreras artesanales (*folk art*) y técnicas
5. ☐ ayuda económica para asistir a la universidad
6. ☐ un lugar seguro en donde dar a luz
7. ☐ alimentación y albergue
8. ☐ ayuda legal para arreglar la adopción de los hijos

Después de ver

- ¿Cree Ud. que las necesidades de una madre soltera en Guayaquil son diferentes de las necesidades de una madre soltera en la comunidad donde Ud. vive? Explique.

- Trabajando en pequeños grupos, hagan una lista parecida a la de la sección **Vamos a ver** para un centro de madres solteras en la comunidad donde Uds. viven. Luego, comparen sus listas con las de sus compañeros de clase.

- Busque información sobre los servicios sociales en algún país hispano. ¿Qué servicios están orientados a la familia? ¿Qué le parecen estos servicios?

CAPÍTULO 5

Geografía, demografía, tecnología

Ciudad de México

En este capítulo:

IMÁGENES
- Vacas que producen electricidad además de leche

LENGUA I
  20. More relative pronouns
  21. Positive, negative, and indefinite expressions

CULTURA
- La Hispanoamérica actual

LENGUA II
  22. Uses of the subjunctive: Certainty versus doubt; emotion

Video on CD
Vídeo: Los bosques, defensas del planeta

Describir y comentar

■ En el dibujo A, ¿qué le propone el urbanista al arquitecto? ¿Cómo reacciona el arquitecto? ¿Qué problemas piensan resolver o eliminar? Para ellos, ¿cómo es la vivienda ideal?

■ ¿Quiénes son las personas que se ven en los dibujos B y C? ¿Qué necesidades tienen? Para ellos, ¿cómo es la vivienda ideal? ¿Cómo cambia la situación al mudarse a su nuevo apartamento (dibujo C)? ¿Están todos contentos? ¿Por qué sí o por qué no?

■ ¿Qué pasa en el dibujo D? ¿Cree Ud. que el nuevo diseño va a responder mejor a las necesidades de los clientes? ¿Por qué sí o por qué no? ¿Qué información deben tener en cuenta la arquitecta y el urbanista para mejorar el diseño?

■■■ VOCABULARIO ··· *para conversar*

diseñar to design
reciclar to recycle
resolver (ue) to solve, resolve
tener en cuenta to take into account; to keep in mind
urbanizar to urbanize

la alfabetización literacy
el analfabetismo illiteracy
el/la arquitecto/a architect
el barrio bajo slum
la desnutrición malnutrition
la despoblación rural movement away from the countryside
el diseño design
el edificio building
el hambre (*but f.*) hunger
el medio ambiente environment
la modernización modernization
la población population
la pobreza poverty
el reciclaje recycling
los recursos resources
  el agotamiento de los recursos naturales exhaustion/consumption of natural resources
la sobrepoblación overpopulation
el suburbio slum
la tecnología technology
el urbanismo urban development; city planning
  el/la urbanista developer; city planner
  la urbanización migration into the cities; subdivision or residential area

el vecindario neighborhood
la vivienda housing; dwelling place

analfabeto/a illiterate
culto/a well-educated°
desnutrido/a undernourished
en vías de desarrollo developing

Las computadoras[†]

almacenar to store
imprimir to print
navegar la red to "surf the net"
programar to program (*with a computer*)
trabajar en red to be networked

las aplicaciones (computer) applications
la autoedición desktop publishing
la autopista de la información information superhighway
la base de datos database
el correo electrónico e-mail
  el mensaje (de correo electrónico) (e-mail) message
el disco, el disquete diskette
  el disco duro hard drive
el e-mail e-mail
el hardware hardware
la hoja de cálculo spreadsheet
la impresora printer
la informática computer science
el Internet Internet
la memoria memory

(continúa)

°Remember that **educado/a** means *educated* in the sense of *well-mannered*.

[†]The vocabulary for computers, like that for many specialized fields, varies from country to country. In Spain, for example, the word for *computer* is **el ordenador;** in Latin America, **la computadora** is more frequent. In addition, a number of terms are commonly expressed with the English term: **el hardware, el software, el e-mail.**

el módem modem	**la red** net(work)
el monitor monitor	**la red local** local area network (LAN)
la multimedia multimedia	**el software** software
la pantalla screen	**el teclado** keyboard
el procesador de textos word processor	
la programación programming	**en línea, on-line** on-line
el ratón mouse	

A ENTRE TODOS   Trabajando en grupos de cuatro, inventen definiciones en español para algunas de las palabras de la lista de vocabulario. Cada persona debe inventar por lo menos una definición y los otros miembros del grupo deben adivinar (*guess*) la palabra.

MODELO: Es una persona que diseña edificios. Algunos ejemplos son Frank Gehry, Frank Lloyd Wright… (el arquitecto)

B   A continuación hay una serie de oraciones que intentan definir algunas de las palabras del vocabulario. ¿Son exactas o inexactas las definiciones? ¿Qué modificaciones sugiere Ud. para las que encuentra inexactas?

1. Carlos tiene 4 años. No sabe leer ni escribir. Es analfabeto.
2. Una persona desnutrida no come mucho.
3. Pilar acaba de graduarse de la escuela secundaria. Es muy inteligente. Es una persona culta.
4. Un país en vías de desarrollo es muy pobre; no tiene muchos recursos económicos.
5. El hambre es lo que tiene una persona antes de comer; después de comer, ya no tiene hambre.

C   ¡NECESITO COMPAÑERO!   Estudien cada palabra de la primera columna y expliquen la relación que tiene con las palabras de la segunda columna. Puede haber varias relaciones posibles para cada pareja.

MODELO: los arquitectos / el urbanismo →
El urbanismo crea trabajos para los arquitectos.

1. los arquitectos	el diseño
	el edificio
	la tecnología
	el urbanismo
2. la sobrepoblación	el agotamiento de los recursos naturales
	la despoblación rural
	el hambre
	la urbanización
3. el analfabetismo	el desarrollo económico
	la inmigración
	la instrucción
	la pobreza

Vacas que producen electricidad además de leche

COSTA RICA TIENE FAMA de ser uno de los países más pendientes de la ecología porque su industria turística se basa en la atracción de sus selvas, montañas, volcanes y otros atractivos naturales. Algo menos conocido es que también tienen fama la leche y los otros productos lácteos[a] muy sabrosos que se producen en el país. ¿Pero cómo es posible producir leche tan buena en un clima tropical como el de Costa Rica? Una hacienda costarricense muestra su ingeniosidad en crear un ambiente cómodo para las vacas, usando recursos muy creativos.

La Hacienda Pozo Azul se encuentra en Sarapiquí, un pueblo tropical donde las temperaturas pueden llegar a los 100 grados Fahrenheit en verano. Las 180 vacas de la hacienda producen hasta 2.000 litros de leche al día, pero para que produzcan tanta leche, hay que reducir el calor ambiental. Por eso, los dueños de la hacienda decidieron instalar grandes abanicos[b] en el corral donde se guardan las vacas. ¿Pero de dónde viene la electricidad para impulsarlos? A los dueños se les ocurrió una solución brillante.

Usan el estiércol[c] de las vacas para producir la electricidad que hace funcionar los grandes abanicos. El producto natural se transporta a un tanque donde empieza su procesamiento, y después de pasar por varias etapas se extrae del estiércol un gas que se convierte en electricidad. Lo que queda se mezcla con lombrices[d] para crear un abono[e] orgánico que enriquece la tierra en la que cultivan plátanos en otra parte de la hacienda. Además, la hacienda se ha convertido en un lugar de atracción para la gente que se interesa en la conservación del medio ambiente y en el cultivo más eficaz de la tierra. ■

En una hacienda lechera, Zarcero, Costa Rica

[a]productos… *dairy products* [b]*fans*
[c]*manure* [d]*worms* [e]*fertilizer*

D ¿Cuánto saben Ud. y sus compañeros sobre las computadoras? ¡Vamos a ver! Escoja cinco palabras de la lista de vocabulario que se relacionan con las computadoras y escriba una breve definición, en español, de cada una. Luego, lea sus definiciones en voz alta para que sus compañeros adivinen las palabras. ¿Quién adivina el mayor número de palabras?

E ¿Cree Ud. que el ambiente en que se vive afecta mucho a las personas? ¿En qué sentido (*sense*)? ¿Nos afecta la arquitectura? ¿Cómo se siente Ud. en los siguientes lugares?

1. en un cuarto sin ventanas
2. en un lugar donde todos los muebles son de metal, vidrio (*glass*) o plástico
3. en un lugar donde todos los muebles son de madera
4. en un cuarto pintado de rojo (amarillo, azul, blanco)

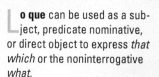

- ¿Tiene Ud. una computadora personal? ¿Cuánto tiempo hace que la tiene? ¿Por qué la compró? Si no tiene computadora, ¿adónde va para usar una?

- En su opinión, ¿es importante usar una computadora para tener éxito en los estudios universitarios? ¿Por qué sí o por qué no?

- ¿Para qué clases utiliza la computadora? ¿La utiliza también para fines (*purposes*) *no* académicos? Explique.

- En general, cuando trabaja en la computadora, ¿prefiere estar solo/a o le gusta estar con otra gente? ¿Por qué?

- Algunos expertos dicen que la computadora puede crear una dependencia (*addiction*) sicológica en algunos usuarios. ¿Está de acuerdo? ¿Cuánto tiempo pasa trabajando en la computadora cada día?

Lengua I

■■ 20 More Relative Pronouns

A. Review of *que* and *quien*

Remember that complex sentences are frequently formed in Spanish by combining two simple sentences with the relative pronouns **que** and **quien** (grammar section 15).

> David compró **la computadora**. **La computadora** estaba en la tienda. →
> David compró **la computadora que** estaba en la tienda.

- English *that, which,* and *who* are generally expressed in Spanish by **que.**

Hay muchos problemas **que** la tecnología ayuda a resolver.	*There are many problems that technology helps to solve.*
La memoria de una computadora, **que** funciona más o menos como la nuestra, es probablemente su aspecto más importante.	*A computer's memory, which functions more or less like our own, is probably its most important part.*
Todos los arquitectos **que** colaboraron en el diseño recibieron un premio.	*All the architects who collaborated on the design received a prize.*

- **Quien,** which can refer only to people, *may* be used after a comma (that is, in a nonrestrictive clause) and *must* be used after a preposition to express *who* or *whom.*

Los programadores, **que (quienes)** trabajaron todo el fin de semana, por fin pudieron resolver el problema.	*The programmers, who worked all weekend, finally managed to solve the problem.*
¡Ése es el actor de **quien** hablábamos!	*That's the actor we were talking about (about whom we were talking)!*

B. *Que* and *cual* forms: Referring to people and things more formally

The simple relative pronouns **que** and **quien** are preferred in speaking in most parts of the Hispanic world. But after a preposition or a comma, English *that, which,* and *who* can also be expressed by compound forms, which are used in writing and in more formal situations by many native speakers.[*]

■ As these examples show, the compound relatives, or "long forms," can refer to *both* people and things. Through the definite article they show gender and number agreement with the noun to which they refer.

	To Refer To	
	People	**Things**
	after a preposition	
informal quien que	Acaba de llegar el arquitecto **con quien** trabajamos el año pasado. *The architect (that) we worked with last year just arrived.*	¿Cuáles son los recursos **con que** podemos contar? *What are the resources (that) we can count on?*
formal el/la que los/las que el/la cual los/las cuales	Acaba de llegar el arquitecto **con el que (con el cual)** trabajamos el año pasado. *The architect with whom we worked last year just arrived.*	¿Cuáles son los recursos **con los que (con los cuales)** podemos contar? *What are the resources on which we can count?*

	To Refer To	
	People	**Things**
	after a comma	
informal quien que	Van a mandarles la comida a los pobres, **quienes (que)** la necesitan más. *They're going to send the food to the poor, who need it most.*	Los problemas, **que** se plantearon ayer, fueron comentados por todos. *The problems, which were posed yesterday, were discussed by all.*
formal el/la que los/las que el/la cual los/las cuales	Van a mandarles la comida a los pobres, **los que (los cuales)** la necesitan más. *They're going to send the food to the poor, who need it most.*	Los problemas, **los que (los cuales)** se plantearon ayer, fueron comentados por todos. *The problems, which were posed yesterday, were discussed by all.*

■ Like the relative pronoun **quien(es),** the long forms can occur *only* after a preposition or a comma (in a nonrestrictive clause). When there is no preposition or comma, only **que** can be used.

■ In many cases, **que** and **cual** variants of the long forms are interchangeable. Using one or the other is a matter of personal preference.

---

[*]Since the **que** and **cual** forms are largely limited to written Spanish and to use in formal situations, the majority of practice with them in *¡Avance!* is in the *Cuaderno de práctica.*

Complete las siguientes oraciones con **que** o **quien(es),** según el contexto. ¡Cuidado! A veces puede haber más de una respuesta correcta.

1. Los jóvenes _____ acaban de entrar son mis vecinos.

2. ¿Cuáles son los recursos a _____ te refieres?

3. El dueño es un individuo _____ posee algunos recursos.

4. Mis bisabuelos, _____ llegaron a este país en 1920, vinieron de Italia.

5. Las personas para _____ se construyeron estos apartamentos merecen (*deserve*) mucho más.

6. Ésa no es la manera en _____ Ud. debe hablarme.

PRÁCTICA 2   Complete las siguientes oraciones con **lo que** o con la forma apropiada de **el que / el cual,** haciendo los cambios de número y género necesarios, según el contexto.

1. Esos edificios, _____ son parte del proyecto de modernización, se van a tumbar (*are going to be knocked down*) la semana que viene.

2. _____ me estás diciendo me parece un consejo muy bueno. Voy a tenerlo en cuenta.

3. La despoblación rural y la sobrepoblación de las ciudades grandes, dos problemas de _____ se ha hablado mucho (*much has been spoken*) en algunos países de Hispanoamérica, van a ser difíciles de resolver.

4. Es sorprendente (*surprising*) que el reciclaje y la conservación de los recursos naturales, dos ideas con _____ mucha gente está de acuerdo en este país, no tenga mayor importancia en las campañas políticas.

5. Aquellas viviendas, _____ están en la colina (*hill*) más alta, siguen en vías de desarrollo desde hace dos años.

6. Parece que los trabajadores no comprenden _____ dicen los urbanistas y los urbanistas no entienden _____ dicen los arquitectos.

■■■ 20 INTERCAMBIOS

AUTOPRUEBA   Complete las siguientes oraciones con **que, quien(es), lo que, el/la/los/las que** o **el/la/los/las cual(es).** ¡Cuidado! En la mayoría de los casos hay más de una respuesta correcta.

1. _____ me preocupa es que los precios suben a diario (*daily*).

2. Susana es la chica con _____ salió Rafael la semana pasada.

3. ¡Mira! Es la pintura de _____ hablaba la profesora en la clase de arte.

4. Hay muchas dificultades _____ están por resolverse antes de nuestro viaje.

5. Éstos son los problemas a _____ el profesor de matemáticas se refirió en su discurso.

6. Tengo aquí una foto de mis bisabuelos, _____ llegaron a este país en 1878.

7. Este edificio, _____ es el más alto de la ciudad, tiene una altura de 400 metros.

Respuestas: 1. Lo que **2.** quien / la que / la cual **3.** que / la que / la cual **4.** que **5.** que / los que / los cuales **6.** quienes / que / los que / los cuales **7.** que / el que / el cual

A Junte los siguientes pares de oraciones usando **que, quien(es)** o la forma apropiada de **el que / el cual,** según el contexto. Cuidado con la colocación (*placement*) de las preposiciones. Luego, indique si Ud. está de acuerdo o no. Siga el modelo.

MODELO: El hambre y la desnutrición son problemas graves.
Encontramos estos problemas principalmente en los países en vías de desarrollo. →
El hambre y la desnutrición son problemas graves que encontramos principalmente en los países en vías de desarrollo. No estoy de acuerdo; es verdad que son problemas graves, pero los encontramos en casi todo el mundo.

1. Los individuos tienen miedo del futuro. Esos individuos pueden perder su trabajo por causa de la tecnología.
2. Los avances tecnológicos «pequeños» nos afectan más que ningún otro invento. Utilizamos los avances pequeños todos los días.
3. Los ambientalistas (*environmentalists*) son extremistas. Es muy difícil trabajar con ellos.
4. Los individuos odian la tecnología. Esos individuos pueden ser realmente peligrosos.
5. Sueño con un mundo ideal. En ese mundo los seres humanos respetan y protegen la naturaleza y el medio ambiente.

B Defina las siguientes palabras y frases en español. Cuidado con los pronombres relativos.

1. una impresora
2. un(a) urbanista
3. un disco duro

4. una vivienda
5. un barrio bajo
6. un arquitecto / una arquitecta

C ¡NECESITO COMPAÑERO! ¿Qué (no) les gustaría a Uds. (*would you [not] like*) en el futuro? Trabajando en parejas, háganse y contesten preguntas para averiguar sus preferencias y la razón por ellas. Luego, compartan con la clase lo que han aprendido (*you have learned*). Cuidado con las formas de los pronombres relativos y recuerden que en español nunca se puede terminar una oración o cláusula con una preposición.

MODELO: persona **/** hablar con →
—¿Quién es la persona con quien te gustaría hablar algún día?
—El presidente de los Estados Unidos, porque quiero hacerle algunas sugerencias.

1. persona **/** hablar con
2. lugar **/** hacer un viaje a
3. problema **/** resolver
4. película **/** ver
5. compañía **/** trabajar para
6. libro **/** leer

7. persona **/** conocer a
8. lugar **/** vivir en
9. lugar **/** *no* vivir en
10. invento **/** vivir sin
11. invento **/** *no* vivir sin
12. persona **/** salir con

 21 Positive, Negative, and Indefinite Expressions

A. Patterns for expressing negation

Negation is expressed in Spanish with one of two patterns.

1. **no** + *verb*

   No trabajaron.   *They didn't work.*

  no + *verb* + *negative word*

   No hicieron **nada.**   *They did nothing. (They didn't do anything.)*

2. *negative word* + *verb*

   Nadie se presentó.   *Nobody showed up.*

  negative word + *verb* + *negative word*

   Yo **tampoco** veo a **nadie.**   *I don't see anyone either.*

There must always be a negative before the verb: either **no** or another negative word such as **nadie** or **tampoco.** Additional negative words may follow the verb. Unlike standard English, Spanish can have two or more negative words in a single sentence and maintain a negative meaning. Once a negative is placed before the verb, all indefinite words that follow the verb must also be negative.

   No vi a **nadie.**   *I didn't see anyone.*

   Nunca hace **nada** por **nadie.**   *He never does anything for anyone.*

The following chart shows the most common positive and negative expressions.

Positive		Negative	
algo	*something*	nada	*nothing*
alguien	*someone*	nadie	*no one*
algún (alguno/a/os/as)	*some*	ningún (ninguno/a)	*none, no*
también	*also*	tampoco	*neither*
siempre	*always*	nunca, jamás	*never*
a veces	*sometimes*		
o	*or*	ni	*nor*
o… o	*either . . . or*	ni… ni	*neither . . . nor*
aun	*even*	ni siquiera	*not even*
todavía, aún	*still*	ya no	*no longer*
		todavía no	*not yet*
		apenas	*hardly*

B. *Alguno/Ninguno* and *alguien/nadie*

■ **Alguno/Ninguno** means *someone / no one* or *something/nothing* from a particular group; **alguien/nadie** expresses *someone / no one* without reference to a group.

   Alguien/Nadie llama a la puerta.   *Someone / No one is knocking at the door.*

   Hay tres niños en casa. **Alguno** (de ellos) va a abrir la puerta.   *There are three children at home. Someone (one of them) will open the door.*

   La compañía ha probado varios diseños nuevos, pero **ninguno** (de ellos) funciona bien.   *The company has tried various new designs, but none (of them) works very well.*

- As adjectives, **alguno** agrees in number and gender, and **ninguno** agrees in gender with the nouns they modify. They shorten to **algún/ningún** before masculine singular nouns.

Hay **algunos chicos** de España en esa clase.

There are some guys from Spain in that class.

No tengo **ningún amigo.**

I don't have any friends.

- Because they always refer to people, the words **alguien** and **nadie** must be preceded by the personal **a** when they function as direct objects. **Alguno/a/os/as (algún)** and **ninguno/a (ningún)** also require the personal **a** when they function as direct objects that refer to people.

Veo **a alguien** en el pasillo.

I see someone in the hall.

No vimos **a nadie** anoche.

We didn't see anyone last night.

No conozco **a ningún** escritor chileno.

I don't know any Chilean authors.

No conozco **ninguna** novela chilena.

I'm not familiar with any Chilean novels.

A PROPÓSITO

Since **ninguno** conveys the concept of *not one* or *none*, it is always used in the singular.

No tengo **ningún** lapiz.
I don't have a pencil.
  (*I have no pencils.*)

Note that Spanish **no** *cannot* be used as an adjective.

no child = **ningún** niño
no person = **ninguna** persona

C. Other positive, negative, and indefinite expressions

- When two subjects are joined by **o… o** or **ni… ni,** the verb may be either singular or plural. Native speakers of Spanish tend to make the verb plural when the subject precedes the verb and singular when the subject follows.

Ni mi padre **ni** mi madre me visitan.

No me visita **ni** mi padre **ni** mi madre.

Neither my father nor my mother visits me.

- **Algo/Nada** can be used as adverbs to modify adjectives.

Pues, sí, es **algo** interesante.

Well, yes, it's somewhat interesting.

No, no es **nada** interesante.

No, it isn't interesting at all.

- English *more than (anything, ever, anyone)* is expressed with negatives in Spanish: **más que (nada, nunca, nadie).**

Más que **nada,** me gusta leer.

More than anything, I like to read.

PRÁCTICA 1   Algunas de las siguientes oraciones son afirmativas y otras son negativas. Siguiendo el modelo, modifíquelas para que las afirmativas sean negativas y viceversa.

MODELO: Nadie viene mañana. →
                    Alguien viene mañana.

1. Nadie quiere que tú te vayas.
2. Todavía tengo el regalo que mi ex novio me dio.
3. Los viejos no viven aquí tampoco.
4. ¡No voy jamás a conciertos de música rock!
5. ¿Conoces a alguien que me pueda ayudar?
6. Algunas casas son perfectas.
7. Todavía están buscando computadora; no les gusta ninguna de las que vieron ayer.
8. La modernización y la tecnología siempre son la respuesta.

PRÁCTICA 2　El alcalde (*mayor*) de Puerto Dorado es muy optimista y cree que todo está bien en su ciudad. Un periodista le hace preguntas sobre los problemas urbanos. Conteste las preguntas del periodista, usando palabras negativas.

> MODELO: ¿Conoce Ud. a alguien que no tenga vivienda?
> No, no conozco a nadie que no tenga vivienda.

1. ¿Hay algún problema con el agua de la ciudad?
2. ¿A veces hay cortes de electricidad (*blackouts*)?
3. ¿Todavía usan máquinas de escribir en su oficina?
4. ¿Hay muchos robos (*robberies*) o asesinatos (*murders*) en la ciudad?
5. ¿Hay algo sospechoso en la política municipal?
6. ¿Hay alguna resistencia a reciclar en la ciudad?

■■■ 21 INTERCAMBIOS

AUTOPRUEBA　Cambie las siguientes oraciones afirmativas por negativas.

1. Siempre hay invitados en la casa de los González.
2. Roberto tiene todavía el reloj que sus padres le regalaron hace muchos años.
3. Había mucha gente en la calle para la fiesta.
4. Conozco a muchos escritores hispanoamericanos.
5. Encontramos varias fotos de Elena en el cajón del escritorio.
6. A veces nuestros padres salen a pasear.
7. Me gustan el tango y el merengue.
8. ¡Ah! También me gusta la salsa.

Respuestas: 1. Nunca hay invitados... **2.** Roberto ya no tiene el reloj... **3.** No había nadie en la calle... **4.** No conozco a ningún escritor... **5.** No encontramos ninguna foto de Elena... **6.** Nuestros padres nunca salen... / Nuestros padres no salen a pasear nunca. **7.** No me gusta ni el tango ni el merengue. **8.** ¡Ah! Tampoco me gusta la salsa.

A　Siempre hay opiniones pesimistas y optimistas sobre cualquier tema. ¿Qué diría (*would say*) un(a) pesimista con respecto a los siguientes temas? Y ¿qué diría un(a) optimista?

> MODELO: el hambre en el mundo →
> UN(A) PESIMISTA: Nunca vamos a resolver el problema del hambre.
> UN(A) OPTIMISTA: Algún día vamos a encontrar una solución.

1. el agotamiento de los recursos naturales
2. la energía solar
3. la medicina alternativa
4. la pobreza
5. la tecnología y la industrialización

B ¿Se preocupa Ud. por el medio ambiente? ¿Es activista? ¿Cuáles de las siguientes oraciones describen sus sentimientos y opiniones al respecto? Coméntelas, cambiando el adverbio o el adjetivo *en letra cursiva azul* si es necesario para que (*so that*) la oración sea más exacta.

MODELO: *A veces* trato de comprar productos que no contaminan el medio ambiente. →
No es cierto para mí.
Siempre trato de comprar productos que no contaminan el medio ambiente.

1. *Siempre* estoy dispuesto/a a pagar más por productos que no contaminan el ambiente.

2. Trato de reciclar *todo* el papel que utilizo.

3. No voy a comprar *ningún* producto desechable (*disposable*), *ni siquiera* los pañales (*diapers*).

4. Cuando veo artículos sobre la ecología en *algún* periódico o *alguna* revista, *a veces* los leo.

5. *Ya no* reciclo los envases de vidrio y de lata (*jars and cans*).

6. *Todavía no* estoy dispuesto/a a conducir menos (y menos rápido) para reducir la contaminación del aire.

EL PAPEL NUNCA ES BASURA...

PUEDE UTILIZARSE DE NUEVO.

C ¡NECESITO COMPAÑERO! A medida que (*As*) nos modernizamos, y con la ayuda de la tecnología, esperamos que nuestra vida sea cada vez más fácil. ¿Hasta qué punto dependen Uds. de la tecnología? ¿Cuál de los siguientes inventos ha tenido (*has had*) el mayor impacto en su vida? Para investigar el tema, sigan los pasos.

- Primero, examinen la siguiente tabla de inventos y agreguen por lo menos tres más.

Invento	Con mucha frecuencia	A veces	Apenas	Nunca	Todavía no, pero en el futuro, sí	Ya no
la computadora						
la videocasetera						
el tocadiscos						
el televisor de blanco y negro						

(continúa)

Invento	Con mucha frecuencia	A veces	Apenas	Nunca	Todavía no, pero en el futuro, sí	Ya no
el tren						
el Velcro						
el correo electrónico						
el teléfono inalámbrico (*cordless*)						
el horno (*oven*) convencional						
¿ ?						
¿ ?						
¿ ?						

- Después, entrevístense para averiguar con qué frecuencia Uds. utilizan los inventos de la tabla. Indiquen sus respuestas con una X.

- Luego, analicen los inventos que Uds. utilizan con mayor frecuencia. ¿Cuál(es) de ellos ha(n) tenido el mayor impacto en su vida? ¿Por qué?

- Finalmente, compartan los resultados de su entrevista y análisis con los demás miembros de la clase. ¿Hay mucha diferencia de opiniones? Expliquen.

 D ENTRE TODOS

- Algunos de los inventos que nos facilitan la vida no son realmente resultado de ninguna investigación científica, sino que son producto de la casualidad (*chance*) o fruto del ingenio humano para resolver las pequeñas molestias (*hassles*) de todos los días. ¿Cuáles de los inventos de la actividad anterior son de este tipo? ¿Y cuáles son resultado de la investigación científica?

- Emparejen cada descripción de la página siguiente con uno de los inventos de la lista.

el abrelatas (*can opener*)   las lentillas   el semáforo
los alimentos enlatados   los pañales   (*traffic light*)
la calculadora   desechables   el televisor
el chupete (*pacifier*)   la penicilina   las tiras adhesivas
el refrigerador   la pila (*battery*) eléctrica   el Velcro
el jabón   el plástico

1 Inspirado en el sistema de señales codificado por Gran Bretaña en 1818, la señalización de las calles por… tricolores comienza en el campo inglés en 1838. Después, la ciudad de Londres aplica, a partir de 1868, un sistema análogo para intentar organizar la circulación. En los Estados Unidos, en un intento por canalizar su gran parque automovilístico, aparecen en Cleveland, en 1914, los… bicolores, y después los tricolores en Nueva York. En París la primera señal luminosa empieza a funcionar el 5 de mayo de 1923. Es una luz roja acompañada de una pequeña campanilla,[a] que se activa manualmente. La luz verde y la naranja serán[b] utilizadas diez años más tarde.

2 Aunque puedan parecer un invento de la tecnología moderna, ya se conocían en el Renacimiento. Leonardo Da Vinci fue el primero a quien se la ocurrió la idea, pero sólo se decidió a experimentar con ella. Sin embargo, el francés Descartes aprovechó las ocurrencias del genio italiano y las empleó por primera vez con fines terapéuticos, aunque no obtuvo mucho éxito. Hasta finales del siglo XIX no se emplearon para corregir la miopía y fue en 1937 cuando se sustituyó el vidrio puro por el plástico. Desde entonces la tecnología se ha encargado de[c] reducirlas, perfeccionarlas y hasta hacerlas desechables.

3 Gracias a este sistema revolucionario de adherencia, obra de un montañero suizo en los años 50, podemos prescindir de los botones, cremalleras[d] e incluso cordones en algunas prendas de vestir. Basta con unir cada una de las partes del mismo a la ropa para que ésta quede bien sujeta y no se pueda desprender fácilmente. Para quitarla, tan sólo hay que tirar de un extremo con mucha fuerza y la prenda quedará desabrochada.

4 Este artilugio[e] tan sumamente útil, que más de una vez nos ha sacado[f] de un apuro al permitirnos preparar rápidamente una comida, data de la década de los años 60 del siglo XIX. Lo curioso del invento es que apareció cincuenta años más tarde que las latas.

5 Fue un hallazgo muy curioso de un empleado de la firma Johnson & Johnson para curar los cortes que se hacía su mujer en la cocina. Esta brillante idea de cortar en trozos pequeños los vendajes quirúrgicos y pegarlos a continuación en una tira adhesiva se le ocurrió en 1920 cuando estaba en su casa y su mujer sufrió un accidente doméstico. Cuando el presidente de la empresa se enteró de su invento, no dudó ni un momento de la rentabilidad del mismo y a partir de entonces se empezó a comercializar este pequeño vendaje provisional.

6 Su origen se remonta a la necesidad de una madre neolítica de calmar los llantos de su retoño. Los expertos afirman que el primer… fue un hueso. Hasta hace cincuenta años cualquier cosa valía para sosegar[g] a los bebés, pero el… con la forma que lo conocemos tiene cinco décadas. ■

---

[a](hand) bell [b]would be [c]se… has taken care of [d]zippers [e]device [f]nos… has saved us [g]calm

---

- ¿Cuál de los inventos descritos les parece que ha tenido mayor impacto en la vida humana? ¿Por qué?

- Muchos de los inventos que aparecen en la lista han facilitado (*have facilitated*) la vida, de eso no hay duda. Sin embargo, algunos de ellos también han creado (*have created*) problemas que afectan el medio ambiente. ¿Cuáles de esos inventos relacionan Uds. con problemas ecológicos? Digan cuál es el problema en cada caso.

Cultura

■■■ LA HISPANOAMÉRICA ACTUAL

Aproximaciones al texto

Discriminating between facts and opinions

An important skill to develop as a reader is the ability to tell the difference between facts and opinions. Uncritical readers accept anything in print as factual simply because it has been published. Being a *critical* reader means making decisions. You will want to accept immediately what you view as factual. In contrast, however, you will want to think about opinions and decide whether or not there is enough information available to justify accepting them.

■■■ PALABRAS Y CONCEPTOS

atravesar (ie)   to cross

aumentar   to increase

crear   to create

crecer   to grow, become larger

cultivar   to grow, cultivate

dificultar   to make difficult

disminuir   to decrease, diminish

poblar (ue)   to populate, settle

subir   to go up; to climb

el aislamiento   isolation

la barrera   barrier

el camino   road

el/la ciudadano/a   citizen

el control de la natalidad   birth control

la convivencia   living together with others

la cordillera   mountain range

la cosecha   harvest

el crecimiento   growth

la escasez   scarcity

la esperanza de vida   life expectancy

el índice (la tasa) de mortalidad   death rate

el índice (la tasa) de natalidad   birth rate

la periferia   periphery

el/la poblador(a)   settler

el regionalismo   regionalism

la selva   jungle; forest

actual   current

despoblado/a   uninhabited

fértil   fertile

lleno/a   full

paradójico/a   paradoxical

a pesar de   in spite of, notwithstanding

■■■ La Hispanoamérica actual

1   **CUANDO SE HABLA DE HISPANOAMÉRICA,** se suelen señalar dos aspectos contradic-
torios: la inmensa riqueza natural de la zona y la pobreza extrema de buena
parte de la población. Entre sus muchos recursos naturales, Hispanoamérica
cuenta con la selva tropical más grande del mundo e importantes yacimientos
5   de cobre,[1] estaño,[2] plata[3] y petróleo. El cultivo de sus tierras produce fruta,
café y trigo y en los llanos del sur se cría ganado.[4] Su enorme costa rinde una
rica variedad de comestibles y otros productos marinos. A pesar de la gran
riqueza de Hispanoamérica, sigue habiendo[5] (∩∩) una gran pobreza. Para entender la coexistencia de estas dos realidades paradójicas, hay que considerar los
10 factores geográficos y demográficos que influyen en el desarrollo de los países
hispanoamericanos.

La geografía de Hispanoamérica

Geográficamente, Hispanoamérica es una de las zonas más variadas de todo el
mundo. Gran parte de su extensión está en la zona tropical. Pero el continente sur
tiene 4.500 millas de largo y, si incluimos la zona de Centroamérica, la longitud es
15 de 6.000 millas. A modo de comparación, la distancia entre Londres y Pekín es
también de 6.000 millas. Así que desde México hasta la Argentina se pasa de la
zona templada a la tropical hasta llegar a la isla de la Tierra del Fuego, con sus vien-
tos glaciales y temperaturas frígidas (apenas 50 grados Fahrenheit en verano).

Pero aun más impresionante es la presencia de los Andes. La cordillera
20 andina se extiende sin interrupción desde Venezuela hasta el extremo sur de
Chile; es decir, 4.500 millas. En comparación con las cordilleras de Europa, los
Estados Unidos y África, los Andes son las montañas de mayor altura y de
mayor extensión. En muchas partes de Hispanoamérica, las montañas están
cubiertas de nieve durante todo el año, aun en zonas tropicales que están en
25 la misma latitud que el Congo o Tanzania en África. En consecuencia, en
muchos países hispanoamericanos el clima está determinado más por la altitud que por la latitud. En Colombia, sólo unas 30 millas separan una selva tropical de la nieve perpetua.

Se ve el dramatismo de los Andes muy claramente en el Ecuador. Dos cor-
30 dilleras atraviesan el país de norte a sur, creando (∩∩) una meseta en el centro.
Pero otras cordilleras cruzan la meseta por el medio y la dividen en una gran
cantidad de secciones que se llaman «hoyas». Para atravesar el Ecuador de
norte a sur o de oeste a este, hay que soportar un continuo subir y bajar con
cambios constantes de temperatura y de presión.

35 En comparación con las Montañas Rocosas y la Sierra Nevada de los Estados Unidos, los Andes forman una barrera mucho más infranqueable. Hay
pocos puertos de montaña[6] y a menudo los coches que se atreven a[7] cruzar tienen que compartir el camino con los muleros.[8] Los caminos que atraviesan los
Andes no son, por supuesto, rutas comerciales. Los Andes, en el oeste, y la
40 selva amazónica, en el este, han impedido (←) la comunicación y el comercio
entre la periferia del continente y el interior.

Aun cuando se han vencido (←) los obstáculos para construir una vía férrea,
la comunicación no es ni rápida ni económica. Hay una línea de ferrocarril que

---

[1]*copper* [2]*tin* [3]*silver* [4]*cattle* [5]*sigue… there continues to be* [6]*puertos… mountain passes*
[7]*se… dare to* [8]*mule drivers*

Los Andes atraviesan casi todos los países de Sudamérica. Forman una barrera que dificulta la comunicación, el transporte y especialmente la agricultura. Hoy, en varios países andinos, la vuelta al cultivo de productos de los antiguos incas —y a los métodos de cultivo practicados por estos—está transformando la agricultura.

une la ciudad de Lima con Cerro de Pasco. La distancia directa entre los dos lugares es de 115 millas. Pero con las curvas y los rodeos que la vía tiene que seguir, el tren viaja a lo largo de 220 millas, es decir, casi el doble. Además, se necesita más combustible para el viaje, la velocidad es menor que en un viaje a través de terrenos más uniformes y también es menor la cantidad de mercancía[9] permisible. Un viaje que se puede hacer en dos o tres horas en terreno llano se hace en diez en los Andes.

Como consecuencia de esta situación geográfica, la población hispanoamericana está concentrada en la periferia, y la comunicación entre los diversos centros de población se efectúa por avión o por barco. Hasta hace poco todas las ciudades de Hispanoamérica estaban (←) a 300 millas o menos de la costa. Sólo se aprecia cierta dispersión de la población en México, donde el terreno fértil y el clima templado atrajeron (←) a la gente. En el resto del continente sur, el interior queda prácticamente despoblado. Como ha dicho (←) un estudioso de geografía hispanoamericana, la situación sería[10] igual en los Estados Unidos si sus pobladores nunca hubieran atravesado[11] (←) los Apalaches.

Limitados a un área relativamente pequeña, algunos hispanoamericanos tienen por fuerza que vivir en los Andes. El 20 por ciento de la población vive en una altitud tan considerable como para padecer[12] ciertos efectos especiales. El cambio de altura influye en el tipo de agricultura, en la fisiología animal y humana y también en el funcionamiento de los motores de vapor[13] y de gasolina. La gente acostumbrada a vivir en esas alturas sufre problemas respiratorios si se traslada a zonas de baja altitud. Por otra parte, quien se traslada a

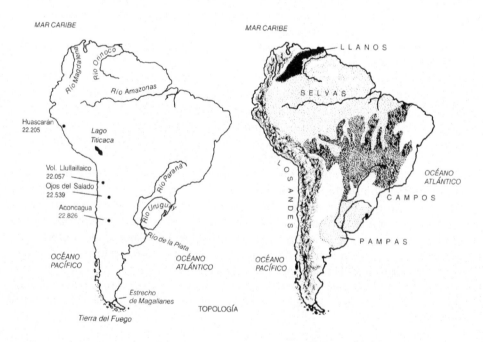

[9]*merchandise*   [10]*would be*   [11]nuca… *had never crossed*   [12]*sufrir*   [13]*steam*

vivir en zonas de gran altura puede sufrir de esterilidad durante temporadas más o menos largas.

Las grandes diferencias que existen entre la tierra alta y la
75 baja contribuyen a diferenciar las culturas de la gente que puebla las dos regiones. Del mismo modo, la presencia de los Andes y de otras barreras para la comunicación tiende a crear un fuerte regionalismo que puede tener graves consecuencias económicas y políticas. En miles de comunidades de un mismo país, los ciu-
80 dadanos se identifican más con las tradiciones locales que con las nacionales. A veces ven a los ciudadanos de las comunidades vecinas con cierta hostilidad, y en muchas ocasiones ni siquiera hablan el mismo idioma. Todavía se hablan más de 90 lenguas en México y, aunque el número no es tan alto en otros países, gran-
85 des sectores de la población hispanoamericana no hablan español. El aislamiento de las diversas comunidades también contribuye al analfabetismo, a un elevado índice de mortalidad infantil y a toda clase de problemas relacionados con la falta de servicios pedagógicos y médicos adecuados.

La tecnología y la explosión demográfica

90 Poco a poco, el desarrollo del transporte aéreo y la necesidad de ampliar la extensión de las tierras cultivables van estableciendo
(ꞁꞁ) medios de comunicación entre zonas que antes no los tenían (←). El índice de analfabetismo disminuye todos los años, al igual que el de la mortalidad infantil. Es precisamente el mejoramiento del servicio médico lo que ha dado
95 (←) origen a la explosión demográfica de Hispanoamérica. Tradicionalmente, las familias eran (←) muy grandes porque la alta incidencia de la mortalidad infantil lo requería (←). Ahora que la mortalidad infantil ha disminuido (←), el número de hijos en las clases medias y altas es cada vez menor pero en las clases bajas no ha experimentado (←) una reducción considerable.

100 El control de la natalidad no se acepta en las clases bajas por muchas razo-nes. En primer lugar, se necesita cierta educación para emplear los diversos métodos anticonceptivos. Existe una relación directa entre el nivel cultural de la población femenina de un país y la tasa de fertilidad. Por ejemplo, aproxi-madamente el 46,7 por ciento de las mujeres guatemaltecas son analfabetas y
105 la tasa de fertilidad de ese país es una de las más altas de Hispanoamérica: 4,53 hijos por mujer. En segundo lugar, la Iglesia católica lo prohíbe. Y por último, durante años se dio (←) una gran importancia al número de hijos que una mujer tenía (←). La madre de una familia grande era (←) una buena madre y, por lo tanto, una mujer estimable. No era (←) sorprendente que estas muje-
110 res rechazaran (←) el control de la natalidad, ya que medían (←) su propio valor dentro de la sociedad según el número de hijos que tuvieron (←).

La poca aceptación del control de la natalidad, en combinación con la reducción espectacular de la tasa de mortalidad, hace que el crecimiento demográfico de Hispanoamérica sea entre los más altos del mundo.° Igualmente

En Hispanoamérica, como en muchas otras partes del mundo, se hacen grandes esfuerzos por orientar a las nuevas generaciones hacia la protección del medio ambiente y los recursos naturales. Se fomentan numerosos programas a favor del reciclaje y contra la destrucción de las selvas tropicales.

°Para el año 2000, el crecimiento medio (*average*) de los países hispanoamericanos fue del 2,0 por ciento, igual que el del continente africano. Durante el mismo período, el crecimiento demográfico medio de los Estados Unidos fue del 1,0 por ciento, en España del 0 por ciento y en toda Europa del –0 por ciento.

115 grave, ahora el 33 por ciento de la población hispanoamericana tiene menos de 15 años, frente al 18 por ciento que se da en Europa.

Las consecuencias de un crecimiento demográfico desenfrenado[14] son numerosas. Mientras el sector pasivo[15] de la sociedad aumenta rápidamente, el sector activo permanece más o menos estable. La mano de obra[16] es cons-
120 tante, pero tiene que sostener a un número cada vez mayor de niños que piden comida, educación, atención médica, etcétera.

El rápido crecimiento de la población es todavía más problemático si se recuerda que esa población está concentrada en ciertos lugares de la costa. En la Argentina, por ejemplo, el 38,1 por ciento de la población vive en Buenos
125 Aires. En el Uruguay, más del 40 por ciento de la población vive en la ciudad de Montevideo. En muchos países, hay una capital sobrepoblada y un gran número de comunidades pequeñas que permanecen alejadas[17] de la vida, la cultura y la economía de su país. Para los hispanoamericanos que quieren participar en la vida económica nacional, la única solución es la emigración a la
130 capital. En consecuencia, las ciudades están creciendo (ↄ) continuamente mientras que las posibilidades de sostener a esos recién llegados disminuyen constantemente.

Es por ello que los gobiernos de los países hispanoamericanos se enfrentan con un reto de difícil solución: la mejora de la explotación de los recursos
135 naturales y el aumento de la producción agrícola, pese a[18] las barreras geográficas y climatológicas que los dificultan. Sin esta mejora, la situación en las ciudades se agravará (→) hasta alcanzar unas condiciones de vida que amenacen la convivencia diaria; la metamorfosis que han experimentado (←) las ciudades de Hispanoamérica en las últimas décadas se ha convertido (←) ya en
140 una pesadilla de incalculables proporciones.

[14]sin control [15]nonworking [16]mano… workforce [17]distanciadas [18]pese… a pesar de

■■■ COMPRENSIÓN

A Explique la importancia que tienen las siguientes ideas dentro del contexto de la lectura. ¿Con qué asocia Ud. cada una?

1. paradójico
2. la diversidad
3. la barrera
4. el aislamiento
5. el regionalismo
6. el control de la natalidad

Escoja otras dos palabras o frases de la lista del vocabulario (o de la lectura misma) que le parezcan muy importantes y explique su importancia.

B Use una de estas palabras o frases para comentar las siguientes afirmaciones, según la información de la lectura. ¡Cuidado con el uso del subjuntivo!*

Dudo…   (No) Creo…   (No) Es cierto…

1. Hay mucha diversidad geográfica en Hispanoamérica.
2. La cordillera de los Andes se extiende desde el país más norteño (*northern*) hasta el punto más al sur de Hispanoamérica.

*The uses of the subjunctive in clauses that express doubt are outlined in grammar section 22.

3. El transporte de mercancías se hace rápida y fácilmente dentro de los países hispanoamericanos.

4. El índice de mortalidad es más bajo hoy que hace diez años.

5. Muchas rutas comerciales atraviesan los Andes.

6. La mayoría de la población vive en los pequeños pueblos de las zonas rurales.

7. El crecimiento demográfico en Hispanoamérica representa uno de los más altos del mundo.

8. El clima en toda Hispanoamérica es bastante uniforme.

9. La mayoría de la población en Hispanoamérica es muy joven.

10. Los escasos recursos naturales de Hispanoamérica causan la gran pobreza de mucha gente.

C Cambie la información de cada afirmación falsa o dudosa de la actividad anterior para hacerla verdadera. Luego comente cada afirmación, usando **Es bueno/problemático que... porque...**

D Estudie las siguientes ideas con cuidado y luego explique la causa y el efecto de cada una en la Hispanoamérica actual.

1. La comunicación entre la periferia y el interior es difícil.

2. Hay diferencias culturales muy acusadas (notables) entre la gente que puebla las tierras altas y la que habita las tierras bajas.

3. En las clases bajas no se acepta el control de la natalidad.

4. En muchos países hay una capital sobrepoblada y muchas comunidades pequeñas que están aisladas de la vida, la cultura y la economía del país.

■■■ INTERPRETACIÓN

A ¿En qué se diferencian la geografía y la demografía de este país de las de Hispanoamérica? En su opinión, ¿qué situaciones geográficas han favorecido (*have favored*) el desarrollo de este país? Explique.

B ¡NECESITO COMPANERO! A continuación se enumeran algunas de las áreas problemáticas de Hispanoamérica. Trabajando en parejas, hagan una sugerencia para mejorar cada área, indicando un posible beneficio y un problema que puedan resultar de ella.

MODELO: la ganadería (*livestock breeding*) →
Hispanoamérica debe aumentar su producción ganadera.
Beneficio: Produce carne y así ayuda a reducir el hambre.
Problema: Muchas veces se destruye la selva para hacer espacio para el ganado.

1. la agricultura
2. la industrialización
3. el transporte
4. la alfabetización

ENTRE TODOS Comparen sus listas con las del resto de la clase y recopílenlas en una sola lista. En la opinión de la clase, ¿cuál de las sugerencias ofrece el mayor número de beneficios con el menor número de problemas?

C En su opinión, ¿por qué están relacionados la tasa de fertilidad y el nivel de educación de las mujeres? ¿Hay maneras de combatir esta relación aun en el caso de las mujeres con muy poca o ninguna educación? Explique.

Lengua II

■■ 22 Uses of the Subjunctive: Certainty versus Doubt; Emotion

A. Certainty versus doubt

Certainty versus doubt is another of the main-clause characteristics that determines the use of indicative or subjunctive in the subordinate clause. The subjunctive is generally used when the speaker wishes to describe something about which he or she has some degree of uncertainty or no knowledge at all.

No es cierto que la población urbana **sea** más culta que la población rural.	*It's not true that the urban population is better educated than the rural population.*
Es dudoso que la tecnología **resuelva** todos los problemas.	*It's doubtful that technology will solve every problem.*
Es probable que el gobierno **elimine** el problema de la vivienda.	*It's probable that the government will eliminate the housing problem.*

In contrast, the indicative is used to describe something about which the speaker is, for the most part, certain or knowledgeable.

Es cierto que la población **está** aumentando rápidamente.	*It's true that the population is increasing rapidly.*
No hay duda que la tecnología **es** importante.	*There is no doubt that technology is important.*
Parece que el futuro **es** muy prometedor.	*It appears that the future is very promising.*

In Spanish, some main-clause verbs and impersonal expressions consistently introduce the subjunctive, whereas others consistently introduce the indicative. With impersonal expressions, probability/improbability and possibility/impossibility are always considered degrees of uncertainty, and therefore they always introduce the subjunctive. Here is a chart of some the most common phrases in the *certainty versus doubt* classification. Make sure you know their meanings before beginning the exercises.

Certainty: To Introduce Indicative	Doubt/Uncertainty: To Introduce Subjunctive
creer que	no creer que
no dudar que	dudar que
estar seguro/a (de) que	no estar seguro/a (de) que
no negar que	negar que
pensar que	no pensar que
suponer que	no suponer que

A PROPÓSITO

Some of the distinctions between certainty and doubt may seem vague or even incorrect to English speakers. Take **suponer que** (*to suppose that*), for example. In English, supposition usually communicates a degree of uncertainty. However, in Spanish, **suponer que** introduces the indicative because the speaker is stating his or her perceived reality of something. In other words, the factor that determines use of the indicative after phrases like **suponer que** is what is real from the speaker's point of view (perceived reality), not what is the actual reality of a given situation.

Certainty: To Introduce Indicative	Doubt/Uncertainty: To Introduce Subjunctive
Es cierto que	No es cierto que
No es dudoso que	Es dudoso que
Es evidente que	No es evidente que
Es obvio que	No es obvio que
Es que	No es que
Es seguro que	No es seguro que
Es verdad que	No es verdad que
No cabe duda (de) que	(No) Es (im)posible que
No hay duda (de) que	(No) Es (im)probable que
Parece que	(No) Puede (ser) que

PRÁCTICA 1   ¿Demuestran certeza o duda las siguientes oraciones?

1. Es evidente que a él no le gusta el cambio.
2. No estamos seguros que Jaime aspire a ser arquitecto.
3. Vemos que Uds. tienen muchos diseños.
4. No creo que participen en la manifestación.
5. Puede ser que haya más igualdad en el futuro.

PRÁCTICA 2   Complete las siguientes oraciones con la forma apropiada del presente de subjuntivo o indicativo del verbo entre paréntesis.

1. Supongo que el analfabetismo (seguir) siendo un problema en todo el mundo.
2. No creo que (resolverse) pronto los problemas de los barrios bajos en las grandes ciudades de este país.
3. Creo que reciclar la basura (ser) una buena idea, pero es obvio que (haber) mucha gente que no participa en los programas de reciclaje todavía.
4. Dudo que los urbanistas (poder) resolver el problema de la falta de viviendas en esta ciudad.
5. Es probable que ese vecindario ya no (estar) en vías de desarrollo. Parece que nadie (trabajar) allí desde hace varias semanas.
6. Algunos creen que no es posible que los recursos naturales (acabarse: *to run out*) durante este siglo.
7. El alcalde no duda que la gente (querer) eliminar los problemas del hambre y la pobreza en la ciudad, pero es evidente que nadie (saber) cómo hacerlo.
8. Es dudoso que toda la modernización programada para este año (realizarse) a tiempo.

B. Emotion, value judgments

The subjunctive is used in subordinate clauses that follow the expression of an emotion or the expression of a subjective evaluation or judgment. Impersonal expressions that describe emotional responses to reality or make a subjective commentary on it are also followed by the subjunctive in subordinate clauses. Here are some of the most common expressions of emotion that result in the use of the subjunctive in the subordinate clause.

esperar que	me encanta* que	es bueno que
estar contento/a (de) que	me enfada que	es fantástico (increíble,
estar triste (de) que	me enoja que	interesante, malo,
sentir (ie, i) que	me fascina que	natural, sorprendente,
tener miedo (de) que	me gusta que	tremendo, triste) que
	me pone contento/a que	es (una) lástima que
	me pone triste que	¡Qué bueno (fantástico, malo,
	me preocupa que	lástima, triste) que... !

Siento mucho que la vivienda **sea** tan cara.

I regret that housing is so expensive.

Me pone triste que **haya** tanta hambre en el mundo.

It makes me sad that there is so much hunger in the world.

¡Qué lástima que **piensen** destruir ese edificio!

What a shame that they are planning to destroy that building!

Es bueno que **investiguemos** las causas del problema.

It is good that we are investigating the causes of the problem.

PRÁCTICA   Examine los verbos *en letra cursiva azul* en el siguiente pasaje. ¿Cuáles están en indicativo? ¿Cuáles están en subjuntivo? Indentifique la razón por su uso escribiendo las letras **C** (certeza), **D** (duda) o **E** (emoción) en otro papel.

Hoy en día, es evidente que la tecnología *está*[1] presente en todas las actividades diarias. Sin embargo, hay muchas reacciones diferentes sobre su importancia. Muchos creen que *es*[2] necesario incorporar la tecnología en todos los campos, pero otros dudan que siempre *sea*[3] beneficiosa. Es obvio que la tecnología nos *hace*[4] la vida más fácil, pero muchos tienen miedo de que *dependamos*[5] demasiado de las computadoras. Es probable que dentro de unos años, la mayoría de la población *tenga*[6] computadora en casa, y es sorprendente que el uso de las computadoras *se extienda*[7] a todos los rincones[a] del mundo. Según Félix del Dato: «Es cierto que la tecnología nos *mejora*[8] la vida personal, pero es una lástima que *perdamos*[9] el contacto interpersonal.»

[a]*corners*

■■■ 22 INTERCAMBIOS

AUTOPRUEBA   Complete las siguientes oraciones con la forma apropiada del presente de subjuntivo o indicativo del verbo entre paréntesis, según el contexto.

1. No cabe duda que la contaminación del ambiente (representar) un gran problema para las generaciones futuras.
2. No es verdad que (haber) igualdad en todos los países del mundo.
3. Los padres de Antonio no dudan que él (ir) a tener éxito en sus estudios.
4. Sentimos mucho que Uds. no (poder) estar presentes para la ceremonia.
5. Me preocupa que se me (acabar) el dinero antes de regresar.
6. Es sorprendente que los estudiantes (aceptar) los cambios sin protestar.
7. No me gusta que la gente (seguir) hablando durante la película.

Respuestas: 1. representa 2. haya 3. va 4. puedan 5. acabe 6. acepten 7. siga

*All the expressions in this column are used like **gustar** with indirect object pronouns.

Le/Les gusta que seas arquitecto.

Me/Nos preocupa que llegues tan tarde.

A ¿Qué opina Ud.? Use una expresión diferente para reaccionar a las siguientes afirmaciones. Luego, justifique brevemente sus opiniones. Cuidado con el uso del subjuntivo.

Creo	Es (im)posible	Es verdad
Dudo	Es increíble	Espero
Es bueno	Es malo	Estoy seguro/a
Es fantástico	Es triste	No creo

1. Vamos a tener colonias en la luna para el año 2050.

2. Muchos jóvenes usan computadora en la escuela primaria.

3. Se puede eliminar el problema del hambre en el mundo.

4. Es más importante proteger (*to protect*) los recursos naturales que aprovecharse (*to take advantage*) de ellos.

5. La industrialización trae graves problemas sociales.

6. En este país, muchas personas están «emigrando» de las grandes ciudades a las afueras o a las zonas rurales.

7. La mayoría de las personas que viven en la pobreza son mujeres y niños.

8. Los científicos no son responsables de la aplicación ni del uso de sus inventos.

9. Hay una conexión entre el analfabetismo y la televisión.

10. Vivimos mejor ahora de lo que vivíamos hace cincuenta años.

B Usando las preguntas como guía, describa lo que pasa en los siguientes dibujos. Cuidado con el uso del subjuntivo.

- ¿Quiénes son esas personas?
- ¿Dónde están?
- ¿Cuál es la situación?
- ¿Cuál es su reacción?

1.   2.   3.

1. amasar (*to knead*), la batidora (*beater*), la cafetera (*coffee maker*), la máquina para hacer palomitas (*popcorn popper*), moler (ue) (*to grind*), el vendedor

2. atrapar, conducir, evitar accidentes de tráfico, el imán (*magnet*), volar (ue) (*to fly*)

3. estar absorto, no hacerle caso, repetirse (i, i) la historia

C ¡NECESITO COMPAÑERO! Trabajando en parejas, preparen un comentario positivo y otro negativo sobre tres de los siguientes temas. Para formular sus comentarios, usen las expresiones de las listas. Luego, comparen sus comentarios con los de los demás miembros de la clase.

Comentarios positivos: es interesante, es tremendo, estamos contentos, nos gusta

Comentarios negativos: no nos gusta, nos enfada, nos preocupa, tenemos miedo

1. la tecnología
2. la sobrepoblación
3. el analfabetismo
4. la posibilidad de un gobierno mundial
5. los recursos naturales
6. la contaminación del medio ambiente
7. el reciclaje
8. el Internet

D GUIONES Trabajando en grupos de dos o tres, narren en el tiempo presente la siguiente historia de un invento que ha tenido (*has had*) gran impacto en la vida moderna. Incorporen complementos pronominales cuando sea posible y usen cada una de las siguientes expresiones por lo menos una vez.

cree que…
duda que…
es necesario que…
es triste que…

está muy contento/a (de) que…
les parece ridículo…
pide que…
recomienda que…

Vocabulario útil: las asas (*handles*), la bolsa (*bag*), el carrito (*shopping cart*), el/la cliente (*customer*), pedir un préstamo (*to ask for a loan*), pesar (*to weigh*), la rueda (*wheel*)

1.

2.

3.

4.

5.

6.

7.

E ¡NECESITO COMPAÑERO! Los inventos tecnológicos no sólo traen beneficios, sino que también tienen sus desventajas. Trabajando en parejas, utilicen algunas de las expresiones que Uds. han aprendido (*have learned*) en este capítulo para mencionar dos de los efectos (uno positivo y otro negativo) que la modernización ha tenido (*has had*) en las siguientes cosas o personas. Luego, compartan sus opiniones con los demás miembros de la clase.

MODELO: los obreros →
Por un lado, es bueno que las máquinas hagan algunos de los trabajos más peligrosos. Pero por otro, nos preocupa que muchas personas pierdan el trabajo como resultado de la modernización.

1. la comida
2. los médicos
3. los estudiantes
4. los profesores
5. los políticos
6. el medio ambiente

F ENTRE TODOS Los videojuegos son muy populares entre los jóvenes. Algunos creen que esto los puede afectar negativamente, mientras que otros no están seguros de que sea así. Trabajando en grupos, utilicen las expresiones de este capítulo y expliquen las consecuencias negativas y positivas que estos juegos pueden tener en los niños y los jóvenes. De niños, ¿dedicaban Uds. mucho tiempo a estos juegos? Cuando tengan sus propios hijos, ¿van a limitarles el tiempo que dediquen a este tipo de actividad? ¿Por qué sí o por qué no? Si ya tienen sus propios hijos, ¿les limitan el tiempo que dediquen a este tipo de actividad? ¿Por qué sí o por qué no?

Enlace

■■■ ¡OJO!

	Examples	Notes
volver **regresar** **devolver**	Van a **volver** (**regresar**) a España este verano. *They're going to return to Spain this summer.*	**Volver** means *to return to a place;* with this meaning, it is synonymous with **regresar**.
	Tienen que **devolver** el libro a la biblioteca. *They have to return the book to the library.*	**Devolver** means *to return something (to someone / to a place).*

	Examples	Notes
mudarse **trasladar(se)** **mover(se)**	Como mi padre era militar, **nos mudábamos** constantemente. *Since my father was in the military, we moved constantly.*	When *to move* means *to change residence*, use **mudarse**.
	La compañía la **trasladó** a otra oficina. *The company moved (transferred) her to another office.* Nuestra empresa **se traslada** a Bogotá. *Our firm is moving to Bogotá.*	*To move* or *to be moved from place to place*—from city to city or from office to office, for example—is expressed with **trasladar(se).**
	¿Puedes ayudarme a **mover** este estante? *Can you help me move this bookshelf?* ¡Hijo! No **te muevas.** Hay una abeja en tu brazo. *Son! Don't move. There's a bee on your arm.*	Use **mover(se)** to express *to move an object or a part of the body.*
sentir **sentirse**	**Siento** un gran alivio sabiendo que vas a estar conmigo. *I feel a great relief knowing that you're going to be with me.* **Me siento** muy aliviada sabiendo que vas a estar conmigo. *I feel very relieved knowing that you're going to be with me.*	Both **sentir** and **sentirse** mean *to feel.* **Sentir** is always followed by nouns, and **sentirse** by adjectives.
	Lo siento. *I'm sorry. (I regret it).* **Siento** que esto haya llegado hasta allí. *I'm sorry that it has come to this.*	**Sentir** can also mean *to regret.*
	Piensan (Creen, Opinan) que es una poeta excelente. *They feel that she is an excellent poet.*	Neither **sentir** nor **sentirse** can express *to feel* in the sense of *to believe* or *to have the opinion.* These concepts must be expressed with **pensar, creer,** or **opinar.**

A VOLVIENDO AL DIBUJO   Elija la mejor palabra o expresión, según el contexto. ¡Cuidado! También hay palabras de los capítulos anteriores.

La Sra. Esperanza era joven cuando se casó (a/con/de)[1] un hombre muy bueno. Pero un día, cuando él era muy joven todavía, se enfermó de tuberculosis. Ella tuvo que gastar todo su dinero en (cuidar/importar)[2] a su esposo, pero a pesar de todo, él murió. Ahora (mira/parece)[3] que ella no sabe qué hacer porque vive en la ciudad y tiene tres hijos a quienes ella (cuida/importa)[4] y (mantiene/soporta)[5] sola. No quiere depender (al / del / en el)[6] gobierno y prefiere (funcionar/trabajar)[7], pero ¿cómo, si tiene que atender a sus hijos? Ella sueña (con/de/en)[8] (moverse/mudarse)[9] al campo y tener allí una casita con jardín y todo. Ahora (se siente / siente)[10] desesperada. Necesita ayuda, pero nadie hace (atención/caso)[11] de sus necesidades.

Los arquitectos se dedican a diseñar edificios para modernizar la ciudad. El urbanista (busca/mira/parece)[12] el diseño que consiste (con/de/en)[13] edificios grandes y supermodernos para múltiples familias. No hay viviendas individuales.

(Busca/Mira/Parece)[14] que los arquitectos y el urbanista creen que es (hora/tiempo/vez)[15] de transformar el barrio. También (busca/mira/parece)[16] que ellos no (se sienten / sienten)[17] responsables de los efectos de sus acciones. Lo que más les (cuida/importa)[18] son el progreso, la modernización de la ciudad y el ganar dinero.

Después de la realización del proyecto, la Sra. Esperanza se (movió/mudó/trasladó)[19] con su familia a uno de los edificios modernos. Pero aunque el nuevo apartamento es grande y moderno, ellos (se sienten / sienten)[20] tan tristes e infelices como antes. Ella y los niños (buscan/miran/parecen)[21] por las ventanas y lo único que pueden ver son los otros edificios que están (cerca/íntimos/unidos)[22].

B ENTRE TODOS

- Hoy en día, ¿es típico que una familia se establezca en una sola ciudad por un largo tiempo (veinte años o más)? ¿Con qué frecuencia se ha mudado (*has moved*) su familia? Por ejemplo, antes de cumplir los 18 años, ¿cuántas veces se mudaron Uds.? Si ya tienen hijos, ¿cuántas veces se han mudado con su propia familia? Para los padres, ¿es una ventaja o una desventaja mudarse con frecuencia? ¿Y para los niños?

- Cuando llegó la hora de dejar su casa y mudarse, ¿cómo se sentían Uds.? ¿felices? ¿preocupados/as? ¿Tenían miedo? ¿Recuerdan la primera semana en su nueva residencia? ¿Cómo se sentían? ¿Fue fácil o difícil acostumbrarse? ¿Por qué? Y ahora, después de algún tiempo en su residencia actual, ¿cómo se sienten? ¿Por qué?

■■■ REPASO

A Complete el párrafo, dando la forma apropiada de los verbos entre paréntesis, según el contexto.

¡El «hacelotodo», máquina del porvenir!

¿Se siente Ud. agobiada[a] por el trabajo? ¿Quiere que su vida (ser)[1] más interesante? ¿Quiere (pasar)[2] más tiempo con sus amigos y familiares? ¡(Escuchar)[3]! Ya es posible que la vida (ser)[4] más fácil y más divertida. ¡(Comprar)[5] un hermoso «hacelotodo»! ¿No tiene tiempo de preparar la comida? ¡Es mejor que (preparársela)[6] él! ¿Se cansa lavando la ropa? ¡Es posible que (lavársela)[7] él! ¿Le molesta ir al banco y hacer las compras? ¿No quiere escribir cartas y visitar a sus suegros? ¡No (preocuparse)[8]! ¡Permita que (hacérselo)[9] todo el «hacelotodo»! En la casa, en la escuela, en la oficina, el maravilloso «hacelotodo» está a sus órdenes. De ahora en adelante,[b] ¡(empezar)[10] a vivir de verdad!

En una gran variedad de modelos y colores... a un precio realmente increíble... satisfacción garantizada... el maravilloso «hacelotodo». Sólo en las tiendas más elegantes.

[a]*overwhelmed*   [b]De... *From now on*

B En el futuro, muchos aparatos que existen hoy van a ser muy diferentes. Identifique los siguientes aparatos del futuro. ¿Cuáles son sus funciones? ¿En qué son diferentes de los aparatos de hoy? ¿Cuáles son los aspectos de cada aparato que le gustan más? ¿los que no le gustan nada? ¿Cuál de los aparatos le parece más útil? ¿menos útil? Explique.

Vocabulario útil: doblar (*to fold*), oler → huele (*to smell*), la pantalla (*screen*), planchar (*to iron*), secar (*to dry*)

1.

2.

Pasaje cultural

Se sabe que los bosques suministran (*supply*) muchos recursos y que son una de las defensas más importantes para la conservación del planeta. Sin embargo, los árboles de los bosques se derriban (*are being cut down*) en grandes cantidades para emplearlos como combustible (*fuel*) y para fines industriales. Aunque la situación es crítica, no es del todo desesperada, ya que tanto los gobiernos como muchos individuos se han dado cuenta (*have realized*) del peligro y están intentando salvar lo que queda de los grandes bosques del pasado y asegurar que los terrenos deforestados vuelvan a su estado de bosque primario.

Los bosques, defensas del planeta

Video on CD

*Bosque tropical
centroamericano*

Antes de ver

- ¿Qué sabe Ud. de los problemas ecológicos de Hispanoamérica? Haga una lista y compárela con la de sus compañeros de clase.

- En el vídeo, se sugieren varias formas de proteger los bosques. ¿Cuáles pueden ser algunas de estas sugerencias?

- Ahora lea con cuidado la actividad en **Vamos a ver** antes de ver el vídeo por primera vez.

Vamos a ver

¿Son ciertas (**C**) o falsas (**F**) las siguientes afirmaciones? Corrija las oraciones falsas.

	C	F
1. Para que una parcela que fue cultivada retorne a su estado de bosque primario, se requieren de veinticinco a treinta años.	☐	☐
2. Es importante no comprar nada que esté hecho de madera.	☐	☐
3. Los bosques son «fábricas de agua», es decir, en ellos nacen muchos ríos.	☐	☐
4. Sólo los gobiernos pueden detener la desaparición de los bosques.	☐	☐
5. Más del 50% de la madera que se obtiene de los bosques se usa como combustible. El resto se emplea para fines industriales.	☐	☐
6. Se recomienda que usemos bolsas de papel color castaño porque están hechas de papel reciclado.	☐	☐
7. Es evidente que cuando tiramos el papel a la basura, ayudamos a que no se derriben nuevos árboles.	☐	☐

Después de ver

- ¿Está Ud. de acuerdo con las recomendaciones del vídeo? ¿Qué cosas cambiaría (*would you change*) o añadiría (*would you add*) a esa lista?

- El gobierno del Perú solicita ideas para una campaña publicitaria para proteger la selva amazónica. Trabajando en grupos, hagan una lista de por lo menos cuatro recomendaciones básicas para esta campaña. Usen mandatos formales como: «Usen bolsas de papel reciclado». Luego, presenten sus ideas a la clase y voten por las mejores.

- Busque información sobre un grupo ecologista basado en algún país hispano. ¿Cuáles son sus objetivos y actividades principales? ¿Está Ud. de acuerdo con las ideas de ese grupo? ¿Por qué sí o por qué no? Luego, comparta la información y sus opiniones con sus compañeros de clase.

CAPÍTULO 6

El hombre y la mujer en el mundo actual

Barcelona, España

En este capítulo:

IMÁGENES
- Marc Anthony y Jennifer López

LENGUA I
- **23.** Present perfect indicative
- **24.** Present perfect subjunctive

LITERATURA
- *Rosamunda*, Carmen Laforet

LENGUA II
- **25.** Uses of the subjunctive: Adjective clauses

Video on CD
Vídeo: Alfareras de la provincia del Cañar, Ecuador

■ Compare las actividades de los niños con las de las niñas en los años 20. ¿Qué aspiraciones tenían? ¿Hay alguna relación entre sus juegos y sus aspiraciones? ¿Cuál es? ¿Cree Ud. que en realidad ocurría tal socialización? ¿Cree que todavía ocurre? Explique.

■ ¿En qué son diferentes las actividades femeninas de principios del siglo XXI de las de los años 20? ¿Hay diferencias también entre los juegos masculinos de los años 20 y los de principios del siglo XXI? ¿Cuáles son? ¿Sugieren estos dibujos que han ocurrido algunos cambios socioculturales? ¿Cuáles son?

■ ¿Refleja el segundo dibujo lo que ocurre en la comunidad de Ud. (entre sus amigos, su familia, etcétera)? ¿En qué sentido?

■■■ VOCABULARIO ... *para conversar*

aspirar a   to aspire to

desempeñar un papel   to play (fulfill) a role

educar°   to rear, bring up (children)

socializar   to socialize

el amo/a de casa   homemaker

la aspiración   aspiration, goal

el cambio   change

la carrera   career, profession; university specialty (major)

la custodia   custody

la educación°   upbringing; education

la expectativa   expectation

el/la feminista   feminist

la igualdad   equality

la infancia   infancy

el juguete   toy

la juventud   childhood; youth

el/la machista   male chauvinist

la meta   goal, aim

la muñeca   doll

el papel   role

la pelota   ball

el prejuicio   prejudice

el puesto   job; position

los quehaceres domésticos   household chores

la responsabilidad   responsibility

la sensibilidad   (emotional) sensitivity

la socialización   socialization

el sueldo   salary

la vejez   old age

femenino/a   feminine

feminista   feminist

machista   male-chauvinistic

masculino/a   masculine

alguna vez   ever (*used in a question with present perfect tense*)

en cuanto a...   as far as . . . is concerned

en estos días   these days

recientemente   recently

últimamente   lately

A   Dé las palabras de la lista de vocabulario que corresponden a las siguientes definiciones.

1. característica de las mujeres
2. el principio que reconoce los mismos derechos (*rights*) para todos
3. la época de la vida entre la infancia y la madurez (*adulthood*)
4. característica de una persona que se emociona fácilmente
5. el dinero que se recibe periódicamente por un trabajo realizado

---

°In both English- and Spanish-speaking cultures, "bringing up" (**educar**) children denotes both physical care as well as the process of educating them with respect to the values and rules of the society in which they live. The Spanish term **educación** refers both to the moral upbringing of a child as well as to schooling. *Higher education* is commonly expressed as **la educación superior.**

Remember that **bien educado/a** and **mal educado/a** convey the meaning of *well-* and *ill-mannered.* To indicate that someone is *well-educated,* use **culto/a.**

B ¡NECESITO COMPAÑERO! Trabajando en parejas, mencionen las palabras de la lista de vocabulario y otras más que Uds. asocien con las siguientes palabras. Comparen sus respuestas con el resto de la clase.

MODELO: el ama de casa →
educar, la educación, la responsabilidad, la tradición

1. el puesto
2. el juguete
3. la socialización

4. la custodia
5. la meta

C Relacione las siguientes personas con una(s) de las palabras del cuadro. Luego, justifique sus respuestas. ¿Cuáles de estas asociaciones reflejan estereotipos? Explique.

1. una mujer
2. una muchacha

3. un hombre
4. un muchacho

criar   el cambio   la juventud   sensible

el prejuicio   la responsabilidad   el ama de casa

la muñeca   la pelota

la expectativa   la custodia

la carrera

D En su opinión, ¿hay más igualdad entre los sexos hoy en día de lo que había en 1920? Considere los siguientes contextos con respecto a ambos sexos para explicar su respuesta. Luego, comparta su respuesta con la clase.

1. los papeles (responsabilidades, deberes) que tienen en la sociedad

2. la situación económica (participación en las distintas carreras, sueldos)

3. la participación política

■ En general, ¿qué aspecto(s) de los cambios entre los sexos desde 1920 considera Ud. positivo(s)?

■ ¿Hay algunos que le parezcan negativos? Explique.

UNA MUJER EN LA CIMA DEL EVEREST

¡ ME DIJERON, "YA QUE SUBE UD. ALLA." !

el PERIO.

¿Dónde está esta mujer? ¿Por qué está barriendo (sweeping)? ¿Qué contradicción hay entre lo que acaba de hacer y lo que está haciendo en el dibujo? ¿Qué estereotipo(s) contradice o ridiculiza este dibujo? Explique.

Marc Anthony y Jennifer López

EN EL MUNDO HISPANO, igual que en el mundo angloparlante,[1] al público le fascina saber de las estrellas de cine y de música —sobre todo cuando las más destacadas[2] comparten una vida íntima. Y si además están entre las más conocidas de los dos mundos, la atención que se les da puede ser muy intensa. Una de tales parejas ha sido[3] la del cantante Marc Anthony y su esposa, Jennifer López.

Por supuesto, los dos son famosos por las relaciones que tuvieron en el pasado, las cuales han contribuido[4] a su fama. El divorcio de Marc Anthony de su primera esposa, la reina de belleza puertorriqueña Dayanara Torres, fue algo controvertible[5] ya que Anthony viajó a la República Dominicana para conseguir un divorcio rápido. Se casó con López a la semana siguiente. Y muchos han oído[6] de los numerosos ex esposos y ex novios de su esposa, los cuales incluyen a Chris Judd, P. Diddy y Ben Affleck.

Pero ahora Anthony y López están dedicados a su obra artística. No hablan con la prensa sobre sus relaciones personales y están muy involucrados[7] en varios proyectos. En 2005 Anthony ganó un Grammy por su disco *Amar sin mentiras* y tiene planes para grabar más discos en español y en inglés. Además, va a colaborar con su esposa en su primer disco en español, el cual debe asegurar la posición de López como una verdadera diva latina. Ella piensa continuar su carrera como actriz y productora de cine también. Va a estrenar[8] varias películas con estrellas como Jane Fonda, Morgan Freeman, Nicole Kidman y Robert Redford, y su propia compañía va a producir una película sobre el fallecido[9] cantante puertorriqueño Héctor Lavoe, con Anthony en el papel principal. Y aún más, López espera crear varias series para la televisión, incluso una telenovela basada en su crianza[10] en Nueva York. ■

Jennifer López y Marc Anthony durante los Premios Grammy de 2005

[1] *English-speaking*   [2] *noteworthy*   [3] *ha... has been*   [4] *han... have contributed*   [5] *controversial*
[6] *han... have heard*   [7] *involved*   [8] *release*   [9] *deceased*   [10] *upbringing*

■ ¿Qué otros cambios se van a producir entre este año y el año 2020 en cuanto a las actividades de ambos sexos?

E ENTRE TODOS

■ ¿Cuál es el papel de la mujer en su comunidad o grupo? ¿y el papel del hombre?

■ En general, ¿tiene la mujer el papel de líder en nuestra sociedad?

■ ¿Tiene el hombre la libertad suficiente para manifestar su sensibilidad? ¿para dedicarse a los quehaceres domésticos?

Lengua I

A PROPÓSITO

Remember that the past participle is formed by adding **-ado** to the stem of **-ar** verbs and **-ido** to the stem of **-er** and **-ir** verbs.

amar → amado
comer → comido
salir → salido

For more information on the formation of past participles, as well as a list of the most common irregular forms, see **Capítulo 1**, page 16.

■■ 23 Present Perfect Indicative

Both Spanish and English have simple and compound verb forms. A simple form has only one part: the verb with its appropriate ending (*I spoke*, **hablé**). A compound form has two parts: an auxiliary verb plus a participle of the main verb (*I have spoken*, **he hablado**). The auxiliary verb used with English perfect forms is *to have;* **haber** is the auxiliary verb used with Spanish perfect forms.

> **Hemos alcanzado** nuestras metas. *We have achieved our goals.*
> Nunca **ha visto** un fantasma. *He has never seen a ghost.°*

Haber is conjugated to show person/number, tense, and mood. The present perfect indicative (**el presente perfecto de indicativo**) uses the present indicative of **haber.** Other perfect forms use other tenses and moods of **haber.** The form of the past participle does not change. Here are the present indicative forms of **haber.**

he	hemos
has	habéis
ha	han

A PROPÓSITO

The use of the present perfect versus the preterite varies widely from country to country, and even from region to region within a country. For example, in some parts of Spain, the present perfect is often used instead of the preterite, whereas in other parts of Spain, the opposite is true.

The present perfect expresses an action completed in the past; however the present perfect's time frame is open-ended and *usually* not defined by any implied or specified time limit in the past. In contrast, the preterite's time frame is *always* closed and defined by an implied or specified time limit. Thus, the present perfect's scope can start at an unspecified time in the past and span up to—and even include—the present. Compare the following sentences.

> ¿**Ha encontrado** Ud. el prejuicio en su trabajo alguna vez? *Have you ever encountered prejudice in your job?* (open, unspecified time frame in the past, up to and including the present)
>
> ¿**Encontró** Ud. mucho prejuicio en su trabajo el año pasado? *Did you encounter much prejudice in your job last year?* (closed, defined time frame in the past; no reference to the present)

This lack of specificity in the present perfect's scope means it is often accompanied by such adverbs or adverbial expressions as: **alguna vez, en estos días recientemente, siempre, todavía no, últimamente, ya.**

°Unlike English, Spanish never inserts another word between the auxiliary verb and the past participle.

PRÁCTICA   Use los verbos entre paréntesis para formar oraciones en el presente perfecto de indicativo. Recuerde que es necesario usar una forma del verbo **haber** más el participio pasado del verbo.

MODELO: Nunca en mi vida (jugar: yo) al fútbol. →
         Nunca en mi vida he jugado al fútbol.

1. La mujer moderna (aprender) a desempeñar muchos papeles en su familia.
2. (Educar: tú) muy bien a tus hijos.
3. (Obtener: yo) la custodia de mis hijos por fin.
4. ¿(Aspirar) Uds. a aprender un idioma extranjero alguna vez?
5. (Cumplir: nosotros) con muchas responsabilidades últimamente.
6. Se (abrir: **se** pasivo) muchos puestos en esa compañía recientemente.
7. ¿Qué (hacer: tú) en estos días?

■■■ 23 INTERCAMBIOS

AUTOPRUEBA   Complete los siguientes diálogos con la forma apropiada del presente perfecto del verbo entre paréntesis.

1. **ROBERTO:**   Ángel, ¿jamás (estudiar) toda la noche sin dormirte?

   ÁNGEL: No, nunca (poder) estudiar toda la noche.

2. **ELENA:**   ¿Le (dar) Uds. un beso alguna vez a un chico?

   ANA: Pues, yo no. ¡Pero Rosa (besar) a Andrés dos veces!

3. **POLICÍA:**   ¿No (observar) Ud. a alguien salir de este edificio recientemente?

   SR. RÍOS: Señor, ¡en los últimos cinco minutos tres personas (salir) de aquí!

4. **EMILIO:**   ¿(Ver) Alejandro y tú la nueva película de Almodóvar?

   GLORIA: No, no (ir) al cine últimamente. ¿Quieres acompañarnos esta noche?

5. **ALFREDO:**   Marcos, ¿ya (encontrar) un regalo para el cumpleaños de tu mamá?

   MARCOS: Sí, Jorge y yo le (hacer) un pastel.

Respuestas: **1.** has estudiado, he podido **2.** han dado, ha besado **3.** ha observado, han salido **4.** han visto, hemos ido **5.** has encontrado, hemos hecho

■■ A   ¡NECESITO COMPAÑERO!   ¿Cómo ha sido su experiencia universitaria hasta ahora? Trabajando en parejas, háganse y contesten las preguntas de la página siguiente con la forma apropiada del presente perfecto de indicativo. También añadan otra información para que sus respuestas sean más completas. Después, comparen sus experiencias con las de las otras parejas.

Vocabulario útil: alguna vez, en estos días, recientemente, siendo estudiante aquí, últimamente,…

Tradicionalmente, llorar en público se ha considerado poco masculino. ¿Qué opina Ud.? ¿Ha cambiado esta idea hoy en día? ¿En qué circunstancias es aceptable que un hombre llore?

1. ¿asistir a un evento deportivo?
2. ¿participar en alguna actividad política?
3. ¿inventar una excusa para no ir a clase?
4. ¿tener un encuentro con la policía?
5. ¿gastar una broma pesada (*practical joke*)?
6. ¿trasnochar (to *"stay up all night"*)?
7. ¿enamorarse?
8. ¿dormirse en una clase?
9. ¿escribir un diario (*diary; journal*)?
10. ¿ir de compras para escaparse de los estudios?
11. ¿pasar toda la noche escuchando/aconsejando a un amigo / una amiga que tenía algún problema?
12. ¿?

¿Qué revelan los resultados? ¿Es verdad que la experiencia de ser estudiante es bastante homogénea? ¿Han notado algunas diferencias entre la experiencia femenina y la masculina? Comenten.

B Muchas ideas sobre lo que es «típicamente» masculino o femenino han cambiado a través del tiempo. Indique si en el pasado las siguientes actividades se consideraban «terreno» exclusivo de los hombres (**H**), de las mujeres (**M**) o si se consideraban aceptables para ambos sexos (**A**).

	H	M	A
1. llevar pantalones	❏	❏	❏
2. especializarse en ciencias	❏	❏	❏
3. teñirse (to dye) el cabello	❏	❏	❏
4. besarse en la mejilla entre personas del mismo sexo	❏	❏	❏
5. hablar de temas románticos	❏	❏	❏
6. estudiar una carrera en educación	❏	❏	❏
7. mirarse al espejo	❏	❏	❏

En los últimos años, ¿han cambiado algunas de estas ideas o siguen siendo iguales? Si ha habido cambios, ¿han sido positivos o negativos? Dé su opinión e indique las razones por las cuales es posible que hayan ocurrido (*have occurred*) estos cambios. Use el modelo como guía.

MODELO: llevar pantalones →
Tradicionalmente los pantalones han sido usados exclusivamente por los hombres, pero hoy en día las mujeres los llevan también. La costumbre ha cambiado porque las mujeres se han dado cuenta que es más cómodo y práctico llevar pantalones que llevar falda. Yo creo que este cambio ha sido positivo porque les ha dado a las mujeres más libertad de movimiento para trabajar, hacer ejercicio, etcétera.

C ¡NECESITO COMPAÑERO! Imagínense que una persona busca trabajo como periodista para el periódico universitario. Trabajando en parejas, preparen una lista de preguntas para entrevistarla. Usen las siguientes actividades como guía y agreguen por lo menos tres preguntas más. Traten de usar el presente perfecto cuando el contexto lo permita.

aspirar a
dejar el puesto anterior
estudiar

ganar $_____ en el puesto anterior
tener experiencia
trabajar

Cuando hayan completado su lista de preguntas, úsenla para entrevistarle a otro compañero / otra compañera de clase.

■■ 24 Present Perfect Subjunctive

The present perfect subjunctive (**el presente perfecto de subjuntivo**) is formed with the present subjunctive of **haber** plus the past participle. Here are the present subjunctive forms of **haber.**

haya	hayamos
hayas	hayáis
haya	hayan

The cues for the choice of the perfect forms of the subjunctive are the same as those for the simple forms of the subjunctive; the difference is only in the time reference. The *present subjunctive* always refers to an action that occurs at the same time or at a future time with respect to the main verb; the *present perfect subjunctive* refers to an action that has occurred before the main verb.*

Cue	El presente (Present, Future)	El presente perfecto (Past)
la duda	No creo que el padre **gane** la custodia. *I don't believe that the father is winning (will win) custody.*	No creo que el padre **haya ganado** la custodia. *I don't believe that the father has won (won) custody.*
	Dudo que **sean** buenos padres. *I doubt that they are (will be) good parents.*	Dudo que **hayan sido** buenos padres. *I doubt that they have been (were) good parents.*
la emoción	Es una lástima que muchos jóvenes no **tengan** metas más altas. *It is a shame that many young people do not (will not) have higher goals.*	Es una lástima que Ud. no **haya tenido** metas más altas. *It is a shame that you have not had (did not have) higher goals.*
	Me pone furioso que no nos **ayude.** *It makes me furious that she does not (will not) help us.*	Me pone furioso que no nos **haya ayudado.** *It makes me furious that she has not helped (did not help) us.*

*Expressions of persuasion generally imply that the subordinate action will occur at some point in the future. For this reason, the use of the present perfect subjunctive, which expresses a completed action, is infrequent after these constructions.

PRÁCTICA   Dé oraciones nuevas, según las palabras entre paréntesis.

La sociedad actual es menos sexista que antes, pero…

1. es triste que *(nosotros)* no *hayamos* hecho más cambios. (el gobierno, tú, Uds., yo)
2. dudo que la sociedad haya *combatido el sexismo.* (acabar con la discriminación, eliminar los estereotipos, resolver todos los problemas, ver las dimensiones del problema)
3. *es bueno* que el gobierno haya escrito nuevas leyes. (es importante, es natural, me gusta, no creo)

■■■ 24 INTERCAMBIOS

AUTOPRUEBA   La familia Ferrero va a comer a un restaurante, pero allí tienen una experiencia muy desagradable. Complete las siguientes oraciones con el presente perfecto de subjuntivo de los verbos entre paréntesis.

1. *(Al principio)* Luisa no está contenta que toda la familia (esperar) tanto tiempo para llegar a una mesa y sentarse.
2. *(Después)* Eduardo está furioso que el mesero ya (demorar) 10 minutos en darles la carta.
3. A nadie le gusta que los empleados no (limpiar) la mesa todavía.
4. *(Cuando llega la comida)* A Marielena le enfada que el mesero le (dar) una carne que está medio cruda *(raw)* todavía.
5. A Juan Carlos le disgusta que se le (servir) el pollo en vez del rosbif que pidió.
6. *(Después del plato principal)* Pedro está enfadado que su helado ya (derretirse [*to melt*]) cuando el mesero se lo sirve.
7. Luisa no cree que ya (acabarse [*to run out*]) todo el café como dice el mesero.
8. *(Después de que la familia se va)* El mesero está furioso que los Ferrero no le (dejar) ninguna propina.

Respuestas: 1. haya esperado **2.** haya demorado **3.** hayan limpiado **4.** haya dado **5.** haya servido **6.** se haya derretido **7.** se haya acabado **8.** hayan dejado

---

A   Complete las siguientes oraciones con la forma apropiada del presente perfecto —de indicativo o de subjuntivo, según el contexto— del verbo *en letra cursiva azul.*

1. Es necesario que en el futuro *eviten* el sexismo en los cuentos infantiles; no creo que lo _____ en el pasado.
2. Es importante que en el futuro *eduquen* a los niños sin estereotipos; es triste que no los _____ así en el pasado.
3. No quiero que *exista* discriminación en el futuro aunque todos sabemos que _____ en el pasado.

4. Es bueno que ahora los hombres *estén* más liberados emocionalmente; dudo que lo _____ en el pasado.

Siga completando oraciones, usando el mismo verbo u otro que tenga sentido dentro del contexto.

5. Es necesario que las mujeres aprendan a ser más independientes; es una lástima que en el pasado…

6. Es importante que entendamos ahora los efectos del sexismo; (no) creo que en el pasado…

B Dé su opinión sobre las siguientes afirmaciones. Utilice las expresiones que se sugieren en cada caso u otras que Ud. considere apropiadas. Use la forma apropiada del presente perfecto de indicativo o de subjuntivo, según el contexto.

MODELO: La publicidad ha ayudado a combatir los estereotipos sexuales.
a. No creo que…   **b.** Es bueno que…   **c.** Es claro que… →
No creo que la publicidad haya ayudado a combatir los estereotipos sexuales. De hecho (*In fact*), es claro que los ha fomentado.

1. En los últimos años, se ha cambiado la imagen del hombre ideal presentada en la televisión y el cine.
a. Dudo que…   **b.** Es evidente que…   **c.** Me alegra que…

2. La imagen del hombre violento al estilo de «Rambo» ha predominado en las películas de Hollywood.
a. No creo que…   **b.** Es cierto que…   **c.** Es triste que…

3. Últimamente se han impuesto modelos de hombres menos violentos.
a. Es posible que…   **b.** Es verdad que…   **c.** ¡Qué lástima que…!

4. El papel de líder tradicionalmente ha sido reservado para los personajes masculinos.
a. Es probable que…   **b.** Es seguro que…   **c.** Es lógico que…

5. Los personajes femeninos, en cambio, han desempeñado un papel pasivo.
a. Tal vez…   **b.** Es absurdo que…   **c.** Me enoja que…

6. También se han hecho algunos programas y películas en los que las mujeres han sido fuertes e independientes.
a. Es dudoso que…   **b.** Sé que…   **c.** ¡Qué maravilloso que…!

C ¡NECESITO COMPAÑERO! ¿Creen Uds. que la imagen tanto del hombre ideal como de la mujer ideal ha evolucionado en el cine y en la televisión?

■ Trabajando en parejas, hagan una lista de algunos personajes masculinos y femeninos representativos. Incluyan en su lista algunos personajes actuales y también algunos no muy recientes, es decir, de hace diez años o más.

■ Luego, analicen su lista. ¿Qué tipos o categorías generales pueden identificar? (Por ejemplo, la mujer «fuerte» o el hombre «suave».)

■ ¿Qué características o valores representa cada tipo o categoría?

Comparen su lista y análisis con los de otras parejas. ¿Qué notan Uds. en cuanto a los valores representados por estos personajes? ¿Qué características o valores han predominado? ¿Cuáles han cambiado a través del tiempo? ¿Les parecen positivos o negativos estos cambios? Expliquen.

D GUIONES ¿Qué han hecho? Trabajando en grupos de tres, describan los dibujos de la página siguiente con una forma apropiada del presente perfecto de

LENGUAJE Y CULTURA

Tanto en inglés como en español, hay casos en los que la misma palabra puede cambiar de sentido si se refiere a un hombre o a una mujer. Por ejemplo, «un hombre público» alude a alguien conocido en el mundo político, mientras que «una mujer pública» es una prostituta. Estudie los siguientes pares de expresiones y explique, en español, la diferencia que resulta del cambio de sexo.

1. *master/mistress*
2. *bachelor/spinster*
3. *mothering/fathering*

¿Conoce Ud. otras expresiones o palabras que cambien de significado de esta manera?

indicativo o de subjuntivo. En su descripción, identifiquen a cada persona, describan la situación o el contexto general y especulen sobre lo que va a pasar después.

Vocabulario útil: atrapar (*to catch*), dejar plantado/a (*to stand someone up*), el carnicero, el cristal, la cuenta, la pelota

MODELO:

→ Lisa es una estudiante universitaria que ha pasado toda la semana escribiendo una composición para la clase de español. Hoy por fin la ha terminado y está muy contenta que todo le haya salido tal como esperaba. ¡Qué bien que se haya levantado temprano, porque ahora puede salir a divertirse!

1.

2.

3.

4.

Literatura

■■■ ROSAMUNDA
Aproximaciones al texto
Puntos de vista masculinos y femeninos

A knowledge of the literary and social conventions implicit in a text is a helpful tool for understanding the text. This is true for all kinds of texts, since even uncomplicated messages, such as those communicated in popular literature and in advertisements, require a great deal of cultural as well as linguistic knowledge to be understood.

The more one reads and becomes familiar with literary conventions, the easier it is to understand literary texts. Knowledge of literary conventions, however, does not necessarily imply only one interpretation of a text. Think of how many pages have been written on the character of Hamlet! An important reason for different interpretations is that each reader brings his or her personal experiences and perceptions to the text.

In recent years attention has focused on the differences between readers, and in particular, between male and female readers. Men and women appear to react to texts in different ways, whether for biological or sociohistorical reasons. Texts that are generally popular with one sex are often disliked by the other. And certain experiences that male writers and critics have presented as universal are limited to the male sphere of action, being either outside female experience or experienced negatively by women. For example, in James Joyce's *Portrait of the Artist as a Young Man,* the male protagonist contemplates a young woman on a beach and, through her sensuality and beauty, comes to a more profound understanding of beauty and of the universe in general. A male reader may well identify with this experience and incorporate Joyce's feelings and meaning, but a female reader may not respond in the same way; the presentation of female beauty as perceived by the male may be an alien experience for her.

■■■■ PALABRAS Y CONCEPTOS

aborrecer   to hate, abhor

amenazar   to threaten

atar   to lace up

comprobar (ue)   to verify, ascertain

convidar   to invite (*to a meal*)

dar pena   to cause grief, pain

odiar   to hate

salvar   to save

el alrededor   surroundings

el amanecer   dawn

el asiento   seat

el cansancio   fatigue

el carnicero   butcher

la cinta   ribbon

el collar   necklace

la lágrima   tear

el lujo   luxury

la mariposa   butterfly

la naturaleza   nature

la paliza   beating

el pelo   hair

el pendiente   earring

la plata   silver

asombrado/a   astonished

borracho/a   drunk

celoso/a   jealous

desdichado/a   unfortunate

estrafalario/a   odd, strange

flaco/a   skinny

necio/a   foolish, stupid

soñador(a)   dreamy

tosco/a   rough, coarse

NOTA: The following story is told in both the first and third person. The first-person narrative occurs in the dialogues between the two main characters, Rosamunda and a soldier, and also in their interior monologue (that is, their unspoken thoughts). The third-person narrative unfolds on two levels. The first is the voice of an objective and distant observer who, like a camera, simply records what can be seen. The second is the voice of an omniscient narrator who reveals the inner feelings of the two characters, thus communicating to the reader information that otherwise would not be known. The shifting back and forth from one level to another adds a variety of dimensions to the story and forces the reader to question the accuracy of the descriptions presented.

■■■ Rosamunda

España

SOBRE LA AUTORA *CARMEN LAFORET (1921–2004) es una novelista española. Su primera novela* Nada *(1944) es considerada como una de las primeras obras importantes escritas después de la Guerra Civil Española (1936–1939) que abrió el paso a una visión crítica de la España de la dictadura de Franco. Además de novelas, Laforet escribió libros de cuentos y narraciones sobre sus viajes por Europa y América.*

1　**ESTABA AMANECIENDO,**[1] **AL FIN.** El departamento de tercera clase olía[2] a cansancio, a tabaco y a botas de soldado. Ahora se salía de la noche como de un gran túnel y se podía ver a la gente acurrucada, dormidos hombres y mujeres en sus asientos duros. Era aquél un incómodo vagón-tranvía,[3] con el pasi-
5　llo atestado de cestas y maletas. Por las ventanillas se veía el campo y la raya plateada del mar.

　　Rosamunda se despertó. Todavía se hizo una ilusión placentera al ver la luz entre sus pestañas[4] semicerradas. Luego comprobó que su cabeza colgaba hacia atrás,[5] apoyada en el respaldo[6] del asiento y que tenía la boca seca de llevarla
10　abierta. Se rehizo, enderezándose.[7] Le dolía el cuello —su largo cuello marchito[8]—. Echó una mirada a su alrededor y se sintió aliviada al ver que dormían sus compañeros de viaje. Sintió ganas de estirar[9] las piernas entumecidas —el tren traqueteaba, pitaba[10]—. Salió con grandes precauciones, para no despertar, para no molestar, «con pasos de hada[11]» — pensó—, hasta la plataforma.
15　　El día era glorioso. Apenas[12] se notaba el frío del amanecer. Se veía el mar entre naranjos.[13] Ella se quedó como hipnotizada por el profundo verde de los árboles, por el claro horizonte de agua.

　　—«Los odiados, odiados naranjos… Las odiadas palmeras[14]… El maravilloso mar…»
20　　—¿Qué decía usted?

　　A su lado estaba un soldadillo. Un muchachito pálido. Parecía bien educado. Se parecía a[15] su hijo. A un hijo suyo que se había muerto. No al que vivía; al que vivía, no, de ninguna manera.

　　—No sé si será[16] usted capaz de entenderme —dijo [ella], con cierta
25　altivez[17]—. Estaba recordando unos versos[18] míos. Pero si usted quiere, no tengo inconveniente en recitar…

　　El muchacho estaba asombrado. Veía a una mujer ya mayor, flaca, con profundas ojeras.[19] El cabello[20] oxigenado, el traje de color verde, muy viejo. Los pies calzados en unas viejas zapatillas de baile… , sí, unas asombrosas zapati-
30　llas de baile, color de plata, y en el pelo una cinta plateada también, atada con un lacito[21]… Hacía mucho que él la observaba.

　　—¿Qué decide usted? —preguntó Rosamunda, impaciente—. ¿Le gusta o no oír recitar?

　　—Sí, a mí…

---

[1]Estaba… *Day was breaking*　[2]*smelled*　[3]incómodo… *uncomfortable train car*　[4]*eyelashes*
[5]colgaba… *was hanging back*　[6]*back*　[7]*straightening up*　[8]*withered*　[9]*stretch*　[10]*whistled*
[11]*fairy*　[12]*Hardly, Scarcely*　[13]*orange trees*　[14]*palm trees*　[15]Se… *He resembled*　[16]*are likely to be*　[17]*orgullo*　[18]*lines of poetry*　[19]*bags under her eyes*　[20]*pelo*　[21]*little bow*

35 El muchacho no se reía porque le daba pena mirarla. Quizá más tarde se reiría.[22] Además, él tenía interés porque era joven, curioso. Había visto[23] pocas cosas en su vida y deseaba conocer más. Aquello era una aventura. Miró a Rosamunda y la vio soñadora. Entornaba[24] los ojos azules. Miraba al mar.

—¡Qué difícil es la vida!

40 Aquella mujer era asombrosa. Ahora había dicho esto con los ojos llenos de lágrimas.

—Si usted supiera,[25] joven... Si usted supiera lo que este amanecer significa para mí me disculparía.[26] Este correr hacia el Sur. Otra vez hacia el Sur... Otra vez a mi casa. Otra vez a sentir ese ahogo[27] de mi patio cerrado, de la 45 incomprensión de mi esposo... No se sonría usted, hijo mío; usted no sabe nada de lo que puede ser la vida de una mujer como yo. Este tormento infinito... Usted dirá[28] que por qué le cuento todo esto, por qué tengo ganas de hacer confidencias, yo, que soy de naturaleza reservada... Pues, porque ahora mismo, al hablarle, me he dado cuenta de que tiene usted corazón y sentimiento y por-50 que esto es mi confesión. Porque, después de usted, me espera, como quien dice,[29] la tumba... Él no poder hablar ya a ningún ser humano... , a ningún ser humano que me entienda.

Se calló, cansada, quizá, por un momento. El tren corría, corría... el aire se iba haciendo cálido,[30] dorado. Amenazaba un día terrible de calor.

55 —Voy a empezar a usted mi historia, pues creo que le interesa... Sí. Figúrese[31] usted una joven rubia, de grandes ojos azules, una joven apasionada por el arte... De nombre, Rosamunda... Rosamunda ¿ha oído?... Digo que si ha oído mi nombre y qué le parece.

El soldado se ruborizó[32] ante el tono imperioso.

[22]se... *he would laugh* [23]Había... *He had seen* [24]*She half-closed* [25]*(only) knew* [26]*you would forgive* [27]opresión [28]*probably wonder* [29]como... *as they say* [30]se... *was becoming hot* [31]Imagínese [32]se... *blushed*

60   —Me parece bien… bien.

—Rosamunda… —continuó ella, un poco vacilante.

Su verdadero nombre era Felisa; pero, no se sabe por qué, lo aborrecía. En su interior siempre había sido Rosamunda, desde los tiempos de su ado-

65   lescencia. Aquel Rosamunda se había convertido en la fórmula mágica que la salvaba de la estrechez de su casa, de la monotonía de sus horas; aquel Rosamunda convirtió al novio zafio y colorado[33] en un príncipe de leyenda. Rosamunda era para ella un nombre amado, de calidades exquisitas… Pero ¿para qué explicar al joven tantas cosas?

—Rosamunda tenía un gran talento dramático. Llegó a actuar con éxito bri-

70   llante. Además, era poetisa. Tuvo ya cierta fama desde su juventud… Imagínese, casi una niña, halagada, mimada[34] por la vida y, de pronto, una catástrofe… El amor… ¿Le he dicho a usted que era ella famosa? Tenía 16 años apenas, pero la rodeaban por todas partes los admiradores. En uno de los recitales de poesía, vio al hombre que causó su ruina. A… A mi marido, pues Rosamunda, como

75   usted comprenderá,[35] soy yo. Me casé sin saber lo que hacía, con un hombre brutal, sórdido y celoso. Me tuvo encerrada años y años. ¡Yo!… Aquella mariposa de oro que era yo… ¿Entiende?

(Sí, se había casado, si no a los 16 años, a los 23; pero ¡al fin y al cabo![36]… Y era verdad que le había conocido un día que recitó versos suyos en casa de

80   una amiga. Él era carnicero. Pero, a este muchacho, ¿se le podían contar[37] las cosas así? Lo cierto era aquel sufrimiento suyo, de tantos años. No había podido ni recitar un solo verso, ni aludir a sus pasados éxitos —éxitos quizá inventados, ya que no se acordaba[38] bien; pero… —Su mismo hijo solía decirle que se volvería[39] loca de pensar y llorar tanto. Era peor esto que las palizas y los gritos

85   de él cuando llegaba borracho. No tuvo a nadie más que al hijo aquél, porque las hijas fueron descaradas[40] y necias, y se reían de ella, y el otro hijo, igual que su marido, había intentado hasta encerrarla.)

—Tuve un hijo único. Un solo hijo. ¿Se da cuenta?[41] Le puse[42] Florisel… Crecía delgadito, pálido, así como usted. Por eso quizá le cuento a usted estas

90   cosas. Yo le contaba mi magnífica vida anterior. Sólo él sabía que conservaba un traje de gasa,[43] todos mis collares… Y él me escuchaba, me escuchaba… como usted ahora, embobado.[44]

Rosamunda sonrió. Sí, el joven la escuchaba absorto.

—Este hijo se me murió. Yo no lo pude resistir… Él era lo único que me

95   ataba a aquella casa. Tuve un arranque,[45] cogí mis maletas y me volví a la gran ciudad de mi juventud y de mis éxitos… ¡Ay! He pasado unos días maravillosos y amargos. Fui acogida[46] con entusiasmo, aclamada de nuevo por el público, de nuevo adorada… ¿Comprende mi tragedia? Porque mi marido, al enterarse de[47] esto, empezó a escribirme cartas tristes y desgarradoras: no podía vivir sin mí.

100   No puede, el pobre. Además es el padre de Florisel, y el recuerdo del hijo perdido estaba en el fondo[48] de todos mis triunfos, amargándome.

El muchacho veía animarse[49] por momentos a aquella figura flaca y estrafalaria que era la mujer. Habló mucho. Evocó un hotel fantástico, el lujo derrochado[50] en el teatro el día de su «reaparición»; evocó ovaciones delirantes y su

105   propia figura, una figura de «sílfide[51] cansada», recibiéndolas.

---

[33]zafio… *boorish and ruddy* [34]halagada… *flattered, spoiled* [35]*can probably guess* [36]¡al… *it's all the same!* [37]se… *could he be told* [38]no… *she didn't remember* [39]se… *she would go* [40]*impudent* [41]¿Se… ¿Comprende? [42]Le… *I named him* [43]*gauze, muslin* [44]fascinado [45]*fit* [46]Fui… Me recibieron [47]enterarse… descubrir [48]*background* [49]veía… *saw become enlivened* [50]*squandered* [51]*sylph, nymph*

—Y, sin embargo, ahora vuelvo a mi deber… Repartí[52] mi fortuna entre los pobres y vuelvo al lado de mi marido como quien va a un sepulcro.

Rosamunda volvió a quedarse[53] triste. Sus pendientes eran largos, baratos; la brisa los hacía ondular… Se sintió desdichada, muy «gran dama»… Había olvidado aquellos terribles días sin pan en la ciudad grande. Las burlas de sus amistades ante su traje de gasa, sus abalorios[54] y sus proyectos fantásticos. Había olvidado aquel largo comedor con mesas de pino cepillado,[55] donde había comido[56] el pan de los pobres entre mendigos[57] de broncas toses.[58] Sus llantos,[59] su terror en el absoluto desamparo[60] de tantas horas en que hasta los insultos de su marido había echado de menos. Sus besos a aquella carta del marido en que, en su estilo tosco y autoritario a la vez,[61] recordando al hijo muerto, le pedía perdón y la perdonaba.

El soldado se quedó mirándola. ¡Qué tipo más raro, Dios mío! No cabía duda[62] de que estaba loca la pobre… Ahora [ella] le sonreía… Le faltaban dos dientes.

El tren se iba deteniendo[63] en una estación del camino. Era la hora del desayuno, de la fonda[64] de la estación venía un olor apetitoso… Rosamunda miraba hacia los vendedores de rosquillas.[65]

—¿Me permite usted convidarla, señora?

En la mente del soldadito empezaba a insinuarse una divertida historia. ¿Y si contara[66] a sus amigos que había encontrado en el tren una mujer estupenda y que… ?

—¿Convidarme? Muy bien, joven… Quizá sea la última persona que me convide… Y no me trate con tanto respeto, por favor. Puede usted llamarme Rosamunda… no he de enfadarme por eso.[67]

---

[52]Dividí   [53]volvió… *again became*   [54]*glass beads*   [55]pino… *scrubbed pine*   [56]había… *she had eaten*   [57]*beggars*   [58]broncas… *hoarse coughs*   [59]*sobs*   [60]*helplessness*   [61]a… al mismo tiempo   [62]No… No había duda   [63]se… *was stopping*   [64]restaurante   [65]*sweet fritters*   [66]*he should tell*   [67]no… *it won't bother me*

■■■ COMPRENSIÓN

A Complete las siguientes oraciones según el cuento «Rosamunda».

1. El cuento tiene lugar en _____.
2. Rosamunda habla al soldado porque _____.
3. Rosamunda lleva ropa _____.
4. El soldado nunca ha conocido a nadie que _____.
5. Rosamunda dice que le espera la tumba porque _____.
6. A Rosamunda le gusta el nombre Rosamunda porque _____.
7. Rosamunda dice que se casó a los 16 años, pero en realidad _____. No dice la verdad porque _____.
8. Rosamunda dice que sólo tuvo un hijo porque _____.
9. Cuando Rosamunda fue a la ciudad, encontró _____.
10. El soldado cree que Rosamunda _____.

B Complete este cuadro con información del cuento.

	Lugar en que está(n)	Características físicas	Características sicológicas y emocionales	Sueños e ideales
Rosamunda				
el soldado				
los hijos				
el marido				

C En este cuento hay dos narradores principales: Rosamunda/Felisa y el narrador omnisciente. ¿Quién habla en los siguientes párrafos? ¡Cuidado! En algunos alternan los dos narradores.

1. en el primer párrafo
2. en el segundo párrafo
3. en el párrafo que empieza en la línea 21
4. en el párrafo que empieza en la línea 78

■■■ INTERPRETACIÓN

A ¿Qué parte de la historia que narra Rosamunda le parece a Ud. inventada por ella y qué parte le parece real? ¿Por qué? ¿Cómo se imagina Ud. al marido de Rosamunda? ¿Hasta qué punto cree Ud. que la visión que ella nos presentó sea verdadera? ¿Es posible que Rosamunda haya inventado toda la historia?

B ¿Qué visión tiene Rosamunda de sí misma? ¿Qué visión tiene el soldado de ella? ¿Qué visión parece tener el narrador con respecto a Rosamunda?

C En su opinión, ¿quién es responsable del fracaso del matrimonio: Rosamunda o su marido? ¿Cómo cree Ud. que va a ser la vida de Rosamunda después de que vuelva con su marido? ¿Por qué?

D ¡NECESITO COMPAÑERO! Completen la siguiente tabla y después comparen sus respuestas con las de los demás compañeros de clase para ver en qué coinciden y en qué difieren.

	Dos cosas que nunca haya(n) hecho	Dos cosas que hace(n) con frecuencia	Una acción que haya(n) hecho y de la que esté(n) contento/a/os/as	Una acción que haya(n) hecho y de la que no esté(n) contento/a/os/as	Algo que no haya(n) hecho todavía pero que posiblemente haga(n) dentro de poco
Rosamunda					
el soldado					
el marido					
el hijo que murió					
los hijos que sobreviven					

▪▪▪ APLICACIÓN

PAPEL Y LÁPIZ En los viajes o en otros encuentros con desconocidos, algunas personas prefieren no hablar nada mientras que otras les cuentan toda su vida. Explore este tema en su cuaderno de apuntes.

- En la película *Forrest Gump,* el protagonista les cuenta su vida a una serie de individuos que se sientan a su lado en el banco de un parque público. ¿Le ha ocurrido a Ud. algo parecido en una estación de tren, en un autobús, durante un viaje en avión o en algún otro lugar? Describa brevemente lo que pasó.

- ¿Qué características suelen tener las personas que prefieren no hablar con desconocidos en los lugares públicos y en los vehículos de transporte público? ¿Y cuáles suelen tener los individuos que hablan abiertamente con personas desconocidas sobre su vida privada?

Lengua II

▪▪ 25 Uses of the Subjunctive: Adjective Clauses

A clause that describes a preceding noun is called an adjective clause (**una cláusula adjetival**).

Leí un libro **que trata la igualdad entre los sexos.**

I read a book that deals with equality of the sexes.

Here **que trata la igualdad entre los sexos** is an adjective clause that describes the noun **libro.** Adjective clauses are generally introduced by **que,** or when they modify a place, they can be introduced by either **que** or **donde.**

Busco una librería **que** venda literatura feminista.	*I'm looking for a bookstore that sells feminist literature.*
Busco una librería **donde** vendan literatura feminista.	*I'm looking for a bookstore where they sell feminist literature.*

There are two general rules that determine whether to use the subjunctive or the indicative with adjective clauses.

1. When an adjective clause describes something about which the speaker has knowledge (something specific or that the speaker knows exists), the indicative is used.

La informática es una carrera **que paga bien.**	*Computer science is a career that pays well.*

This sentence indicates that the speaker knows that working with computers pays well—it is part of the speaker's objective reality.

2. When an adjective clause describes something with which the speaker has had no previous experience or something that may not exist at all, the subjunctive is used.

Me interesa **una carrera** que **pague** bien.	*I'm interested in a career that pays well.*

This sentence indicates that the speaker is interested in a career—any career—that pays well. Such a career is part of the unknown; at worst, it may not even exist.

Note the contrast between the indicative and the subjunctive in the following sentences.

A PROPÓSITO

Note that the use of the subjunctive in an adjective clause meets both of the necessary conditions for the use of the subjunctive in general. First, there is a *subordinate clause* in the structure of the sentence. Second, the *meaning* expressed in the main clause is of a particular type. In this case, it concerns what is unknown to the speaker.

Known or Experienced Reality: Indicative	Unknown or Hypothetical: Subjunctive
Necesito **el libro que trata** el problema de la sobrepoblación. *I need the book* (a specific one I know exists) *that deals with the problem of overpopulation.*	Necesito **un libro que trate** el problema de la sobrepoblación. *I need a book* (does it exist?) *that deals with the problem of overpopulation.*
Tengo **un libro que trata** el problema de la sobrepoblación. *I have a book* (and therefore have direct knowledge of it) *that deals with the problem of overpopulation.*	
Busco a la mujer que **es** médica. *I'm looking for the woman* (I know this specific woman exists) *who is a doctor.*	Busco una mujer que **sea** médica. *I'm looking for a woman* (I don't know if such a person exists) *who is a doctor.*

Known or Experienced Reality: Indicative	Unknown or Hypothetical: Subjunctive
Hay alguien aquí que **sabe** cambiarle el pañal al bebé. *There is someone here* (this person exists) *who knows how to change the baby's diaper.*	¿Hay alguien aquí que **sepa** cambiarle el pañal al bebé? *Is there anyone here* (does such a person exist?) *who knows how to change the baby's diaper?*
Conozco a una mujer que **quiere** ser química. *I know a woman* (she exists, is a specific person) *who wants to be a chemist.*	No conozco a nadie que **quiera** ser químico. *I don't know anyone* (there is no person within my experience) *who wants to be a chemist.*

It is the meaning of the main clause—and not the use of any particular word—that signals the choice of mood. Regardless of the way a particular sentence is phrased, the subjunctive is used in the subordinate clause whenever the main clause indicates that the person or thing mentioned is outside the speaker's knowledge or experience.

Not only does meaning signal the choice of mood for the speaker, but the speaker's choice of mood *conveys information* to the listener, who is unaware of the speaker's knowledge or experience. Compare the following sentences. What information do they convey to the listener?

Voy a mudarme a un apartamento que **tenga** tres baños.
Voy a mudarme a un apartamento que **tiene** tres baños.

} *I'm going to move to an apartment that has three bathrooms.*

In the first example, the speaker is unsure whether such an apartment exists; in any case, he or she hasn't found it yet, so his or her move is still in doubt. In the second example, the indicative conveys certainty. The speaker is going to move to a specific, already-selected apartment.

PRÁCTICA   Dé la forma correcta —presente de indicativo o de subjuntivo— de los infinitivos entre paréntesis.

1. ¿Ha conocido Ud. a alguien que (buscar) un cambio en su carrera?

2. Hay algunos hombres que (considerarse) feministas, pero creo que no hay ninguna mujer que (considerarse) machista.

3. ¿Has oído hablar de algún puesto que (pagar) bien y (ofrecer) un mes de vacaciones al año?

4. Sí, ya tengo un puesto que me (pagar) bien y me (dar) *dos* meses de vacaciones al año.

5. ¿Ha conocido Ud. a esa mujer que (estar) en la esquina?

6. Muchos queremos una sociedad en la cual (existir) la igualdad entre los sexos.

7. Hoy en día no hay tantas mujeres como antes que (preferir) ser solamente ama de casa.

8. Todo el mundo debe dedicarse a buscar una medicina que (curar) el cáncer; es una enfermedad que ya (haber) durado demasiado (*lasted too long*).

9. …

10. …

11. …

∎∎∎ 25 INTERCAMBIOS

AUTOPRUEBA   Complete las siguientes oraciones con la forma apropiada del presente de indicativo o de subjuntivo de los infinitivos entre paréntesis, según el contexto.

1. Ofelia busca un nuevo puesto que (pagar) mejor que su empleo actual.

2. No conozco a nadie que (haber) viajado a China.

3. Alfredo ha encontrado una casa magnífica que (dar) al mar y que (tener) una piscina enorme.

4. Queremos una sociedad en la que (haber) paz e igualdad para todos.

5. Busco una computadora que (costar) menos de $500 y que (ser) más potente que la que tengo ahora.

6. Mis padres acaban de comprar un coche que no (usar) mucha gasolina.

7. Prefiero inscribirme en los cursos que me (interesar).

8. Samuel quiere vivir en una región que (estar) libre de la contaminación ambiental.

Respuestas: 1. pague 2. haya 3. da, tiene 4. haya 5. cueste, sea 6. usa 7. interesan 8. esté

A   Complete las siguientes oraciones con la forma apropiada del subjuntivo del verbo entre paréntesis. Luego, póngalas en el orden que mejor represente la importancia que cada una tiene para Ud. Finalmente, añada dos o tres características más que también sean importantes para Ud.

Quiero vivir en una sociedad que…

_____ no (permitir) ningún tipo de discriminación.

_____ (dar) trabajo a todos los que quieren trabajar.

_____ (ofrecerles) seguridad económica a los que no pueden trabajar.

_____ (estar) libre del crimen y de la violencia.

_____ (haber) eliminado la pobreza.

_____ (proteger) la libertad individual de todos sus miembros.

B   ¡NECESITO COMPAÑERO!   Háganse y contesten preguntas para averiguar la siguiente información. Tengan cuidado con el uso del subjuntivo o del indicativo y elaboren cada respuesta con más información. Luego, compartan las respuestas más interesantes con el resto de la clase.

¿Conoces a alguien que…

1. (haber) sacado «A» en todas sus clases el semestre pasado?

2. nunca (ponerse) furioso?

3. (saber) hablar más de dos lenguas?

4. (haber) dejado de fumar?

5. (haber) sufrido discriminación en el trabajo?

6. (estudiar) español todas las noches?

7. (ir) a cambiar la historia del mundo (un poquito)?

8. (tener) talento artístico?

9. nunca les (haber) pedido ayuda económica a sus padres?

10. (haber) visitado la Argentina?

C ENTRE TODOS   Termine las siguientes oraciones con cláusulas adjetivales que describan detalladamente sus preferencias. Utilice por lo menos dos verbos en cada caso. Luego, contraste sus opiniones con las de sus compañeros de clase.

1. Prefiero los coches que…
   a. no (gastar) mucha gasolina.
   b. (ser) seguros (rápidos, económicos, modernos, deportivos, ¿ ?).
   c. (haber) sido fabricados en este país (en Europa, en Japón, ¿ ?).
   d. ¿ ?

2. Voy a elegir una carrera que…
   a. (estar) relacionada con las ciencias (las humanidades, los deportes, el arte, ¿ ?).
   b. (ofrecerme) la oportunidad de viajar (ayudar a otras personas, inventar cosas, ¿ ?).
   c. (hacerme) rico/a.
   d. ¿ ?

3. Busco profesores que…
   a. siempre (dar) buenas notas.
   b. (no) (ser) interesantes (aburridos, exigentes, ¿ ?).
   c. (promover) la participación de los estudiantes.
   d. ¿ ?

D GUIONES   Usando las frases de la página siguiente, describa las situaciones que se presentan en los siguientes dibujos. En su descripción, identifique a los individuos, explique lo que necesitan o lo que buscan e indique por qué.

1.

2.

3.

4.

1. hacer una caminata (*to go for a hike*) **/** haber perdido el camino **/** buscar abrigo (*shelter*) **/** poder descansar **/** el perro, traerles alcohol **/** el mapa, indicarles la ruta

2. el motor, haberse descompuesto (*broken down*) **/** la grúa (*tow truck*), llevar el coche **/** el garaje, estar cerca **/** el mecánico, saber reparar coches importados

3. una pareja profesional, demasiado trabajo **/** la criada, llevarse bien con los niños **/** venir a la casa **/** ayudar con los quehaceres domésticos **/** ser responsable **/** no pedir mucho dinero

4. la tienda de juguetes **/** buscar juguetes **/** no reforzar estereotipos **/** no enseñar la violencia **/** estimular la creatividad **/** servir para niños y niñas

Enlace

■■■ ¡OJO!

	Examples	Notes
tener éxito lograr suceder	Viqui siempre **tiene éxito** en las competiciones. *Viqui is always successful in competitions.*	**Tener éxito** means *to be successful* (*in a particular field or activity*); it emphasizes the condition of being successful.
	Julio nunca **logra** bajar de peso. *Julio never manages to lose (never succeeds in losing) weight.* Los maestros esperan **lograr** un aumento de sueldo. *The teachers hope to obtain a salary increase.*	**Lograr** means *to succeed* (*in doing something*) or *to obtain* or *achieve a goal*; it emphasizes the action of achieving that goal. It can also mean *to manage to* (*do something*).
	No saben qué va a **suceder.** *They don't know what is going to happen.* Chrétien **sucedió** a Campbell como primer ministro del Canadá. *Chrétien succeeded Campbell as prime minister of Canada.*	**Suceder** means *to occur, happen* or *to follow in succession.*
asistir a atender ayudar	Pablo **asistió a** la reunión. *Pablo attended the meeting.*	**Asistir** is a false cognate. Its primary meaning is *to attend* (*a function*) or *to be present* (*at a class, a meeting, a play, etc.*). **Asistir** is always followed by the preposition **a.**

(continúa)

Examples	Notes
El jefe va a **atender** a los clientes. *The boss is going to take care of the clients.*	*To attend* meaning *to take into account, to take care of,* or *to wait on* is expressed with **atender.**
Nos **ayudaron** mucho. *They assisted (helped) us a great deal.*	*To assist* is expressed with **ayudar.**

ponerse
volverse
llegar a ser
hacerse

Examples	Notes
Se van a **poner** furiosos. *They're going to get (become) angry.* ¿Por qué **te has puesto** colorado? *Why have you turned red?* **Se volvió** loca. *She went (became) crazy.* **Se está volviendo** sordo. *He is going deaf.*	English *to become* has several equivalents in Spanish. Both **ponerse** and **volverse** indicate a change in physical or emotional state. **Ponerse** can be followed only by an adjective. **Volverse** signals a dramatic, often irreversible, change.
Con el tiempo, Elvis Presley **llegó a ser** un símbolo nacional en los Estados Unidos. *With (the passing of) time, Elvis Presley became a national symbol in the United States.* **Se hizo** médica después de muchos sacrificios. *She became a doctor after much sacrifice.* La situación **se hizo (se puso)** difícil. *The situation became difficult.*	**Llegar a ser** and **hacerse** are used when *to become* conveys the meaning of *to get to be*—that is, a gradual change over a period of time. They can be followed by either nouns or adjectives. **Hacerse** usually implies a conscious effort on the part of the subject, whereas **llegar a ser** may describe an effortless change.
Nuestra relación **se ha vuelto (se ha hecho)** un problema constante. *Our relationship has become a constant problem.*	**Hacerse** and **volverse** can express *to become* with reference to general situations. **Ponerse** can also be used in this manner, but again it can be followed only by adjectives.

A VOLVIENDO AL DIBUJO   Elija la mejor opción en cada contexto. ¡Cuidado! También hay palabras de los capítulos anteriores.

Luis, Julia y José han salido a jugar al parque. Mientras juegan, sueñan (con/de/en)[1] el futuro. Los tres tienen aspiraciones muy altas. Julia piensa (asistir/atender)[2] a la universidad y (hacerse/ponerse)[3] jueza. Luis, que siempre ha (sucedido / tenido éxito)[4] en los deportes, quiere (llegar a ser / ponerse)[5] un famoso jugador de fútbol americano. En cuanto a José, a quien le (cuida/importa)[6] mucho el dinero, su mayor aspiración es (hacerse/ponerse)[7] rico. Él piensa (moverse/mudarse)[8] a una gran ciudad y (funcionar/trabajar)[9] en una empresa multinacional. Aunque tienen intereses distintos, los tres han sido amigos (cercanos/íntimos)[10] por varios

años y se (asisten/ayudan)[11] mutuamente. ¡Ojalá (logren/sucedan)[12] sus metas!

Entre juegos y sueños, (el tiempo / la vez)[13] ha pasado y deben (devolver/regresar)[14] a casa. ¡Qué tarde es! ¡Sus padres se van a (poner/volver)[15] furiosos!

B ENTRE TODOS

- ¿Cuáles son sus aspiraciones? ¿llegar a ganar mucho dinero? ¿ejercer una profesión? ¿tener éxito en el arte, los deportes, los negocios?

- ¿Qué pasos debe Ud. seguir para lograr sus metas? ¿Piensa asistir a una escuela profesional o de posgrado? ¿Qué cualidades o circunstancias pueden ayudarlo/la? ¿Es posible que la circunstancia de ser hombre o mujer lo/la ayude? ¿O será (*will be*) un obstáculo?

- ¿Qué metas ha logrado Ud. ya? ¿Qué actitudes o circunstancias lo/la han ayudado a lograrlas? ¿Es posible que el sexo a que pertenece haya tenido alguna influencia en sus aspiraciones y logros (*achievements*)? Explique.

▪▪▪ REPASO

A Lea el siguiente párrafo y dé la forma apropiada de los verbos entre paréntesis, usando el imperfecto o el pretérito.

La historia de un ex novio (Parte 2)*

I looked up (levantar la cabeza)[1] and saw (ver)[2] Hector running toward me. His face was (estar)[3] red and angry, but I wasn't thinking about that (pensar en eso)[4]. I knew (saber)[5] that I could (poder)[6] outrun him. "Take that, you rat!" I yelled (gritar)[7], and I took off (salir corriendo)[8] down the street in the opposite direction. "I guess I showed him!" I was thinking (pensar)[9] when I arrived home (llegar a casa)[10]. When I opened (abrir)[11] the door, my mother was coming out (salir)[12] of the kitchen. "Where have you been?" she asked me (preguntarme)[13]. "Oh, down by Jane's house." I answered (responder)[14] casually. "She's the new girl at school." My mother smiled (sonreír)[15] and then explained (explicar)[16] that Jane's family was coming (venir)[17] to our house for dinner that evening and that she was happy (gustarle)[18] that Jane and I were already friends. I tried (querer)[19] to think of an excuse to get out of dinner: I had (tener)[20] an exam, I said (decir)[21], and needed (necesitar)[22] to study. But my mother already knew (conocer)[23] that excuse, so it couldn't (poder)[24] convince her. Finally, I told her

---

*The first part of this story can be found in **Capítulo 3,** page 95.

(decirle)[25] that Jane and I were not (no ser)[26] exactly the best of friends. "What were you doing (hacer)[27] down by her house this afternoon, then?" she wanted (querer)[28] to know. "We were agreeing (ponernos de acuerdo)[29] to be enemies." My mother looked at me (mirarme)[30] strangely. "Perhaps this evening could be the turning point, then," she suggested (sugerir)[31], and she returned (volver)[32] to the kitchen. "But, Mom . . . !" I sputtered (balbucear)[33]. It was no use (no haber remedio)[34]. I would have to go through with it.

B GUIONES Trabajando en grupos de tres o cuatro personas, narren en el tiempo presente lo que pasa en la siguiente serie de dibujos. En su narración, incluyan información sobre lo siguiente.

LA ACCIÓN: ¿Qué pasa? ¿Qué quiere el uno que el otro haga? ¿Por qué? ¿Qué le ha pasado?

EL DILEMA: ¿Qué descubre el hombre? ¿Cómo se lo explica a la mujer? ¿Cuál es la reacción de ella? ¿Duda que… ? ¿Se pone furiosa que… ?

SUS OPINIONES: Expresen sus opiniones sobre lo que ocurre en cada escena. Por ejemplo, ¿creen Uds. que la mujer ha hecho bien el trabajo? ¿Qué opinan del hecho de que el hombre no ha tenido dinero para pagarle? ¿Es natural que la mujer se haya puesto furiosa?

LA RESOLUCIÓN: Inventen el final del cuento: ¿Qué va a pasar luego? ¿Le va a pedir la mujer al hombre que haga algo? ¿Qué le va a pedir el hombre a la mujer?

1.

2.

3.

4.

Vocabulario útil: el camión (*truck*), una llanta (que está) desinflada (*flat tire*), la mecánica (*mechanic*)

Alfareras (*Potters*) de la provincia del Cañar, Ecuador

Video on CD

Alfarera en el Cañar, Ecuador

En un pueblecito al suroeste del Ecuador, las mujeres se han hecho cargo (*have taken charge*) de las necesidades económicas del municipio. La mayoría de los hombres ha emigrado en busca de trabajo, y son las mujeres quienes labran (*plow*) el campo y sostienen a sus familias trabajando el barro (*clay*) con una antigua técnica incaica° para hacer ollas (*pots*), tinajas (*big jars*) y cántaros (*jugs*).

Antes de ver

■ ¿Qué sabe Ud. del arte y la artesanía (*handicrafts*) del mundo hispano? ¿Cree que la creación de la artesanía es una actividad predominantemente masculina o femenina?

■ Ahora lea con cuidado la actividad en **Vamos a ver** antes de ver el vídeo por primera vez.

Vamos a ver

Las siguientes oraciones describen en parte la técnica de las alfareras del Cañar. Basándose en el segmento de vídeo, indique la opción que mejor completa cada oración.

1. Para dar forma a las piezas, _____.
   a. se utiliza un torno (*pottery wheel*) mecánico
   b. la alfarera gira alrededor de la pieza

2. La actividad de formar las piezas es _____.
   a. individual
   b. colectiva

3. La boca de la pieza se forma con _____.
   a. un pedazo de cuero mojado (*wet leather*)
   b. dos palustres (*trowels*) de madera

4. La pieza se pule (*is polished*) con _____.
   a. dos martillos de arcilla cocida (*fired clay*)
   b. un palustre metálico

5. La pieza se pinta con _____.
   a. el extracto de cierta planta de la región
   b. arcilla roja diluida en agua

6. Las piezas se queman (*are fired*) en _____.
   a. un horno cerrado
   b. una hoguera (*bonfire*) abierta

°**Incaico/a** es el adjetivo que describe lo propio de la cultura de los incas, uno de los pueblos que vivían en los Andes desde antes de la llegada de los españoles a Sudamérica. Los incas son famosos por su arquitectura, de cuyo (*whose*) esplendor hay célebres (*famous*) vestigios (*remains*) en la región del Cuzco, en el Perú.

7. La actividad de quemar las piezas es _____.
   a. individual
   b. colectiva

Después de ver

■ En general, ¿creen Uds. que la alfarería es una actividad típica de los hombres, de las mujeres o de ambos sexos? Expliquen.

■ Como la alfarería, hay muchas otras actividades que forman una parte importante de la tradición cultural de distintos pueblos. En la cultura occidental (*western*), ¿cuáles de las siguientes actividades tradicionalmente han sido consideradas propias de las mujeres? ¿de los hombres? ¿de ambos sexos? (Añadan otras actividades si les parece necesario.) Expliquen en cada caso por qué esa actividad se ha reservado o no se ha reservado exclusivamente para uno de los sexos.

❏ la preparación de alimentos
❏ la fabricación de telas y vestidos
❏ la fabricación de muebles (*furniture*)
❏ la construcción de casas y edificios
❏ la recolección de frutos y cosechas (*crops*)
❏ la herrería (*blacksmithing*)
❏ la cacería (*hunting*)

❏ labrar la tierra
❏ contar historias
❏ crear obras de arte
❏ cuidar los animals domésticos
❏ criar a los hijos
❏ ¿ ?

■ Busque información sobre la artesanía tradicional de una región de algún país hispanohablante. Por ejemplo, las piezas de cobre de Michoacán, México, o la cerámica de Talavera, España. ¿Las hacen las mujeres o los hombres? Comparta su información con sus compañeros de clase.

CAPÍTULO 7

El mundo de los negocios

Ciudad de México

En este capítulo:

IMÁGENES

- El café de comercio justo

LENGUA I

26. Review of the preterite

27. Review of the uses of the subjunctive

CULTURA

- Los Estados Unidos en Latinoamérica: Una perspectiva histórica

LENGUA II

28. The past subjunctive: Concept, forms

29. Use of subjunctive and indicative in adverbial clauses

Vídeo on CD

Vídeo: El Internet, herramienta útil

The ¡Avance! Online Learning Center with ActivityPak (**www. mhhe.com/avance2**) contains new interactive activities to practice the material presented in this chapter.

- En el dibujo se ven las actividades diarias del Banco en Quiebra, S.A. ¿Quién es la gerente? ¿Con quién habla? ¿Cree Ud. que es una buena gerente o no? ¿Por qué?

- ¿Quién es la cajera? ¿Qué hace? ¿Y qué hace el Sr. Euro? ¿Qué quieren los Sres. Guaraní? ¿Progresa rápidamente su transacción bancaria? ¿Por qué sí o por qué no? ¿Por qué no ayudan al Sr. Euro el Sr. Bolívar y la Sra. Lempira? ¿Qué hacen ellos? ¿Es normal esto en un banco u oficina?

- ¿Por qué hacen cola los otros individuos? ¿Qué transacciones bancarias quieren hacer? ¿Cuál(es) de ellos piensa(n) retirar dinero de su cuenta? ¿pedir un préstamo? ¿cobrar un cheque? ¿Qué es posible que haga el niño con su dinero? ¿Y qué es probable que vaya a hacer cada cliente después de completar su transacción bancaria? ¿Están todos satisfechos con el servicio? Explique.

contratar to hire; to contract

despedir (i, i) to fire

entrevistar to interview

estar a la venta to be on/for sale

hacer cola to be / to wait in line

hacer horas extraordinarias to work overtime

renunciar (a) to quit (*a job*)

solicitar to apply (*for a job*)

tomar vacaciones to take a vacation

las acciones stock; shares of stock

   el/la accionista shareholder

el almacén department store

la Bolsa stock market

el/la cajero/a teller

   el cajero automático ATM

la compañía company

el contrato contract

el/la desempleado/a unemployed person

   el desempleo unemployment

el despacho office (*specific room*)

el/la empleado/a worker, employee

   el empleo work, employment

la empresa corporation

la entrevista interview

las ganancias earnings, profits

la gerencia management

   el/la gerente manager

el hombre de negocios, la mujer de negocios businessman, businesswoman

el mercado market

la oficina office (*general term*)

las pérdidas losses

el/la secretario/a secretary

el sindicato labor union

el/la socio/o partner, associate; member

la solicitud application form

la tienda store

la venta sale

Las transacciones monetarias/bancarias

ahorrar to save

cargar to charge (*to one's account*)

cobrar to charge (*someone for something*)

   cobrar un cheque to cash a check

gastar to spend

ingresar to deposit (*funds*)

invertir (i, i) to invest

pagar a plazos to pay in installments

pagar en efectivo to pay in cash

pedir (i, i) prestado/a to borrow

   pedir (i, i) un préstamo to request (take out) a loan

prestar to lend

retirar to withdraw (*funds*)

la cuenta account; bill

   la cuenta corriente checking account

   la cuenta de ahorros savings account

las deudas debts

los gastos expenses

las inversiones investments

el préstamo loan

la tarjeta de cajero ATM card

la tarjeta de crédito credit card

A Complete las siguientes oraciones con la palabra apropiada de la lista de vocabulario.

1. Un(a) accionista es una persona que _____ dinero en una empresa.

2. El objetivo de un(a) _____ es conseguir mejores condiciones de trabajo para los empleados.

3. Las _____ representan el dinero que puede recibir un(a) accionista como resultado de sus inversiones en la Bolsa; lo contrario de esto son las _____.

4. Durante la Gran Depresión de los años 30, la tasa (*rate*) del _____ era muy alta porque muchos individuos no podían encontrar trabajo.

5. Para conseguir un empleo, hay que llenar una _____ con mucho cuidado.

6. Antes de empezar a crear un nuevo producto, una compañía investiga el _____ para ver si tal producto será (*will be*) bien recibido o no.

7. Muchas personas piden un _____ para comprar un coche nuevo.

B ¿Cuándo se hacen las siguientes acciones?

1. hacer cola
2. utilizar una tarjeta de crédito
3. utilizar una tarjeta de cajero
4. renunciar al trabajo
5. pedir algo prestado
6. cobrar un cheque
7. pagar en efectivo
8. retirar fondos

C ¿Qué palabra no pertenece al grupo? Explique por qué.

1. la gerencia, el empleado / la empleada, el secretario / la secretaria, el sindicato
2. gastar, cobrar, prestar, comprar
3. la entrevista, la solicitud, la Bolsa, el contrato
4. ahorrar, tomar vacaciones, las ganancias, las inversiones

D Explique la diferencia entre cada par de expresiones.

1. pagar en efectivo / pagar a plazos
2. pedir prestado / tomar
3. la empresa / la oficina
4. la cuenta de ahorros / la cuenta corriente
5. la tienda / el almacén
6. retirar fondos / ingresar fondos

E Cuando Ud. tiene que pagar algo, ¿cómo lo hace normalmente? ¿Paga en efectivo o prefiere pagar con cheque? ¿Tiene una tarjeta de cajero? ¿Le gusta utilizarla o prefiere entrar al banco? ¿Por qué? Imagínese que su banco piensa eliminar el servicio de cajeros automáticos. ¿Qué le parece la idea, buena o mala? Si lo elimina, ¿para qué grupo(s) de clientes puede ser problemático? Explique.

F Según las impresiones que Ud. tiene del Banco en Quiebra, S.A., y sus empleados,° comente las siguientes afirmaciones usando las expresiones. Tenga cuidado con el contraste entre el indicativo y el subjuntivo, igual que con el contraste entre el presente de subjuntivo y el presente perfecto de subjuntivo.

Dudo que...   Es (im)posible que...   (No) Creo que...

°The names of the employees and customers are currency names in the following countries: Spain (**euro**), Mexico (**peso**), Paraguay (**guaraní**), Peru (**sol**), Honduras (**lempira**), Venezuela (**bolívar**), and Costa Rica (**colón**).

El café de comercio justo[1]

MILLONES DE NORTE-AMERICANOS empiezan su día con una taza de café, pero pocos consideran cómo su producción afecta a los hispanos que lo cultivan. Sin embargo, recientemente algunos norteamericanos han demostrado[2] más interés en el bienestar[3] económico de los que producen el café y en la situación del medio ambiente[4] en los países hispanos. Como consecuencia, hay ahora en el mercado nuevas marcas[5] de café hechas especialmente para los consumidores que quieren apoyar[6] a los pequeños productores hispanoamericanos y contribuir a la protección de la naturaleza. Estas marcas se venden bajo el nombre «café de comercio justo» porque los que lo cultivan lo venden sin la intervención de las grandes empresas norteamericanas y europeas que se enriquecen,[7] pagando precios muy bajos.

Una de estas marcas especiales de café es «Don Justo», producido en El Salvador. Históricamente, muchos pequeños agricultores salvadoreños han vivido[8] en pobreza porque sólo cultivan pequeñas cantidades de café que rinden ingresos[9] muy bajos. Por eso, los agricultores de «Don Justo» formaron una cooperativa, la cual les permite vender su café a un precio razonable. Los ingresos adicionales los ayudan a vivir mejor y a tener acceso a agua potable[10] y asistencia médica. Los miembros de las cooperativas también usan métodos agrícolas[11] que protegen la tierra contra la erosión, evitan el uso de productos químicos dañinos y, según dicen, producen un café más sabroso del que venden las grandes empresas.

El café de comercio justo se ofrece en muchos cafés y supermercados norteamericanos. También se vende en algunas iglesias y otras organizaciones cuyos miembros quieren ayudar a mejorar la vida de los pequeños agricultores hispanoamericanos. ■

Recoletando café en Comasagua, El Salvador

[1]café… *fair-trade coffee* [2]han… *have shown* [3]*well-being* [4]medio… *environment* [5]*brands* [6]*support* [7]se… *get rich*
[8]han… *have lived* [9]rinden… *yield revenues* [10]*suitable for drinking* [11]*agricultural*

1. La gerente recibe un salario muy alto.
2. El Sr. y la Sra. Guaraní han decidido tener otro hijo.
3. El Banco en Quiebra, S.A., ha ganado mucho dinero todos los años.
4. El banco despide al Sr. Bolívar y a la Sra. Lempira por conflicto de intereses.
5. Sol busca trabajo en el banco.
6. El anciano y el niño han venido a robar el banco.
7. El Sr. Euro hace horas extraordinarias todos los días.
8. El Sr. Bolívar tiene seis semanas de vacaciones cada año.

Lengua I

■■ **26** Review of the Preterite

The third-person plural forms of the preterite provide the basis for the forms of the past subjunctive, which you will study later in this chapter. It will therefore be easier to learn the forms of the past subjunctive if you first review the preterite forms.

Remember that there are four main groups of preterite forms: (1) verbs that are regular in the preterite; (2) **-ir** stem-changing verbs; (3) verbs with irregular preterite stems and endings; and (4) **dar, ir,** and **ser.** Irregularities in the third-person plural of the preterite occur in all of these groups except group 1.[*]

PRÁCTICA Dé las formas indicadas del pretérito.

1. despedir: el gerente, tú
2. vender: yo, Ud.
3. pagar: Uds., yo
4. morir: ella, ellos
5. hacer: tú, el secretario
6. irse: el cajero, los socios
7. venir: nosotros, los desempleados

■■■ **26** INTERCAMBIOS

AUTOPRUEBA Complete las siguientes oraciones con la forma apropiada del pretérito del verbo entre paréntesis.

Los días festivos de fin de año pueden resultarle muy caros a mucha gente y así (ser)[1] para mí el año pasado. (Usar)[2] mis tarjetas de crédito al máximo para comprarle regalos a mi familia. Luego, (encontrarse)[3] en grandes dificultades cuando (llegar)[4] las cuentas. Al empezar el verano, (ponerse)[5] a pensar en las próximas fiestas y (resolver)[6] no repetir el mismo error. (Decidir)[7] depositar una cantidad de dinero en el banco cada mes para tener con qué[a] comprar regalos al fin del año.

En cambio, mi amigo Eduardo no (ser)[8] tan prudente. No había ahorrado nada durante el año. Y cuando (empezar)[9] los días festivos, (tener)[10] que usar sus tarjetas de crédito para comprar los regalos. En fin, cuando Eduardo (recibir)[11] las cuentas, me (pedir)[12] un préstamo para pagarlas.

[a]con... *something with which*

Respuestas: 1. fue **2.** Usé **3.** me encontré **4.** llegaron **5.** me puse **6.** resolví **7.** Decidí **8.** fue **9.** empezaron **10.** tuve **11.** recibió **12.** pidió

[*]For a more detailed explanation of these verb forms, see grammar section 12. Further practice with them can also be found in the *Cuaderno de práctica* for this chapter.

A El siguiente recorte de un periódico anuncia el éxito de un joven político venezolano. Léalo con cuidado, indicando para cada espacio en blanco la forma apropiada del pretérito del verbo adecuado de la lista. Utilice todos los verbos, y no use ninguno más de una vez.

asumir (tomar) proclamar
celebrar resultar
participar

- ¿Cuántos años tiene el nuevo alcalde (*mayor*) de San Antonio de los Altos? En su opinión, ¿es uno demasiado joven a esa edad para ser un buen alcalde? ¿un buen gobernador? ¿un buen presidente? Explique. ¿Cree Ud. que hay una edad límite para este tipo de puesto? Explique.

- ¿A Ud. le gustaría (*would you like*) ser alcalde de un pueblo antes de llegar a los 30 años? ¿Por qué sí o por qué no? ¿Qué partido político representaría (*would you represent*)?

> **Juramentan al alcalde más joven**
>
> **CARACAS** - Venezuela _____ al alcalde más joven de América Latina, Juan Fernández Morales, de 25 años, quien _____ la víspera el cargo en el municipio Los Salias, de San Antonio de los Altos, se informó ayer.
> Fernández Morales _____ simultáneamente el jueves, la toma de posesión de la alcaldía Los Salias y su cumpleaños número 25, tras superar por 800 votos a su contendor más importante, dijeron sus allegados.
> El joven _____ electo cuando _____ como independiente por el Movimiento Proyecto Calidad de Vida, que permanecería en el poder por cuanto el alcalde saliente, Andrés López, también pertenece a ese grupo.

B ¡NECESITO COMPAÑERO! Trabajando en parejas, describan lo que pasó la última vez que cada uno de Uds. hizo las siguientes actividades. Para ayudarse a recordar las experiencias, utilicen este esquema como guía.

comer algo realmente delicioso solicitar un trabajo
gastar mucho dinero tomar vacaciones
hacer algo increíble usar una tarjeta de crédito

▪▪ 27 Review of the Uses of the Subjunctive

Remember that the functions of tense and mood are different. *Tense* indicates when an event takes place (present, past, or future); *mood* designates a particular way of perceiving an event (indicative or subjunctive). In general, the indicative mood signals that the speaker perceives an event as fact or objective reality, whereas the subjunctive mood describes the unknown (what is beyond the speaker's knowledge or experience). Remember also that two conditions must be met for the subjunctive to be used: sentence structure (the sentence must contain a subordinate clause) and meaning.*

---

*For further information on the concept and uses of the subjunctive, see grammar sections 17, 22, 24, and 25. Additional practice with the subjunctive can be found in the *Cuaderno de práctica* for this chapter.

PRÁCTICA Dé la forma apropiada de los verbos entre paréntesis, según el contexto. Luego, explique por qué se ha usado el indicativo o el subjuntivo en cada caso.

1. No estoy seguro/a que José (recordar) el nombre del negocio.
2. Es verdad que se (exportar) muchos productos al extranjero.
3. Busco el restaurante en el que Juan y yo (comer) el sábado pasado.
4. Los socios quieren (comer) allí también.
5. El señor pide que nosotros lo (ayudar) con las inversiones.
6. Debemos buscar un puesto que (ofrecer) un sueldo mejor.

■■■ 27 INTERCAMBIOS

AUTOPRUEBA Complete el siguiente párrafo con la forma apropiada del presente de subjuntivo de los verbos entre paréntesis.

El gerente de nuestra oficina busca una nueva secretaria. No me sorprende que la secretaria actual (querer)[1] irse. Francamente, no es nada fácil trabajar para el gerente. Quiere alguien que (ser)[2] capaz de organizar toda su vida. Necesita una persona que (saber)[3] usar la computadora, que (hablar)[4] inglés, español, francés y japonés y que (tener)[5] la discreción de un diplomático. Además, es imposible que su secretaria (seguir)[6a] una vida personal normal. El gerente siempre le pide que (trabajar)[7] hasta muy tarde y que (ir)[8] a la casa de él para trabajar los fines de semana también. Espero que el gerente le (ofrecer)[9] un sueldo muy bueno a la persona que contrate. Pero, probablemente eso no importa. Dudo que la nueva secretaria (quedarse)[10] más de un año.

[a]*to lead*

Respuestas: 1. quiera 2. sea 3. sepa 4. hable 5. tenga 6. siga 7. trabaje 8. vaya 9. ofrezca 10. se quede

¡NECESITO COMPAÑERO! Trabajando en parejas, háganse y contesten preguntas para averiguar la importancia que tienen las siguientes cosas para Uds. Usen frases como **No es (nada) importante** y **Es (muy) importante** para valorar cada cosa. Luego, compartan lo que han aprendido con el resto de la clase. ¿Cuáles de estas cosas les importan más a sus compañeros? ¿Cuáles no les importan nada?

MODELO: ganar mucho dinero →
No es importante que él/ella gane mucho dinero. No le interesan las cosas materiales.

1. ganar mucho dinero
2. trabajar en una compañía prestigiosa
3. vivir en una ciudad grande
4. ser respetado/a por los colegas
5. invertir en la Bolsa

6. ser famoso/a
7. ayudar a resolver un problema que afecta a la humanidad
8. llegar al trabajo en avión propio
9. tener un coche de lujo
10. poder jubilarse a los 40 años

Cultura

■■■ LOS ESTADOS UNIDOS EN LATINOAMÉRICA: UNA PERSPECTIVA HISTÓRICA

Aproximaciones al texto

Understanding the function of a text: Tone

An important preparatory skill for reading comprehension is to grasp the function or purpose of the text. Informing, convincing, entertaining, and criticizing are all functions a text may have. Understanding the author's purpose for communicating helps prepare you to comprehend new information.

Writers not only have specific purposes for writing, but they also have attitudes about their topic. The attitude—or tone—of the writer can be determined from the particular language used, as well as from the way the information is presented to the reader.

■■■ PALABRAS Y CONCEPTOS

culpar to blame
fortalecer to strengthen
intervenir (*like* **venir**) to intervene
odiar to hate
proporcionar to give, yield
proteger to protect
respaldar to back, support

el aliado ally
el bien (*philosophical*) good
los bienes (*material*) goods
la culpa blame, guilt
el derrumbamiento toppling, tearing down
la deuda (externa) (foreign) debt
el dictador dictator

(*continúa*)

la dictadura dictatorship	**el préstamo** loan
la disponibilidad availability	**el presupuesto** budget
la exportación export(s)	**el respaldo** backing
los impuestos taxes	**la subvención** grant (*of money*)
la inversión investment	
el lema slogan	**(des)agradecido/a** (un)grateful
el libre comercio free trade	**culpable** guilty
la libre empresa free enterprise	**derechista** rightist, right-wing
las materias primas raw materials	**izquierdista** leftist, left-wing
la medida measure, means	
la meta goal	**al alcance (de la mano)** within (arm's) reach
la política (exterior) (foreign) policy	

■■■ Los Estados Unidos en Latinoamérica: Una perspectiva histórica

1   LAS RELACIONES ENTRE LOS ESTADOS UNIDOS y los países latinoamericanos tienen una larga historia, muchas veces violenta y paradójica. Por un lado, en toda Latinoamérica existe una enorme admiración por el grado de avance económico y social que han logrado los Estados Unidos. Casi todos los latinoamericanos

5   están de acuerdo en que la lucha por la independencia estadounidense fue un modelo que ellos quisieron imitar al separarse de su pasado colonial, e incluso en los sectores más izquierdistas se admira a hombres como Abraham Lincoln. Por otro lado, los Estados Unidos actualmente inspiran un recelo y un resentimiento —hasta un odio— entre muchos latinoamericanos que ni programas

10   ambiciosos, como la Alianza para el Progreso, ni una creciente cantidad de ayuda económica y militar han conseguido cambiar.

Esta crítica y ataque a los Estados Unidos —que últimamente se ve no sólo en Latinoamérica sino en muchas otras partes del mundo— es una actitud que a veces sorprende al estadounidense medio y lo deja perplejo, cuando no irri-

15   tado. «¿Por qué nos odian, si todo lo hemos hecho por su bien? Son unos desagradecidos.» «¿Para qué mandarles nuestros dólares si después nos llaman imperialistas y nos gritan lemas antiyanquis?» Que se hagan tales preguntas muestra la frustración que a menudo caracteriza las relaciones entre los Estados Unidos y Latinoamérica, especialmente en los últimos años.

20   Para comprender la imagen bastante negativa que muchos latinoamericanos tienen de los Estados Unidos, es preciso examinar las relaciones interamericanas dentro de una perspectiva histórica. En su mayor parte, al relacionarse con los países latinoamericanos, los Estados Unidos han sido motivados por el doble deseo de desarrollar sus intereses económicos y asegurar su seguridad

25   nacional estableciendo su control político en el hemisferio. Desafortunadamente, muchas acciones de los Estados Unidos han tenido como resultado una serie de experiencias dañinas y humillantes para los países latinoamericanos.

La Doctrina Monroe

Desde principios del siglo XIX, cuando las colonias latinoamericanas empezaron a independizarse de Europa, los Estados Unidos han considerado sus relaciones con los países del sur como algo muy especial. En 1823, después de reconocer la independencia de las nuevas naciones latinoamericanas, y en parte para evitar cualquier esfuerzo por parte de España o de sus aliados para reconquistarlas, el presidente estadounidense James Monroe pronunció los principios de lo que más tarde se llamaría[1] «la Doctrina Monroe».° Este documento, que desde entonces ha influido profundamente en la política exterior de los Estados Unidos, anunciaba el fin de la colonización europea en el Nuevo Mundo y establecía una política de no intervención de los gobiernos de los países europeos en los países americanos. Al mismo tiempo, inauguraba el propio intervencionismo estadounidense.

La época de la intervención: Roosevelt, Taft y Wilson

El estadounidense que más se asocia con la expansión de los Estados Unidos a costa de Latinoamérica es el presidente Theodore Roosevelt. Bajo Roosevelt, el gobierno de los Estados Unidos empezó a considerar que tenía derecho absoluto a controlar la región del Caribe y Centroamérica, por medio de inversiones económicas o presiones políticas o militares. En 1904 Roosevelt expuso su propia versión de la Doctrina Monroe, en la cual declaró que era el «deber» de los Estados Unidos intervenir en los países latinoamericanos (a los cuales se refería con frecuencia como «*wretched republics*») para asegurar las inversiones e intereses económicos de «las naciones civilizadas». Esta política se

[1] se... *would be called*

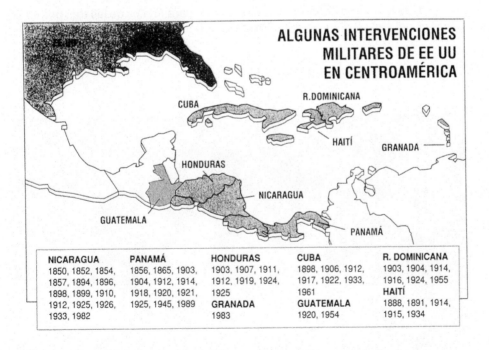

ALGUNAS INTERVENCIONES MILITARES DE EE UU EN CENTROAMÉRICA

NICARAGUA	PANAMÁ	HONDURAS	CUBA	R. DOMINICANA
1850, 1852, 1854, 1857, 1894, 1896, 1898, 1899, 1910, 1912, 1925, 1926, 1933, 1982	1856, 1865, 1903, 1904, 1912, 1914, 1918, 1920, 1921, 1925, 1945, 1989	1903, 1907, 1911, 1912, 1919, 1924, 1925	1898, 1906, 1912, 1917, 1922, 1933, 1961	1903, 1904, 1914, 1916, 1924, 1955
		GRANADA	**GUATEMALA**	**HAITÍ**
		1983	1920, 1954	1888, 1891, 1914, 1915, 1934

°El mensaje de la Doctrina Monroe fue dirigido también a Rusia, que en aquel entonces (*back then*) tenía la ambición de explorar el territorio que ahora forma parte de Alaska.

conoció como «el Corolario Roosevelt» a la Doctrina Monroe y marcó el
50 comienzo de un período de frecuentes y violentas intervenciones que se ha llamado la Época del Palo Grande.[2]

Después de Roosevelt, los presidentes William Howard Taft y Woodrow
Wilson continuaron la política de intervención. Taft se interesó mucho en la
expansión de los intereses económicos de los Estados Unidos. Su interpretación
55 del «Corolario Roosevelt», que vio la conversión de la economía centroameri-
cana en un verdadero monopolio de unas cuantas[3] empresas estadounidenses,
llegó a denominarse «La Diplomacia del Dólar». A diferencia de Roosevelt, quien
se interesó en el poder, y de Taft, quien se preocupó de la promoción comercial,
Woodrow Wilson llegó a la presidencia con opiniones idealistas sobre cómo
60 debían de ser los gobiernos de los países latinoamericanos. Aunque quería que
todos fueran libres y democráticos, en realidad este ideal muy pocas veces guió
su política exterior, ya que intervino violentamente en Nicaragua (1912), México
(1914, 1918), la República Dominicana (1916) y Cuba (1917).

Algunos estadounidenses reconocen ahora que el período entre 1895 y
65 1933 fue uno de los más vergonzosos[4] de la historia diplomática de los Estados Unidos. La política intervencionista de Roosevelt, Taft y Wilson (y, con
menos energía, la de Harding, Coolidge y Hoover) engendró, como se puede
comprender, una imagen muy negativa de los Estados Unidos en la mente de
muchos latinoamericanos y una profunda desconfianza en cuanto a los motivos
70 de los líderes de los Estados Unidos. Para el año 1933 la «protección» estadounidense de Latinoamérica les había proporcionado a los Estados Unidos
una base naval permanente en Cuba y el control completo de su política interior, la posesión de Puerto Rico, derechos permanentes a un canal a través de
Panamá y derechos a construir otro canal en Nicaragua. Se había usado la
75 fuerza militar en siete de los países de la región y en cuatro de éstos se había
sancionado una larga ocupación militar. En fin, para finales de las tres primeras
décadas del siglo xx, los Estados Unidos habían conseguido la dominación de

[2]Palo... *Big Stick*   [3]unas... *a few*   [4]*shameful*

Fundado por el presidente estadounidense John F. Kennedy, el Cuerpo de Paz manda voluntarios a todas partes del mundo, donde ayudan a implementar programas educativos, sociales y comerciales.

gran parte de la economía sudamericana y el control casi total de la cen-
troamericana. Al mismo tiempo que estas acciones protegían los intereses
80 económicos de los Estados Unidos, establecieron un patrón de dependencia
política en el Caribe y Centroamérica cuyos impactos han tenido aun peores
consecuencias para las relaciones interamericanas. Los países de la región
empezaron a mirar cada vez más hacia Washington para la solución de sus
problemas interiores. Esta dependencia colocó a los Estados Unidos en el cen-
85 tro de la estructura del poder en Centroamérica. Mantener allí la estabilidad de
gobiernos conservadores y hasta autoritarios sirvió a los intereses comerciales
de los Estados Unidos en aquel entonces, pero ha sido una fuente de enormes
problemas en el pasado y en la época actual.

La Política de Buena Voluntad

En 1933 el presidente Franklin D. Roosevelt, primo de Theodore, anunció su
90 Política de Buena Voluntad y sus intenciones de mejorar las relaciones entre los
continentes americanos. Se repudió la intervención directa en los asuntos interiores de otros países. Aunque Roosevelt sugirió y apoyó fuertes inversiones
económicas en Latinoamérica, declaró que la Diplomacia del Dólar ya no impe-
raba. Sus acciones generalmente confirmaron sus promesas: No hubo ninguna
95 represalia cuando el gobierno de Lázaro Cárdenas nacionalizó las compañías
petroleras de México en 1938.
    Roosevelt buscaba establecer un nuevo espíritu de cooperación y solidari-
dad entre las naciones del hemisferio. Aunque la expansión económica de los
Estados Unidos en Latinoamérica aumentó, los esfuerzos de Roosevelt sí
100 lograron disminuir la sospecha y desconfianza que se había creado durante los
años anteriores. El estallar de la Segunda Guerra Mundial estimuló la cooperación entre los Estados Unidos y Latinoamérica. Sin embargo, después de la
guerra la expansión del comunismo y el desarrollo de un fuerte nacionalismo
latinoamericano provocaron nuevas tensiones.

■■■ COMPRENSIÓN

A Cambie los verbos entre paréntesis en las siguientes oraciones por el
pretérito de indicativo o el imperfecto de subjuntivo, según el contexto. Luego
diga si son ciertas (**C**) o falsas (**F**), según la lectura. Corrija las oraciones falsas.

1. _____ La Doctrina Monroe prohibió que ninguna nación europea (intervenir)
en los gobiernos americanos.

2. _____ Antes de 1930, los Estados Unidos (seguir) una verdadera política de no
intervención en los países centroamericanos.

3. _____ Theodore Roosevelt (hacer) mucho para que se (limitar) la expansión de
los Estados Unidos en la América Latina.

4. _____ El «Corolario Roosevelt» a la Doctrina Monroe (defender) la integridad
territorial de los países centroamericanos.

5. _____ Franklin Roosevelt quería que (haber) más cooperación y solidaridad
entre los países del hemisferio.

B ¡NECESITO COMPAÑERO! Trabajando en parejas, completen el cuadro de
la página siguiente con información que aprendieron en la lectura. Después,
comparen sus repuestas con las de algunas otras parejas. ¿Están todos de
acuerdo o hay diferencia de opiniones? Expliquen.

Presidente	Programa	Meta(s)	Resultado(s)
	la «Diplomacia del Dólar»		
		la no intervención europea en América	
Theodore Roosevelt			
			Se mejoraron las relaciones de los Estados Unidos con Latinoamérica.

Lengua II

■■ 28 The Past Subjunctive: Concept; Forms

A. Concept

To use the past subjunctive (**el imperfecto de subjuntivo**) correctly, you do not have to learn any additional subjunctive cues but only the past subjunctive forms. Almost all the cues that signal the use of the subjunctive mood are applicable to both the present subjunctive and the past subjunctive. (You will learn when to use the present subjunctive versus the past subjunctive later in this section.)

B. Forms of the past subjunctive

Without exception, the past-subjunctive stem is the third-person plural form of the preterite minus **-on: hablarǿn → hablar-; comierǿn → comier-; vivierǿn → vivier-.** The past-subjunctive endings for *all* verbs are **-a, -as, -a, -amos, -ais, -an.** Note the accent mark on **nosotros/as** forms.

Past Subjunctive Forms					
Regular *-ar*		Regular *-er*		Regular *-ir*	
hablara	habláramos	comiera	comiéramos	viviera	viviéramos
hablaras	hablarais	comieras	comierais	vivieras	vivierais
hablara	hablaran	comiera	comieran	viviera	vivieran

Any stem change or irregularity found in the third-person plural of the preterite will be found in *all* persons of the past subjunctive of those verbs.

	Third-Person Plural Preterite Forms		Past Subjunctive
regular	comenzaron	→	comenzara, comenzaras, comenzáramos...
	entendieron	→	entendiera, entendieras, entendiéramos...
stem-changing	prefirieron	→	prefiriera, prefirieras, prefiriéramos...
	sirvieron	→	sirviera, sirvieras, sirviéramos...
	murieron	→	muriera, murieras, muriéramos...
irregular	tuvieron	→	tuviera, tuvieras, tuviéramos...
	pudieron	→	pudiera, pudieras, pudiéramos...
	dieron	→	diera, dieras, diéramos...
	fueron	→	fuera, fueras, fuéramos...

C. Sequence of tenses: Present subjunctive versus past subjunctive

In Spanish, the tense—present or past—of the main-clause verb determines the subjunctive tense used in the subordinate clause.

- When the main-clause verb is in the present or present perfect, or is a command, a present subjunctive° form is generally used in the subordinate clause.
- When the main-clause verb is in the preterite or imperfect, a past subjunctive form is used in the subordinate clause.[†]

Here is a summary of the correspondences for the verb forms you have studied thus far.[‡]

Main Clause	Subordinate Clause
Present	**Present Subjunctive**
El gerente dice... *The manager says . . .*	...que Ud. asista. *. . . for you to attend.*
Present Perfect	**Present Subjunctive**
El gerente ha dicho... *The manager has said . . .*	...que Ud. asista. *. . . for you to attend.*
Command	**Present Subjunctive**
Gerente: Dígale... *Manager: Tell him . . .*	...que asista. *. . . to attend.* *(continúa)*

A PROPÓSITO

An alternative set of past subjunctive forms is spelled with **-se** instead of **-ra**.

hablar: hablase, hablases, hablásemos...

comer: comiese, comieses, comiésemos...

vivir: viviese, vivieses, viviésemos...

These forms are less commonly used than the **-ra** forms, although usage varies among countries and among individuals within countries. Only the **-ra** forms will be used in *¡Avance!*, but you will see the **-se** forms frequently in literature and other texts.

°Forms of the present subjunctive include the simple present and the present perfect: **hable, haya hablado; coma, haya comido.**

[†]Forms of the past subjunctive include the simple past and the pluperfect: **hablara, hubiera hablado; comiera, hubiera comido.** You will study the forms of the pluperfect subjunctive in grammar section 42.

[‡]The use of the pluperfect, the future, and the conditional with the subjunctive is practiced in grammar section 43.

■ **Lengua II**   233

Preterite	Past Subjunctive
El gerente **dijo...** *The manager said . . .*	...que Ud. **asistiera.** *. . . for you to attend.*
Imperfect	**Past Subjunctive**
El gerente **decía...** *The manager (often) said . . .*	...que Ud. **asistiera.** *. . . for you to attend.*

PRÁCTICA   Dé oraciones nuevas, según las indicaciones, para describir cómo era el mundo de los negocios en otros tiempos.

1.   —¿Trabajaban Uds. muchas horas entonces?
     —Sí, era necesario que *trabajáramos muchas horas.* (empezar a trabajar temprano, hacer mucho trabajo manual, ser siempre puntuales, venir a trabajar seis o siete días a la semana)

2.   —¿Tenían los obreros otras dificultades también?
     —Sí, los jefes no permitían que *tomaran vacaciones con sueldo.* (llegar tarde de vez en cuando, recibir atención médica gratis, tener breves descansos durante el día, volver al trabajo después de una larga enfermedad)

3.   —¿Tenían Uds. algunos beneficios?
     —No, no teníamos muchos. Por ejemplo, no había ninguna compañía que *pagara dinero extra por hacer horas extraordinarias.* (dar un descanso pagado por la maternidad, ofrecer seguro médico, pedir sólo 40 horas a la semana, permitir alguna participación en la gerencia, seguir pagando a los empleados después de la jubilación, siempre mantener buenas condiciones de trabajo)

∎∎∎ 28 INTERCAMBIOS

AUTOPRUEBA   Complete el siguiente párrafo con la forma apropiada del imperfecto de subjuntivo de los verbos entre paréntesis.

La primera cita

El sábado pasado mi compañero Gustavo salió con una chica que se llamaba Graciela. Hacía mucho tiempo que quería salir con ella. Antes de salir, Gustavo se puso muy nervioso, en parte porque todo el mundo le daba consejos diferentes. Su hermano le dijo que (ponerse)[1] una camisa blanca, pero a su mamá le gustaba mejor la azul. Su hermana le sugirió que (llevar)[2] pantalones vaqueros, pero su papá le aconsejó que (vestirse)[3] más formalmente. Sus dos hermanos le dijeron que no (usar)[4] tanta colonia porque olía muy fuerte. Su mamá le pidió que (quitarse)[5] la camisa porque estaba arrugada[a] y ella quería plancharla. Por fin Gustavo les dijo a todos que lo (dejar)[6] en paz. Terminó de vestirse y se acercó a la puerta. Su mamá le dijo que (regresar)[7] a casa antes de medianoche y le aconsejó que (tener)[8] cuidado. Gustavo les contestó que no era necesario que ellos (preocuparse)[9] por él. Se abrazaron todos y Gustavo se fue.

---

[a]*wrinkled*

Respuestas: 1. se pusiera **2.** llevara **3.** se vistiera **4.** usara **5.** se quitara **6.** dejaran **7.** regresara **8.** tuviera **9.** se preocuparan

A Ignacio, un estudiante universitario, está por graduarse en economía y español. Hace unos días, mientras se preparaba para una entrevista con la AT&T, todos sus amigos, profesores y parientes le daban consejos. Empareje cada persona con la sugerencia que le ofreció a Ignacio.

MODELO: no estar nervioso →
Su mejor amigo le dijo que no estuviera nervioso.

Personas: abuelo, madre, mejor amigo, novia, profesor de español

Sugerencias:

demostrar sus capacidades bilingües
hablar despacio y con seguridad
hacer preguntas inteligentes
pedir un sueldo en concreto

peinarse de manera conservadora
ponerse un traje de tres piezas
tener confianza en su preparación
   académica

B Complete las siguientes oraciones de una forma lógica. Cuidado con los contrastes entre el subjuntivo y el indicativo y entre el presente y el pasado.

1. En el pasado, era necesario que las mujeres trabajadoras _____. Ahora es posible que (ellas) _____.

2. En el pasado, casi no había ningún ejecutivo en el mundo de los negocios que _____. Hoy en día, hay muchos ejecutivos que _____.

3. Hoy en día, muchas empresas permiten que sus empleados _____. En el pasado, las empresas no querían que (ellos) _____.

4. En el pasado, muchos jóvenes creían que una carrera en el mundo de los negocios _____. Hoy en día, muchos jóvenes piensan que _____.

5. En el pasado, los jefes querían que sus secretaria _____. Hoy las secretarias piden que su jefe _____.

C Pensando en las ocupaciones de las siguientes personas, ¿qué es seguro que han hecho recientemente? ¿Qué es sólo probable que hayan hecho? Dé el nombre de una persona determinada en cada categoría.

MODELO: un(a) artista de la televisión, del cine o del teatro →
Sé (Estoy seguro/a) que Jay Leno ha presentado su programa de televisión. Es probable que también haya hecho chistes sobre varios políticos.

1. un(a) artista de la televisión, del cine o del teatro
2. una persona muy rica
3. un político / una mujer político importante
4. un estudiante típico / una estudiante típica de esta universidad
5. una persona muy conocida de esta universidad
6. un deportista famoso / una deportista famosa
7. un pariente de Ud.

D Con el tiempo, nuestras actitudes cambian —no sólo con respecto a los negocios sino también hacia muchas otras cosas. Complete las siguientes oraciones para indicar si han cambiado sus actitudes. Cuidado con el uso del presente y del imperfecto de subjuntivo.

LENGUAJE Y CULTURA

En muchos países de Hispanoamérica, se le llama «pulpo» (*octopus*) a una persona o compañía que explota a los demás. En inglés, también se usan nombres y expresiones relacionados con algunos animales para referirse a ciertas prácticas y ocurrencias en el mundo de los negocios. Imagínese que un amigo hispano no entiende las siguientes expresiones. Explíquele en español su significado.

- *shark*
- *sucker*
- *bull market*
- *bear market*
- *early-bird special*
- *wildcat strike*

1. Cuando era niño/a, me parecía muy importante que _____. Ahora me parece más importante que _____.

2. De niño/a, dudaba que mis padres _____. Ahora (dudo / estoy seguro/a) que ellos _____.

3. Creo que en el pasado mis padres dudaban que yo _____. Ahora (dudan/saben) que yo _____.

4. En el pasado pensaba que la educación _____. Ahora (creo / no creo) que _____.

5. Antes, las compañías buscaban empleados que _____. (Pero/Todavía) hoy buscan empleados que _____.

6. Hace unos años, yo no creía que el matrimonio _____. (Pero/Todavía) hoy me parece (que) _____.

E ENTRE TODOS El dibujo cómico de la izquierda salió en una revista española. Se burla de (*It pokes fun at*) los anuncios y los métodos que utilizan las empresas para «vender» sus productos.

■ ¿Cuáles son algunas de las técnicas de que se burla? ¿Pueden Uds. identificar por lo menos dos?

■ En este país, ¿qué fama tienen los militares como hombres de negocios? ¿Son buenos para encontrar gangas (*bargains*)? ¿Cómo lo sabe Ud.?

F ¡NECESITO COMPAÑERO! Trabajando en parejas, investiguen sus experiencias personales con respecto a cuestiones de trabajo. Pueden utilizar las siguientes preguntas y agregar otras si quieren.

1. ¿Qué clase de trabajo buscabas cuando eras más joven? ¿Querías un trabajo de tiempo completo (*full-time*) o de tiempo parcial? ¿Por qué?

2. ¿Querías un trabajo de tipo intelectual o manual? ¿Preferías trabajar a solas o en equipo? ¿Por qué?

3. ¿Trabajabas por gusto o por necesidad? ¿Era indispensable que ganaras mucho dinero? ¿que recibieras algún entrenamiento especial?

4. ¿Qué opinaban tus padres con respecto a tu trabajo? ¿Creían que era bueno que trabajaras o se oponían? ¿Por qué?

5. ¿Cómo terminaban tus padres esta oración? «Queremos que tú trabajes como _____ porque así vas a _____.»

■ ganar mucho dinero
■ obtener experiencia muy valiosa en el mundo de los negocios
■ aprender a ser más independiente
■ pasar menos tiempo mirando la televisión
■ ¿ ?

Compartan con las otras parejas algo de lo que Uds. aprendieron. ¿Tuvieron todos algunas experiencias similares con respecto al trabajo?

■■ 29 Use of Subjunctive and Indicative in Adverbial Clauses

An adverb is a word that indicates the manner, time, place, extent, purpose, or condition of a verbal action. It usually answers the questions *how?*, *when?*, *where?*, or *why?*

Vamos al cine **después.**   *Let's go to the movies* (when?) *afterward.*

A clause that describes a verbal action is called an adverbial clause. It is joined to the main clause by an adverbial conjunction.

Vamos al cine **después de que ellos cenen.**

Let's go to the movies (when?) *after they have dinner.*

In the preceding sentence, **después de que ellos cenen** is the adverbial clause; **después de que** is the adverbial conjunction. Adverbial clauses are subordinate (dependent) to the main clause. As you know, there must be a subordinate clause in order for the subjunctive to be used.

A. Adverbial clauses: Time

The following table lists some of the most common adverbial conjunctions of time.

cuando	*when*	mientras (que)	*while, as long as*
después (de) que	*after*	tan pronto como	*as soon as*
en cuanto	*as soon as*		
hasta que	*until*		

1. Future, anticipated outcomes versus present, habitual actions

■ When the actions of the main and subordinate clauses have not yet occurred (that is, they represent a future action and an anticipated outcome), the subordinate clause introduced by these adverbial conjunctions uses the subjunctive.

■ When the action of the subordinate clause is habitual, the indicative is used.

Compare the sentences in the following chart.

Future, Anticipated: Subjunctive	Present, Habitual: Indicative
Te van a dar más crédito **después de que** pagues el balance de la cuenta. *They will give you more credit after you pay off the balance of the account.* (anticipated action—you haven't yet paid off the balance)	Siempre te dan más crédito **después de que** pagas el balance de la cuenta. *They always give you more credit after you pay off the balance of the account.* (habitual action—they always do this)
Piensan cobrar el cheque **tan pronto como** se lo demos. *They're planning to cash the check as soon as we give it to them.* (anticipated outcome—we haven't given them the check yet)	Todas las semanas, cobran el cheque **tan pronto como** se lo damos. *Every week, they cash the check as soon as we give it to them.* (habitual action—they do this every week)
Compraré acciones **cuando** bajen de precio. *I will buy stocks when the prices go down.* (anticipated outcome—the price hasn't gone down yet)	Siempre compro acciones **cuando** bajan de precio. *I always buy stocks when the prices go down.* (habitual action—I always do this) *(continúa)*

Future, Anticipated: Subjunctive	Present, Habitual: Indicative
Haga cola **hasta que** llegue el cajero. *Wait in line until the teller arrives.* (anticipated outcome—the teller hasn't arrived yet)	Cada mañana, los clientes hacen cola **hasta que** llega el cajero. *Every morning, the clients wait in line until the teller arrives.* (habitual action—they do this every morning)

2. **Past, anticipated/unknown outcomes versus past, known outcomes and past, habitual actions**

■ The past subjunctive is used when the action of the subordinate clause is viewed as an *anticipated* outcome *from the point of view of the subject in the main clause,* or as an *unknown* outcome *from the point of view of the speaker.*

■ The indicative (preterite or imperfect) is used when the action of the subordinate clause represents a *known outcome from the point of view of the speaker* that took place subsequent to the action in the main clause.

■ Additionally, the indicative (imperfect) is used when the action of the subordinate clause refers to an action that occurred several times in the past as a matter of habit.

Compare the sentences in the following chart.

Past, Anticipated/Unknown: Subjunctive	Past, Known or Past, Habitual: Indicative
La compañía planeaba seguir invirtiendo en la Bolsa **hasta que** obtuviera beneficios. *The company was planning to keep on investing in the stock market until it earned dividends.* (unknown outcome from the point of view of the speaker)	La compañía siguió invirtiendo en la Bolsa **hasta que** obtuvo beneficios. *The company kept on investing in the stock market until it earned dividends.* (known outcome from the point of view of the speaker)
Iban a hacer un viaje alrededor del mundo **después de que** ella terminara el proyecto, pero nunca la terminó y nunca hicieron el viaje. *They were going to take a trip around the world after she finished the project, but she never finished it and they never took the trip.* (anticipated outcome from the point of view of the subject in the main clause)	Siempre hacíamos un viaje alrededor del mundo **después de que** ella terminaba un proyecto. *We always took a trip around the world after she finished a project.* (habitual action)

■ The adverbial conjunction **antes de que** is always followed by the subjunctive because, by definition, it introduces an anticipated outcome.

Siempre cambia un cheque **antes de que vayan** de compras.
He always cashes a check before they go shopping.

Cambió un cheque **antes de que fueran** de compras.
He cashed a check before they went shopping.

PRÁCTICA   Complete las siguientes oraciones con la forma apropiada del subjuntivo o indicativo del verbo entre paréntesis, según el contexto.

1. Voy a ingresar el cheque tan pronto como (llegar: nosotros) al banco.

2. Cuando se (escribir: impersonal) un cheque, siempre se debe apuntar su valor inmediatamente.

3. Después de que nos autorizaron el préstamo, por fin (poder: nosotros) comprar nuestra casa de ensueños (*dream house*).

4. Necesito retirar efectivo de un cajero automático antes de que (salir: nosotras).

5. Recuerdo que mi mamá ya no hablaba de las deudas después de que mi papá (ganar) la lotería.

6. Obviamente vas a seguir gastando hasta que te (cortar: ellos) las tarjetas de crédito.

7. Ayer, yo te iba a llamar tan pronto como Verónica (llamarme), pero nunca (llamarme: ella).

B. Adverbial clauses: Manner and place

■ The subjunctive is used with the following conjunctions to express speculation about an action or situation that is unknown to the speaker. The indicative is used to express what is actually known or has been experienced by the speaker.

aunque	*although, even if*	de modo que	*in such a way that*
como	*as, how*	donde	*where*
de manera que	*in such a way that*		

Unknown Situation: Subjunctive	Known Situation: Indicative
Lo voy a hacer **aunque sea** difícil. *I'm going to do it even if it's difficult.* (The speaker doesn't know if it will be difficult or not.)	Lo voy a hacer **aunque es** difícil. *I'm going to do it although it is difficult.* (The speaker already knows that it will be difficult from prior experience.)
Habló **de modo que la entendieran.** *She spoke in such a way that they might understand her.* (It is not known whether or not she was understood.)	Habló **de modo que la entendieron.** *She spoke in such a way that they understood her.* (She was understood.)

■ The adverbial conjunctions **ahora que, puesto que,** and **ya que** are always followed by the indicative since they convey the speaker's perception of reality as being already completed or inevitable.

Ya que vas a visitar, dime lo que quieres comer.   *Since you're going to visit, tell me what you would like to eat.*

Ahora que trabajas en ventas, vas a viajar mucho.   *Now that you work in sales, you're going to travel a lot.*

PRÁCTICA   Exprese las siguientes oraciones en inglés. En cada caso explique el uso del subjuntivo o del indicativo en los verbos *en letra cursiva azul*.

A PROPÓSITO

You have learned that a subordinate clause is present if a sentence contains two different subjects. However, in a sentence with no change of subject you should use the prepositions **antes de, después de,** and **hasta** followed by an infinitive rather than the conjunctions **antes (de) que, después (de) que,** and **hasta que** followed by a conjugated verb in the subjunctive.

Voy a sacar dinero **después de que pida** el préstamo. (*possible*)

Voy a sacar dinero **después de pedir** el préstamo. (*preferred*)

I'm going to withdraw money

{ *after I request* / *after requesting* } *the loan.*

Decidió ahorrar **hasta que se hiciera** millonario. (*possible*)

Decidió ahorrar **hasta hacerse** millonario. (*preferred*)

He decided to save

{ *until he became* / *until becoming* } *a millionaire.*

1. Aunque no *tenga* necesidad, creo que *voy* a trabajar. Aunque muchas personas no *están* de acuerdo conmigo, para mí el trabajo *es* interesante y hasta (*even*) divertido.

2. En muchas escuelas secundarias *se enseñan* ahora las clases académicas de manera que los estudiantes *ven* la aplicación que *tiene* la materia en la vida práctica. Saben que, aunque un estudiante *se haya graduado* de la escuela secundaria, esto no significa que *tenga* suficientes conocimientos para funcionar en la sociedad moderna puesto que el mundo *es* cada vez más complicado.

3. A mi parecer (*In my opinion*), es necesario que la universidad *sea* más responsable con respecto al futuro de sus estudiantes. Aunque no lo *quieran* admitir, el futuro *está* en los negocios. Los estudiantes *pagan* mucho para prepararse de modo que *encuentren* buenos empleos después de recibir su título. Por consiguiente, no es bueno que la universidad *obligue* a los estudiantes a tomar clases que no *tengan* nada que ver con sus intereses profesionales. Debe permitir que los estudiantes *diseñen* su programa de estudios de manera que los *preparen* para el futuro.

■■■ 29 INTERCAMBIOS

AUTOPRUEBA Complete las siguientes oraciones con la forma apropiada del verbo entre paréntesis. ¡Cuidado! En algunos casos se debe usar el indicativo y en otros el subjuntivo.

En la familia Sánchez los padres son muy exigentes.

1. Su hija mayor no podía salir con su novio hasta que ellos lo (conocer).

2. Los padres no permiten que su hijo menor juegue con sus compañeros antes de que (acabar) sus tareas.

3. Su hija menor no puede salir sola de la casa hasta que (tener) 13 años.

4. Los hijos no pueden hablar por teléfono con sus amigos hasta que los padres (contestar) para saber quién habla.

5. Los padres insisten en que los hijos obedezcan sus reglas mientras (vivir) en su casa.

6. El año pasado el hijo mayor dijo que (querer) vivir en otra ciudad para encontrar trabajo.

7. Pero sus padres le dijeron que no (poder) irse antes de graduarse.

8. Aunque los padres (ser) muy estrictos, quieren mucho a sus hijos.

Respuestas: 1. conocieron 2. acabe 3. tenga 4. contestan 5. vivan 6. quería 7. podía 8. son

A Complete las siguientes oraciones de una forma lógica. Cambie el verbo entre paréntesis al indicativo o al subjuntivo, según el contexto. Cuidado con la secuencia de tiempos.

REALIDADES	ANTICIPACIONES
Con respecto al trabajo...	
1. Cuando yo (ser) estudiante de secundaria, _____.	Cuando yo no (ser) estudiante universitario/a, _____.

REALIDADES	**ANTICIPACIONES**

2. Después de que mis amigos/as (graduarse) de la escuela secundaria, _____.

Después de que mis amigos/amigas (graduarse) de la universidad, _____.

3. De joven, en cuanto yo (ganar) algún dinero, yo _____.

En el futuro, en cuanto yo (ganar) algún dinero, yo _____.

Con respecto a los privilegios y responsabilidades...

4. Cuando yo (tener) 9 años, mis padres _____.

Cuando mis hijos/nietos (tener) 9 años, yo _____.

5. Tan pronto como yo (llegar) a casa después de la escuela, yo _____.

Tan pronto como mis hijos/nietos (llegar) a casa después de la escuela, ellos _____.

6. Cuando yo (sacar) notas muy malas, yo / mis padres _____.

Cuando mis hijos/nietos (sacar) notas muy malas, ellos/yo _____.

B ¡NECESITO COMPAÑERO! En muchos aspectos de la vida se nos imponen ciertas condiciones para hacer o tener ciertas cosas. A continuación hay algunas «condiciones» que se oyen con alguna frecuencia. ¿A Ud. le suenan (*ring a bell*) algunas? Trabajando en parejas, completen las oraciones de una manera lógica. Agreguen una condición más a cada lista para que sus compañeros de clase las completen.

Un padre le dice a su hijo...

1. No vas a poder manejar el auto hasta que _____.

2. Puedes mirar la televisión tan pronto como _____.

3. Puedes salir con chicas cuando _____.

4. No puedes comer el postre hasta que _____.

5. ¿ ?

Una profesora le dice a su estudiante...

1. No va a sacar buenas notas mientras que _____.

2. Puede sacar libros de la biblioteca en cuanto _____.

3. Va a ser entre los primeros en escoger sus clases cuando _____.

4. Levante la mano tan pronto como _____.

5. ¿ ?

Una gerente le dice a su empleado...

1. No va a tener éxito hasta que _____.

2. Va a recibir un mes de vacaciones después de que _____.

3. Le vamos a dar un reloj de oro cuando _____.

4. Le vamos a dar un mejor puesto antes de que _____.

5. ¿ ?

C Fíjese en los dibujos en el margen de la página siguiente. Descríbalos de varias maneras, incorporando las palabras de la lista en su descripción. ¿Quiénes son estas personas? ¿Cómo son? ¿Qué hacen?

1.

2.

3.

ahora que	de manera que	mientras (que)
aunque	donde	tan pronto como
cuando	hasta que	ya que

1. el avión, correr, despegar, el hombre de negocios, llegar, el piloto
2. llevar, poder comprar cosas, reconocerlo, ser famoso, la tarjeta de crédito, viajar
3. colocar, hablar por teléfono, el mensajero, el paquete, pesado

D GUIONES La siguiente tira cómica cuenta una historia. Trabajando en pequeños grupos, narren la historia en el pasado. Incorporen el vocabulario indicado de la página siguiente y agreguen por lo menos dos o tres detalles más (otras acciones o explicaciones) cuando hablen de lo que ocurrió en cada dibujo. Cuidado con el contraste entre el infinitivo, el indicativo y el subjuntivo. No se olviden de usar los complementos pronominales siempre que puedan.

1. el paciente, ir **/** tan pronto como llegar **/** explicar
2. antes de examinar **/** el médico, pedir **/** quitarse la ropa
3. en cuanto quitarse la camiseta **/** observar **/** agujero (*hole*)
4. examinar y tocar **/** mientras que **/** desvestirse
5. antes de examinar **/** abrir el gabinete
6. sacar **/** mostrar **/** ofrecer **/** ya que

ENTRE TODOS

■ ¿Quién en la clase ha tenido alguna experiencia parecida, una ocasión en que al ir a un lugar en busca de algún servicio se encontró con que le ofrecían o le querían vender algo que no esperaba? Cuénteselo a la clase.

■ ¿Qué cree Ud. que hizo el paciente? Termine la historia.

E ¡NECESITO COMPAÑERO! Trabajando en parejas, escriban anuncios para cinco productos, usando el modelo. Traten de usar cinco adjetivos y cinco verbos diferentes. Luego, compartan sus anuncios con la clase y voten por el mejor anuncio.

MODELO: ¡Compre_____! Su_____ va estar más_____ cuando / después de que / tan pronto como (Ud.)_____. →
¡Compre pan Bimbo! Su sándwich va a estar más delicioso cuando lo prepare con pan Bimbo.

1. ... 2. ... 3. ... 4. ... 5. ...

Enlace

■■■ ¡OJO!

	Examples	Notes
ya que **como** **puesto que** **porque** **por**	**Ya que** es muy rico, no tiene que trabajar. *Because (Since) he is very rich, he doesn't have to work.* **Como (Puesto que)** era muy niña, siempre hacía muchas pequeñas travesuras. *Since (Because) she was very young, she was always playing little pranks.* Lo hicieron **porque** no había remedio. *They did it because there was no alternative.*	The idea of *because* (*since*) is expressed in a number of ways in Spanish. Preceding a conjugated verb, **ya que, como, puesto que,** or **porque** can be used. Of these four expressions, only **porque** *cannot* be used to begin a sentence. Conversely, **como** (meaning *because*) must be placed at the beginning of a sentence.
(*continúa*)		

	Examples	Notes
ya que **como** **puesto que** **porque** **por**	Todos la admiraban **por** su bondad. *Everyone admired her for (because of)* *her kindness.*	When preceding a noun, always use **por.** This use corresponds to English *because of.*
cuestión **pregunta**	Es una **cuestión** de gran importancia. *It's a question (matter) of great* *importance.*	*Question* in the sense of *matter, subject,* or *topic of discussion* is expressed in Spanish by **cuestión.**
	Ese niño hace muchas **preguntas** difíciles. *That child asks a lot of difficult* *questions.*	The word **pregunta** refers to a *question* or *interrogation.*
	La joven **hizo** muchas **preguntas** (**preguntó** mucho) sobre su abuela. *The girl asked a lot of questions about* *her grandmother.*	*To ask a question* is expressed in two ways in Spanish: **hacer una pregunta** and **preguntar.**
fecha **cita**	¿Cuál es la **fecha** de hoy? *What is today's date?*	*Date* has several equivalents in Spanish. A *calendar date* is expressed with **fecha.**
	¿Con quién tienes **cita**? *With whom do you have a date* *(appointment)?*	An *appointment* or *social arrangement* is expressed with **cita.**
	Él me acompañó a la fiesta. *He was my date for (accompanied me* *to) the party.*	Unlike the English word *date,* **cita** can never mean *a person.*
	Quiero presentarle a mi amiga Victoria. *I want to introduce you to my date,* *Victoria.*	
los/las dos **ambos/as** **tanto... como...**	Tengo dos hijas y voy al partido con **las dos** (**ambas**). *I have two daughters, and I'm going to* *the game with both of them.*	English *both* is expressed in Spanish with **los/las dos** and **ambos/as,** which agree in gender with the nouns to which they refer.
	Ambos (**Los dos**) socios quieren comprar las acciones. *Both partners want to buy the* *shares.*	
	Tanto los perros **como** los gatos son carnívoros. *Both dogs and cats are carnivorous.*	The English expression *both . . . and . . .* is expressed in Spanish with **tanto... como...** This construction is invariable.

Elija la palabra que mejor completa cada oración. ¡Cuidado! También va a encontrar palabras de los capítulos anteriores.

El Sr. y la Sra. Guaraní habían hecho[a] una (cita/fecha)[1] con un empleado del Banco en Quiebra, S.A. Ellos tenían un negocio en su propia casa y, como el negocio crecía, necesitaban (moverse/mudarse)[2] a otra casa más grande. Tenían (un cuento / una cuenta)[3] en el banco y ahora iban a pedir un préstamo. Por eso, querían hacerle algunas (cuestiones/preguntas)[4] al Sr. Euro. La expansión de su negocio dependía (al / del / en el)[5] dinero que pudieran obtener, y por eso (buscaban/miraban)[6] la oportunidad de hacer una buena transacción. Sin embargo, llevaron al banco a su hijita Sol, que era una niña insoportable y nunca (pagaba/prestaba)[7] atención a lo que le decían sus padres. Ella no comprendía que no era (hora/tiempo/vez)[8] de jugar sino de (buscar/mirar)[9] dinero. Lo (buscaba/miraba)[10] todo y tocaba lo que estaba (cerca/cercano)[11] y también lo que estaba lejos. No (cuidaba / le importaba)[12] nada el caos que causaba con sus travesuras.

La Srta. Colón, que trabaja en el Banco en Quiebra, S.A., no (se siente / siente)[13] muy segura en su trabajo. Es natural, (por/porque)[14] hace muy poco tiempo que empezó a (funcionar/trabajar)[15] en este banco. ¡Claro que es sólo una (cuestión/pregunta)[16] de tiempo antes de que tenga confianza en sus habilidades! Ella (hace mucho caso / presta mucha atención)[17] a las operaciones del banco. No (apoya/mantiene/soporta)[18] el chisme[b] ni la holgazanería;[c] es amable con todos, pero es firme. (Por/Porque)[19] su paciencia y buen humor, los otros empleados la respetan mucho. (Mira/Parece)[20] que ella va a (suceder / tener éxito)[21] en esta empresa.

[a]habían... *had made*   [b]*gossip*   [c]*laziness*

- Ya que Ud. estudia en la universidad, ¿qué aspectos de la escuela secundaria cree que lo/la prepararon mejor para la universidad? ¿Cómo completaría (*would you complete*) la siguiente oración? «Cuando llegó el momento de elegir una universidad, era cuestión de _____ (dinero/lugar/prestigio/tamaño/¿ ?).» ¿Por qué cree que esta universidad lo/la aceptó?

- ¿Tiene Ud. obsesión con la hora? ¿Está siempre pendiente de la hora y la fecha? ¿Tiene un reloj que indique tanto la fecha como el día? ¿que le indique cuando tiene una cita? Cuando tiene cita, ¿llega siempre antes de la hora o a tiempo? ¿Le fastidia que alguien llegue tarde? Cuando tiene cita con su novio/a o mejor amigo/a, ¿tienden ambos a llegar a tiempo?

■■■ REPASO

A Complete la siguiente historia, dando la forma apropiada de cada verbo. Cuando se dan varias palabras entre paréntesis, escoja la palabra apropiada. ¡Cuidado! La historia empieza en el tiempo presente, pero luego cambia al pasado.

El mercantilismo

Aunque hay muchas diferencias entre el sistema político económico norteamericano y el de los países de Hispanoamérica, es interesante notar que en los dos continentes hay varias coincidencias históricas. Se ha dicho que los exploradores ingleses (venir)[1] al Nuevo Mundo para colonizarlo y desarrollarlo[a] mientras que los españoles (llegar)[2] con la intención de conquistarlo y explotarlo. Hay que admitir que eso (ser/estar)[3] verdad, pero sólo hasta cierto punto.

En ambos casos, la llegada de los europeos (significar)[4] el establecimiento de un sistema económico muy beneficioso para Inglaterra y España, pero desastroso para sus colonias. Este sistema (llamarse)[5] el «mercantilismo». Se creía que la economía de una colonia (deber)[6] complementar la de la madre patria. Según el mercantilismo, la colonia (dar)[7] los productos que la madre patria (necesitar)[8] y a su vez[b] (recibir)[9] productos fabricados por su patrón. Pero no (ser/estar/haber)[10] libre comercio[c] ni mucho menos. Las naciones europeas —Inglaterra y España en este caso— querían que sus colonias (ser/estar/tener)[11] éxito económico sólo si esto servía a sus propios intereses. (Ser/Estar)[12] bueno que las colonias (producir)[13] materias primas[d] y especialmente aquellos productos agrícolas que no (cultivarse)[14] en Europa, pero al mismo tiempo no se permitía el cultivo de ningún producto que (poder)[15] ser competitivo. Los comerciantes americanos, tanto los del norte como los del sur, (odiar)[16] las restricciones que (imponerles)[17] Inglaterra y España. Estas normas, además del deseo de lograr la libertad de expresión, luego (convertirse)[18] en una de las principales causas de las guerras por la independencia.

[a]*develop it* [b]*a… in turn* [c]*libre… free trade* [d]*materias… raw materials*

B Complete las siguientes oraciones de una forma lógica. ¡Cuidado! A veces hay que usar el imperfecto de subjuntivo. Luego, compare sus oraciones con las de los otros miembros de la clase. ¿Cuántas experiencias o creencias tiene Ud. en común con ellos?

1. Como niño/a, no podía creer que los bancos (no) _____.

2. Como adolescente, creía que como adulto/a querría (*I would want*) trabajar en una compañía que _____.

3. Cuando llegué a la universidad por primera vez, creía que _____.

4. Al terminar mi primer semestre (trimestre) aquí, estaba contento/a de (que) _____.

5. Cuando solicité una tarjeta de crédito, (no) sabía que _____.

6. Ayer me puse furioso/a porque _____.

Pasaje cultural

Muchos estarían de acuerdo (*would agree*) con la idea de que el Internet ha sido uno de los avances más útiles en el mundo de los negocios. Millones de personas alrededor del mundo recurren a (*resort to*) él a diario para hacer transacciones bancarias, comerciar (*trade*) en la Bolsa, vender y comprar productos y servicios, buscar información, bajar (*download*) programas y comunicarse con el resto del mundo.

El Internet, herramienta (*tool*) útil

Video on CD

Antes de ver

- ¿Usa Ud. el Internet? ¿Con qué frecuencia y para qué lo usa? Si lo usa en su trabajo, explique cómo lo usa allí.

- Pensando en sus respuestas a las preguntas anteriores, explique cómo hacía Ud., o cómo hacía la gente en general, las mismas actividades antes de que existiera (*existed*) el Internet.

- ¿Qué sabe Ud., o cuál es su impresión, del uso del Internet en el mundo hispano? ¿Cree Ud. que es tan popular en el mundo hispano como lo es en este país? Explique.

- Lea con cuidado la actividad en **Vamos a ver** antes de ver el vídeo.

Vamos a ver

Indique si las siguientes afirmaciones son ciertas (**C**) o falsas (**F**), según lo que Ud. aprende en el vídeo. Corrija las oraciones falsas.

Jean Pierre Noher, actor y músico argentino

	C	F
1. Según el narrador, Jean Pierre Noher° utiliza el Internet dos o tres veces por semana.	☐	☐
2. Noher trabaja en un despacho como los que se encuentran en las grandes empresas de este país.	☐	☐
3. Al principio, la compu (computadora) le dio a Noher la oportunidad de bajar canciones digitalizadas del Internet para aumentar su colección de música.	☐	☐

°Jean Pierre Noher ha ganado múltiples premios como mejor actor por su interpretación de Jorge Luis Borges en la película *Un amor de Borges*, escrita y dirigida por Javier Torre.

4. Luego, el Internet lo ayudó a Noher durante sus investigaciones sobre la vida y literatura de Jorge Luis Borges. ❏ ❏

5. Actualmente, Noher está buscando una grabadora de CD en el Internet para comprarla. ❏ ❏

6. Noher usa la tecnología para musicalizar (*add music to*) situaciones de emoción, esperanza, suspenso, etcétera. ❏ ❏

7. Parece que este segmento de vídeo se presentó un poco antes de la salida de la película *Un amor de Borges.* ❏ ❏

Después de ver

■ ¿Qué impresión sobre el uso general de la tecnología en el mundo hispano le dio a Ud. el vídeo? ¿Tiene Ud. la misma impresión que tenía antes de ver el vídeo? Explique.

■ Trabajando en grupos, hagan una lista de las maneras en que el Internet ha ayudado, está ayudando o va a ayudar en el futuro al mundo de los negocios en este país, en el mundo hispano y en el mundo entero. Luego, presenten sus ideas a la clase.

■ Busque información sobre cómo el Internet influye en los negocios en el mundo hispano. Esto puede incluir anuncios para aparatos para la oficina, artículos de revistas electrónicas o cualquier cosa que represente la influencia del Internet en los negocios de hoy. Comparta su información con sus compañeros de clase.

CAPÍTULO 8

Creencias e ideologías

1. *Chichicastenango, Guatemala* **2.** *Mijas (Málaga), España* **3.** *Santa Fe, Nuevo México*

En este capítulo:

Describir y comentar

■ ¿Puede Ud. identificar a los participantes en los siguientes acontecimientos (*happenings*) históricos en que la religión y los derechos humanos han desempeñado un papel importante? Identifíquelos en el dibujo.

The *¡Avance! Online Learning Center* with *ActivityPak* (**www. mhhe.com/avance2**) contains new interactive activities to practice the material presented in this chapter.

ACONTECIMIENTO	PARTICIPANTES
1. _____ la creación de la Iglesia anglicana	**a.** los afroamericanos y el gobierno
2. _____ las Cruzadas	**b.** los árabes y los israelitas
3. _____ los derechos civiles en los Estados Unidos	**c.** los soldados y los frailes españoles
4. _____ el descubrimiento y la colonización del Nuevo Mundo	**d.** Enrique VIII y sus esposas
5. _____ el conflicto en el Oriente Medio	**e.** los musulmanes y los cristianos

■ ¿Puede Ud. identificar las religiones que motivaron los conflictos?

animar   to encourage; to enliven

cambiar de opinión   to change one's mind

competir (i, i)   to compete

comprometerse   to make a commitment

convertir(se) (ie, i)   to convert

cooperar   to cooperate

dedicarse a   to dedicate oneself to

defender (ie)   to defend

fomentar   to promote, stir up

motivar   to provide a reason for; to motivate

negociar   to negotiate

predicar   to preach

   predicar con el ejemplo   to practice what one preaches

rezar   to pray

la bendición   blessing

el clero   clergy

la competencia   competition

la conversión   conversion

la creencia   belief

la cruzada   crusade

el cura   priest

los derechos   rights

el ejército   army

el/la evangelizador(a)   evangelist

la fe   faith

la iglesia   church (*building*)

   la Iglesia   church (*organization*)

la mezquita   mosque

el/la militar   career military person

el/la misionero/a   missionary

la monja   nun

   el monje   monk

la oración   prayer

el/la pastor(a)   pastor

el propósito   purpose; end, goal

el/la rabino/a   rabbi

el sacerdote   priest

la sinagoga   synagogue

el templo   temple

el valor   value

comprometido/a   committed

Creencias y creyentes°

el/la agnóstico/a   agnostic

el/la altruista   altruist

el/la anglicano/a   Anglican

el/la ateo/a   atheist

el/la budista   Buddhist

el/la católico/a   Catholic

el/la conservador(a)   conservative

el/la (no) creyente   (non)believer

el/la derechista   rightist (*a member of the political right*)

el/la egoísta   egotist, selfish person

el/la hipócrita   hypocrite

el/la izquierdista   leftist (*a member of the political left*)

el/la judío/a   Jew

el/la liberal   liberal

el/la materialista   materialist

el musulmán, la musulmana   Muslim

el/la pagano/a   pagan

el/la protestante   protestant

°The adjective and noun forms of all the words in this section are identical.

A Examine la lista de vocabulario y luego organice todas las palabras que pueda según las siguientes categorías. ¿Qué otras palabras o expresiones sabe Ud. que también se podrían colocar (*could be placed*) en alguna de estas categorías?

B Escoja la palabra de la lista a la derecha que mejor corresponda a cada definición a la izquierda. Luego, dé una definición en español de las palabras que quedan sin definir.

1. _____ incitar, motivar, instigar (una rebelión)

2. _____ las expediciones a la Tierra Santa contra los infieles durante la Edad Media

3. _____ una persona que no es católica ni judía ni musulmana pero que sí es creyente

4. _____ una persona que dice una cosa pero hace lo contrario

a. competir
b. convertir
c. las Cruzadas
d. fomentar
e. el/la hipócrita
f. el/la liberal
g. el/la misionero/a
h. el/la protestante
i. el valor

C ¿Qué palabra no pertenece al grupo? Explique por qué.

1. sincero/a, generoso/a, egoísta, altruista

2. los conservadores, los derechistas, los materialistas, los izquierdistas

3. dedicarse, cambiar de opinión, comprometerse, cooperar

4. rezar, la oración, negociar, la fe

5. los militares, la conversión, los soldados, el ejército

D Las creencias religiosas pueden inspirar y hasta impulsar a los seres humanos a entrar en acción, de eso no hay duda. Pero hay otras creencias y principios que también motivan a muchos a la acción. Por ejemplo, ¿qué convicciones éticas o políticas asocia Ud. con los siguientes eventos?

1. el discurso «*I have a dream*» del Dr. Martin Luther King, Jr.

2. las restricciones sobre la tala de árboles (*logging*) en los bosques de los Estados Unidos

3. las restricciones sobre el fumar en lugares públicos

4. las manifestaciones (a veces violentas) contra ciertas clínicas para mujeres

5. la creación de milicias y otros grupos paramilitares en varios lugares del mundo
6. el trabajo realizado por organizaciones como la United Way y la Cruz Roja
7. las grandes huelgas (*strikes*) laborales de los años 30 en los Estados Unidos que culminaron con la creación de la United Auto Workers

En el cuadro La familia presidencial, *pintado por el colombiano Fernando Botero, el pintor agrupa en una sola «familia» a todos los que tradicional-mente comparten el poder en Hispanoamérica. ¿Quiénes son los miembros de esta «familia»? ¿Comparten todos el poder igualmente o son algunos más poderosos que otros? ¿Cómo sería (would be) el retrato de «la familia presidencial» en los Estados Unidos? ¿Qué grupos se incluirían (would be included)?*

E En su opinión, ¿cuál es más importante en la cultura norteamericana, la cooperación o la competencia (*competition*)? Cuando Ud. era muy joven, ¿qué tipo de actividades fomentaban más sus padres, aquéllas en que Ud. podía ganar premios (*awards, prizes*) o aquéllas en que debía ayudar a otras personas de alguna manera? ¿Era necesario que Ud. compartiera sus cosas o su cuarto con otra persona? Explique. ¿Cree que esto es una experiencia positiva para un niño / una niña? Explique.

Hispanoamérica: ¿Todavía una zona católica?

HISTÓRICA Y CULTURAL-MENTE HABLANDO, Hispanoamérica se conoce como una región católica. Los conquistadores españoles llegaron al Nuevo Mundo en el siglo XVI en parte con el propósito de cristianizar a los indígenas «salvajes» que rendían culto a[a] una variedad de deidades. Lograron en corto tiempo este propósito y durante más de tres siglos la Iglesia católica dominó como la religión más popular de Hispanoamérica. Pero durante el siglo XX, la Iglesia católica empezó a perder ese dominio con el incremento de nuevos movimientos protestantes que convencieron a muchos hispanoamericanos de convertirse en evangélicos.[b] Hoy en día se estima que aproximadamente el 10% de los hispanoamericanos es evangélico, y el porcentaje es mucho más alto en algunos países. Por ejemplo, en Guatemala el 35% de la población es evangélico y se calcula que más del 50% de los guatemaltecos será[c] evangélico para el año 2025. Otros países que tienen muchos conversos[d] son Chile, Costa Rica, El Salvador y México, aunque los hay también en todos los países hispanos de este hemisferio.

Este fenómeno religioso se atribuye a varias causas. Primero, los edificios donde estas nuevas iglesias dan sus servicios son grandes, nuevos y modernos. Esto ayuda a impresionar y a atraer a las multitudes de gente pobre que desafortunadamente abundan en Hispanoamérica.

La forma y contenido de sus servicios son nuevos también. Hay músicos profesionales que tocan y cantan música moderna para presentar un espectáculo que a veces se parece a un concierto de música *pop*. Los ministros son carismáticos y explican con profundidad las citas bíblicas que presentan. De esta manera, los servicios son más interesantes y la gente se entretiene más.

Algunas personas encuentran alarmante este cambio. Dicen que representa un intento de grupos políticos derechistas de los Estados Unidos de establecerse en Hispanoamérica, tal como lo han hecho en varias iglesias estadounidenses. Otros lo consideran una manera de aprovecharse de las personas que tienen poca educación. Según éstos, las nuevas iglesias tratan de convencer a los creyentes de que la salvación personal no depende de su fe en Dios sino de contribuir con su diezmo[e] cada domingo.

Por su parte, la Iglesia católica ha hecho un gran esfuerzo por llegar a la gente pobre para impedir esta separación. Hoy abogan en el gobierno por el bienestar de los pobres, y muchos clérigos trabajan en los pueblos rurales entre la gente de pocos recursos económicos. En la puerta de algunas casas católicas se ven pegatinas[f] con avisos como «En este hogar somos católicos» o «Éste es un hogar católico», para disuadir a los misioneros que buscan nuevos conversos. Será interesante ver si en el futuro el movimiento evangélico mantiene su impulso o si el catolicismo logra conservar su influencia en Hispanoamérica. ∎

Muchos evangélicos creen que la imposición de manos fortaleza sus rezos (Tijuana, México).

---

[a]rendían… *worshipped*   [b]*Protestants*   [c]*will be*   [d]*converts*   [e]*tithe*   [f]*stickers*

■■ 30 The Subjunctive in Adverbial Clauses: Interdependence

In **Capítulo 7** you learned to use the subjunctive with adverbial conjunctions that express what is unknown to the speaker. The adverbial conjunctions in this section indicate that the actions in the main clause and subordinate clause are interdependent in special ways: When events take place simultaneously, one event will not take place unless the other does too, or one event happens so that another will happen.

Mi propósito era hablarle **para que cambiara** de opinión.	*My purpose was to talk to him so that he might change his mind.*
Ud. no puede ganar la elección **a menos que tenga** el apoyo del pueblo.	*You cannot win the election unless you have the support of the people.*

Here are the most common adverbial conjunctions of interdependence.

a condición (de) que	*provided that*	en caso (de) que	*in case*
a fin de que	*so that*	para que	*so that, in order that*
a menos que	*unless*	sin que	*without*
con tal (de) que	*provided that*		

Unlike the adverbial conjunctions in **Capítulo 7,** which take either the indicative or the subjunctive according to whether they refer to something known or unknown, habitual or anticipated, *adverbial conjunctions of interdependence are always followed by the subjunctive when there is a change of subject.* When there is no change of subject, the **que** is usually dropped and replaced by the infinitive depending on which adverbial conjunction is being used.

- With **para que** and **sin que,** the **que** is always dropped.

No puedo salir **sin despedirme** de mis padres.	*I can't leave without saying good-bye to my parents.*

- With **a condición (de) que, a fin de que, con tal (de) que,** and **en caso (de) que,** it is possible, though not necessary, to drop the **que.**

Voy a ir a la reunión **con tal de que tenga** tiempo. Voy a ir a la reunión **con tal de tener** tiempo.	*I'm going to go to the meeting provided I have time.*

- However with the conjunction **a menos que,** the subjunctive is always used even when there is no change of subject.

No vamos a resolver nada **a menos que cooperemos.**	*We're not going to solve anything unless we cooperate.*

PRÁCTICA Aquí continúa la historia de Cristóbal Colón. Junte las oraciones con las frases entre paréntesis, usando una de las conjunciones de la lista anterior. Use el subjuntivo o el infinitivo como sea necesario.

1. Colón compró más de una carabela (*caravel: an ocean-going ship*). (una perderse en alta mar [*at sea*])
2. Colón partió inmediatamente. (la reina no cambiar de opinión)
3. Colón y los marineros (*sailors*) que lo acompañaban llevaban muchas provisiones. (ellos poder soportar un largo viaje)
4. Colón les prometió muchas riquezas a los marineros. (ellos descubrir la ruta)
5. Colón tenía muchas dudas sobre el viaje. (los marineros saberlo)

■■■ 30 INTERCAMBIOS

AUTOPRUEBA Complete las siguientes oraciones con la forma correcta del verbo entre paréntesis. ¡Cuidado! Debe usar el subjuntivo o el infinitivo.

1. Miguel les explicó el problema a sus padres para que (cambiar) de opinión.
2. Los padres les avisaron a sus hijos que no podían ir al cine antes de (terminar) los quehaceres.
3. Marisela nos va a llamar en caso de que no (poder) acompañarnos esta noche.
4. A menos que el gobierno (negociar) con los revolucionarios, éstos no van a liberar a los rehenes (*hostages*).
5. El entrenador de fútbol grita para (animar) a sus jugadores.
6. El pastor dice que vamos a alcanzar lo que pedimos con tal de que (rezar) todas las noches.
7. Los políticos aprobaron la ley sin que (estar) presentes todos.
8. Mi familia dona mucho dinero a la iglesia a fin de que (construir) la catedral nueva.

Respuestas: 1. cambiaran **2.** terminar **3.** pueda **4.** negocie **5.** animar **6.** recemos **7.** estuvieran **8.** construya

A A continuación hay algunas oraciones sobre los Zúñiga, una familia de inmigrantes. Usando palabras o frases de la siguiente lista, junte las oraciones con las frases entre paréntesis. Use el subjuntivo, el indicativo o el infinitivo como sea necesario.

a condición de (que)	aunque	hasta (que)
a fin de (que)	cuando	para (que)
a menos que	de modo que	sin (que)
antes de (que)	en cuanto	

1. Los señores Zúñiga llegaron a Nueva York en 1995. (ser muy difícil dejar su patria)
2. Trabajaron mucho. (comer sus hijos)
3. Nunca se compraron ropa nueva. (ser una necesidad absoluta)

4. Enseñaron a sus hijos mucho sobre la cultura de su patria de origen. (entender y apreciar los valores de esa cultura)

5. Lo compraron todo de segunda mano. (ahorrar dinero)

6. Trataron de mantener la unidad familiar. (esto ser parte de su tradición cultural)

7. Los padres insistieron en que sus hijos se dedicaran a sus estudios. (graduarse de la escuela secundaria)

8. Los padres querían que sus hijos asistieran a la universidad. (tener buenas oportunidades de empleo)

9. Los hijos nunca se olvidaron de sus raíces. (estar lejos de sus padres)

¿Qué puede Ud. deducir sobre los valores de la familia Zúñiga según las experiencias que tuvieron y las decisiones que tomaron? ¿Conoce Ud. a algunas familias de inmigrantes? ¿Qué sabe Ud. de las experiencias de ellos? ¿Fueron similares a las de la familia Zúñiga o fueron diferentes? ¿Tuvieron las mismas experiencias los antepasados de Ud.? Explique.

B ¡NECESITO COMPAÑERO! En la columna a la izquierda, hay palabras que reflejan algunos valores y creencias; en la columna a la derecha, hay algunos individuos. Trabajando en parejas, indiquen con quién(es) se asocia cada palabra y por qué.

1. _____ animar
2. _____ la competencia
3. _____ convertir
4. _____ la cooperación
5. _____ predicar
6. _____ negociar

a. un jugador / una jugadora de baloncesto

b. un evangelizador / una evangelizadora

c. un político / una mujer político

Ahora, completen las siguientes oraciones de la manera en que Uds. creen que lo harían (*would do*) los individuos indicados. Luego, inventen una oración más para cada individuo, usando las conjunciones adverbiales **a condición de (que), a fin de (que), a menos que, cuando, en caso de (que), para (que), por** o **sin (que).**

Un jugador / Una jugadora de baloncesto

1. No aceptaré (*I won't accept*) su oferta para jugar en el equipo de su universidad a menos que _____.

2. Pienso estudiar aquí sólo hasta que _____.

3. Me gustaría (*I would like*) tener un maestro particular (*tutor*) en caso de que _____.

4. ¿ ?

Un evangelizador / Una evangelizadora

5. Le pido a la gente (mi público) que me mande dinero para que _____.

6. Es importante usar la televisión como medio de comunicación para que _____.

7. La comercialización de las fiestas religiosas no debe continuar ya que _____.

8. ¿ ?

Un político / Una mujer político

9. Para tener éxito en el mundo de la política, es tan importante tener atractivo físico como ser inteligente ya que _____.

10. Yo nunca miento a menos que _____.

11. Hoy nadie puede ganar una campaña política sin que _____.

12. ¿ ?

Compartan sus nuevas oraciones con los demás para ver si sus compañeros las completaron de la misma manera que Uds. ¿Cuál(es) de los valores de la actividad anterior revela cada oración? ¿Están de acuerdo las nuevas oraciones con el análisis que Uds. acaban de hacer, o revelan otros valores? Expliquen.

C GUIONES Describa los siguientes dibujos de varias maneras, incorporando algunas de estas palabras en cada descripción.

a fin de que	en caso de que	sin que
a menos que	para que	ya que
ahora que	puesto que	

1.

2.

1. cortar, estar sentado, ser bonito, ver mejor

2. beber, despertarse, salir, servir

3.

4.

3. casarse, estar enamorados, saberlo nadie, tener 21 años

4. aceptar, gritar, predicar, no escuchar

D ¡NECESITO COMPAÑERO! Todo lo que se hace tiene un propósito. Por ejemplo, se imprime un trabajo (en vez de escribirlo a mano) para que se pueda leer con facilidad o para que los lectores tengan una buena impresión. ¿Con qué propósito hacen las siguientes personas estas acciones?

MODELO: un marinero: tatuarse →
Un marinero se tatúa para que las mujeres crean que es muy macho.

1. unos jóvenes: entrar en el ejército

2. unos estudiantes: estudiar español

3. los padres: bautizar a su hijo/a

4. un hombre / una mujer de negocios: llevar un traje de tres piezas

5. unos estudiantes: inscribirse en una *fraternity* o *sorority*

6. unos ciudadanos: negarse a votar

7. una persona divorciada: asistir a la universidad

8. un hombre: fumar una pipa

9. un(a) estudiante: escribirles cartas a sus padres

10. un(a) joven: escribirle poemas a la persona a quien ama

Compartan sus respuestas con los otros de la clase. ¿Hay mucha diferencia de opiniones? ¿Tienen Uds. otros ejemplos que podrían incluirse (*could be included*) en esta lista?

E ¡NECESITO COMPAÑERO! Muchas veces hacemos algo *con tal de que* existan determinadas circunstancias. ¿Qué circunstancias tendrían (*would have*) que existir para que Uds. hicieran ciertas cosas diferentes o contrarias a lo que siempre hacen? Trabajando en parejas, háganse y contesten las siguientes preguntas para averiguarlo.

MODELO: ¿Con tal de qué aceptarías (*would you accept*)* a un inquilino o inquilina (*tenant, boarder*) en tu casa?
Lo normal: →
Normalmente no acepto a inquilinos en mi casa.

Circunstancias necesarias para hacer algo diferente: →
Pero lo haría (*I would do it*) con tal de que no fumara y me pagara muy bien.

1. ¿Con tal de qué saldrías con una persona desconocida?
2. ¿Con tal de qué participarías en un experimento sicológico?
3. ¿Con tal de qué comprarías un coche de segunda mano?
4. ¿Con tal de qué le prestarías dinero a una persona desconocida?
5. ¿Con tal de qué permitirías que alguien manejara tu coche?
6. ¿Con tal de qué comerías algo sin saber lo que es o lo que contiene?

¿Qué revelan los resultados de su entrevista? Por lo general, ¿actúan Uds. con precaución o les gusta tomar riesgos? ¿Qué tipo de motivación (económica, sicológica, ¿ ?) necesitan para cambiar su manera de pensar? Compartan sus resultados con las demás parejas de la clase. ¿Hay diferencias entre la manera de pensar de los hombres y la de las mujeres?

■■ 31 *Por* and *Para*

Prepositions establish relationships between the noun that follows them and other elements in the sentence.

The book is **on** the table.   This is **for** you.

---

*One use of the conditional is to indicate things that people *would* do. With few exceptions, the following endings are added to the infinitive to form the conditional: **-ía, -ías, -ía, -íamos, -íais, -ían.** See grammer point 38 for a list of verbs that are irregular in the conditional.

aceptar**ía**	aceptar**íamos**
aceptar**ías**	aceptar**íais**
aceptar**ía**	aceptar**ían**

Although most prepositions have a specific meaning, their use is not always consistent with that meaning. For example, in English we arbitrarily say *to ride on a bus* and *to ride in a car*, even though the relationship between the two vehicles and a passenger is the same.

A single preposition can have many different and seemingly unrelated meanings. Think about the many different uses of the preposition *on* in the following phrases: *to turn on the lights, to be on the right, to be on fire, to be on time* (which is quite different from *to be in time*), *to put on the dog's collar, to be or get high on something,* and so on.

The use of prepositions in Spanish can be equally arbitrary. Although each preposition has a basic meaning, the choice of the correct preposition for some situations depends on usage, and many Spanish prepositions have a number of English equivalents.

Two Spanish prepositions that have several different English equivalents are **por** and **para.** The choice between them can radically affect the meaning of a sentence.

A. *Por* versus *para:* Cause and effect

Por expresses the motive for an action or the agent performing the action. **Para** expresses the goal of an action or the recipient of the action. **Por** points back toward the cause (←); **para** points forward toward the effect (→).

POR (←)	PARA (→)
Lo mataron **por** odio.	Estudia **para** ingeniera.
They killed him out of (motivated by) hate.	*She is studying (in order) to become an engineer.*
Lo hago **por** mi hermano.	Lo hizo **para** sobrevivir.
I'm doing it for (on behalf of, on account of) my brother.	*He did it (in order) to survive.*
El libro fue escrito **por** Jaime.	El libro es **para** Ud.
The book was written by Jaime.	*The book is for you.*
Mandaron **por** el médico.	Son juegos **para** niños.
They sent for the doctor (motive of the call).	*They are games for (to be used by) children.*
Fue a la tienda **por** café.	Es una taza **para** café.
He went to the store for coffee (motive of the errand).	*It's a coffee cup (a cup intended to be used for coffee).*

B. *Por* versus *para:* Movement through versus movement toward

To express movement in space and time, **para** retains its basic meaning of movement toward an objective (→|). **Por** takes on a different meaning, of duration or movement through space or time with no destination specified (|→).

POR (|→)	PARA (→|)
Pablo **va por** el pueblo.	Pablo **va para** el pueblo.
Pablo goes through the town.	*Pablo heads toward the town.*
Estaremos en clase **por** la mañana.	Termínenlo **para** mañana.
We will be in class during (in) the morning.	*Finish it by (for) tomorrow.*
Ana estará en México **por** tres días.	Ana estará en México **para** el tres de junio.
Ana will be in Mexico for (a period of) three days.	*Ana will be in Mexico by the third of June.*

C. *Por* versus *para:* **Other uses**

■ **Por** and **para** also have uses that do not fit into the preceding categories.

Por expresses *in exchange for* or *per* in units of measurement, as well as the means by which an action is performed.

Te doy cinco dólares **por** el libro.	*I'll give you five dollars (in exchange) for the book.*
El camión sólo corre 20 kilómetros **por** hora.	*The truck only goes 20 kilometers per hour.*
Lo mandaron **por** avión/barco.	*They sent it by plane/boat.*

■ **Para** expresses *in comparison with* and also *in the opinion of.*

Para (ser) perro, es muy listo.	*For a dog, he's very smart.*
Para mí, la fe tiene mucha importancia.	*For me (In my view), faith is very important.*

PRÁCTICA   Exprese las siguientes oraciones en inglés. Luego, explique el uso de **por** o **para** en cada caso.

1. Anoche tuvimos que guardar la comida para el cura.
2. Permanecieron allí por las negociaciones.
3. Debido a (*Due to*) la lluvia, los militares no salieron para las montañas.
4. Hicimos un recorrido (*tour*) por la catedral.
5. Las noticias corrieron por todo el partido liberal.
6. Para ser tan egoísta, muestra mucho interés en los demás.
7. Lo llamaron por teléfono.
8. Julio pagó $20,00 por la radio.
9. La conversión de su hijo fue muy importante para la madre.
10. Fueron a la tienda por helado.

 A PROPÓSITO

Remember that the prepositions that follow some English verbs are incorporated into the meaning of the corresponding Spanish verb.

buscar *to look for*
esperar *to wait for*
pagar *to pay for*
pedir *to ask for*

English *to ask about someone,* however, is expressed with a preposition: **preguntar por.**

Preguntaron por ti en la reunión.
They asked about you at the meeting.

■■■ 31 INTERCAMBIOS

AUTOPRUEBA   Complete las siguientes oraciones con **por** o **para**, según el contexto.

1. Eva estuvo en España _____ tres semanas.
2. Van a construir un convento nuevo _____ las monjas.
3. El pueblo (*people*) se levantó _____ defender su país contra los invasores.
4. _____ una persona muy tradicional, Alfonso es muy abierto a las nuevas ideas.
5. Los evangelizadores pasaron _____ la región, predicando a la gente.
6. Te voy a enviar la carta _____ avión _____ que llegue a tiempo.
7. Siempre rezo _____ la mañana después de levantarme.

_____

Respuestas: 1. por 2. para 3. para 4. Para 5. por 6. por, para 7. por.

A Cambie las palabras *en letra cursiva azul* por **para** o **por.**

1. *A causa de* la guerra, se perdieron todas las cosechas.
2. No podían respirar *a causa de* la contaminación.
3. El volcán estuvo en erupción *durante* un mes.
4. Corrieron *a lo largo de* la sinagoga.
5. Nos dio un regalo *a cambio de* nuestra ayuda.
6. Salieron *con destino a* la ciudad.
7. Tengo que acabar el sermón *antes de* las 6:30.
8. Estudia *a fin de* ser sacerdote.
9. Querían que la monja fuera *en busca del* cura.
10. Fueron a El Salvador *a fin de* trabajar como misioneros.
11. Le dieron un premio *debido a* sus sacrificios.
12. Me gusta mucho trabajar *durante* la mañana, cuando todo el mundo duerme todavía.

B Dé la palabra española que mejor corresponda a la palabra *en letra cursiva azul.* ¡Cuidado! A veces puede ser que la palabra no se exprese con preposición (examine el verbo con cuidado). Luego, comente si Ud. está de acuerdo o no con la idea expresada en cada oración.

1. The Muslims were in Spain *for* seven centuries.
2. *For* Christians, the cross is a symbol of love and salvation.
3. If students ask their professors *for* an extension on a paper, the professors will usually agree.
4. *For* a Spanish book, this text is incredibly interesting.
5. People say that horoscopes are only read *by* those who are superstitious.
6. *To* get votes, politicians always look *for* nice things to say about their opponents.
7. People who look *through* others' windows are nosy.
8. When parents tell a child to clean his or her room *by* the end of the day, they are only joking.
9. People will work harder *because of* fear than *because of* love.
10. Women have done more *for* this country than men.

C Lea el siguiente texto y luego complételo con **por** o **para,** según el contexto.

En las últimas décadas del siglo xx hubo una horrenda guerra civil en El Salvador que resultó en la muerte de miles de inocentes. El Salvador tiene una larga historia de conflictos entre el grupo relativamente pequeño que controla el país desde hace mucho tiempo y los campesinos pobres, muchos de los cuales viven sin agua corriente, escuela, atención médica y, a veces, lo básico _____[1] vivir. El conflicto se originó en los años 70 cuando un grupo de padres jesuitas y otros activistas se propusieron luchar _____[2] los derechos humanos de los pobres. Los campesinos se organizaron _____[3] obtener un mejor precio _____[4] las cosechas que cultivaban. Otros grupos comenzaron a trabajar _____[5] construir escuelas y clínicas _____[6] mejorar la vida de los pobres. El gobierno salvadoreño desaprobó esas iniciativas, viendo en ellas una tentativa de disminuir su control. Acusaron a los activistas de promover el establecimiento de un gobierno comunista en el país. Poco después, iniciaron una campaña de terror y muchos clérigos fueron asesinados _____[7] agentes que tenían el apoyo del gobierno. Los militares bombardearon muchos pueblos donde supuestamente vivían simpatizantes comunistas. Estos ataques sirvieron _____[8] aterrorizar a los campesinos, muchos de los cuales huyeron a otros países centroamericanos _____[9] escapar la brutalidad. Finalmente, después de la matanza brutal de cuatro sacerdotes jesuitas en la Universidad de Centroamérica en San Salvador en 1989, la comunidad internacional se puso tan indignada que obligó al gobierno salvadoreño a negociar un tratado de paz con las fuerzas opositoras. El tratado se firmó en 1992, poniendo así fin a la guerra.

Hoy, todavía hay problemas graves. La tasa de mortalidad infantil es muy alta y mucha gente es analfabeta. Muchos grupos internacionales trabajan _____[10] proporcionar agua potable a la gente que no la tiene y _____[11] facilitar la creación de empleos. Algunos construyen clínicas y escuelas _____[12] que los salvadoreños de pocos recursos lleven una vida más sana y los niños aprendan a leer y a escribir.

Literatura

▪▪▪ ESPUMA Y NADA MÁS
Aproximaciones al texto
La crítica cultural

You have already seen how certain texts use defamiliarization to challenge preconceived ideas and propose new perspectives (**Capítulo 4**). Also, in **Capítulo 6,** you learned how perceptions may vary according to the gender of the person reading the text. In fact, the interpretation of a phenomenon will vary according to an individual's interests, social position, beliefs, and ideologies. These ideologies are often contradictory, not only among different groups in a society (such as liberals versus conservatives), but also within a given individual. For example, although Marxism and religious faith are generally antithetical ("Religion is the opium of the people," according to Karl Marx), there are many Marxists in Latin America who are also deeply Catholic.

Cultural criticism studies how literary texts and other works of art represent these ideological conflicts. Its basic assumption is that every culture is characterized by ideological contradictions and inconsistencies. Such inconsistencies often produce conflicting impulses within an individual. In the essays of the renowned Colombian author Hernando Téllez, for example, the author analyzes the social and psychological conflicts of his countrymen. In the capital city of Bogotá, the wave of violence and destruction was so great during the 1950s that marshal law was imposed.*

---

*The assassination of José Eliecer Gaitán, a popular leader of the liberal party, **el Partido Liberal,** on April 9, 1948, resulted in a wave of violence and destruction known as «**el bogotazo**». The violence continued for several years, resulting in a military coup that took control of the government in 1957. Since 1958 the country has held regular presidential elections, with the **Partido Liberal** maintaining a wide margin of victories since 1974.

This period of struggle and violence, aptly called **"La Violencia"** by Colombians, has had a devastating effect on the social and political atmosphere, which is reflected in Téllez's writings. In sum, the intertextual references to the contradictions in a given set of values or beliefs serve to illustrate how the dominant ideology seeks to eliminate inconsistencies, and how the individual who disagrees is forced to view his own beliefs with a fresh perspective.

■■■ PALABRAS Y CONCEPTOS

afeitar(se) to shave

anudar to tie

batir to whip, whisk

castigar to punish

colgar (ue) to hang

comprobar (ue) to find out, prove

darse cuenta (de) to realize

degollar (ue) to slit, cut the throat of

enjabonar to soap, lather

ensayar to try out, practice

mancharse (de) to stain

pulir to polish

sudar to sweat

traicionar to betray

el asesino assassin, murderer

la bala bullet

la badana leather strap

el/la barbero/a barber

la barbilla chin

la brocha brush (for shaving)

el coraje mettle, fierceness

la espuma foam, lather

la funda holster

el fusilamiento shooting, execution (by a firing squad)

el golpe strike

la hoja blade (of a knife, razor)

el kepis military cap

la navaja razor

el partidario supporter

el puesto position, place

el/la revolucionario/a revolutionary

el/la vengador(a) avenger

el verdugo executioner, hangman

aturdido/a upset

clandestino/a clandestine, hidden

pulido/a polished

tibio/a lukewarm

¡zas! whack, wham, bang!

■■■ Espuma y nada más

SOBRE EL AUTOR *HERNANDO TÉLLEZ (1908–1966), distinguido periodista, ensayista y cuentista colombiano, fue uno de los más notables intelectuales del siglo xx. Nacido en Bogotá, inició su carrera literaria a temprana edad, colaborando en la revista* Universidad, *un interés que cultivó con gran fervor durante el resto de su vida, destacándose como* *crítico literario. También participó en la política y la diplomacia de su país, temas que se reflejan en su única obra narrativa,* Cenizas para el viento y otras historias, *una colección de cuentos que se publicó en 1950. Su mensaje literario es pesimista. Para él, lo más importante es el éxito del individuo en cualquier momento de su vida. Sobre todo, su gran sentido social de la justicia penetra sus estudios del ser humano. En el cuento a continuación, «Espuma y nada más», Téllez desarrolla el tema del coraje del hombre que se enfrenta consigo mismo y logra vencerse, a pesar de sus emociones. Se manifiesta un doble nivel de conflicto, el social y el sicológico, entre el narrador y el protagonista. Los dos personajes se encuentran en un momento intenso de crisis que se resuelve con un fin sorprendente e irónico.*

Colombia

1 **NO SALUDÓ AL ENTRAR.** Yo estaba repasando sobre una badana[1] la mejor de mis navajas.[2] Y cuando lo reconocí me puse a temblar. Pero él no se dio cuenta.[3] Para disimular continué repasando la hoja.[4] La probé luego sobre la yema del dedo gordo[5] y volví a mirarla contra la luz. En ese instante se quitaba el cinturón
5 ribeteado de balas[6] de donde pendía la funda de la pistola.[7] Lo colgó de uno de los clavos del ropero[8] y encima colocó el kepis.[9] Volvió completamente el cuerpo para hablarme y, deshaciendo el nudo[10] de la corbata, me dijo: «Hace un calor de todos los demonios. Aféiteme.» Y se sentó en la silla. Le calculé cuatro días de barba. Los cuatro días de la última excursión en busca de los nues-
10 tros.[11] El rostro aparecía quemado, curtido[12] por el sol. Me puse a preparar minuciosamente el jabón. Corté unas rebanadas de la pasta,[13] dejándolas caer en el recipiente,[14] mezclé un poco de agua tibia y con la brocha empecé a revolver. Pronto subió la espuma. «Los muchachos de la tropa deben tener tanta barba como yo.» Seguí batiendo la espuma. «Pero nos fue bien, ¿sabe? Pes-
15 camos a los principales. Unos vienen muertos y otros todavía viven. Pero pronto estarán todos muertos.» «¿Cuántos cogieron?» pregunté. «Catorce. Tuvimos que internarnos[15] bastante para dar con[16] ellos. Pero ya la están pagando. Y no se salvará ni uno, ni uno.» Se echó para atrás en la silla al verme con la brocha en la mano, rebosante de espuma.[17] Faltaba ponerle la sábana.[18] Ciertamente
20 yo estaba aturdido. Extraje del cajón una sábana y la anudé al cuello de mi cliente. Él no cesaba de hablar. Suponía que yo era uno de los partidarios del orden. «El pueblo habrá escarmentado[19] con lo del otro día», dijo. «Sí», repuse mientras concluía de hacer el nudo sobre la oscura nuca, olorosa a sudor.[20] «Estuvo bueno, ¿verdad?» «Muy bueno», contesté mientras regresaba a la bro-
25 cha. El hombre cerró los ojos con un gesto de fatiga y esperó así la fresca caricia[21] del jabón. Jamás lo había tenido tan cerca de mí. El día en que ordenó

---

[1]*leather strap* [2]*razors* [3]*no… he didn't realize* [4]*blade* [5]yema*… fleshy part of the fingertip of the thumb* [6]*bullets* [7]pendía*… was hanging from the holster* [8]clavos*… hooks of the clothesrack* [9]*military cap* [10]*knot* [11]los*… our people (the revolutionaries)* [12]*tanned (like leather)* [13]rebanadas*… slices of the paste, soap* [14]*container* [15]*to go deep into (an area)* [16]dar*… to find, come across* [17]rebosante*… dripping with lather* [18]*sheet* [19]*learned a lesson* [20]olorosa*… smelling like sweat* [21]fresca*… cool caress, touch*

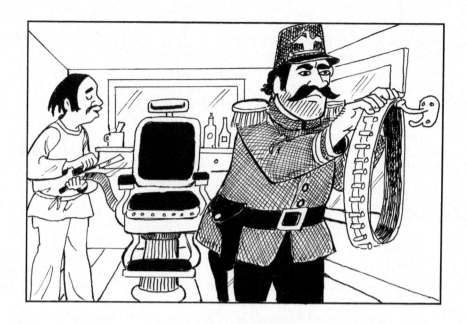

que el pueblo desfilara por el patio de la Escuela para ver a los cuatro rebeldes allí colgados, me crucé con él un instante. Pero el espectáculo de los cuerpos mutilados me impedía fijarme[22] en el rostro del hombre que lo dirigía todo
30 y que ahora iba a tomar en mis manos. No era un rostro desagradable, ciertamente. Y la barba, envejeciéndolo un poco,[23] no le caía mal.[24] Se llamaba Torres. El capitán Torres. Un hombre con imaginación, porque ¿a quién se le había ocurrido antes colgar a los rebeldes desnudos y luego ensayar sobre determinados sitios del cuerpo una mutilación a bala? Empecé a extender
35 la primera capa[25] de jabón. Él seguía con los ojos cerrados. «De buena gana me iría a dormir un poco», dijo, «pero esta tarde hay mucho que hacer.» Retiré la brocha y pregunté con aire falsamente desinteresado: «¿Fusilamiento?» «Algo por el estilo, pero más lento», respondió. «¿Todos?» «No. Unos cuantos apenas.» Reanudé de nuevo[26] la tarea de enjabonarle la
40 barba. Otra vez me temblaban las manos. El hombre no podía darse cuenta de ello y ésa era mi ventaja. Pero yo hubiera querido que él no viniera. Probablemente muchos de los nuestros lo habrían visto entrar. Y el enemigo en la casa impone condiciones. Yo tendría que afeitar esa barba como cualquiera otra, con cuidado, con esmero,[27] como la de un buen parroquiano,
45 cuidando de que[28] ni por un sólo poro fuese a brotar una gota[29] de sangre. Cuidando de que la piel quedara limpia, templada,[30] pulida, y de que al pasar el dorso[31] de mi mano por ella, sintiera la superficie[32] sin un pelo. Sí. Yo era un revolucionario clandestino, pero era también un barbero de conciencia, orgulloso de la pulcritud[33] en su oficio. Y esa barba de cuatro días se pres-
50 taba para una buena faena.[34]

[22]me... *prevented me from noticing* [23]envejeciéndolo... *making him appear a little old* [24]no... *was not unattractive* [25]la... *first layer* [26]Reanudé... *I went back to* [27]con... *painstakingly* [28]cuidando... *being careful* [29]fuese... *bring forth a single drop* [30]*soft* [31]*back* [32]*surface* [33]*neatness, perfection* [34]se... *was suitable for doing a good job*

Tomé la navaja, levanté en ángulo oblicuo las dos cachas,[35] dejé libre la hoja y empecé la tarea, de una de las patillas[36] hacia abajo. La hoja respondía a la perfección. El pelo se presentaba indócil[37] y duro, no muy crecido, pero compacto. La piel iba apareciendo poco a poco. Sonaba la hoja con su ruido
55 característico, y sobre ella crecían los grumos[38] de jabón mezclados con trocitos de[39] pelo. Hice una pausa para limpiarla, tomé la badana de nuevo y me puse a asentar[40] el acero, porque yo soy un barbero que hace bien sus cosas. El hombre que había mantenido los ojos cerrados, los abrió, sacó una de las manos por encima de la sábana, se palpó[41] la zona del rostro que empezaba a quedar libre
60 de jabón y me dijo: «Venga Ud. a las seis, esta tarde, a la Escuela.» «¿Lo mismo del otro día?» le pregunté horrorizado. «Puede que resulte mejor», respondió. «¿Qué piensa Ud. hacer?» «No sé todavía. Pero nos divertiremos.» Otra vez se echó hacia atrás y cerró los ojos. Yo me acerqué con la navaja en alto.[42] «¿Piensa castigarlos a todos?» aventuré tímidamente. «A todos.» El jabón se
65 secaba sobre la cara. Debía apresurarme. Por el espejo, miré hacia la calle. Lo mismo de siempre: la tienda de víveres[43] y en ella dos o tres compradores. Luego miré el reloj: las dos y veinte de la tarde. La navaja seguía descendiendo. Ahora de la otra patilla hacia abajo. Una barba azul, cerrada.[44] Debía dejársela crecer como algunos poetas o como algunos sacerdotes.[45] Le quedaría bien.
70 Muchos no lo reconocerían. Y mejor para él, pensé, mientras trataba de pulir suavemente todo el sector del cuello. Porque allí sí que debía manejar con habilidad la hoja, pues el pelo, aunque en agraz,[46] se enredaba en pequeños remolinos.[47] Una barba crespa.[48] Los poros podían abrirse, diminutos, y soltar su perla de sangre. Un buen barbero como yo finca[49] su orgullo en que eso no ocu-
75 rra a ningún cliente. Y éste era un cliente de calidad. ¿A cuántos de los nuestros había ordenado matar? ¿A cuántos de los nuestros había ordenado que los mutilaran?... Mejor no pensarlo. Torres no sabía que yo era su enemigo. No lo sabía él ni lo sabían los demás. Se trataba de un secreto entre muy pocos precisamente para que yo pudiese informar a los revolucionarios de lo que Torres
80 estaba haciendo en el pueblo y de lo que proyectaba[50] hacer cada vez que emprendía[51] una excursión para cazar revolucionarios. Iba a ser, pues, muy difícil explicar que yo lo tuve entre mis manos y lo dejé ir tranquilamente, vivo y afeitado.

La barba le había desaparecido casi completamente. Parecía más joven,
85 con menos años de los que llevaba a cuestas cuando entró.[52] Yo supongo que eso ocurre siempre con los hombres que entran y salen de las peluquerías. Bajo el golpe de mi navaja Torres rejuvenecía, sí, porque yo soy un buen barbero, el mejor de este pueblo, lo digo sin vanidad. Un poco más de jabón, aquí, bajo la barbilla, sobre la manzana,[53] sobre esta gran vena. ¡Qué calor! Torres
90 debe estar sudando como yo. Pero él no tiene miedo. Es un hombre sereno que ni siquiera piensa en lo que ha de hacer esta tarde con los prisioneros. En cambio yo, con esta navaja entre las manos, puliendo y puliendo esta piel, evitando que brote sangre de estos poros, cuidando todo golpe, no puedo pensar serenamente. Maldita[54] la hora en que vino, porque yo soy un revolucionario,
95 pero no soy un asesino. Y tan fácil como resultaría matarlo. Y lo merece. ¿Lo

---

[35]*handles* [36]*sideburns* [37]*unruly* [38]*blobs* [39]trocitos... *bits of* [40]*to sharpen* [41]se... *touched, felt* [42]en... *held high* [43]*foodstuffs* [44]barba... *thick, dark beard* [45]*priests* [46]en... *quite short* [47]se... *was tangled in little swirls* [48]*unruly, unmanageable* [49]*rests, bases* [50]*he was planning* [51]*he undertook* [52]con... *looking younger than he seemed to be* [53]*Adam's apple* [54]*Curse, Damned be*

merece? No, ¡qué diablos! Nadie merece que los demás hagan el sacrificio de
convertirse en asesinos. ¿Qué se gana con ellos? Pues nada. Vienen otros y
otros y los primeros matan a los segundos y éstos a los terceros y siguen y
siguen hasta que todo es un mar de sangre. Yo podría cortar ese cuello, así,
100 ¡zas! ¡Zas! No le daría tiempo de quejarse y como tiene los ojos cerrados no
vería ni el brillo[55] de la navaja ni el brillo de mis ojos. Pero estoy temblando
como un verdadero asesino. De ese cuello brotaría un chorro[56] de sangre sobre
la sábana, sobre la silla, sobre mis manos, sobre el suelo. Tendría que cerrar la
puerta. Y la sangre seguiría corriendo por el piso, tibia, imborrable,[57] inconte-
105 nible,[58] hasta la calle, como un pequeño arroyo escarlata. Estoy seguro de que
un golpe fuerte, una honda incisión,[59] le evitaría todo dolor. No sufriría. ¿Y qué
hacer con el cuerpo? ¿Dónde ocultarlo? Yo tendría que huir, dejar estas cosas,
refugiarme lejos, bien lejos. Pero me perseguirían hasta dar conmigo. «El asesino del capitán Torres. Lo degolló mientras le afeitaba la barba. Una cobardía.»
110 Y por otro lado: «El vengador de los nuestros. Un hombre para recordar (aquí
mi nombre). Era el barbero del pueblo. Nadie sabía que él defendía nuestra
causa... » ¿Y qué? ¿Asesino o héroe? Del filo de esta navaja depende mi destino. Puedo inclinar un poco más la hoja y hundirla.[60] La piel cederá como la
seda, como el caucho,[61] como la badana. No hay nada más tierno que la piel
115 del hombre y la sangre siempre esta ahí, lista a brotar. Una navaja como ésta
no traiciona. Es la mejor de mis navajas. Pero yo no quiero ser un asesino, no
señor. Ud. vino para que yo lo afeitara. Y yo cumplo honradamente con mi

[55]*gleam, shine* [56]*gush, stream* [57]*indelible* [58]*unstoppable* [59]*honda... deep cut, wound*
[60]*sink it in* [61]*rubber*

trabajo... No quiero mancharme de sangre. De espuma y nada más. Ud. es un verdugo y yo no soy más que un barbero. Y cada cual en su puesto. Eso es. Cada cual en su puesto.

120

La barba había quedado limpia, pulida y templada. El hombre se incorporó para mirarse en el espejo. Se pasó las manos por la piel y la sintió fresca y nuevecita.

«Gracias», dijo. Se dirigió al ropero en busca del cinturón, de la pistola y del kepis. Yo debí estar muy pálido y sentía la camisa empapada.[62] Torres concluyó de ajustar la hebilla,[63] rectificó la posición de la pistola en la funda y, luego de alisarse[64] maquinalmente los cabellos, se puso el kepis. Del bolsillo del pantalón extrajo unas monedas para pagarme el importe[65] del servicio. Y empezó a caminar hacia la puerta. En el umbral[66] se detuvo un segundo y volviéndose me dijo:

130

«Me habían dicho que Ud. me mataría. Vine para comprobarlo. Pero matar no es fácil. Yo sé por qué se lo digo.»[67] Y siguió calle abajo.

[62]*soaked, drenched*   [63]*belt buckle*   [64]*smooth*   [65]*cost*   [66]*threshold, doorway*   [67]*por... what I'm talking about*

■■■ COMPRENSIÓN

A Complete estas oraciones según la información del cuento.

1. El personaje que entra en la barbería para ser afeitado es _____.
   a. un revolucionario clandestino
   b. el capitán Torres
   c. uno de los partidarios del orden

2. Cuando el barbero lo reconoció _____.
   a. se puso nervioso
   b. dejó de trabajar
   c. el capitán lo saludó cordialmente

3. A lo largo de la conversación, se revela que el capitán Torres acaba de _____.
   a. coger a unos catorce revolucionarios
   b. matar a algunos de los revolucionarios cogidos, pero no a todos
   c. ambos (a y b)

4. Mientras afeita al capitán el barbero, no se olvida de la imagen horrorosa de _____.
   a. un hombre degollado enfrente de la plaza
   b. los cuatro cadáveres colgados en el patio de la Escuela
   c. un chorro de sangre en su mano

5. Aunque el narrador le confiesa al lector que está contemplando la idea de un crimen, no lo hace y _____.
   a. decide juntarse a las tropas del capitán
   b. se lo confiesa todo al capitán
   c. cumple su trabajo honradamente

6. En las últimas líneas del cuento, el lector se entera de que el capitán Torres también ha vivido una experiencia intensa, porque los suyos le habían dicho que _____.

   a. los revolucionarios se habían escapado

   b. el pueblo trataría de perseguirlo

   c. el barbero lo mataría

B El conflicto de este cuento se dramatiza por medio de dos personajes que se encuentran en un momento de crisis. ¿Cuál es el conflicto? Busque las líneas en el cuento que refieren a la exposición, la complicación y la resolución del conflicto.

C Vuelva a leer el último párrafo del cuento cuando el capitán Torres revela que los demás le habían dicho que el barbero lo mataría. ¿Qué características de su personalidad y su actitud hacia la vida se revelan por medio de estas líneas? ¿Cuál es la ironía de la situación?

▪▪▪ INTERPRETACIÓN

A El narrador describe al capitán Torres físicamente y se refiere a su carácter por medio de sus comentarios. Sin embargo, el lector sabe muy poco acerca de su actitud hacia el mundo en que él vive hasta el final del cuento. Reflexione sobre el personaje del capitán y conteste las preguntas a continuación.

■ ¿Qué imagen mental tenía Ud. del capitán al principio? ¿Y después de leer el cuento? ¿Qué mensajes o ideas transmiten sus acciones y comentarios? ¿Tiene una visión optimista o pesimista del mundo? ¿Es un personaje estático o dinámico, en su opinión? Explique.

■ Ahora, imagínese que Ud. es miembro de la tropa del capitán. ¿Qué clase de líder es él? ¿Lo respeta Ud.? ¿Cómo se lleva el capitán con los demás del pueblo? ¿Cómo reacciona Ud. ante sus órdenes?

■ ¿Qué características cree Ud. que se destacarían (*would stand out*) en un retrato oficial del capitán Torres? Explique.

 B ¡NECESITO COMPAÑERO! Contesten las siguientes preguntas con información del cuento.

1. ¿Quién narra el cuento? ¿Cuál es su posición u oficio en el pueblo? ¿Cómo es su personalidad? ¿Qué piensa Ud. del narrador? ¿Le cae bien o mal? ¿Inspira confianza o no? ¿Cuáles son algunos de los adjetivos que lo describen? Explique.

2. ¿Cómo es el capitán? ¿Qué puede simbolizar su nombre? ¿Qué se sabe acerca de su historia como militar? Haga una lista de los atributos del capitán. ¿Predomina lo negativo o lo positivo?

3. ¿Por qué temblaba y se encontraba aturdido el barbero cuando vio entrar al capitán Torres? ¿Y mientras lo afeita?

4. ¿De qué hablaban el narrador y el capitán? ¿Cuál es el tono de su conversación?

5. Comente el dilema del narrador. ¿Cómo disimulaba su problema?

6. Evalúe la decisión del narrador de actuar honradamente y no matar al capitán. ¿Qué pensamientos conflictivos había tenido el narrador antes de tomar esta decisión? Busque las líneas del texto para confirmarlo.

7. ¿Cuál es el tema del cuento? ¿Qué tiene que ver el título con la idea principal? ¿Tiene el título un sentido metafórico? ¿Qué otros títulos o subtítulos podría Ud. sugerir para el cuento?

■■■ APLICACIÓN

A A lo largo de su carrera literaria, el escritor colombiano Hernando Téllez participó en la política y la diplomacia de su país natal. Este cuento profundiza el tema del coraje ante «el bogotazo», un episodio en que surgió una gran oleada de violencia y destrucción que resultó en la imposición de la ley marcial en la capital. ¿Cómo se manifiestan las ideas del escritor hacia los conflictos sociales y políticos? ¿Cómo expresa su desprecio hacia la violencia que impregnaba la realidad colombiana en las décadas de los 1940 y 1950?

B ¡NECESITO COMPAÑERO! Hagan una entrevista. Uno de Uds. debe hacer el papel de un/una periodista que trabaja para una revista clandestina y el otro / la otra debe hacer el papel del capitán Torres. El/La periodista debe hacer preguntas sobre las guerras fratricidas en el pueblo imaginario del cuento «Espuma y nada más».

■ Preguntas sobre el conflicto entre el gobierno / el militar actual y los revolucionarios:

¿Cuáles son los valores y motivos que representan los dos grupos? ¿Qué eventos han llevado al momento de crisis? ¿Por qué ha estallado la última ola de violencia? ¿Qué piensa hacer el capitán para resolver el conflicto? ¿Qué solución o compromiso existe para acabar con las guerras fratricidas?

■ Después de la entrevista, trabajen juntos para escribir un breve artículo de prensa, detallando los comentarios del capitán Torres. Compártanlo con los demás. ¿En qué aspectos se asemejan las entrevistas y en qué difieren?

C Al principio del cuento, el silencio sirve para crear un ambiente sicológico de conflicto que genera una tensión dramática entre los dos personajes. Luego se rompe el silencio con los comentarios del capitán acerca de la violencia. Según el narrador: «Él no cesaba de hablar.»

■ Primero, piense en lo que asocia Ud. con el silencio. ¿Cree Ud. que el silencio puede representar la represión militar? ¿Podría ser también un elemento que crea un ambiente hostil y violento que silencia a la oposición? ¿Es posible que el silencio también pueda representar ciertas experiencias que se niegan? Explique.

■ ¿Qué asocia Ud. con un desconocido / una desconocida que rompe el silencio y no deja de hablar? ¿Cree Ud. que esta acción demuestra interés por entablar una conversación o sólo es una reacción nerviosa? ¿Cómo reacciona Ud. en situaciones difíciles o tensas? ¿Habla mucho o no dice nada? ¿Trata de romper el silencio o de guardarlo?

■ ¿Qué otras interpretaciones podría Ud. dar a una situación en que el silencio forma gran parte del ambiente? Explore algunas posibilidades en un papel aparte.

Lengua II

■■ 32 The Process *se*

You have already learned many of the different meanings of the pronoun **se:** to express the impersonal agents *one, you,* or *people;* to express passive constructions; and to signal both reflexive (*self*) and reciprocal (*each other*) actions, in which the agents and the objects of the action involve the same persons.

IMPERSONAL:	**Se vive** muy bien aquí.	*People live very well here.*
PASSIVE:	**Se malgastaron** millones de dólares en la campaña.	*Millions of dollars were wasted in the campaign.*
REFLEXIVE:	La monja **se miró** en el espejo.	*The nun looked at herself in the mirror.*
RECIPROCAL:	Las monjas **se miraron** con sorpresa.	*The nuns looked at each other in surprise.*

In the ¡**Ojo!** section of **Capítulo 6,** you learned how **se** can be used with certain verbs to express the idea of *get* or *become.*

El niño **se puso** furioso.	*The child got (became) angry.*
Se hizo rica trabajando día y noche.	*She got (became) rich by working day and night.*

This use of reflexive pronouns to signal inner feelings or processes, especially changes in physical, emotional, or mental states or changes in position (location), is very frequent in Spanish. It occurs with many verbs, several of which are already familiar to you.

Enrique **se convirtió** al judaísmo el año pasado.	*Enrique converted to Judaism last year.*
Al principio, Carolina no **se llevó** bien con Alberto, pero luego **se enamoró** de él y **se casaron** un año después.	*At first, Carolina did not get along well with Alberto, but later she fell in love with him and they got married a year later.*

These processes are sometimes expressed in English with *become, get,* or an *-en* suffix: *to become bright, to get bright, to brighten.* Often, however, as in the preceding examples about Enrique and Carolina, English has no special way to indicate a process. In the phrases *the water freezes* and *the snow melts,* it is clear from the context that the water and the snow are not performing actions but rather are undergoing a process, in this case a change in physical state. In English, processes can often be understood from the context; in Spanish, a process is always signaled by a reflexive pronoun.

El niño **se enfermó.**
Todos **nos levantamos** cuando entró y luego **nos sentamos** todos a la vez.
Me asusté al recibir las noticias.

The child got sick.
We all stood up when he entered, and then we all sat down at the same time.
I became frightened upon receiving the news.

◢◣◢◣◢◣◢◣◢◣◢◣◢◣◢◣ A PROPÓSITO

Because both reflexive and process constructions use the same set of pronouns, the two structures look very similar. In addition, many verbs can be used with both meanings.

REFLEXIVE

El niño **se secó** después del baño.
The child dried himself off after his bath.

PROCESS

El café **se seca** al sol por varias semanas.
The coffee dries (out) / is dried (out) in the sun for several weeks.

Actually, the process use of **se** is much more common than the reflexive use. You may find that being aware of this meaning helps you interpret many constructions when context makes the reflexive meaning unlikely.

The following verbs are frequently used to signal processes.*

Physical Change			
acostarse (ue)	to lie down; to go to bed	enfriarse	to get cold, cool down
calentarse (ie)	to get warm, warm up	levantarse	to rise, get up
despertarse (ie)	to wake up, awaken	mojarse	to get wet
dormirse (ue, u)	to fall asleep	secarse	to become dry, dry out
enfermarse	to get sick	sentarse (ie)	to sit down
Emotional or Mental Change			
alegrarse (de)	to get happy (about)	enfadarse (con)	to get angry (with)
asustarse (de)	to become frightened (of)	enojarse (con)	to get angry (with)
casarse (con)	to get married (to)	oponerse (a)	to be opposed (to)
comprometerse (a)	to make a commitment (to)	preocuparse (por)	to worry (about)
divertirse (ie, i)	to enjoy oneself, have a good time	quejarse (de)	to complain (about)
divorciarse (de)	to get divorced (from)		
enamorarse (de)	to fall in love (with)		

---

*Most of these verbs can also be used without the reflexive pronouns. They then have a nonprocess meaning. For example, **acostar** means *to put someone to bed,* **despertar** means *to wake someone up,* **dormir** means *to sleep,* **levantar** means *to raise* or *to lift something,* and **sentar** means *to seat someone.*

■ Lengua II   273

PRÁCTICA   Complete las siguientes oraciones, usando los verbos indicados y un complemento apropiado, según el contexto. Cuidado con el uso del subjuntivo y del indicativo.

1. En esta clase no hay nadie que _____. (asustarse de, oponerse a, preocuparse por)

2. En mi iglesia (familia, mezquita, sinagoga, templo), hay algunas personas que _____. (alegrarse de, comprometerse a, enojarse con)

3. Todos mis amigos _____. (alegrarse de, preocuparse de, quejarse de)

4. De niño/a, no me gustaba que (*nombre de una persona*) _____. (enamorarse de, enojarse con, quejarse de)

■■■ 32 INTERCAMBIOS

AUTOPRUEBA   Complete las siguientes oraciones con la forma apropiada del verbo entre paréntesis y el pronombre **se.**

1. Los niños entraron en la casa para (calentarse).

2. (Invertir) millones de dólares en las últimas elecciones.

3. Mis padres (casarse) en 1960.

4. Jaime y su primo australiano (escribirse) por correo electrónico cada semana.

5. No hay nadie que (oponerse) a cenar en un restaurante esta noche.

6. Los indígenas (convertirse) al catolicismo después de la llegada de los europeos.

7. Los niños (quedarse) en casa ayer porque su mamá no quería que (enfermarse).

8. El teléfono sonó por diez minutos sin que Sergio (despertarse) para contestarlo.

9. Los niños (asustarse) cuando ven películas de horror.

Respuestas: 1. calentarse   **2.** Se van a invertir / Van a invertirse / Se invertirán   **3.** se casaron   **4.** se escriben   **5.** se oponga   **6.** se convirtieron   **7.** se quedaron, se enfermaran   **8.** se despertara   **9.** se asustan

A   Organice los verbos reflexivos de las listas anteriores, según las categorías indicadas en el siguiente dibujo.

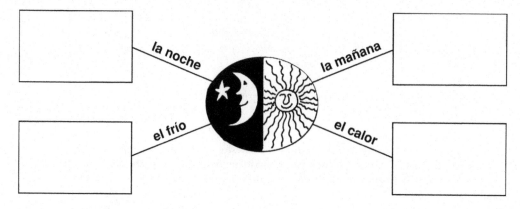

B Vuelva a mirar los verbos de las listas anteriores. ¿Qué verbos asocia Ud. con el siguiente dibujo?

la felicidad   la tristeza

C ¡NECESITO COMPAÑERO! Trabajando en parejas, usen las siguientes expresiones para hacerse y contestar preguntas. Luego, compartan con la clase lo que han aprendido.

1. a quién / familia / parecerse más
2. gustar / quedarse en casa por la noche / salir
3. hora / levantarse / hoy
4. reaccionar / alguien reírse de ti
5. de qué aspecto / universidad / quejarse más / este semestre
6. con qué postura política / enojarse más
7. en qué situación / divertirse más / este año
8. en qué situación / ponerse nervioso/a
9. qué solución / usar / calmarse

D ENTRE TODOS

■ A continuación hay varios grupos de personas. A su parecer, ¿en qué grupos suele haber diferencias de opinión? ¿Son pequeñas o grandes? Explique.

1. personas de distintas generaciones
2. personas de distintas religiones
3. personas de distintos partidos políticos
4. personas de distintas razas
5. las mujeres y los hombres
6. personas de distintos grupos étnicos
7. personas de distintas clases sociales

■ ¿A Ud. le importan las creencias políticas de sus amigos? ¿su religión? ¿su origen étnico? ¿Se divierte con un amigo / una amiga que es muy optimista? ¿altruista? ¿temerario/a (*foolhardy*)? ¿prudente? ¿Le irrita que un compañero / una compañera tienda a ser egoísta o pesimista? Explique.

E GUIONES En la página siguiente hay dibujos que representan un episodio en la vida de la familia Valdebenito que ocurrió el año pasado. Incluye varias imágenes que pueden expresar conceptos reflexivos, recíprocos o de proceso. Trabajando en grupos de tres o cuatro personas, narren la historia en el pasado, usando los verbos indicados para cada dibujo y añadiendo otros detalles necesarios. ¡Cuidado! En cada caso hay que decidir si la forma con **se** es necesaria o no.

- ¿Quiénes son estas personas y cuál es la relación entre ellas?
- ¿Cuál era el contexto del episodio? ¿Qué planeaba el protagonista? ¿Cuáles eran sus motivos?
- ¿Qué pasó?
- ¿Cómo reaccionaron los miembros de la familia? ¿Por qué?

Vocabulario útil: calvo/a, el ejército, el peligro, peligroso/a, el recluta, el sargento, el soldado, el uniforme

1. alistar(se), animar(se), comprometer(se), entusiasmar(se), estrechar(se) (*to shake*) la mano
2. asustar(se), cambiar de opinión, convencer(se), disuadir, luchar, preocupar(se)
3. abrazar(se), despedir(se), quedar(se), sentir(se)
4. afeitar(se), hacer cola, horrorizar(se), mirar(se), reírse de
5. acostar(se), enojar(se), gritar(se), levantar(se), motivar(se), predicar con el ejemplo
6. alegrar(se), sentir(se), vestir(se), volver(se)

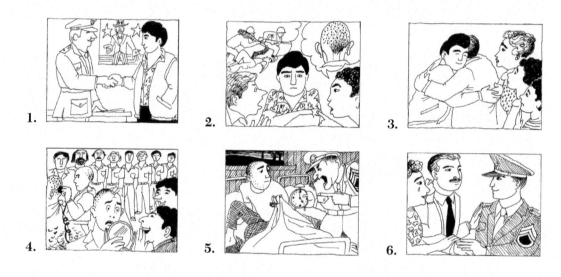

■■ 33 Review of the Subjunctive: An Overview

Two conditions must be met for the subjunctive to be used.*

1. **Sentence structure:** The sentence must contain at least two clauses, an independent (main) clause and a dependent (subordinate) clause. The subjunctive occurs in the subordinate clause.

Los liberales se alegraron de que **nombráramos** a una mujer.
Los conservadores se pusieron furiosos de que **gastáramos** tanto dinero en el bienestar social.

The liberals were happy that we named (nominated) a woman.
The conservatives became furious that we spent so much money on social welfare.

---

*These rules are discussed in grammar sections 17, 18, 22, 25, 29, and 30.

2. **Meaning:** There are three basic types of messages that cue the subjunctive.

a. **Nonexperience:** when the subordinate clause describes or refers to something that is unknown to the speaker, that is, beyond his or her experience, and is thus not considered real or factual

Prefiero que no **vayas** a Europa.	*I prefer that you not go to Europe.*
Dudaban que **fuera** tan egoísta.	*They doubted that he was such an egotist (so egotistical).*
El optimista buscaba una solución que les **sirviera** a todos.	*The optimist searched for a solution that would serve everyone.*
Van a firmar el contrato tan pronto como **se arreglen** los detalles.	*They're going to sign the contract as soon as the details are finalized.*

b. **Subjective reaction:** when the main clause makes a value judgment or expresses a subjective, emotional reaction

Es increíble que ella **sea** tan derechista.	*It's incredible that she is so right-wing (politically to the right).*
Me sorprendió que **hubiera** tanta gente en la procesión.	*It surprised me that there were so many people in the procession.*

c. **Interdependence:** when the main clause describes the conditions under which the event in the subordinate clause will take place

Te entrego el dinero con tal de que me **des** las fotos.	*I will hand the money over to you provided that you give me the pictures.*
Los derechistas votaron por ese candidato para que los liberales **no pudieran** controlar el Senado.	*The right-wingers voted for that candidate so that the liberals couldn't control the Senate.*

PRÁCTICA   Dé oraciones nuevas, según las palabras entre paréntesis.

1. —¿Les das dinero a ciertas organizaciones?
   —Sí, claro, se lo doy *puesto que* hacen mucho bien. (a fin de que, ahora que, con tal de que, para que, porque)

2. *Es increíble* que haya conflicto en esa parte del mundo. (Es posible, Es verdad, Me pone triste, No creo, Sabemos)

3. —¿Contribuía la gente a causas sociales?
   —Sí, lo hacía *después de que* se lo pidieron. (a menos que, antes de que, cuando, sin que, ya que)

■■■ 33 INTERCAMBIOS

AUTOPRUEBA   Complete las siguientes oraciones con la forma apropiada de los verbos entre paréntesis.

1. Los niños (alegrarse) que sus abuelos (estar) aquí.

2. El año pasado, los ciudadanos (enojarse) porque los militares (intervenir) en el gobierno.

3. (Salir: nosotros) para la playa en cuanto nuestros amigos (llegar).

4. Raquel (buscar) un apartamento que (cubrir) todas sus necesidades, pero nunca lo encontró.

5. Nos (sorprender) que (costar) tanto viajar a México.

6. Gabriela me (dar) las fotos ayer para que no (perderse).

7. La novia de Álvaro (salir) por la ventana de su dormitorio anoche sin que sus padres (saber).

8. El médico (decir) que iba a llamar cuando (tener) los resultados.

Respuestas: 1. se alegran, estén **2.** se enojaron, intervinieron **3.** Salimos, lleguen **4.** buscaba, cubriera **5.** sorprende, cueste **6.** dio, se perdieran **7.** salió, supieran **8.** dijo, tuviera

A Los ultraliberales y los ultraconservadores representan puntos de vista extremos. En su opinión, ¿cómo reaccionarían (*would react*) estos individuos a las siguientes noticias? Use una de las frases de la lista para describir sus reacciones. Luego, explique por qué cree que reaccionarían así.

se alegran de   se escandalizan de   se preocupan de
se enojan de   se oponen a

MODELO: El gobierno legaliza la marihuana. →
Los ultraliberales se alegran de que el gobierno legalice la marihuana ya que no la consideran una droga realmente peligrosa. Los ultraconservadores se oponen a que el gobierno la legalice porque creen que va a contribuir al deterioro de la sociedad.

1. El gobierno les aumenta los impuestos a las grandes empresas.
2. El congreso recorta el presupuesto (*budget*) social para poder equilibrar el presupuesto nacional.
3. El gobierno permite el rezar en las escuelas públicas.
4. La Corte Suprema prohíbe el aborto.

¿Tiene Ud. más ideas en común con los ultraliberales o con los ultraconservadores?

B Usando las oraciones de la actividad anterior, comente cómo reaccionarían un(a) pacifista y un soldado tipo «Rambo» a las siguientes noticias. Luego, explique por qué cree que reaccionarían así.

1. Este país declara la guerra a Cuba.
2. El gobierno declara ilegal la venta de toda clase de armas de fuego.
3. Los Estados Unidos y China deciden eliminar por completo las armas nucleares.
4. Una mujer es elegida presidenta de los Estados Unidos.

¿Tiene Ud. más ideas en común con un(a) pacifista o con un soldado tipo «Rambo»?

C IMPROVISACIONES Los conservadores, los moderados y los liberales tienen actitudes muy distintas con respecto a los siguientes temas. Trabajando con uno o dos compañeros de clase, preparen el discurso político de una persona conservadora, moderada o liberal sobre varios de los temas indicados. Inventen un lema (*slogan*) o *sound bite* convincente para su candidato/a también. Al final, algunos estudiantes deben presentar su discurso a la clase, la cual tratará (*will*

try) de identificar la afiliación política del candidato / de la candidata. Traten de incluir en su discurso algunas de las expresiones adverbiales de este capítulo.

- el aborto
- la acción afirmativa
- la asistencia pública
- el control de las armas de fuego
- el crimen y la violencia
- el déficit federal

- el (des)empleo
- la educación
- la participación de las minorías en el gobierno
- el presupuesto militar
- el seguro médico

Enlace

■■■ ¡OJO!

	Examples	Notes
dato **hecho**	Los **datos** del estudio indican que el tabaco causa cáncer. *The results of the study indicate that tobacco causes cancer.*	*Fact* has two equivalents in Spanish. Use **dato(s)** when referring to *findings, results,* or *data.*
	El descubrimiento del cobre fue un **hecho** de gran importancia para el país. *The discovery of copper was an event of great importance for the country.*	Use **hecho** to refer to *a proven fact, deed,* or *event.*
	Es un hecho que (De hecho,) se va en junio. *It's a fact that (In fact,) he's leaving in June.*	Three expressions that contain the word **hecho** are **el hecho es que...** (*the fact is* [*that*] . . .), **es un hecho que** (*it's a fact* [*that*]), and **de hecho** (*in fact*).
	El hecho es que no podemos invertir más dinero todavía. *The fact is, we can't invest any more money yet.*	
realizar **darse cuenta (de)**	El estudiante **realizó** su sueño: sacó una «A» en el curso. *The student realized his dream; he got an A in the course.*	**Realizar** means *to realize* in the sense of *to achieve a goal or an ambition,* that is, *to accomplish something.*
	No **me di cuenta (de)** que había una venta. *I didn't realize (that) there was a sale.*	**Darse cuenta (de)** means *to realize* as in *to be aware* or *to understand.*

A VOLVIENDO AL DIBUJO Este dibujo es parte del que Ud. vio en la sección **Describir y comentar.** Mírelo con atención y luego escoja la palabra que mejor complete cada oración. ¡Cuidado! También hay palabras de los capítulos anteriores.

El año 1492 es (una cita / un dato / una fecha)¹ muy importante (a causa de / porque)² ese año Cristóbal Colón (realizó / se dio cuenta de)³ su primer viaje a lo que él creía ser las Indias. El (dato/hecho)⁴ es que Colón nunca (realizó / se dio cuenta de)⁵ que había descubiertoᵃ todo un nuevo continente. Más tarde, y con los (datos/hechos)⁶ que él llevó a los Reyes Católicos, los conquistadores comenzaron a llegar a esas tierras. Al llegar, encontraron indígenas, gente diferente, a la cual intentaron cambiar. Es un (dato/hecho)⁷ que trataron de convertirlos al cristianismo y de españolizarlos. Desgraciadamente, los españoles también introdujeron enfermedades nuevas entre los indígenas y, como consecuencia, muchos de éstosᵇ murieron.

Es un (dato/hecho)⁸ histórico interesante que Enrique VIII quisiera divorciarse de Catalina de Aragón, hija de los Reyes Católicos de España, después de 18 años de matrimonio. Enrique y Catalina tenían una hija, Mary, pero Enrique quería un heredero y además se había enamoradoᶜ (a/con/de)⁹ una bella joven de la corte. (Porque / Puesto que)¹⁰ la Iglesia católica no permitía el divorcio, el papa de aquel entonces, Clemente VII, se lo prohibió. Como Enrique VIII (se sentía / sentía)¹¹ muy poderoso, no le hizo (atención/caso)¹² al papa. Se separó de la Iglesia católica y (llegó a ser / se hizo)¹³ jefe de la Iglesia anglicana.

ᵃhabía… *had discovered*   ᵇ*the latter*   ᶜse… *had fallen in love*

B ENTRE TODOS

■ ¿Qué sueños importantes realizó Ud. durante la primera década de su vida? ¿Qué sueños quiere realizar durante la próxima década? ¿Tiene un sueño imposible de realizar? ¿Cuál es? ¿Por qué no lo va a poder realizar?

■ ¿Cuándo se dio Ud. cuenta de que quería hacer estudios universitarios? ¿Cuándo se dio cuenta de que quería estudiar en esta universidad? ¿Cuándo se dieron cuenta sus padres de que Ud. ya era adulto/a? Explique sus respuestas.

REPASO

A Complete el párrafo, dando la forma apropiada del verbo entre paréntesis y expresando en español las frases en inglés. Cuando se dan dos palabras entre paréntesis, escoja la palabra apropiada.

El mito del Quinto Sol

Todas las religiones, tanto las modernas como las antiguas, tienen una explicación de la creación del mundo. Probablemente no hay nadie de la tradición judeocristiana que no conozca la historia bíblica. Los aztecas tenían una explicación más complicada de la creación. Se llamaba la historia del Quinto Sol.

Según este mito, (*many, many years ago*)¹, no había nada en el mundo. A los dioses no les gustaba que el universo (ser)² tan oscuro y por eso un día (reunirse)³ para resolver el problema. El malévolo dios de la noche (hablar)⁴ primero. «Es evidente que nosotros (necesitar)⁵ un sol. Y para que Uds. (ver)⁶ mi poder y mi fuerza,ᵃ ¡yo lo crearé!ᵇ»

De repente, (aparecer)⁷ un sol grande y esplendoroso. Pero todavía no había hombres que (habitar)⁸ la tierra, sólo gigantes monstruosos. Al caboᶜ de

ᵃ*strength*   ᵇyo… *I shall create it!*   ᶜfinal

13 siglos, unos jaguares enormes (devorar)[9] y (destruir)[10] el sol. Por eso, los dioses le (poner)[11] a este primer sol el nombre de Sol del Jaguar.

Entonces, fue necesario que los dioses (empezar)[12] de nuevo. Como cada dios quería que los otros dioses lo (admirar)[13], uno después de otro trató de crear un sol duradero.[d] Ninguno tuvo suerte. Unos huracanes horribles (devastar)[14] el segundo sol; sólo hubo unos pocos hombres (of those that)[15] se habían creado[e] que (poder)[16] escapar la destrucción. Subieron a los árboles y se convirtieron en monos. Una tercera y una cuarta vez los dioses usaron su magia sin que ninguno (tener)[17] éxito. Durante el tercer sol apareció una misteriosa lluvia de fuego, (which)[18] quemó toda la tierra menos a algunos hombres que se convirtieron en pájaros. Después de la creación del cuarto sol, una horrible inundación (cubrir)[19] el mundo. Algunos hombres sobrevivieron al convertirse en peces.[f]

Después del cuarto sol los dioses (decidir)[20] reunirse una vez más. (Saber: ellos)[21] que no (ir)[22] a poder crear un sol perfecto a menos que (hacer)[23] un sacrificio especial, un sacrificio divino. Dos dioses se ofrecieron para el sacrificio. Mientras ellos (were preparing themselves)[24], los otros dioses construyeron un gran fuego. Al quinto día, los dos dioses (arrojarse)[25][g] al fuego. Los otros dioses esperaron nerviosos. Pronto (descubrir)[26] su error: por el cielo subían dos discos rojos. ¡Qué horror!

No era posible que (vivir: ellos)[27] con dos soles. El calor sería[h] demasiado intenso. Por eso, uno de los dioses (arrojar)[28] un conejo[i] contra uno de los soles, reduciendo así un poco su luz. Este sol se convirtió en la luna. (Hasta hoy los mexicanos no hablan del hombre de la luna sino[j] del *conejo* de la luna.)

Pero el otro sol todavía (estar)[29] muy débil. «Puedo empezar a cruzar el cielo —les anunció ese sol— con tal de que Uds. (darme)[30] su corazón.»

Todos los dioses (arrojarse)[31] al fuego y el sol (comer)[32] los corazones. El quinto sol, ahora fuerte y brillante, empezó a caminar lentamente por el cielo, donde lo podemos ver hoy. Los otros soles se pueden ver también en el famoso calendario azteca que hay en el Museo de Antropología de México.

[d]*lasting* [e]*se... had been created* [f]*fish* [g]*to throw oneself* [h]*would be* [i]*rabbit* [j]*but rather*

B Exprese Ud. su opinión sobre cada uno de los siguientes temas, usando las conjunciones de la lista.

a condición (de) que	con tal (de) que	sin que
a fin de que	en caso (de) que	
a menos que	para que	

MODELO: los grupos evangélicos →
Creo que los grupos evangélicos deben poder fomentar sus creencias con tal de que respeten las costumbres ya establecidas.

1. la expansión de la Iglesia protestante en Hispanoamérica
2. la oración en las escuelas públicas
3. el sacrificio de animales en ritos religiosos
4. el ateísmo y el agnosticismo
5. el matrimonio de los sacerdotes católicos
6. la Inquisición Española
7. la separación de Estado e Iglesia
8. el fanatismo religioso
9. la santería y el vudú

El Señor de los Milagros en el Perú y el carnaval de Oruro, Bolivia

Video on CD

Lima, Perú

Oruro, Bolivia

En Bolivia y el Perú, la gente se reúne en fechas conmemorativas en torno a la Virgen de la Candelaria y al Cristo —o Señor— de los Milagros, respectivamente. Estas celebraciones demuestran claramente el sincretismo de la cultura y religión indígenas e hispanas. Aunque el tipo de celebración es diferente en los dos países, la devoción de toda la gente es notable en ambos eventos. Todos participan por igual, sin importar sus diferencias de edad, clase social o nivel económico.

Antes de ver

■ ¿Qué sabe Ud. de las celebraciones religiosas en Hispanoamérica? ¿Qué tipo de eventos espera encontrar en este vídeo?

■ ¿Qué imágenes asocia con la palabra «carnaval»? ¿Piensa que la palabra «carnaval» se usa aquí con el mismo significado que tiene la palabra *carnival* en inglés?

■ Ahora lea con cuidado la actividad en **Vamos a ver** antes de ver el vídeo por primera vez.

Vamos a ver

¿Cuáles de las siguientes afirmaciones se refieren a la celebración de Bolivia (**B**) y cuáles a la del Perú (**P**)? ¿Cuáles se refieren a ambas celebraciones (**A**)?

1. _____ La gente se reúne en fechas conmemorativas en torno a las figuras de Santa Rosa de Lima y el Señor de los Milagros.

2. _____ Se celebra en el mes de octubre.

3. _____ Es un carnaval en honor a la Virgen de la Candelaria y al Diablo o Tío, guardián de las minas de plata y estaño (*tin*).

4. _____ La gente se viste de color morado, que simboliza la devoción.

5. _____ Los niños participan en la celebración.

6. _____ Se pueden comprar cirios o velas blancos y morados en las calles.

7. _____ Participan miles de danzantes en comparsas (*masquerades*) o grupos de devotos.

8. _____ Los participantes danzan por 3,5 kilómetros sin parar.

Después de ver

■ ¿En qué fechas conmemorativas u otros días feriados de este país participa toda la gente sin importar su clase social, nivel económico o edad? ¿Son patrióticas, religiosas o carnavalescas estas celebraciones? ¿Qué se conmemora en ellas? ¿Qué actividades se realizan?

■ Trabajando en grupos, inventen una celebración para su comunidad en la que participe todo el mundo. Deben incluir a muchos grupos diferentes de la población. Se debe inventar un nombre para la celebración, explicar el motivo, diseñar cuatro o cinco eventos principales y pensar en maneras de atraer el máximo número de participantes. Compartan sus ideas con sus compañeros de clase.

■ Busque información sobre celebraciones religiosas en algún país hispanohablante. Busque evidencia de sincretismo. Comparta su información con sus compañeros de clase.

CAPÍTULO 9

Los hispanos en los Estados Unidos

Jackson Heights, Ciudad de Nueva York

En este capítulo:

Describir y comentar

The ¡Avance! Online Learning Center with ActivityPak (**www. mhhe.com/avance2**) contains new interactive activities to practice the material presented in this chapter.

- ¿Cuál es su reacción a la forma en que se representan los grupos hispanos en estos dibujos? ¿Cree Ud. que representan estereotipos o la realidad? ¿Por qué cree que existen y se mantienen estos estereotipos?

- ¿Qué sabe Ud. ya de la población hispana en los Estados Unidos? Conteste las siguientes preguntas para averiguarlo. (Encontrará [*You will find*] las respuestas en este capítulo.) ¿En qué zona(s) hay mayor concentración de chicanos? ¿de puertorriqueños? ¿de cubanos? ¿Cuáles son los aportes artísticos, económicos y culturales de los miembros de cada grupo a la región en que viven? En general, ¿qué costumbres hispanas (comida, música, expresiones idiomáticas, fiestas, etcétera) se han incorporado a la cultura norteamericana? ¿Qué ejemplos específicos puede Ud. dar?

■■■ VOCABULARIO ... *para conversar*

acoger to welcome, receive

acostumbrarse (a) to become accustomed (to)

adaptarse (a) to adapt (to)

aportar to bring, contribute

asimilarse to become assimilated

emigrar to emigrate

establecerse to get settled, established

inmigrar to immigrate

el anglosajón, la anglosajona Anglo-Saxon

el aporte contribution

el/la canadiense Canadian

el/la chicano/a Chicano, Mexican-American°

la ciudadanía citizenship

  el/la ciudadano/a citizen

el crisol melting pot

la emigración emigration

  el/la emigrante emigrant

el/la estadounidense American (*from the United States*)

el/la exiliado/a exile

la herencia heritage

el/la hispano/a Hispanic, Hispanic American°

la identidad identity

la inmigración immigration

  el/la inmigrante immigrant

el/la latino/a Latino, Latin American°

la mayoría majority

la minoría minority

el orgullo pride

el/la refugiado/a refugee

acogedor(a) welcoming, warm

bilingüe bilingual

mayoritario/a majority

minoritario/a minority

orgulloso/a proud

Las nacionalidades hispanas

el/la argentino/a Argentine

el/la boliviano/a Bolivian

el/la chileno/a Chilean

el/la colombiano/a Colombian

el/la costarricense Costa Rican

el/la cubano/a Cuban

el/la dominicano/a Dominican (*from the Dominican Republic*)

el/la ecuatoriano/a Ecuadoran

el/la español(a) Spaniard

el/la guatemalteco/a Guatemalan

el/la hondureño/a Honduran

el/la mexicano/a Mexican

(continúa)

°Terms used to designate ethnic groups often provoke intense debate and typically change over time. Within the United States, different terms have evolved to refer to individuals who trace their ancestry to Spanish America. U.S. residents of Mexican ancestry were formerly referred to as Mexican-Americans, but during the 1960s and 1970s political activists favored the term *Chicano/a,* which is now widely used. Residents of Spanish-American ancestry are classified by the U.S. government as *Hispanic.* More recently, the term *Latino/a* has gained currency. Different speakers use it in different ways: from all-inclusive definitions, designating all individuals who come from Spain and Latin America (including areas where Spanish is not spoken, such as Brazil and Haiti), to very limited usages, referring to American-born or -educated individuals who trace their origins to the Spanish-speaking Caribbean. The definition of *Latino/a* is evolving over time and takes on different nuances according to political, social, and geographic factors.

el/la nicaragüense Nicaraguan		**el/la puertorriqueño/a** Puerto Rican	
el/la panameño/a Panamanian		**el/la salvadoreño/a** Salvadoran	
el/la paraguayo/a Paraguayan		**el/la uruguayo/a** Uruguayan	
el/la peruano/a Peruvian		**el/la venezolano/a** Venezuelan	

A Explique la diferencia entre las palabras.

1. anglosajón / norteamericano
2. chicano / latino / hispano
3. la inmigración / la emigración
4. el exiliado / el ciudadano
5. aceptar / acoger
6. adaptarse / establecerse

B Dé ejemplos de las siguientes personas, grupos o conceptos.

1. los inmigrantes
2. el aporte de distintos grupos a este país
3. algunos grupos bilingües
4. la herencia cultural

C Dé una definición en español de las siguientes palabras.

1. bilingüe   2. el exiliado   3. emigrar   4. el crisol   5. el refugiado

D ¡NECESITO COMPAÑERO! Trabajando en parejas, hagan un mapa semántico para las siguientes palabras y expresiones. Primero pongan la palabra objeto en el centro del mapa. Luego complétenlo escribiendo todas las ideas o palabras que se asocien con la palabra objeto en las cuatro categorías indicadas. No es necesario limitarse a las palabras de la lista de vocabulario.

MODELO: bilingüe →

el trabajo, la educación, el orgullo

motivos

ventajas — **BILINGÜE** — **desventajas**

hay más oportunidades, es más fácil adaptarse

el conflicto cultural, el peligro de perder la lengua minoritaria

grupos

los inmigrantes, los profesionales, los ciudadanos latinos (asiáticos,...)

1. emigrar   2. asimilarse   3. el crisol

El futuro del inglés en los Estados Unidos

MUCHA GENTE DEBATE la influencia de los inmigrantes hispanos en el dominio del inglés como lengua mayoritaria en los Estados Unidos. La mayoría de los expertos en lingüística dice que los recién llegados van a adquirir el inglés como todas las generaciones anteriores. Pero otros insisten en que muchos hispanos resisten aprenderlo y que el hecho de que continúen usando el español resultará[a] en la creación de un sistema de instituciones sociales para acomodar a las personas que eligen no aprender el inglés y en la fragmentación del país.

Algunos sociólogos están a favor de que se apoye el uso del español en las escuelas y de proporcionar algunos servicios esenciales. Proponen que darle ayuda en español en las oficinas públicas a la gente que lo necesita es cuestión de cortesía y que el negarlo es muy mala educación. Dicen que es importante que las escuelas les den instrucción en español a los estudiantes hispanohablantes para que éstos no se atrasen en sus estudios. En las escuelas muchos de los jóvenes hispanos son mayores que sus compañeros anglohablantes debido a las dificultades lingüísticas que experimentan aquéllos.[b]

[a]*will result*   [b]*the former*

Esta situación contribuye a que el 40% de los adolescentes hispanos abandone sus estudios antes de graduarse de la escuela secundaria.

Hay algunos que creen que los hispanohablantes que emigran a los Estados Unidos no aprenden el inglés, pero algunas estadísticas indican que el 75% de los inmigrantes hispanos hablan inglés con regularidad después de vivir 15 años en los Estados Unidos. Para estas personas, el español llega a ser su segundo idioma y algunos de ellos dejan de usarlo totalmente. En cuanto a sus hijos, más del 70% usa el inglés como su primer idioma. De hecho, la tercera generación de las familias inmigrantes usa el español muy poco —o no lo usa

nunca. Algunos críticos afirman que la presencia de tantos hispanohablantes en el país contradice estos datos.

Es obvio que es un tema bastante complicado, pero la mayoría de los sociólogos concluye que el uso actual del español no constituye ninguna amenaza para el dominio del inglés en los Estados Unidos sino una oportunidad. El aumento en el número de consumidores en Hispanoamérica tiene el potencial de beneficiar la economía estadounidense y sería muy útil que los hispanohablantes conservaran su español para poder trabajar con las compañías hispanoamericanas y prosperar en el siglo XXI. ¿Qué opina Ud.? ■

En una clase bilingüe de California

E ¿Qué grupo étnico vive desde hace siglos en lo que es hoy territorio de los Estados Unidos? ¿Qué grupos tienen una concentración de exiliados políticos? ¿de inmigrantes recién llegados? ¿Por qué cree Ud. que muchos hispanos emigraron a los Estados Unidos y no a otros países?

F ENTRE TODOS

■ En la página siguiente, ¿cómo se llama el programa de radio que presenta este anuncio? ¿Dónde y cuándo se transmite? ¿Cuál es su contenido? ¿A quiénes se dirige?

- En muchos lugares de los Estados Unidos hay gran variedad de revistas, periódicos y programas de radio y de televisión en español. ¿Cómo puede influir esto en la adaptación de las comunidades hispanas? Por ejemplo, ¿puede demorar (*delay*) su adaptación? ¿Contribuye de alguna forma al mantenimiento de la identidad de las comunidades hispanas? ¿a su asimilación a la cultura mayoritaria? Explique.

- ¿Qué impacto —lingüístico, cultural, político o económico— tienen los medios de comunicación hispanos en los Estados Unidos?

Lengua I

■■ 34 The Passive Voice

In both English and Spanish, actions that have objects can be expressed either actively or passively. In the active voice (**la voz activa**), the agent, or doer, of the action is the subject of the sentence, and the receiver of the action is the direct object. In the passive voice (**la voz pasiva**), the functions are reversed: the receiver of the action is the subject, and the agent, or doer, is expressed in English with a prepositional phrase (*by* + agent).

Spanish has two ways of expressing the passive idea: the passive with **ser** and the passive **se.**

Active Voice	Passive Voice
subject/agent + **verb** + object/recipient	subject/recipient + *to be* (**ser**) + past participle + agent
Laura **pintó** la casa. *Laura painted the house.*	La casa **fue** pintada por Laura. *The house was painted by Laura.*
El gobierno **ha ayudado** a los inmigrantes. *The government has helped the immigrants.*	Los exiliados **han sido** ayudados por el gobierno. *The exiles have been helped by the government.*
Los inmigrantes **van a solicitar** la ciudadanía. *The immigrants are going to request citizenship.*	La ciudadanía **va a ser** solicitada por los inmigrantes. *Citizenship is going to be requested by the immigrants.*

A. The passive with *ser*

The passive construction with **ser** is very similar to the English passive: a form of the verb *to be* (**ser**) followed by the past participle and the agent introduced with *by* (**por**). The past participle functions as an adjective, agreeing in gender and number with the subject.

	SINGULAR	PLURAL
MASCULINE	**El** libro fue escri**to** por Elena. *The book was written by Elena.*	**Los** libros fueron escri**tos** por Elena. *The books were written by Elena.*
FEMININE	**La** fiesta siempre ha sido planeada por Carlos. *The party has always been planned by Carlos.*	**Las** fiestas siempre han sido planeadas por Carlos. *The parties have always been planned by Carlos.*

PRÁCTICA   Conjugue el verbo **ser** en un tiempo verbal lógico, según el contexto, y utilice la forma apropiada del participio pasado del verbo entre paréntesis para formar oraciones con la voz pasiva con **ser** como en el modelo. ¡Cuidado! Es posible que en algunos casos haya más de una forma correcta del verbo **ser**.

MODELOS: Los países sudamericanos (colonizar) principalmente por los españoles. →
Los países sudamericanos fueron colonizados principalmente por los españoles.

La herencia hispana que hay en este país (aportar) por inmigrantes de varios países de habla española. →
La herencia hispana que hay en este país ha sido aportada por inmigrantes de varios países de habla española.

1. El crisol que son los Estados Unidos (crear) por la variedad de razas que inmigraron a este país.

2. A algunas personas les gustaría que el español (adaptar) como una lengua oficial de este país.

3. Las costumbres de algunos inmigrantes (perder) cuando éstos llegan a un nuevo país.

4. Algunos creen que esas costumbres deben (aceptar) y (mantener) por la nueva cultura.

5. Nombre algunos de los grupos hispanos que (admitir) en este país.

B. The passive *se*

Spanish has another way of expressing the passive idea: the passive **se.** Note the following comparison.

PASSIVE WITH **ser**	Las casas **fueron construidas** por los inmigrantes. *The houses were built by the immigrants.*
PASSIVE **se**	**Se construyeron** las casas en 1993. *The houses were built in 1993.*

As you learned in grammar section 6, the passive **se** construction always has three parts.

> **se** + third-person verb + receiver (object) of the action

Se reciben miles de peticiones cada año.	*Thousands of petitions are received every year.*
Se aprueba sólo un pequeño **porcentaje** de ellas.	*Only a small percentage of them is approved.*
Se rechazaron los **aportes** de ese grupo.	*The contributions of that group were rejected.*

The passive **se** verb agrees in number with the recipient of the action (**miles, porcentaje, aportes**).

PRÁCTICA   Convierta las siguientes oraciones activas en oraciones pasivas usando el **se** pasivo.

1. Muchos inmigrantes hispanos han ocupado muchos trabajos que no quiere el estadounidense medio.
2. Los grupos minoritarios han aportado muchas costumbres al crisol estadounidense.
3. Cada año el gobierno estadounidense regala varias visas en una lotería.
4. Recientemente, muchos han discutido el tema de la inmigración ilegal.
5. Hace pocos años el estado de California canceló sus programas de educación bilingüe.

C. The passive with *ser* versus the passive *se*

These two constructions differ in meaning as well as in form.

- Whenever the passive with **ser** is used, the agent of the action is either stated in the sentence or is very strongly implied. When mentioned, the agent is introduced by the preposition **por.**

AGENT MENTIONED	Los países hispanoamericanos **fueron colonizados** por los españoles en el siglo XVI. *The countries of Spanish America were colonized by the Spanish in the sixteenth century.*
AGENT IMPLIED BY PREVIOUS CONTEXT	Los españoles llegaron al Nuevo Mundo a finales del siglo XV. Los países hispanoamericanos **fueron colonizados** en el siglo XVI. *The Spanish arrived in the New World at the end of the fifteenth century. The countries of Spanish America were colonized in the sixteenth century.*

- In general, when the agent is known, Spanish will use an active construction instead of the passive with **ser.**

ENGLISH PASSIVE	SPANISH ALTERNATIVES
*The laws **were passed by** Congress.*	*Active (common)* **El Congreso aprobó** las leyes. *Passive with **ser** (infrequent)* Las leyes **fueron aprobadas por el Congreso.**

The passive with **ser** is used relatively infrequently in speech and is only slightly more common in writing, where writers may use it to vary their style.

■ When the agent of the action is unknown or unimportant to the message, the idea should be expressed by using a passive **se** construction. In a passive **se** sentence, the speaker simply wants to communicate that an action is, was, or will be done to someone or something. This construction is used regularly in both written and spoken Spanish.

ENGLISH PASSIVE

Money was sent to the exiles.
(Who sent the money is not known or is unimportant.)

Many machines were bought.
(Who bought them is not known or is unimportant.)

SPANISH ALTERNATIVE

*Passive **se***
Se mandó dinero a los exiliados.

*Passive **se***
Se compraron muchas **máquinas.**

PRÁCTICA   Imagínese que Ud. se ha decidido a emigrar a otro país. ¿Adónde quiere ir? Conteste según el modelo. ¡Cuidado! Como no es un país determinado, tiene que usar el subjuntivo.

MODELO: ayudar al individuo a asimilarse →
Quiero ir a un país donde se ayude al individuo a asimilarse.

1. cometer menos crímenes
2. ofrecer mejores sueldos
3. tener más libertad de expresión
4. ofrecer muchas oportunidades para instruirse
5. disfrutar de (*to enjoy*) un mejor nivel de vida

6. poder vivir cerca de la naturaleza
7. no pagar tantos impuestos
8. proteger los derechos humanos
9. no necesitar prestar servicio militar
10. hablar español

■■■ 34 INTERCAMBIOS

AUTOPRUEBA   A continuación hay dos categorías de oraciones: algunas con el **se** pasivo, otras con la voz pasiva con **ser.** Escriba cada oración de nuevo, usando la otra construcción que no se usó originalmente.

1. La fortaleza fue construida por los militares en el siglo XVIII.
2. Las costumbres fueron perdidas después de la llegada de los europeos.
3. La oferta ha sido rechazada por los miembros del otro partido.
4. Se han descubierto muchas joyas en la isla.
5. Se cometieron muchos robos en esa zona de la ciudad.
6. Se fundó la ciudad en 1757.

Respuestas: 1. Se construyó la fortaleza en el siglo XVIII. **2.** Se perdieron las costumbres después de la llegada de los europeos. **3.** Se ha rechazado la oferta. **4.** Muchas joyas han sido descubiertas en la isla. **5.** Muchos robos fueron cometidos en esa zona de la ciudad. **6.** La ciudad fue fundada en 1757.

Aquí hay algunas palabras en español que tienen su origen en inglés y que son utilizadas por algunos de los hispanos que viven en los Estados Unidos. Dé la palabra en inglés que ha servido de base para cada una.

1. el tiquete   3. parquear
2. la grocería   4. la factoría

De la misma manera, muchas palabras en inglés tienen su origen en español. ¿Puede Ud. decir la palabra en español que dio origen a estas palabras en inglés?

1. *savvy*   3. *barbecue*
2. *alligator*   4. *cockroach*

A Dé información sobre los siguientes hechos históricos, usando oraciones pasivas.

MODELO: América / descubrir → América fue descubierta en 1492.

1. Abraham Lincoln / asesinar
2. la bombilla eléctrica y el fonógrafo / inventar
3. la ciudad de Hiroshima / bombardear
4. este país / fundar
5. las civilizaciones indígenas de Sudamérica / someter (*to subdue*)
6. miles de inmigrantes / ¿ ?

B Imagínese que la Asociación de Estudiantes Latinos de esta universidad está preparando una lista de peticiones para el rector (*president*). Exprese sus demandas, utilizando los verbos entre paréntesis para formar oraciones con el **se** pasivo. ¡Cuidado! Es necesario usar el subjuntivo.

MODELO: patrocinar (*to sponsor*) programas destinados a la difusión de la cultura hispana (pedir) →
Pedimos que se patrocinen programas destinados a la difusión de la cultura hispana.

1. crear un programa de estudios hispanoamericanos (solicitar)
2. aumentar el número de profesores hispanos en toda la universidad (desear)
3. admitir más estudiantes hispanos (proponer)
4. exigir (*to demand*) el estudio de una lengua extranjera como requisito para graduarse (recomendar)
5. ofrecerles más ayuda económica a los estudiantes hispanos (insistir en)
6. promover programas de intercambio estudiantil en España e Hispanoamérica (necesitar)

¿Cuáles de estas demandas anteriores cree Ud. que se pueden aplicar a su universidad? Explique.

C Exprese su opinión sobre los siguientes temas, utilizando una de las formas de la voz pasiva siempre que sea posible.

MODELOS: promover la educación bilingüe →
Creo que es necesario que se promueva la educación bilingüe para facilitar la asimilación de los inmigrantes y al mismo tiempo permitirles conservar su propia identidad cultural.

muchas noticias / distorsionar / los medios de comunicación →
Es una lástima que muchas noticias sean distorsionadas por los medios de comunicación. Creo que toda información debe ser presentada desde diversos puntos de vista.

1. declarar el inglés como única lengua oficial de este país
2. apreciar el aporte hispano a la cultura de este país
3. los inmigrantes ilegales / deportar / el gobierno
4. proteger a los exiliados políticos
5. el orgullo patriótico / conservar / los emigrantes

D Mire los siguientes anuncios.

■ ¿Qué se vende en estos anuncios? ¿En cuál de ellos se adapta la comida hispana al estilo de vida estadounidense? Explique.

■ ¿En qué anuncio se introduce la comida estadounidense al público hispano?

■ Exprese sus impresiones sobre estos intercambios culinarios (los motivos, las consecuencias, etcétera). ¿Qué otras adaptaciones e influencias similares puede Ud. mencionar?

E ¡NECESITO COMPAÑERO! Es cierto que todo país tiene que limitar la entrada de inmigrantes, pero no hay ningún acuerdo respecto al criterio para hacerlo. Trabajando en parejas, decidan cuáles de los siguientes factores son los más importantes a la hora de aceptar o rechazar a quienes solicitan una visa de residente.

1. la afiliación política
2. la edad
3. la salud
4. la raza
5. los antecedentes penales (*criminal*)
6. el país de origen
7. el nivel de educación
8. el tener parientes radicados (*established*) en este país
9. la evidencia de ser víctima de persecución política o personal en su país de origen
10. las inclinaciones personales (la orientación sexual, el uso de drogas, etcétera)
11. la religión
12. el tener una habilidad especial
13. la posición social
14. la preparación profesional

(continúa)

Comparen sus decisiones con las de los demás miembros de la clase. ¿Hay factores que la mayoría indicó que eran más importantes? ¿menos importantes? ¿Se puede formular una política que sea aceptable para todos?

F ENTRE TODOS ¿Cuáles son los «usos y abusos» de los términos «hispano» y «latino»? En grupos de tres o cuatro personas, comenten los siguientes puntos, utilizando la voz pasiva siempre que sea posible. Luego, compartan sus conclusiones con el resto de la clase.

1. ¿Qué estereotipos se asocian con el término «hispano»? Expresen sus opiniones sobre cada uno de los siguientes aspectos.

   Vocabulario útil: se considera, se cree, se piensa, son calificados de (adjetivo)

   - la delincuencia
   - la educación
   - la familia

   - la raza
   - el trabajo
   - la vida social

2. ¿Qué se entiende por «hispano»? ¿Representa un grupo lingüístico? ¿un grupo cultural? Para ser hispano/a, ¿es necesario ser hispanohablante? ¿ser católico/a? ¿haber nacido en un país de habla española? ¿ser descendiente de hispanohablantes? ¿conocer las tradiciones, costumbres, comidas y bailes típicos de los países de habla española? ¿Se trata de un grupo homogéneo o heterogéneo? Expliquen.

G ¡NECESITO COMPAÑERO! Imagínense que Uds. deciden inscribirse en el Cuerpo de Paz, pero sólo pueden escoger entre los siguientes lugares. ¿A cuál les va a ser más difícil adaptarse? ¿Por qué? Por fin, ¿cuál de los lugares disponibles eligen? ¿Por qué?

1. un país poco desarrollado donde no existen las comodidades —electricidad, teléfono, agua corriente— a que Uds. están acostumbrados
2. un país con un clima radicalmente diferente al de aquí
3. un país en el que los hombres y las mujeres no tienen las mismas oportunidades de trabajo
4. un país en el que hay poca libertad de expresión
5. un país en el que se habla una lengua que Uds. no saben
6. un país en el que no hay tolerancia para quien no practica la religión oficial (y Uds. *no* la practican)

A PROPÓSITO

Ser + *past participle* indicates a passive action. Since passive actions usually focus on the completion of the event, **ser** in the past is conjugated in the preterite (**fue, fueron**).

Estar + *past participle* expresses the condition that results from an action. Since description of a condition generally focuses on the middle aspect, **estar** in the past is conjugated in the imperfect (**estaba, estaban**).

Note that with both **ser** and **estar,** the past participle functions as an adjective in these constructions and must agree in gender and number with the noun modified.

■■ **35** Resultant State or Condition Versus Passive Voice

In **Capítulo 1** you learned about using **estar** with a past participle to express a state or condition resulting from some prior action.

Los niños rompieron la ventana jugando al béisbol; todavía **estaba rota** cuando yo fui de visita dos días después.

The children broke the window playing baseball; it was still broken when I visited two days later.

In Spanish, the contrast between an action and a state or condition is always marked by the choice between **ser** and **estar.**

Action: *ser*	Condition: *estar*
La ventana **fue rota** por el ladrón. *The window was broken by the thief.*	No pude abrir la ventana porque **estaba rota.** *I couldn't open the window because it was broken.*
Las tiendas **fueron cerradas** por la policía para impedir el saqueo. *The stores were closed by the police to prevent looting.*	Ya para las 7:00, todas las tiendas **estaban cerradas.** *By seven o'clock, all the stores were closed.*

PRÁCTICA   Indique las oraciones que correspondan mejor a cada dibujo.

a. La leña (*firewood*) fue hacinada (*stacked*).

b. La cena está preparada.

c. La cena fue preparada.

d. La leña está cortada.

e. La leña está hacinada.

f. La mesa fue puesta (*set*).

1.   **2.**   **3.**   **4.**

■■■ 35 INTERCAMBIOS

AUTOPRUEBA   Complete las siguientes oraciones pasivas con la forma apropiada de **ser** o **estar**, según el contexto. Cuidado con los tiempos verbales.

1. Los derechos de los indígenas _____ protegidos según la ley.

2. En el siglo XIX la comida _____ importada por el gobierno para satisfacer las necesidades de los habitantes.

3. No quiero salir ya que _____ acostumbrado a la vida aquí.

4. No podemos leer esos libros puesto que _____ escritos en alemán.

5. La cena mañana _____ preparada por un cocinero de París.

6. La escuela _____ cerrada por orden de un tribunal en 1997.

7. Los nuevos ciudadanos _____ acogidos en una ceremonia delante del Palacio Nacional.

8. Por fin podemos comer; la comida _____ preparada.

Respuestas: 1. están **2.** fue **3.** estoy **4.** están **5.** va a ser / será **6.** fue **7.** fueron **8.** está

A Escoja el verbo apropiado, según el contexto.

1. Los cubanos que llegaron a los Estados Unidos en la segunda oleada (*wave*) no (estaban/fueron) tan bien recibidos como los de la primera oleada.

2. Al principio, los inmigrantes pueden experimentar choques culturales ya que (están/son) acostumbrados a otro ritmo de vida.

3. En el pasado, grandes cantidades de inmigrantes (estaban/fueron) traídos a este país en barco e incluso pasaron semanas en el viaje.

4. No necesitábamos ayudarlos porque cuando los conocimos, ellos ya (estaban/fueron) bien establecidos.

5. Los papeles de ciudadanía que les dieron a los inmigrantes (estaban/fueron) escritos en inglés.

6. ¿Cuándo (estuvieron/fueron) trasladados (*transferred*) los refugiados al otro campamento?

B ¡NECESITO COMPAÑERO! Es muy probable que la mayoría de los miembros de la clase tenga parientes, amigos o conocidos inmigrantes. ¿Por qué motivos emigraron esas personas? ¿Cómo era su vida al llegar a este país? Trabajando en parejas, preparen un cuestionario usando las siguientes frases para formar sus preguntas. ¡Cuidado! Es necesario escoger entre **ser** y **estar**. Tengan cuidado también con los tiempos verbales.

MODELO: tener **/** parientes (amigos, conocidos) **/** originarios de otro país →
¿Tienes parientes (amigos, conocidos) que sean originarios de otro país?

1. en qué país **/** establecidos antes de emigrar
2. cuándo **/** admitidos como residentes en este país
3. cuáles **/** los motivos por los cuales emigraron
4. cómo **/** tratados por los habitantes de este país al principio
5. tener ellos **/** parientes que ya **/** radicados en este país
6. cómo **/** acogidos por otros de su misma cultura
7. qué tradiciones de su patria **/** mantenidas por ellos hasta hoy
8. hoy ellos ya **/** nacionalizados (*naturalized*) en este país

Luego, cada uno de Uds. debe utilizar el cuestionario para entrevistar a otro compañero / otra compañera de clase acerca de las experiencias que vivieron sus parientes, amigos o conocidos como inmigrantes. Después de hacer las entrevistas, compartan con la clase lo que han aprendido. ¿Tuvieron muchos experiencias similares?

LOS MEXICANOAMERICANOS, LOS PUERTORRIQUEÑOS Y LOS CUBANOAMERICANOS

Aproximaciones al texto

More about text structure: Developing and organizing an idea

Many texts are built around a main idea that is developed through examples and supporting ideas. For example, an essay on the contributions of immigrant groups to U.S. culture might include information about food, holidays, and language.

The writer might organize the supporting ideas in a number of ways, including comparison/contrast, cause/effect, and division/classification. Being able to recognize the particular structure of a text's argument helps the reader establish expectations about the types of information in the text. It also provides a basis for evaluating the text: Did the author "follow through" appropriately? Did the author accomplish what he or she set out to do?

Comparison/Contrast. An effective technique for describing an object, action, or idea is comparison/contrast: pointing out the similarities and differences between the object and something else with which the reader may be familiar. An essay based on comparison/contrast of two objects (two groups of people, for example) can be developed in two ways.

1. First present the information about group 1 with respect to particular points (food, religion, dress, and so on), followed by all the information about group 2.

2. Compare/contrast the groups with respect to each point before continuing on to the next point.

Here is a schematic representation of these two methods.

Method One	
Group 1	**Group 2**
food religion dress	food religion dress

Method Two		
Food	**Religion**	**Dress**
group 1 group 2	group 1 group 2	group 1 group 2

Cause/Effect. This method of development is particularly appropriate for exploring the reasons why something is the way it is. Why is the Spanish spoken in the New World different from that spoken in Spain? Why are intellectuals more active politically in the Hispanic world than is customary in the United States? It may examine both immediate and underlying causes of a particular situation. For example, the assassination of Archduke Ferdinand was the immediate cause of World War I, but there were also many underlying social and economic causes. Cause/effect development may also explore the direct and/or long-term consequences of an action.

Division/Classification. Division/classification is another method of organizing a text. Division involves separating a concept into its component parts. Classification is the reverse process: It sorts individual items into larger categories. For example, to describe a car using the technique of division, you would examine each of its parts. On the other hand, when using the technique of classification, you might categorize cars as Fords, Toyotas, and Volkswagens.

Often a writer may find that a combination of these three techniques is the most effective way to develop his or her ideas. For example, to develop the idea that "the computer is becoming increasingly more important in this day and age," the writer may first want to identify the ways in which the computer is important (division) and then to explain how each of these is more important today than at some established point in the past (comparison/contrast). The writer may even want to conclude by showing some of the reasons for the computer's steady increase in importance (cause/effect).

■■■ PALABRAS Y CONCEPTOS

empeñarse (en)   to insist on, be determined to

hacer caso   to pay attention

la acogida   welcome, reception

la aculturación   acculturation (*adapting to a different culture*)

el adiestramiento   job training

la alienación   alienation

la asimilación   assimilation (*taking on the characteristics of a different culture*)

el becario   person who receives a scholarship

la concienciación   raising of consciousness

la desventaja   disadvantage

el empeño   insistence, determination

el ferrocarril   railroad

la formación educativa   academic preparation or background

la ley   law

la oleada   wave, surge

la propuesta   proposal

controvertido/a   controversial

procedente de   originating from

■■■ Los mexicanoamericanos

1   **ES MUY SABIDO QUE**, con excepción de la minoría indígena, los Estados Unidos es una nación de inmigrantes. Antes de 1860, sin embargo, los inmigrantes formaban una población bastante homogénea: De los cinco millones que llegaron entre 1820 y 1860, casi el 90 por ciento venía de Inglaterra, Irlanda o
5   Alemania. Después de 1860, en cambio, llegaron en oleadas cada vez más

grandes inmigrantes procedentes de culturas con tradiciones muy variadas. En la llamada «Gran Inmigración» de 1880 a 1930, desembarcaron en los Estados Unidos casi 30 millones de personas: italianos, polacos, rusos y muchos otros procedentes de las distintas naciones del centro y del este de
10 Europa.

Hoy en día «la nueva oleada» de inmigrantes son los hispanos: especialmente los mexicanos, los puertorriqueños y los cubanos. Como se verá,[1] este grupo tiene características que lo distinguen de otros inmigrantes porque muchos no son en realidad «inmigrantes», y porque algunos grupos hispanos
15 han vivido en los Estados Unidos desde hace mucho tiempo.

Los mexicanoamericanos

La presencia hispana es más palpable en el suroeste de los Estados Unidos, aunque también va en aumento en muchas otras partes del país. La arquitectura del suroeste recuerda los años de la colonización española, y luego mexicana, y la comida tiene un distintivo sabor picante. Los carteles[2] en muchas
20 tiendas anuncian que «se habla español» ya que en Nevada y Colorado, una de cada seis personas es hispana; en Arizona, una de cada cuatro personas; en California y Texas, una de cada tres; y en Nuevo México, ¡casi la mitad de la población es de origen hispano! La mayoría de estas personas son mexicanoamericanos, o chicanos,* descendientes de los primeros pobladores de
25 esa región.

Cuando los colonos ingleses fundaron Jamestown en 1607, los españoles y los mexicanos ya llevaban más de 60 años en el suroeste. Todo el territorio del suroeste pertenecía a España y luego a México; cuando los primeros estadounidenses empezaron a llegar a la región (alrededor de 1800), había unos 75 mil
30 mexicanos que ya vivían allí.

El enorme tamaño del territorio permitía que los recién llegados se establecieran y siguieran viviendo de acuerdo con sus costumbres y tradiciones, manteniéndose al margen de los mexicanos. Al principio el gobierno mexicano estaba contento de tener pobladores de cualquier tipo, pero al notar la rápida
35 americanización de su territorio, empezó a alarmarse. En 1830, México prohibió la inmigración procedente de los Estados Unidos, pero ya era demasiado tarde. El territorio de Texas se rebeló en 1836 y logró independizarse de México. Pronto Texas votó por formar parte de los Estados Unidos y, para evitar que México recuperara este territorio, en 1846 los Estados Unidos declararon
40 la guerra contra México.

El Tratado de Guadalupe Hidalgo puso fin a la guerra en 1848, dándole a los Estados Unidos la tierra de Texas, Nuevo México y Arizona, y parte de California, Nevada y Colorado. México había perdido[3] la mitad de su territorio total y los Estados Unidos habían ganado un tercio[4] del suyo. A los 75 mil
45 ciudadanos mexicanos que se encontraban en lo que era ahora territorio estadounidense se les ofreció la alternativa de volver a México o de convertirse en ciudadanos de los Estados Unidos. La gran mayoría decidió quedarse y

[1]va a ver [2]*signs* [3]había… *had lost* [4]habían… *had gained a third*

---

*La historia de la palabra **chicano** no es exacta, pero generalmente se considera una abreviación de **mexicano.** No todos los mexicanoamericanos aceptan el uso de este término. Por lo general, los jóvenes prefieren llamarse **chicanos;** los mayores, **mexicanoamericanos** o **mexicoamericanos.**

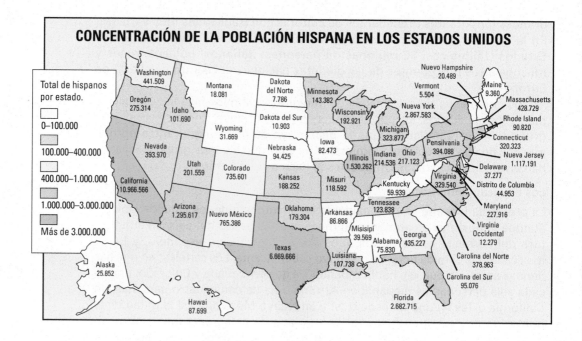

CONCENTRACIÓN DE LA POBLACIÓN HISPANA EN LOS ESTADOS UNIDOS

Total de hispanos por estado.

☐ 0–100.000
☐ 100.000–400.000
☐ 400.000–1.000.000
☐ 1.000.000–3.000.000
☐ Más de 3.000.000

Washington 441.509
Oregón 275.314
Idaho 101.690
Montana 18.081
Dakota del Norte 7.786
Minnesota 143.382
Nuevo Hampshire 20.489
Vermont 5.504
Maine 9.360
Massachusetts 428.729
Rhode Island 90.820
Connecticut 320.323
Nueva York 2.867.583
Nueva Jersey 1.117.191
Wisconsin 192.921
Dakota del Sur 10.903
Wyoming 31.669
Nevada 393.970
Utah 201.559
Colorado 735.601
Nebraska 94.425
Iowa 82.473
Michigan 323.877
Pensilvania 394.088
California 10.966.566
Kansas 188.252
Misuri 118.592
Illinois 1.530.262
Indiana 214.536
Ohio 217.123
Delaware 37.277
Distrito de Columbia 44.953
Virginia 329.540
Kentucky 59.939
Arizona 1.295.617
Nuevo México 765.386
Oklahoma 179.304
Arkansas 86.866
Tennessee 123.838
Maryland 227.916
Virginia Occidental 12.279
Carolina del Norte 378.963
Texas 6.669.666
Misisipí 39.569
Alabama 75.830
Georgia 435.227
Carolina del Sur 95.076
Luisiana 107.738
Florida 2.682.715
Alaska 25.852
Hawai 87.699

aceptar la ciudadanía. Fueron éstos los primeros mexicanoamericanos,

50 que llegaron a serlo no por medio de una inmigración deliberada sino por medio de la conquista.

El Tratado de Guadalupe les garantizaba la libertad religiosa y cul-

55 tural a los mexicanoamericanos y reconocía sus derechos respecto a la propiedad. Sin embargo, con la excepción de la práctica de su religión, no se ha hecho caso de estas

60 garantías. La hostilidad hacia los mexicanoamericanos empezó en 1848 con la firma del Tratado de Guadalupe. Entre 1865 y 1920, hubo más linchamientos de mexicanoamericanos

65 en el suroeste que de afroamericanos en el sureste. La llegada del ferrocarril en la década de 1870 atrajo a más y más pobladores angloamericanos, y hacia 1900 los mexicanoamericanos habían sido[5] reducidos a la condición de minoría subordinada.

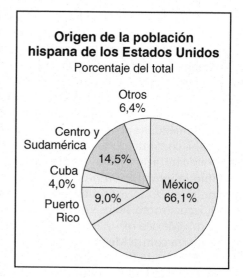

Origen de la población hispana de los Estados Unidos
Porcentaje del total

Otros 6,4%
Centro y Sudamérica 14,5%
Cuba 4,0%
Puerto Rico 9,0%
México 66,1%

La subordinación de los mexicanoamericanos

En el suroeste el clima es tan árido que sólo son provechosas la agricultura y

70 la cría de ganado hechas en gran escala. Perdidas sus tierras° y por no tener

[5]habían… *had been*

°Los mexicanos poseían tierras según el sistema español tradicional de latifundios (*land grants*); muchos las perdieron debido a la dificultad de probar su posesión.

Las tradiciones hispanas forman una parte importante de la cultura del suroeste de los Estados Unidos. Estos jóvenes presentan un baile folclórico mexicano en Austin, Texas.

educación ni formación especializada, los mexicanoamericanos se convirtieron en la mano de obra de sus nuevos dueños: terratenientes[6] ricos, grandes corporaciones, financieros y ferroviarios.[7]

75   Fue, además, una mano de obra muy barata: La proximidad de la frontera con México aseguraba una fuente casi sin límite de trabajadores. Todos los días llegaban nuevos inmigrantes, muchos ilegales, que buscaban trabajo y estaban dispuestos a trabajar por cualquier salario. La naturaleza cíclica de la agricultura ocasionaba períodos de trabajo seguidos de otros de desempleo. El trabajo en los campos aislaba a los mexicanoamericanos

80 del resto de la sociedad y el hecho de que los obreros se trasladaran de un lugar a otro en busca de cosechas hacía imposible la educación de sus hijos. Así la segunda generación, sin educación ni formación académica, sólo podía seguir a sus padres a trabajar en el campo —el ciclo se repetía una y otra vez.

85   La Segunda Guerra Mundial (1939–1945) y la rápida mecanización de la agricultura que la siguió ayudaron a romper el ciclo. Muchos mexicanoamericanos volvieron de la guerra con una nueva conciencia: Por primera vez empezaron a identificarse como «americanos», los que lo pueden hacer todo. Tenían, además, una nueva formación. Al ver que disminuía el trabajo

90 en los campos, muchos de ellos se fueron a las ciudades. Hoy, más del 80 por ciento de la población mexicanoamericana es urbano. La mayoría se ha establecido en Los Ángeles, cuya población de ascendencia mexicana es la segunda más importante del mundo, superada sólo por la de la Ciudad de México. En las áreas metropolitanas la situación económica de los mexi-

95 canoamericanos se estabilizó y pudieron beneficiarse de muchos bienes sociales; medicina, educación, vivienda. Con todo, aunque su nivel de vida

[6]los que tienen mucha tierra   [7]los que construían el ferrocarril

había mejorado,[8] pronto descubrieron que socialmente seguían subordinados e incluso despreciados.

El estereotipo de inferioridad que con frecuencia se les aplicaba a los me-
100 xicanoamericanos se fue arraigando[9] a través de la literatura y, sobre todo, del cine. En ellos el angloamericano siempre era fuerte, valiente y trabajador. En cambio, se retrataba al mexicanoamericano como a un ser vil, sucio y perezoso. El angloamericano progresaba hacia el futuro al lado de la tecnología y la cien-
105 cia; el mexicanoamericano era un reaccionario que vivía rodeado de supersti-
ciones e ignorancia. En las escuelas se castigaba a los niños por hablar español y lo mismo les ocurría a sus padres en el trabajo. Los angloamericanos les decían que su cultura no los ayudaba, sino que los perjudicaba: La familia era culpable del fracaso o poco éxito de sus niños porque hacía hincapié[10] en las relaciones personales en vez de fomentar la competencia; que su religión les hacía demasi-
110 ado fatalistas; incluso que en su comida faltaban proteínas. De alguna manera u otra, siempre se les recordaba a los mexicanoamericanos que eran inferiores y que siempre lo serían[11] mientras conservaran su herencia mexicana.

La Raza y el chicanismo

El período entre la Segunda Guerra Mundial y los años 60 puede llamarse «la generación de los mexicanoamericanos». Durante este período se vio cierto
115 progreso respecto a la educación y al nivel de vida y se esperaba lograr una mayor aceptación social y una mayor afluencia económica. Pero pronto se experimentó una profunda desilusión ante los numerosos problemas que se iban planteando[12] y, también, surgió una desconfianza casi total respecto al sistema jurídico y político.* La lucha que el movimiento afroamericano realizaba
120 en aquella época a favor de los derechos civiles ofrecía otra alternativa y, siguiendo su ejemplo, nació el chicanismo. En vez de esperar que el sistema se reformara, los chicanos empezaron a organizarse para insistir en esas refor-
mas; en vez de negar su cultura, decidieron fomentar un orgullo étnico y crear una imagen positiva de ellos mismos. Empezaron a preferir el término *chicano*
125 y a referirse a ellos mismos como «la Raza», una gente unida por una historia común, una herencia cultural compartida y un propósito político. César Chávez tuvo éxito en los campos organizando un sindicato con los trabajadores migratorios; en las universidades, especialmente en las de California, se establecieron programas de estudios chicanos; en 1970 se formó el partido de la Raza Unida
130 que propuso (y sigue proponiendo) candidatos políticos chicanos; en los barrios de East Los Ángeles y de Pilsen, Chicago, se expresaron el nuevo orgullo y la nueva esperanza que se sentían a través de grandes murales callejeras que presentan la cultura chicana.

Hoy, sin embargo, más de treinta años después de los logros de Chávez y
135 del nacimiento del movimiento chicano, todavía queda mucho por hacer. Se puede hablar de un progreso entre los chicanos sólo si se les compara con sus propios padres o abuelos. En comparación con otros grupos, todavía están

---

[8]había... *had improved* [9]se... *was becoming entrenched* [10]hacía... daba importancia
[11]lo... *they would be* [12]se... *kept coming up*

---

*Las relaciones entre la comunidad chicana y la policía han sido especialmente negativas; de hecho, las dos decisiones de la Corte Suprema que han tenido más efecto sobre los poderes de la policía surgieron como consecuencia de los enfrentamientos entre la policía y los chi-
canos (*Escobedo* versus *Illinois; Miranda* versus *Arizona*).

muy por debajo en cuanto a educación, vivienda e ingresos.[13] Lo que es más, en la década de los 90 se vio un resurgimiento político y social de la hostilidad hacia los que en este país no hablan bien el inglés, no tienen «tarjeta verde» y no son inmigrantes legales, y se les están cerrando aún más puertas en los campos de la educación, la medicina y las oportunidades de trabajo.

140

[13]*earnings*

∎∎∎ COMPRENSIÓN

A Dé la forma correcta del verbo señalado. Luego, decida si la oración es cierta (**C**) o falsa (**F**), según la información presentada en la lectura. Corrija las oraciones falsas.

1. _____ La región del suroeste de los Estados Unidos (*was settled:* poblar) por los españoles antes que la región de Jamestown.

2. _____ Cuando los primeros colonos estadounidenses llegaron al suroeste, encontraron que el territorio (ser/estar) deshabitado.

3. _____ Los estadounidenses que (establecer/establecerse) en el suroeste no querían (adaptar/adaptarse) a las costumbres mexicanas.

4. _____ Un territorio equivalente al tamaño de Texas y Nuevo México (*was gained:* ganar) por los Estados Unidos en la guerra de 1846.

5. _____ Después de la guerra, los mexicanos que (vivían/vivieron) en la región del suroeste (*were expelled:* echar).

6. _____ Los derechos de los mexicanoamericanos (*were denied:* negar) en el Tratado de Guadalupe.

7. _____ (*Is found:* encontrar) evidencia del orgullo étnico en los murales mexicanoamericanos de los barrios de East Los Ángeles y de Pilsen, Chicago.

B Ponga cada efecto con su causa. ¡Cuidado! No se usan todas las causas.

CAUSA	EFECTO
1. _____ la llegada del ferrocarril al suroeste	**a.** la reducción de los mexicanoamericanos a la condición de minoría étnica
2. _____ la participación de los mexicanoamericanos en la Segunda Guerra Mundial	**b.** un nuevo motivo de orgullo y más posibilidades de trabajo
3. _____ la naturaleza cíclica del trabajo agrícola	**c.** el chicanismo
4. _____ la constante inmigración desde México	
5. _____ la necesidad de trabajadores baratos	
6. _____ la lucha de los negros en favor de los derechos civiles	
7. _____ la condición de «conquistados»	

¿Puede Ud. dar otros posibles efectos producidos por las causas que identificó? Y ¿cuáles son las resultados provocados por las causas que Ud. no identificó?

▪▪▪ Los puertorriqueños

1   **LA POBLACIÓN PUERTORRIQUEÑA DE LOS ESTADOS UNIDOS** es urbana y se concentra
    fundamentalmente en las ciudades del noreste, por ejemplo, en Nueva York,
    Filadelfia y Chicago. Gran parte de la inmigración puertorriqueña empezó
    después de la Segunda Guerra Mundial, durante la década de los años 50. En

5   1940, sólo había 70 mil puertorriqueños en todos los Estados Unidos; en 2000,
    en cambio, había más de 3,4 millones. De hecho, más puertorriqueños viven en
    Nueva York que en San Juan, la capital de Puerto Rico. Como los demás inmi-
    grantes, han venido con sus costumbres y sus tradiciones, su comida y sus
    fiestas; en particular, su música y su danza han introducido nuevo ritmo y co-

10 lorido en el mundo estadounidense.

    A diferencia de otros inmigrantes, los puertorriqueños no tienen que pedir
    permiso para entrar en el país ni preocuparse por cuotas migratorias ni por el
    proceso de naturalización. No son inmigrantes, sino que ya son ciudadanos
    estadounidenses.

15 Los puertorriqueños recibieron la ciudadanía estadounidense en 1917, pero
    su asociación con los Estados Unidos empezó varios años antes, durante la
    Guerra de 1898 entre España y los Estados Unidos. En aquella guerra España
    perdió las Islas Filipinas y sus últimas colonias en el hemisferio occidental:
    Cuba y Puerto Rico. Cuba consiguió su independencia al terminar la guerra. En

20 las Islas Filipinas el proceso de independización fue más lento, pero finalmente
    consiguieron su independencia de los Estados Unidos en 1946. En Puerto Rico
    las cosas siguieron otra ruta: La Isla, más o menos del tamaño de Connecticut,
    se convirtió en territorio de los Estados Unidos.

    Durante las primeras tres décadas del siglo xx, la presencia estadounidense

25 en Puerto Rico trajo consigo muchos cambios positivos. La tasa de mortalidad
    bajó un 50 por ciento, y se elevó la tasa de crecimiento de la población. Pero
    económicamente los cambios no eran tan favorables. Antes de la llegada de los
    estadounidenses más del 90 por ciento de las fincas pertenecía a los labradores
    puertorriqueños. La economía agrícola de la Isla se basaba en tres productos

30 principales: el azúcar, el café y el tabaco. Después de la ocupación esta-
    dounidense, varias compañías grandes se establecieron en Puerto Rico y, al
    cabo de diez años, habían incorporado[1] a sus enormes plantaciones de azúcar
    la mayoría de las pequeñas fincas. La economía pasó abruptamente de manos
    jíbaras[2] a manos estadounidenses.

35 Tanto en los Estados Unidos como en Puerto Rico, había una gran insatis-
    facción por la situación colonial de la Isla. Los estadounidenses que se oponían
    a esta situación lograron que el Congreso aprobara el *Jones Act,* por el cual los
    puertorriqueños recibían la ciudadanía estadounidense y se otorgaban[3] al
    gobernador de la Isla más poderes sobre los asuntos internos. A pesar de sus

40 buenas intenciones, ese acuerdo ha sido rechazado por un gran número de
    puertorriqueños. En primer lugar, ellos alegan que nunca habían solicitado[4] la
    ciudadanía. (En 1914, los puertorriqueños habían mandado[5] una resolución al
    Congreso en la que expresaban su oposición a la imposición de la ciudadanía
    estadounidense a menos que fuera refrendada[6] por el voto del pueblo, pero

---

[1]habían… *had incorporated*   [2]campesinos puertorriqueños   [3]daban   [4]nunca… *had never
requested*   [5]habían… *had sent*   [6]*authenticated*

45 su petición fue desatendida.) En segundo lugar, la Isla seguía siendo una colonia: El Congreso de los Estados Unidos mantenía control sobre las leyes, el
sistema monetario, la inmigración, el servicio postal, la defensa de Puerto
Rico y sus relaciones con otros países. El sistema educativo se configuró
según[7] el sistema estadounidense y se impuso el inglés como lengua de
50 instrucción.

En los años siguientes la dependencia económica de Puerto Rico respecto
a los Estados Unidos aumentó considerablemente. Aunque el deseo de independencia no disminuyó, la supervivencia económica de la Isla pedía otra
solución. Un acuerdo político realizado en 1948 convirtió a la Isla en Estado
55 Libre Asociado[8] (ELA). Ser ELA proporcionó a los puertorriqueños más control
sobre sus propios asuntos —podían elegir a su propio gobernador,— pero al
mismo tiempo sus responsabilidades y privilegios seguían siendo diferentes de
los de otros ciudadanos estadounidenses. Aunque no pagan impuestos
federales, los puertorriqueños se benefician de muchos de los programas
60 federales de educación, medicina y salud pública. Votan en las elecciones
presidenciales primarias, pero no pueden participar en las elecciones generales.
Pueden servir en el ejército (y antiguamente estaban obligados a hacerlo), pero
no pueden votar; mandan representantes al Congreso, pero éstos tampoco
tienen voto.

65 Durante los primeros veinte años después del establecimiento del ELA, se
produjeron cambios notables en Puerto Rico. Bajo la dirección de su primer
gobernador, Luis Muñoz Marín, se instituyó un programa de mejoramiento
económico llamado *Operation Bootstrap,* que estimuló el desarrollo industrial.
La renta[9] por familia aumentó un 600 por ciento, llegando a ser la más alta de
70 toda Hispanoamérica; el 85 por ciento de los jóvenes puertorriqueños asistió a
las escuelas, donde el español volvió a ser la lengua oficial; Puerto Rico se convirtió en el cuarto país del mundo en cuanto al número de jóvenes que asistían
a universidades o a institutos técnicos (el 19 por ciento); y la tasa de mortalidad infantil fue la más baja de toda Hispanoamérica.

75 En comparación con el resto del Caribe o de Hispanoamérica, Puerto Rico
progresaba mucho, pero si se comparaba con el mínimo nivel aceptable en los
Estados Unidos, la situación no era muy alentadora. El nivel de desempleo era
dos veces más alto que el de cualquiera de los Estados Unidos, mientras que
la renta *per capita* llegaba solamente a la mitad. Además, el desarrollo
80 económico había traído[10] consecuencias negativas. La Isla iba perdiendo casi
por completo su carácter rural y tradicional. La televisión, el cine y los productos de consumo anuncian un nuevo estilo de vida. En consecuencia, la cultura
y los valores tradicionales de Puerto Rico se ven amenazados: La unidad familiar, las relaciones personales, la dignidad individual y el respeto son reem-
85 plazados cada vez más por una exagerada competencia económica y se da
cada vez más importancia al dinero y a los bienes materiales.

La migración

La migración de los puertorriqueños hacia los Estados Unidos empezó después
de la Segunda Guerra Mundial.* La mayoría llegó sin instrucción ni formación
especializada, sin recursos económicos y sin un buen dominio del inglés. Se

---

[7]*se...* tomó como modelo   [8]Estado... *Commonwealth*   [9]*income*   [10]había... *had brought*

---

*La Gran Crisis Económica de los años 30, y luego la guerra misma, impidieron una
migración más temprana.

90 enfrentaron con muchos de los problemas que habían padecido[11] los inmigrantes anteriores: discriminación social y explotación económica. Pero en varios sentidos los puertorriqueños son diferentes, y estas diferencias afectan —de manera positiva tanto como negativa— su situación en los Estados Unidos.

95   A diferencia de otros inmigrantes, por ejemplo, muchos de los puertorriqueños no piensan quedarse para siempre en los Estados Unidos. Puerto Rico está cerca y el pasaje es barato; así que muchos de ellos son migrantes «cíclicos», que llegan para buscar trabajo cuando la economía de la Isla presenta dificultades y vuelven cuando han podido ahorrar algún dinero. Su
100 sueño es tener una vida mejor no en los Estados Unidos sino en Puerto Rico. Por esto, aunque reconocen la importancia de aprender inglés, no están dispuestos a renunciar a su español. El mantenimiento del español, al igual que las inmigraciones periódicas, dificulta enormemente la educación de sus hijos. En los Estados Unidos éstos no progresan debido a sus problemas con el
105 inglés, pero cuando regresan a Puerto Rico, muchos se dan cuenta de que su español deficiente les plantea graves problemas para salir adelante en sus estudios.

Cambios y nuevas posibilidades

Aunque la situación de los puertorriqueños es muy difícil, en algunos aspectos es mejor de lo que era hace treinta años. Igual que en la comunidad
110 chicana, el movimiento afroamericano a favor de los derechos civiles motivó una concientización de la comunidad puertorriqueña, dándole una nueva conciencia política, un nuevo orgullo cultural y una nueva determinación por mejorar su situación. Las artes, siempre importantes en la cultura

---

[11]habían… *had endured*

Según algunos, Puerto Rico nunca va a lograr su propia identidad a menos que se independice de los Estados Unidos.

puertorriqueña, son muy visibles en Chicago y en Nueva York, donde varios
115   centros culturales latinos ayudan y animan a los jóvenes poetas, artistas y
músicos. En 1974 se instituyó la educación bilingüe en algunas escuelas de
Nueva York.

    Lo que todavía queda por resolver son las futuras relaciones de la Isla
con los Estados Unidos. Desde el principio Puerto Rico ha mantenido dos
120   posiciones básicas acerca de sus relaciones con los Estados Unidos: O debe
ser incorporado como un estado igual que los otros cincuenta o debe recibir
su independencia. Hoy, después de más de cincuenta años del compromiso
del ELA, la Isla todavía está profundamente dividida con respecto a lo que
debe ser su situación legal. En términos filosóficos y sentimentales, la inde-
125   pendencia todavía es muy atractiva. Sin embargo, ateniéndose a razones más
pragmáticas, la mayoría rechaza la idea de la independencia. La independencia pondría[12] en peligro la estabilidad económica de la Isla, que todavía
depende casi totalmente de los Estados Unidos; los puertorriqueños
perderían[13] el derecho a entrar libremente en este país, al igual que los otros
130   derechos y beneficios de la ciudadanía. Cualquier decisión que se tome va a
incluir penosos y delicados compromisos, pues no sólo están en juego[14] cuestiones puramente económicas y políticas sino la identidad cultural de todo
un pueblo.

[12]*would put*   [13]*would lose*   [14]en... *in play*

■■■ COMPRENSIÓN

¡NECESITO COMPAÑERO!   Trabajando en parejas, escojan una de las siguientes
preguntas y preparen una respuesta según la información presentada en la lectura.
Luego, den una breve presentación oral de su respuesta y escuchen las presenta-
ciones de las demás parejas.

1.   ¿Dónde se encuentra ahora la mayoría de la población puertorriqueña dentro de
los Estados Unidos continentales? ¿Cuándo empezaron a llegar allí en grandes
números? ¿Es correcto llamar a esta llegada una «inmigración»? ¿Por qué sí o por
qué no?

2.   ¿Cómo y cuándo pasó Puerto Rico a ser territorio de los Estados Unidos? ¿Qué
cambios experimentó la economía de la Isla después de ese suceso?

3.   Comenten la importancia o el impacto del *Jones Act* de 1917 en los puertorriqueños. ¿En qué sentido son semejantes o diferentes los derechos de ciudadanía
de los puertorriqueños de los de otros ciudadanos estadounidenses?

4.   ¿Por qué es significativo que muchos de los puertorriqueños sean migrantes
«cíclicos» que piensan algún día regresar a la Isla? ¿Qué problemas lingüísticos y
educativos ocasiona esto a sus hijos?

5.   ¿Qué semejanza hay entre la influencia que tuvo el movimiento afroamericano
de los años 60 en los mexicanoamericanos y la influencia que tuvo en los
puertorriqueños? ¿Cuál es la situación socioeconómica actual de la comunidad
puertorriqueña en los Estados Unidos?

6.   ¿Cuál es la situación política actual de la Isla de Puerto Rico con respecto a los
Estados Unidos? ¿Cuál es la actitud de la mayoría de los puertorriqueños hacia
la independencia? ¿hacia la conversión en un estado con plenos derechos?
Expliquen.

■■■ Los cubanoamericanos

1 **LOS INMIGRANTES CUBANOS SON RADICALMENTE** diferentes de los grupos anterior-
mente mencionados, no solamente por las características de las personas que
integran el grupo sino también por las razones que motivaron su emigración
a los Estados Unidos y la acogida que recibieron al llegar allí.

5   Cuando Fidel Castro tomó posesión del gobierno de Cuba en 1959 y
proclamó el triunfo de la revolución, contaba con el apoyo de los obreros, los
campesinos y los universitarios jóvenes e idealistas. El nuevo régimen quiso
establecer un sistema productivo más igualitario a través de profundas refor-
mas en la educación, la agricultura y la estructura social. Evidentemente, estos
10 cambios no se emprendieron sin conflictos ni privaciones que a veces fueron
muy duros. La nacionalización de millones de dólares de capital estadounidense
tuvo como consecuencia una reducción notable en la compra del azúcar que,
junto con el posterior bloqueo económico de la isla por parte de los Estados
Unidos y de sus aliados políticos, intensificaron las dificultades económicas
15 del país. Poco después de la revolución, los Estados Unidos rompieron sus
relaciones diplomáticas con Cuba y apoyaron un desastroso intento de invasión
llevado a cabo por exiliados cubanos en abril de 1961. Después de este fracaso
en la Bahía de Cochinos, las relaciones entre ambos gobiernos empeoraron. La
alianza entre Cuba y la Unión Soviética provocó una gran desilusión entre
20 muchos cubanos, quienes habían esperado[1] el establecimiento de un gobierno
democrático. Muchos decidieron salir al exilio y entre 1960 y 1980 más de 750
mil cubanos buscaron refugio en los Estados Unidos.

La situación de los cubanos en los Estados Unidos

Muchos de los inmigrantes cubanos se ubicaron en Nueva Jersey y Nueva
York, pero la mayoría se estableció en Miami y en otras ciudades del Con-
25 dado de Miami-Dade en la Florida. Aunque el gobierno de Castro les había
permitido[2] salir, no les permitió llevarse nada, en muchos casos ni siquiera
una maleta. En consecuencia, llegaron a los Estados Unidos con mucho
menos que otros inmigrantes. No obstante, tuvieron dos grandes ventajas.
Primero, no entraron como inmigrantes sino como refugiados políticos.
30 Viendo en esto una oportunidad tanto política como humanitaria, el gobierno
de los Estados Unidos echó la casa por la ventana[3] para acoger a las
«víctimas» del comunismo. Mientras que otros inmigrantes necesitan visas y
entran según cuotas y otras restricciones, los refugiados cubanos entraron
libremente. Por medio de un programa federal especial, a cada individuo se
35 le dio $60 (y a cada familia $100) para ayudarlo a establecerse y se puso a su
disposición beneficiosos préstamos comerciales. Segundo, a diferencia de la
mayoría de los inmigrantes de otros grupos, los cubanos eran en gran parte
personas con educación. Entre un tercio y un cuarto de la población eran profesionales y muchos ya sabían inglés.
40   Como era de esperarse, la gran mayoría de los cubanos exiliados llegaron
a los Estados Unidos convencidos de que algún día el gobierno de Castro se
derrumbaría[4] y ellos podrían[5] volver a su patria. Por lo tanto, se empeñaron

---

[1]habían… *had expected*   [2]les… *had allowed them*   [3]echó… *rolled out the red carpet*
[4]se… *would collapse*   [5]*would be able*

en mantener su lengua y su cultura. Los cubanos todavía no se han asimilado a Miami tanto como Miami se ha asimilado a los cubanos. En 1963, se
45 estableció por primera vez en una escuela pública de los Estados Unidos un programa bilingüe. Lo que es más, este programa tenía como meta no solamente enseñarles inglés a los niños de los refugiados sino también la lengua y la cultura hispanas.* Se esperaba que los jóvenes llegaran a poder funcionar en su propia comunidad hispanohablante tanto como en la anglohablante. El
50 programa tuvo (y sigue teniendo) mucho éxito. A la vez que Miami ha prosperado económicamente debido a la participación cubana, se ha convertido en una de las ciudades más bilingües de los Estados Unidos. Además de las librerías, restaurantes, bancos y empresas, hay periódicos y revistas hispanos y varias emisoras de radio y de televisión que transmiten programas en
55 español.

Cuba bajo Castro

En los más de 45 años de gobierno castrista, Cuba ha experimentado profundos cambios. La campaña educativa ha eliminado casi por completo el analfabetismo; el servicio médico es gratis y se ha reducido en gran medida la tasa de mortalidad. Se ha reducido el desempleo y por medio de las leyes de
60 reforma urbana se ha posibilitado que muchas personas sean propietarias por primera vez de sus casas o apartamentos. La corrupción gubernamental ha sido combatida y ha surgido un nuevo orgullo nacional y una nueva conciencia social. Pero en otros aspectos las condiciones de vida han mejorado poco. El racionamiento de muchos comestibles, medicinas y otros artículos impuesto
65 en 1961 seguía siendo necesario veinte años más tarde debido al embargo económico —iniciado por los Estados Unidos y apoyado por las Naciones Unidas— que sufría el país.[†] Por eso, muchos cubanos se desilusionaron de la revolución y de las promesas de Castro, desilusión que se agudizó[6] durante 1978 a 1980, cuando se permitió que unos 100 mil cubanoamericanos visitaran
70 a sus parientes en Cuba. Su evidente prosperidad bajo el capitalismo instó a muchos a salir del país.

La segunda oleada

Los emigrantes de esta «segunda oleada» no gozaron de[7] la misma acogida que los de la primera. Como no se les consideraba «refugiados», no recibieron la

[6]se... *heightened*   [7]no... *didn't enjoy*

---

*Este tipo de programa bilingüe se llama «mantenimiento» porque tiene la doble meta de mantener el español mientras enseña el inglés. Por eso, aun después de dominar el inglés, los estudiantes siguen recibiendo alguna instrucción en español. En contraste, la gran mayoría de los programas bilingües que se han establecido en otras partes de los Estados Unidos son de tipo «transición»: Los estudiantes sólo reciben instrucción en español hasta que tienen cierto dominio del inglés. La idea es prepararlos a reemplazar el español por el inglés.

[†]Todavía hoy, a pesar de la creciente oposición al embargo manifestada por muchos de los aliados políticos de los Estados Unidos, que no ven a Castro como ninguna amenaza en la nueva época «poscomunista», los gobiernos estadounidenses desde los años 90 se oponen por completo a terminar el embargo ni a reducir la severidad de sus términos. Así que la situación económica, y por lo tanto la situación sociopolítica, de la isla no tiene mucha esperanza inmediata de mejorar.

Muchos de los programas bilingües son ineficaces; sin embargo, en estudios que se han hecho comparando a los niños que reciben instrucción en una sola lengua con los que la reciben en dos, los niños bilingües se muestran superiores. El modelo canadiense, que se basa en la inmersión «two-way» (es decir, el método por el cual todos los estudiantes aprenden varias materias en dos lenguas), ha sido empleado con éxito en varias ciudades estadounidenses.

ayuda económica que se les había dado[8] a los primeros emigrantes.° Los que
75 llegaron en esta segunda oleada eran más jóvenes y tenían menos educación, menos adiestramiento y menos experiencia profesional y laboral que los que llegaron en la primera. En el nuevo grupo había un porcentaje significativo de cubanos de ascendencia africana que, al igual que los puertorriqueños y los mexicanos, siguen teniendo que luchar contra el racismo. Como si estos proble-
80 mas no fueran bastante para los nuevos inmigrantes, también les ha rodeado la sospecha de criminalidad. Castro no sólo dejó salir a los que pedían salida, sino que también permitió la salida de presos comunes de las cárceles cubanas. La presencia de estos «marielitos»[9] ha transformado las antiguas calles tranquilas de Miami en lugares con un alto índice de crimen y violencia y también
85 ha contribuido a hacer más difícil la aceptación de los nuevos inmigrantes.

Quizás el problema más agudo sea la actual situación social de los Estados Unidos. Después de una década de poco crecimiento económico (la década de los 80), las demandas que impone la existencia de inmigrantes en una localidad sobre el sistema educativo, servicios sociales e impuestos representan una
90 carga penosa que ha influido negativamente en la aceptación y en la completa asimilación del grupo. En fin, la actitud de muchos ciudadanos ha cambiado de una de tolerancia y simpatía por los inmigrantes, basada en un sentimiento generalizado de que «hay para todos los que quieran entrar en el país», a una de intolerancia y hostilidad, provocada por la idea de que el país ya no tiene

[8]*se… had been given*   [9]los que salieron del puerto de Mariel, Cuba

---

°En muchos casos la comunidad cubanoamericana reemplazó las subvenciones federales con generosos donativos de dinero, comida y ropa, ayudando también al proceso de adaptación lingüística y cultural.

95 recursos suficientes para todos sus propios ciudadanos, ni mucho menos para las personas que llegan de otros países.

En la década de los 90, el derrumbamiento de los gobiernos comunistas por toda Europa y el rechazo del comunismo en el territorio de la antigua Unión Soviética dañaron aun más la economía del régimen castrista y lo aislaron
100 políticamente. Castro se empeña en declarar su lealtad a los principios de Marx y Lenin, pero muchos piensan que quizás pronto sea posible cerrar la brecha en las relaciones entre Cuba y los Estados Unidos.

▪▪▪ COMPRENSIÓN

A Basándose en las lecturas sobre los mexicanoamericanos, los puertorriqueños y los cubanoamericanos, indique las causas de los siguientes efectos y los efectos de las siguientes causas.

Causa	Efecto
En las escuelas de los Estados Unidos se prohibía a los niños mexicanos hablar español.	
	Los mexicanos se convirtieron en una minoría étnica en el suroeste de los Estados Unidos.
Fidel Castro inició un gobierno comunista en Cuba.	
	En Cuba, continúa el racionamiento de muchas necesidades impuesto desde hace más de 40 años.
Puerto Rico se convirtió en un Estado Libre Asociado en 1948.	
	Puerto Rico pasó a ser parte del territorio de los Estados Unidos.
El movimiento afroamericano a favor de los derechos civiles empezó en los años 60.	
	El nivel de vida de los mexicanoamericanos ha mejorado durante las últimas décadas.
Miles de exiliados cubanos se instalaron en Miami.	
	La primera oleada de exiliados cubanos tuvo menos dificultades en adaptarse que otros grupos de inmigrantes.
La economía de Puerto Rico pasó de manos jíbaras a manos estadounidenses.	
	Puerto Rico depende culturalmente de Hispanoamérica y económicamente de los Estados Unidos.

B Dé un resumen de las tres lecturas, completando esta tabla.

	Los mexicanos	Los puertorriqueños	Los cubanos
¿En qué fechas llegaron?			
¿Dónde se establecieron?			
¿Cuál era su situación migratoria?*			
¿Qué dificultades tuvieron en adaptarse?			
¿Qué tipo de trabajo ejercieron con más frecuencia?			

■■■ INTERPRETACIÓN

A En las lecturas de este capítulo se ha hablado de «exiliados políticos» y «exiliados económicos». ¿A qué cree Ud. que se refiere la expresión «exiliados culturales»? Dé por lo menos dos ejemplos.

B ¿Cree Ud. que existen diferencias en la acogida que reciben los inmigrantes a este país según pertenezcan a un grupo racial u otro? En su opinión, ¿qué factor contribuye más a una buena aceptación de los inmigrantes por la sociedad mayoritaria: su raza, su situación social o su formación profesional? ¿Qué factor contribuye más a que se les reciba de manera negativa?

■■■ APLICACIÓN

A Hoy en día, parece que en muchas partes del mundo la gente está en un estado casi constante de movimiento y emigración, por razones políticas, económicas, religiosas y sociales, entre otras. Aparte de los grupos mencionados en este capítulo, ¿qué otros grupos raciales o culturales conoce Ud. que actualmente estén emigrando a otros países? ¿Cuáles son los motivos de la emigración en cada caso?

B ¡NECESITO COMPAÑERO! Trabajando en parejas, preparen un cuestionario con las preguntas que les gustaría (*you would like*) hacerle a una persona hispana. Pueden ser preguntas sobre su origen, cuándo llegó a los Estados Unidos, las dificultades que tuvo en adaptarse, etcétera. Fuera de la clase, háganle estas preguntas a una persona de origen hispano. (Puede ser un compañero / una compañera de clase, un vecino / una vecina, el dependiente / la dependienta de una tienda, etcétera.) En la clase, presenten las respuestas que recibieron y comenten las de los otros compañeros de clase.

C Hay varias películas que presentan algunos temas sobre la que Ud. leyó en este capítulo: *El sur, My Family, El norte, Fresa y chocolate,* entre otras. Si tiene ocasión, vea una de ellas y comparta con la clase su opinión sobre esa película y los problemas que en ella se plantean.

---

*Es decir, ¿qué características especiales tenían como inmigrantes?

E En su opinión, ¿qué significa «americanizarse»? ¿Es posible ser un buen «americano» y mantener las tradiciones y los valores de otra cultura? Explique.

Lengua II

■■ 36 "No-Fault" *se* Constructions

The passive **se** construction is also used with a group of Spanish verbs to indicate unplanned or unexpected occurrences (**el «se inocente»**).

A Elena se le perdieron los papeles.	*Elena lost her papers. (Her papers "got lost.")*
Se me olvidó el asunto.	*I forgot about the matter. (The matter slipped my mind.)*

Note that since these are passive **se** constructions, the third-person verb agrees with the recipient: **papeles, asunto.** The indirect object indicates the person or persons involved—usually as "innocent victims"—in the unplanned occurrence.

Here are some verbs that are frequently used in the "no-fault" construction. You have already used most of them in active constructions.

acabar	Se nos acabó la gasolina.	*We ran out of gas.*
caer	Se le cayeron los libros.	*He dropped his books.*
ocurrir	¿Se te ocurre alguna solución?	*Can you come up with a solution? (Does a solution come to mind?)*
olvidar	Se le olvidaron las gafas.	*She forgot her glasses.*
perder	Se me perdió el carnet.	*I lost my I.D.*
quedar	Se les quedó el discurso en casa.	*They left the speech at home.*
romper	Se le rompieron los pantalones.	*His trousers split (tore).*

PRÁCTICA   Exprese las siguientes oraciones en inglés.

1. Al niño se le rompió la camisa.

2. Se me quedaron las gafas en el hotel.

3. Bueno, ya se nos acabó el tiempo; son las 10:00.

4. ¡Cuidado! No quiero que se te caigan los platos.

5. Se me durmió la pierna.

Ahora, exprese estas oraciones en español.

6. Oh! My watch broke!

7. His books got lost.

8. They forgot the word in English.

9. She dropped her keys.

10. A great idea just hit us!

■■■ 36 INTERCAMBIOS

AUTOPRUEBA   Explique la siguientes situaciones usando la forma apropiada del «**se** inocente» de los verbos entre paréntesis.

1. Tengo que comprar lentes de sol nuevos porque (perder) los que tenía.

2. Vamos a ir al supermercado porque (acabar) la leche.

3. Alicia es muy astuta. Siempre (ocurrir) las mejores ideas.

4. El suelo está cubierto de vidrio porque a los meseros (caer) los vasos.

5. Luisa quiere cambiarse el vestido porque (romper) el que lleva.

6. Rodolfo acaba de perder el vuelo porque (quedar) el pasaporte en casa.

7. Vamos a tomar el autobús porque (descomponer [*to break down*]) el coche ayer.

Respuestas: 1. se me perdieron **2.** se nos acabó **3.** se le ocurren **4.** se les cayeron **5.** se le rompió **6.** se le quedó **7.** se nos descompuso

■ **A** Dé razones para justificar los siguientes hechos, utilizando el «**se** inocente» que acaba de estudiar. ¡Cuidado! Preste atención al nuevo sujeto.

MODELO: No podemos resolver el problema. No (ocurrir) ninguna solución. →
No podemos resolver el problema. No se nos ocurre ninguna solución.

1. Tenemos que tomar el tren, por que (acabar) la gasolina.

2. Me dieron una mala nota porque (olvidar) la tarea.

3. No puedes sacar libros de la biblioteca si (quedar) el carnet en casa.

4. Ella cojeaba (*was limping*) porque (romper) el tacón del zapato.

5. Dicen que deben irse, ya que (acabar) el tiempo.

6. Lamento no haberte llamado. Es que (perder) tu número de teléfono.

7. La radio está rota porque al niño (caer) esta mañana.

8. Tenemos que volver a casa porque (acabar) el dinero.

■ **B** Vea los siguientes modelos y escriba cinco preguntas para sus compañeros de clase, usando los verbos **ocurrir, olvidar, perder, quedar** y **romper** para saber si les han pasado ciertas cosas. Deje un espacio en blanco al lado de cada pregunta. Luego, hágales sus preguntas a varios compañeros de clase. Si responden afirmativamente, pídales que firmen su papel. Trate de conseguir cinco firmas diferentes. Después, reporte a la clase la información sobre sus compañeros.

MODELO: Ud.: —¿**Se te perdieron** las llaves alguna vez?
Otro/a estudiante: —Sí, **se me perdieron** una vez.
Ud.: —Firma aquí, por favor.

MODELO: (*para reportar a la clase*): A _____ (nombre del / de la estudiante) **se le perdieron** las llaves una vez.

C GUIONES El Sr. Pereda trabaja en la Oficina de Inmigración. Ayer tuvo un día fatal. Trabajando en grupos de tres o cuatro personas, narren en el pasado lo que le pasó, usando el pretérito y el imperfecto, según las circunstancias. ¡Cuidado! La historia contiene varios usos de **se**.

Vocabulario útil: acabarse la paciencia, el artista, la camisa, cortar(se), el cuarto de baño, la cuchilla de afeitar, el jefe, el lavabo (*sink*), la mancha, manchar(se), mojado, mojar(se), el pijama, (poner) el despertador

1. 2. 3. 4.

5. 6. 7. 8.

■■ 37 A and *en*

As you know, in most languages prepositions do not have a single meaning. Even though we generalize and say that the preposition *on* in English means *on top of*, we also say things like *get on the bus* (we are really *in* it), *hang the picture on the wall* (it is not really the same as *on the shelf*), and *arrive on time* (no relation whatsoever to *on top of*). In Spanish the prepositions **a** and **en** generally mean *to* and *in*, respectively, but often they have different meanings.

A. The uses of *a*

■ **movement toward: A** basically expresses *movement toward* in a literal and figurative sense. Note that this same idea is sometimes expressed with *to* in English when the movement is directed toward a noun, but it is usually not expressed with any preposition at all when the movement is directed toward another verb.

Fue **a la oficina.**		*She went to the office.*
Les mandó el paquete **a sus abuelos.**		*He sent the package to his grandparents.*
Comenzaron **a llegar** en 1981.		*They began to arrive in 1981.*

Here are some of the most common verbs that are followed by the preposition **a** to imply *motion toward.*

acostumbrarse	comenzar (ie)	ir
adaptarse	empezar (ie)	llegar
aprender	enseñar	salir
asimilarse	entrar°	venir (ie)
ayudar	invitar	volver (ue)

■ **by means of: A** occurs in a number of set phrases to indicate *means of operation or locomotion,* or *how something was made.* English often uses *by* or *on* to express the same idea.

Está hecho **a mano.**	*It is made by hand.*
Lo hicieron **a máquina.**	*They made it by machine.*
Viajó **a caballo.**	*He traveled on horseback.*
Salió Ud. **a pie,** ¿verdad?	*You left on foot, right?*

■ **a point in time or space, or on a scale:** English *at* is expressed in Spanish by **a** when *at* expresses *a particular point in time or on a scale,* or when *a point in space* means *position relative to some physical object.*

Tengo clase **a las 8:00.**	*I have class at 8:00.*
Al principio, no querían quedarse.	*At the beginning (At first), they didn't want to stay.*
Los compré **a 10 dólares** la docena.	*I bought them at 10 dollars a dozen.*
Manejó **a 80 millas** por hora.	*She drove (at) 80 miles per hour.*
Todos se sentaron **a la mesa.**	*Everyone sat down at the table.*

B. The uses of *en*

■ **position on or within: En** normally expresses English *in, into,* or *on.*

Viven **en una casa vieja.**	*They live in an old house.*
Los pusieron **en la maleta.**	*They put them in(to) the suitcase.*
La carta está **en la mesa.**	*The letter is on the table.*

In time expressions, **en** has the sense of *within.*

Lo hicimos **en una hora.**	*We did it in (within) an hour.*
Tendremos el dinero **en dos días.**	*We will have the money in (within) two days.*

°In Spain, **entrar** is commonly used with **en** to express *motion toward;* in some areas of Latin America, it is used with **a.**

English sometimes uses the preposition *at* to express the idea of *within an enclosure*. Spanish uses **en.**

¿Has estudiado **en la universidad**?

Have you studied at the university?

Estaban **en casa** cuando ocurrió el robo.

They were at home when the robbery occurred.

- **observation of, or participation in, an event:** English distinguishes between being *at* an event as an observer and being *in* an event as a participant. Spanish does not, using the preposition **en** for both meanings. Additional context usually clarifies the sense intended.

¿Estuviste **en la boda**?

Were you $\begin{Bmatrix} in \\ at \end{Bmatrix}$ the wedding?

Estuvieron **en el partido**.

They were $\begin{Bmatrix} in \\ at \end{Bmatrix}$ the game.

Here are some of the more common verbs that take the preposition **en.**

consistir	inscribirse
convertirse (ie, i)	insistir
entrar	tardar

PRÁCTICA   Elija la preposición apropiada para completar las siguientes oraciones.

1. Ayer pasé tres horas (a/en) la biblioteca.
2. Mis abuelos inmigraron (a/en) este país por razones económicas.
3. Hay una ceremonia de entrega de la ciudadanía (a/en) las 3:00 (a/en) el estadio.
4. Muchos de los obreros migratorios mexicanos fueron invitados (a/en) trabajar (a/en) los Estados Unidos porque se necesitaba mano de obra en el campo.
5. Lo pasamos muy bien (a/en) la fiesta.

■■■ 37 INTERCAMBIOS

AUTOPRUEBA   Complete las siguientes oraciones con la preposición **a** o **en**, según el contexto.

1. Cuando hace buen tiempo, voy (a/en) pie a la universidad. Cuando llueve, tomo el autobús.
2. Los Hernández viven (a/en) una casa grande.
3. (A/En) dos días vamos a salir de vacaciones.
4. La policía multó (*fined*) a Osvaldo por manejar (a/en) 160 kilómetros por hora.
5. Aquí se vende la gasoline (a/en) dos dólares el galón.
6. Ponga los platos (a/en) la mesa, por favor.
7. Hemos invitado (a/en) todos nuestros amigos (a/en) una fiesta mañana.
8. El novio de Florencia va a llegar (a/en) tres días.
9. Había más de 40.000 personas (a/en) la fiesta.

Respuestas: 1. a 2. en 3. En 4. a 5. a 6. en 7. a, a 8. en 9. en

A GUIONES Describa los siguientes dibujos, incorporando el vocabulario indicado y utilizando las preposiciones **a** o **en,** según el contexto.

1. besar, la princesa, el príncipe, el trono (*throne*)

2. convertirse, correr, la rana (*frog*)

3. manejar, pensar, ponerle una multa, seguir

4. (no) exceder el límite de velocidad, explicar, la hija, el hospital, insistir

B Haga oraciones, juntando elementos de la lista con otros del cuadro. No se olvide de usar todas las preposiciones necesarias.

convertirse   estar   ir
empezar   inmigrar   llegar
establecerse   insistir   volver

MODELO: Muchas personas que emigran a otro país luego se convierten en ciudadanos del país.

el mercado   el cine   la universidad   emigrar   aprender   otro país   otra persona   estudiar   la oficina

C Repase las reglas para el uso de **por** y **para** (*grammar section 31*). Luego, complete el siguiente texto con la preposición apropiada, según el contexto: **a, en, por** o **para.** ¡Cuidado! No se necesita preposición en todos los contextos.

El crisol

(Por/Para)[1] muchos estadounidenses, la cultura de los Estados Unidos está representada (por/para)[2] el concepto del crisol. (Por/Para)[3] muchos años los inmigrantes han llegado (a/en)[4] los Estados Unidos. Viajan (por/para)[5] barco y avión y cuando llegan, no saben (a/en)[6] hablar inglés y desconocen las costumbres del país. Pero, según ellos, el crisol empieza (a/en)[7] funcionar desde los primeros momentos y los inmigrantes no tardan (a/en)[8] aprender (a/en)[9] expresarse en el nuevo idioma y buscan (a/por/para)[10] maneras de adaptarse a la cultura.

Otros niegan la existencia del crisol. (Por/Para)[11] ellos, la realidad es otra. El inmigrante en realidad nunca se convierte (a/en)[12] «estadounidense» en el sentido de renunciar (a/en)[13] ser lo que era. Después de tres o cuatro generaciones, el italiano católico sigue siendo católico y el escandinavo protestante, protestante. (Por/Para)[14] razones de su cultura y de su religión, los judíos suelen casarse con otros judíos, y los anglosajones muchas veces buscan (a/por/para)[15] alguien de su mismo origen étnico. No es que no haya ninguna mezcla, pero es menos frecuente y menos rápida de lo que se cree.

Enlace

▪▪▪ ¡OJO!

	Examples	Notes
perder **faltar a** **echar de menos** **extrañar**	María llegó tarde y **perdió** el tren. *María arrived late and missed the train.*	*To miss an opportunity or deadline* because of poor timing is expressed in Spanish with **perder.**
	Joaquín estaba enfermo y **faltó a** la reunión. *Joaquín was sick and missed the meeting.*	*To miss an appointment or an event* in the sense of *not attending it* is expressed with **faltar a.**
	Cuando mi esposo sale de viaje, siempre lo **echo de menos (extraño)** mucho. *When my husband leaves town, I always miss him a lot.*	*To miss a person* who is away or absent can be expressed by either **echar de menos** or **extrañar.**
ahorrar **salvar** **guardar**	Hoy en día es difícil **ahorrar.** *Nowadays, it's difficult to save (money).*	All of these words mean *to save.* **Ahorrar** is used to refer to money (savings).
(continúa)	El salvavidas **salvó** al niño. *The lifeguard saved the child.*	**Salvar** refers to *rescuing or saving a person or thing from danger.*

	Examples	Notes
ahorrar salvar guardar	José **guardó** un trozo de pan. ¿Te lo **guardo**? *José saved a piece of bread. Shall I keep it for you?*	*To save* in the sense of *to set aside* is expressed with **guardar,** which also means *to keep.*
llevar tomar hacer un viaje tardar en	Los padres **llevan** a los niños al parque. *The parents take their children to the park.* Siempre **tomo** cuatro clases. *I always take four classes.* ¿**Tomamos** el autobús de las 4:00? *Shall we take the 4:00 bus?* Acabamos de **hacer un viaje** por toda África. *We just took a trip through all of Africa.* ¿Cuánto (tiempo) **tardas en** llegar a clase? *How long does it take you to get to class?* De niño, Paco siempre le quitaba los juguetes a su hermanita. *As a child, Paco always took toys away from his sister.* ¿Puedes subirle una taza de té? *Can you take a cup of tea up to her?*	*To take* is generally expressed in Spanish with two verbs, **llevar** and **tomar. Llevar** means *to transport* or *to take someone or something from one place to another.* **Tomar** is used in almost all other cases: *to take something in one's hand(s), to take a bus (train, etc.), to take an exam, to take a vacation.* Two common exceptions are *to take a trip,* expressed with **hacer un viaje,** and *to take a certain amount of time to do something,* expressed by **tardar** + *amount of time* + **en** + *infinitive.* As a general rule, when English *take* occurs with a preposition, it is expressed in Spanish by a single verb other than **tomar** or **llevar.** Here are some of the most common verbs of this type: **bajar** *to take down* **devolver** *to take back, return* **quitarle (algo) a alguien** *to take (something) away from someone* **quitarse** *to take off (clothing)* **sacar** *to take out* **subir** *to take up*

A VOLVIENDO AL DIBUJO Elija la palabra o expresión que mejor complete cada oración. ¡Cuidado! También hay palabras de los capítulos anteriores.

Después de la Revolución Cubana de 1959, muchas personas de las clases media y alta decidieron (moverse/trasladarse)[1] a Miami. (Como/Porque)[2] muchos de ellos (llevaron/tomaron)[3] consigo el dinero que habían (ahorrado/salvado)[4] en Cuba, pudieron fundar negocios y no (llevaron/tardaron)[5] en prosperar. Además, por ser exiliados, el gobierno estadounidense los acogió bien y los (asistió/ayudó)[6] con dinero, documentos y trabajo, para que (sucedieran / tuvieran éxito)[7] en su adaptación. Así se formó la colonia cubana de la Florida, que (ha llegado a ser / se ha puesto)[8] una de las comunidades hispanas más prósperas de los Estados Unidos. (Por / Ya que)[9] su estatus económico, esta comunidad ha (logrado/sucedido)[10] una significativa influencia en las (cuestiones/preguntas)[11] políticas estadounidenses. Pero, como es natural, todos ellos (extrañan/pierden)[12] a su patria y (echan de menos / faltan)[13] a sus familiares. Muchos sueñan (con/de/en)[14] el día en que puedan (devolver/ regresar)[15] a su país, lo cual depende (con/de/en)[16] que cambie la situación política de Cuba.

B ¡NECESITO COMPAÑERO! Imagínense que, por razones económicas o políticas, Uds. y sus familiares tienen que emigrar a un país donde no se habla inglés. Háganse y contesten las siguientes preguntas para averiguar qué van a hacer.

1. ¿A qué país van a trasladarse Uds.? ¿Por qué?

2. ¿Por qué medio(s) de transporte pueden hacer el viaje? ¿Cuánto tiempo van a tardar en llegar? ¿Qué van a llevar? ¿Qué es lo que más van a echar de menos?

3. ¿Piensan establecerse en el nuevo país para siempre o van a ahorrar dinero con la esperanza de regresar a su patria algún día?

4. ¿Creen que van a ser bien acogidos en el nuevo país? ¿Qué tendrán que hacer para adaptarse y tener éxito? ¿Van a lograr asimilarse? ¿Van a hacerse bilingües? ¿Van a mantenerse unidos y defender su propia herencia cultural? Expliquen sus respuestas.

▪▪▪ REPASO

A Complete el párrafo, dando la forma apropiada de los verbos y expresando en español las frases en inglés. Cuando se dan dos palabras entre paréntesis, escoja la palabra apropiada.

El barrio Pilsen

(*Twenty years ago*)[1], si uno caminaba (por/para)[2] el barrio Pilsen en Chicago, se sentía profundamente deprimido. El barrio (mirar/parecer)[3] quieto y apagado, casi a punto de derrumbarse.[a] Hoy la misma caminata[b] produce una impresión completamente distinta. No hay duda que una parte de Pilsen —una buena parte, dirían[c] algunos— todavía (tener)[4] el aspecto gris y monótono de cualquier barrio pobre. Pero acá y allá (*are seen*)[5] brillantes colores rojos, verdes

[a]*falling apart* [b]*walk* [c]*would say*

y amarillos. Ahora viejos coches Ford y Chevrolet comparten las calles con héroes de la historia de México. Gigantescas figuras aztecas y mayas luchan contra el deterioro urbano. (*It is*)⁶ el muralismo.

Durante la Revolución Mexicana (1910–1920), el arte mural (ayudar)⁷ a crear una nueva conciencia nacional entre los mexicanos, un nuevo orgullo cultural. Aquí en Pilsen, el pequeño México de Chicago, (ser/estar)⁸ evidente que los murales (tener)⁹ el mismo objetivo y el mismo efecto. (Por/Para)¹⁰ ser un arte público, el muralismo (prestarse)¹¹ fácilmente a expresar los objetivos y las ansias de una generación de artistas (*who*)¹² tratan de afirmar su propia identidad cultural. La mayoría de los murales sugiere que la clave del progreso (por/para)¹³ los hispanos actuales (ser/estar)¹⁴ en su pasado indígena, no en la tradición europea.

(*A short while back*),¹⁵ las obras de los muralistas (*were exhibited*: exhibir)¹⁶ (por/para)¹⁷ el Museo de Arte Contemporáneo de Chicago como parte de una exposición itinerante de arte hispano, «Raíces Antiguas / Visiones Nuevas», que (*was realized*: realizar)¹⁸ en diez museos de los Estados Unidos. Sin embargo, (por/para)¹⁹ los muralistas, el impacto de su arte en su propia comunidad es más importante. Este arte callejero[d] (*is welcomed*)²⁰ con entusiasmo por los residentes de Pilsen; esto no debe sorprendernos, ya que los murales (*are aimed*: dirigir)²¹ a la comunidad y (ser/estar)²² pintados por artistas (*who*)²³ viven en ella. En el barrio, donde antes (haber)²⁴ una melancólica decadencia, ahora (*is found*)²⁵ un naciente sentimiento de orgullo y nuevas ansias de reconstrucción.

B ENTRE TODOS   Divídanse en grupos de tres a cinco estudiantes. Cada grupo va a estudiar los antecedentes étnicos de otro grupo de individuos que todos conocen: por ejemplo, la gente que vive en cierto piso de una residencia, los habitantes de una casa de apartamentos, la gente que vive en una calle determinada, los profesores de un departamento de la universidad, etcétera. Deben enterarse de cuándo llegaron los antepasados de cada individuo a este país, por qué salieron de su país de origen y cómo llegaron a la ciudad donde viven ahora. También deben averiguar la opinión de esas personas en cuanto a las leyes de inmigración de este país.

Luego, comparen los resultados de todos los estudios.

■ ¿Qué semejanzas y diferencias hay entre los grupos estudiados?

■ ¿Hay algún acuerdo con respecto a las leyes de inmigración?

[d]*of the streets*

Pasaje cultural

Néstor Torres, músico puertorriqueño

El puertorriqueño Néstor Torres, destacado (*outstanding*) intérprete de la música afrocubana, es uno de los millones de hispanos que viven en los Estados Unidos. En este segmento de vídeo, él habla de sus recuerdos de Mayagüez —su pueblo natal— y de sus impresiones sobre la vida de los hispanos en los Estados Unidos. La música de Néstor Torres ha obtenido el primer lugar de sintonía (*theme song*) en encuestas de radio.

Antes de ver

■ ¿Ya conoce Ud. la música de Néstor Torres? ¿Escucha Ud. música hispana? ¿Qué sabe de los varios tipos de música hispana? ¿Cómo será (*might it be like*) la música afrocubana?

■ ¿Cuáles pueden ser algunas de las razones por las que un músico como Néstor Torres se mudó de Puerto Rico a Nueva York?

■ Ahora lea con cuidado la actividad en **Vamos a ver** antes de ver el vídeo por primera vez.

Video on CD

Vamos a ver

Indique si las siguientes oraciones son ciertas (**C**) o falsas (**F**), según la información que Ud. obtuvo de este segmento de vídeo. Luego, corrija las oraciones falsas.

		C	F
1.	Hay más de 7 millones de mexicanos en Miami, la capital del sol.	☐	☐
2.	De muy pequeñito, Néstor Torres vivió en Nueva York.	☐	☐
3.	Néstor comía mandarinas y toronjas (*grapefruit*) en la casa de su abuelo.	☐	☐
4.	Los Ángeles es la ciudad de los rascacielos (*skyscrapers*).	☐	☐
5.	Néstor experimentó por primera vez la libertad de pensamiento y de expresión en Nueva York.	☐	☐
6.	Néstor opina que la lucha de los hispanos en los Estados Unidos es una lucha positiva porque la dificultad y el esfuerzo son buenos para desarrollar el carácter de una persona.	☐	☐
7.	Según Néstor, en Nueva York se disfruta más de la vida que en Puerto Rico.	☐	☐
8.	Néstor Torres define su música como Jazz Latino-Pop.	☐	☐

Néstor Torres, músico puertorriqueño

Después de ver

■ Entre toda la clase, prepárense para entrevistar a alguien que tenga conexiones con la comunidad hispana en su ciudad. En primer lugar, decidan a quién quieren entrevistar. Puede ser su profesor(a), un compañero / una compañera de clase o un invitado / una invitada. Luego, trabajando en grupos, preparen una serie de preguntas para la entrevista. Consideren temas como su lugar de origen, lo que ha observado sobre las diferencias culturales y su opinión sobre la asimilación, etcétera.

■ El día después de la entrevista, comparta lo que han aprendido en la entrevista con la clase.

■ Busque información sobre algunas figuras hispanas destacadas en el arte, la política, los deportes, etcétera, que viven o que han vivido en este país. Comparta su información con sus compañeros de clase.

WWW

CAPÍTULO 10

El sur

En este capítulo:

LITERATURA

- *El sur,* Jorge Luis Borges

Literatura

■■■ EL SUR (PARTE 1)
Aproximaciones al texto
La intertextualidad

All texts make basic assumptions about a reader's knowledge of language and substance. These assumptions allow the text to employ irony, parody, paradox, and coded and encoded clues, that is, to juxtapose literal levels of meaning with subtextual levels that affirm, negate, or contradict the literal interpretation. An added level of "play" is achieved with intertextuality. Through subtext and intertext, many modern texts actively engage the reader by forcing him or her to make decisions about incongruities and contradictions within the main text. The intertext may establish a pattern of contrast, parody, or irony and may also suggest similarity with the main text.

Intertextual references allow an author to synthesize large amounts of information without involving elaborate detailing or conversely, oversimplification. In **"El Sur,"** the subtle intertextual clues engage and challenge the reader and evoke a variety of philosophical and emotional responses to the fundamental inevitability of man's mortality.

■■■ PALABRAS Y CONCEPTOS

auscultar   to listen (with a stethoscope)

convalecer   to convalesce

desembarcar   to disembark, go ashore

echar a llorar   to start crying

estar a punto de   to be about to

reponerse   to recuperate, get better

soñar (ue) con   to dream about

el antepasado   ancestor

la estancia   ranch, country estate

el estuche   case

el gaucho   Argentine cowboy

la herida   wound

la llanura   plain, flatland

la madrugada   dawn

la oscuridad   darkness

las pampas   plains of Argentina

la pesadilla   nightmare

el sanatorio   sanatorium

el siglo   century

criollo/a   Creole (native Argentine)

germánico/a   Germanic

lanceado/a (por)   speared, lanced (by)

a costa de   at the expense of

326   **Capítulo diez**   ■   El sur

▪▪▪ El Sur (Parte 1)

Argentina

SOBRE EL AUTOR *JORGE LUIS BORGES (1899–1986), erudito escritor argentino, nació en Buenos Aires pero se mudó a Ginebra, Suiza, a la edad de 15 años. Allí aprendió el francés y el alemán y sabía hablar el inglés antes de hablar el español. Escritor de poesía, ensayos, cuentos y fundador de revistas literarias, Borges se conoce mundialmente por su técnica laborada de laberintos y símbolos y también por su inclusión de referencias intertextuales. Cuando volvió a vivir en Buenos Aires en 1921, trabajó de bibliotecario y empezó a escribir libros de poesía y cuentos. Su fama universal se debe a sus colecciones de cuentos como* Ficciones *(1944) y* El Aleph *(1949), en los cuales el escritor cuestiona la realidad. Después de una enfermedad que lo dejó ciego en los años 1950, Borges empezó a dictar sus obras, pero no dejó de escribir y dar conferencias sobre su arte. En el cuento «El Sur», que Borges consideraba uno de sus mejores, el autor incluye referencias autobiográficas a su propio linaje y a un accidente que le ocurrió. «El Sur» es un cuento bastante complejo, que se da a múltiples niveles de análisis e interpretación. Es importante tener en cuenta que hay una constante interacción entre la realidad y los sueños en este cuento.*

1   **EL HOMBRE QUE DESEMBARCÓ EN BUENOS AIRES** en 1871 se llamaba Johannes Dahlmann y era pastor de la iglesia evangélica; en 1939, uno de sus nietos, Juan Dahlmann, era secretario de una biblioteca municipal en la calle Córdoba y se sentía hondamente argentino. Su abuelo materno había sido aquel Francisco
5   Flores, del 2 de infantería de línea, que murió en la frontera de Buenos Aires, lanceado por indios de Catriel; en la discordia de sus dos linajes, Juan Dahlmann (tal vez a impulso de la sangre germánica) eligió el de ese antepasado romántico, o de muerte romántica. Un estuche con el daguerrotipo de un hombre inexpresivo y barbado, una vieja espada,[1] la dicha[2] y el coraje de cier-
10   tas músicas, el hábito de estrofas del *Martín Fierro*,* los años, el desgano[3] y la soledad, fomentaron ese criollismo† algo voluntario, pero nunca ostentoso. A costa de algunas privaciones, Dahlmann había logrado salvar el casco de una estancia en el Sur, que fue de los Flores; una de las costumbres de su memoria era la imagen de los eucaliptos balsámicos y de la larga casa rosada que
15   alguna vez fue carmesí.[4] Las tareas y acaso la indolencia[5] lo retenían en la ciudad. Verano tras verano se contentaba con la idea abstracta de posesión y con la certidumbre de que su casa estaba esperándolo, en un sitio preciso de la llanura. En los últimos días de febrero de 1939, algo le aconteció.

[1]*sword*   [2]*good fortune*   [3]*lack of enthusiasm*   [4]*brilliant red*   [5]*carelessness*

---

*Nineteenth-century epic written by José Hernández (1834–1886) that immortalized the Argentine cowboy of the pampas. The main character, Martín Fierro, was elevated to a mythical stature in the country as Argentines sought to define their national character.

†The Creole, gauchesque spirit and character.

Ciego a las culpas[6] del destino puede ser despiadado[7] con las mínimas distracciones. Dahlmann había conseguido, esa tarde, un ejemplar descabalado[8]
de las *Mil y Una Noches*° de Weil; ávido de examinar ese hallazgo,[9] no esperó
que bajara el ascensor y subió con apuro[10] las escaleras; algo en la oscuridad
le rozó[11] la frente ¿un murciélago,[12] un pájaro? En la cara de la mujer que le
abrió la puerta vio grabado el horror, y la mano que se pasó por la frente salió
roja de sangre. La arista de un batiente[13] recién pintado que alguien se olvidó
de cerrar le habría hecho esa herida. Dahlmann logró dormir, pero a la madrugada estaba despierto y desde aquella hora el sabor de todas las cosas fue
atroz. La fiebre lo gastó[14] y las ilustraciones de las *Mil y Una Noches* sirvieron
para decorar pesadillas. Amigos y parientes lo visitaban y con exagerada sonrisa le repetían que lo hallaban[15] muy bien. Dahlmann los oía con una especie
de débil estupor y le maravillaba que no supieran que estaba en el infierno.
Ocho días pasaron como ocho siglos. Una tarde, el médico habitual se presentó con un médico nuevo y lo condujeron a un sanatorio de la calle Ecuador,
porque era indispensable sacarle una radiografía.[16] Dahlmann, en el coche de
plaza[17] que los llevó, pensó que en una habitación que no fuera la suya podría,
al fin, dormir. Se sintió feliz y conversador; en cuanto llegó, lo desvistieron, le
raparon la cabeza, lo sujetaron con metales a una camilla, lo iluminaron hasta
la ceguera[18] y el vértigo, lo auscultaron y un hombre enmascarado[19] le clavó
una aguja[20] en el brazo. Se despertó con náuseas, vendado, en una celda que
tenía algo de pozo[21] y, en los días y noches que siguieron a la operación pudo

[6]Ciego… *Blind to (the) faults*   [7]*ruthless, merciless*   [8]*worn, incomplete*   [9]*discovery*   [10]con…
in a hurry   [11]*rubbed, touched*   [12]*bat (zool.)*   [13]arista… *edge of a door jamb*   [14]lo… *weakened
him*   [15]*encontraban*   [16]sacarle… *to take an X-ray of him*   [17]coche… *taxi*   [18]*blindness*
[19]*masked*   [20]*needle, syringe*   [21] algo… *well-like quality*

°*A Thousand and One Nights*, or *Arabian Nights*, a series of anonymous stories in Arabic,
whose plot device concerns the efforts of Scheherezade to keep her husband, the King
Shahryar, from murdering her by entertaining him with storytelling over a period of 1,001
nights. Included are such stories as Ali Baba, Aladdin, and Sinbad the Sailor.

entender que apenas había estado, hasta entonces, en un arrabal[22] del infierno. El hielo no dejaba en su boca el menor rastro de frescura. En esos días, Dahlmann minuciosamente se odió; odió su identidad, sus necesidades corporales, su humillación, la barba que le erizaba la cara. Sufrió con estoicismo las curaciones, que eran muy dolorosas, pero cuando el cirujano le dijo que había estado a punto de morir de una septicemia,[23] Dahlmann se echó a llorar, condolido de su destino. Las miserias físicas y la incesante previsión de las malas noches no le habían dejado pensar en algo tan abstracto como la muerte. Otro día, el cirujano le dijo que estaba reponiéndose y que, muy pronto, podría ir a convalecer a la estancia. Increíblemente, el día prometido llegó.

A la realidad le gustan las simetrías y los leves anacronismos; Dahlmann había llegado al sanatorio en un coche de plaza y ahora un coche de plaza lo llevaba a Constitución.[24] La primera frescura del otoño, después de la opresión del verano, era como un símbolo natural de su destino rescatado[25] de la muerte y la fiebre. La ciudad, a las siete de la mañana, no había perdido ese aire de casa vieja que le infunde la noche; las calles eran como largos zaguanes,[26] las plazas como patios. Dahlmann la reconocía con felicidad y con un principio de vértigo; unos segundos antes de que las registraran sus ojos, recordaba las esquinas, las carteleras, las modestas diferencias de Buenos Aires. En la luz amarilla del nuevo día, todas las cosas regresaban a él.

Nadie ignora que el Sur empieza del otro lado de Rivadavia.[27] Dahlmann solía repetir que ello no es una convención y que quien atraviesa esa calle entra en un mundo más antiguo y más firme. Desde el coche buscaba entre la nueva edificación, la ventana de rajas,[28] el llamador, el arco de la puerta, el zaguán, el íntimo patio.

En el *hall* de la estación advirtió que faltaban treinta minutos. Recordó bruscamente que en un café de la calle Brasil (a pocos metros de la casa de

---

[22]*outskirts*   [23]*blood poisoning*   [24]*one of Buenos Aires's main train stations*   [25]*rescued*
[26]*entrances*   [27]*one of Buenos Aires's main avenues*   [28]*ventanas… thin windows*

Yrigoyen°), había un enorme gato que se dejaba acariciar por la gente, como una divinidad desdeñosa.[29] Entró. Ahí estaba el gato, dormido. Pidió una taza de café, la endulzó[30] lentamente, la probó (ese placer le había sido vedado[31] en la clínica) y pensó, mientras alisaba[32] el negro pelaje,[33] que aquel contacto era ilusorio y que estaban como separados por un cristal, porque el hombre vive en el tiempo, en la sucesión, y el mágico animal, en la actualidad, en la eternidad del instante.

70

[29]*disdainful* [30]*sweetened* [31]*forbidden, banned* [32]*smoothed out* [33]*fur*

■■■ COMPRENSIÓN

A ¿Cierto (**C**) o falso (**F**)? Corrija las oraciones falsas.

1. _____ El protagonista trabajaba como secretario de una biblioteca principal cuando se accidentó en 1939.

2. _____ Todos sus antepasados habían nacido en la capital argentina, pero Juan no se identificaba con ninguno de ellos.

3. _____ Sus abuelos maternos habían habitado una estancia en la llanura del Sur.

4. _____ Mientras leía una novela romántica francesa, *Pablo y Virginia*, Juan chocó con una mujer y se cayó por la escalera de la biblioteca.

5. _____ Aunque los primeros ochos días después del accidente pasaron rápidamente, Juan soñaba constantemente con embarcarse en un viaje para el Norte.

6. _____ Dahlmann se puso muy alegre cuando el cirujano le informó que no había sufrido de una enfermedad grave.

B ¡NECESITO COMPAÑERO! Completen las siguientes oraciones con información del cuento.

1. El abuelo paterno de Juan Dahlmann desembarcó en Buenos Aires _____.

2. Juan sentía una discordia de sus dos linajes y prefirió _____.

3. Entre los recuerdos que Juan guardaba de su abuelo materno había _____.

4. Su destino cambió en los últimos días de febrero de 1939 cuando _____.

5. Durante los primeros ocho días después del accidente _____.

6. Algunas de las curaciones que le dieron en el sanatorio eran _____.

7. Después de reponerse lo suficiente, Juan abandonó el sanatorio y salió para _____.

8. Si alguien atraviesa la calle Rivadavia, entra en _____.

9. Mientras esperaba el tren, Juan entró en un café de la calle Brasil donde _____.

10. En su viaje, Juan pensaba leer _____.

C Conteste las preguntas y apoye (*back up*) sus respuestas con información del cuento.

1. ¿Quién y cómo era Juan Dahlmann? ¿Dónde trabajaba? ¿Qué orígenes étnicos se reflejan en su apellido?

2. La narración afirma que Juan «se sentía hondamente argentino». Busque referencias en el texto para apoyar e ilustrar esta descripción.

°Hipolito Yrigoyen (1852–1933), leader of the Radical party in Argentina

3. ¿Qué representaba la estancia en el Sur para Juan Dahlmann? Descríbala e indique por qué Juan no vivía o pasaba más tiempo allí.

4. ¿Qué le aconteció en los últimos días de febrero de 1939? ¿Cuáles fueron las consecuencias de este acontecimiento?

5. Comente la experiencia de Juan en el sanatorio. ¿Cómo se sentía? ¿Cómo reaccionó cuando lo dejaron salir para que pudiera convalecer en el Sur?

■■■ INTERPRETACIÓN

A Vuelva a leer las siguientes líneas del cuento. ¿Sirve para describir, comparar, contrastar o simplemente para avanzar el argumento? ¿Qué significado tiene cada una dentro de la trama? ¿Qué revela cada una sobre los valores y los sentimientos del protagonista?

1. [Juan] se sentía hondamente argentino.

2. [E]n la discordia de sus dos linajes, [...] eligió el de ese antepasado romántico.

3. A costa de algunas privaciones, Dahlmann había logrado salvar el casco de una estancia.

4. [S]e contentaba con la idea abstracta de posesión y con la certidumbre de que su casa estaba esperándolo.

5. Se sintió feliz y conversador; en cuanto llegó [al sanatorio], lo desvistieron, le raparon la cabeza, lo sujetaron con metales a una camilla, lo iluminaron hasta la ceguera y el vértigo, lo auscultaron y un hombre enmascarado le clavó una aguja en el brazo.

6. Dahlmann se echó a llorar, condolido de su destino.

7. [P]ensó, mientras alisaba el negro pelaje [del gato], que aquel contacto era ilusorio y que estaban como separados por un cristal, porque el hombre vive en el tiempo, en la sucesión, y el mágico animal, en la actualidad, en la eternidad del instante.

B Describa la experiencia de Juan en casa y luego en el sanatorio. ¿Cuánto tiempo pasó en casa antes de mudarse al sanatorio? ¿Cuánto tiempo le parecía? ¿Con qué soñaba? ¿Qué elementos del mundo realista se detallaban en los dos lugares? ¿Hay elementos del mundo de los sueños también? ¿Cuáles son? ¿Cuáles le parecen a Ud. más verosímiles e inverosímiles? Explique.

■■■ APLICACIÓN

A ¡NECESITO COMPAÑERO! Hablen del juego entre la realidad y la ficción que se encuentran en la Parte 1 de «El Sur». ¿Qué símbolos y/u objetos se presentan para evocar imágenes de cada uno? ¿Cómo se mantiene un equilibrio entre los dos mundos?

B ¿Ud. o algún miembro de su familia ha tenido una experiencia como la que experimentó Juan Dahlmann después de su accidente? ¿Qué recuerdos tiene Ud. de aquel tiempo? ¿Fue una experiencia positiva o negativa o una mezcla de los dos? Hable con un compañero / una compañera para describir y comparar sus experiencias.

C ¿Por qué piensa Ud. que Borges decidió incorporar referencias a *Martín Fierro* y las *Mil y Una Noches* en la intertextualidad de su cuento «El Sur»? ¿Qué mensajes e ideas comunican estos textos? En su opinión, ¿cómo sirven esos textos para avanzar el progreso de la trama?

▪▪▪ EL SUR (PARTE 2)

Aproximaciones al texto

Levels of meaning

As you learned in previous chapters, the reading experience involves an interaction between the reader and the text. Neither the reader nor the reading is limited to a single, definitive meaning, and often the playful juxtaposition of various conflicting and incongruous levels of meaning guides the reader to a fuller interpretation of the text.

Before reading the second part of **"El Sur,"** consider the interplay of the text and subtext in the first part where the protagonist, Juan Dahlmann, descended into the fictitious world of Scheherazade in *A Thousand and One Nights,* only to transcend the reality of the experience and fall into a world of horrific dreams. What messages does this incorporation of the reality versus dream theme communicate? Consider the dramatic tension that exists between Juan Dahlmann, the recovering patient, and the stark reality of the world in which he convalesces. Review the references to life and death, pleasure and pain, truth and myth in the narrative. Are there any incongruous and contradictory levels of meaning?

In the second part of the reading, Juan travels by train to the mythical southern plains, the homeland of the Argentine **gaucho.** The visual, auditory, and kinetic images evoked by the train, as well as the literal and figurative meanings that could be associated with a train ride, are important elements in the narrative, especially considering that the passenger alternates between a state of consciousness (reality) and semi-consciousness (dreams). Consider the juxtaposition and interplay of reality, fiction, and dreams as you read.

▪▪▪ PALABRAS Y CONCEPTOS

anochecer   to grow dark

arrancar   to move out, rush forward

detenerse   to come to a stop

encarcelar   to imprison

fatigarse   to become fatigued, weary

hundirse   to set (*sun*)

recorrer   to travel through or across

el andén   platform (*train station*)

la conjetura   conjecture

la desdicha   unhappiness

el genio   spirit, genie (*reference to Scheherazade's husband*)

el goce   delight, enjoyment

el hecho   the fact, matter

el milagro   miracle

el tomo   volume

el vagón   train car

la valija   valise, luggage

otoñal   autumnal

transfigurado/a   transfigured

vacío/a   empty

vasto/a   vast, immense

vinculado/a   tied, bound to

▦▦▪ El Sur (Parte 2)

1 **A LO LARGO DEL PENÚLTIMO**[1] **ANDÉN** el tren esperaba. Dahlmann recorrió los vagones y dio con uno casi vacío. Acomodó en la red la valija,[2] cuando los coches
arrancaron, la abrió y sacó, tras alguna vacilación, el primer tomo de las *Mil y
Una Noches*. Viajar con este libro, tan vinculado a la historia de su desdicha, era
5 una afirmación de que esa desdicha había sido anulada y un desafío[3] alegre y
secreto a las frustradas fuerzas del mal.

A los lados del tren, la ciudad se desgarraba en[4] suburbios, esta visión y
luego la de jardines y quintas[5] demoraron[6] el principio de la lectura. La verdad
es que Dahlmann leyó poco; la montaña de piedra imán[7] y el genio que ha
10 jurado matar a su bienhechor[8] eran, quien lo niega, maravillosos, pero no
mucho más que la mañana y el hecho de ser. La felicidad lo distraía de
Shahrazad y de sus milagros superfluos; Dahlmann cerraba el libro y se dejaba
simplemente vivir.

El almuerzo (con el caldo[9] servido en boles de metal[10] reluciente, como en
15 los ya remotos veraneos de la niñez) fue otro goce tranquilo y agradecido.

Mañana me despertaré en la estancia, pensaba, y era como si a un tiempo
fuera dos hombres: el que avanzaba por el día otoñal y por la geografía de
la patria, y el otro, encarcelado en un sanatorio y sujeto a metódicas
servidumbres. Vio casas de ladrillo sin revocar, esquinadas y largas, infini-
20 tamente mirando pasar los trenes; vio jinetes[11] en los terrosos[12] caminos;

---

[1]penúltimo *next-to-the-last*   [2]Acomodó… *He placed the suitcase in the overhead baggage net*
[3]*challenge*   [4]*se… breaking up into*   [5]*farmhouses*   [6]*delayed*   [7]piedra… *loadstone*   [8]*benefactor*
(a reference to the plight of Scheherazade)   [9]*broth*   [10]*boles… metal bowls (anglicism)*
[11]*horsemen, riders (a reference to the gaucho)*   [12]*earthy*

vio zanjas[13] y lagunas y haciendas; vio largas nubes luminosas que parecían de mármol,[14] y todas estas cosas eran casuales, como sueños de la llanura. También creyó reconocer árboles y sembrados[15] que no hubiera podido nombrar, porque su directo conocimiento de la campiña era harto[16] inferior a su
25 conocimiento nostálgico y literario.

Alguna vez durmió y en sus sueños estaba el ímpetu del tren. Ya el blanco sol intolerable de las doce del día era el sol amarillo que precede al anochecer y no tardaría en ser rojo. También el coche era distinto; no era el que fue en Constitución, al dejar el andén: la llanura y las horas lo habían atravesado y
30 transfigurado. Afuera la móvil sombra del vagón se alargaba hacia el horizonte. No turbaban la tierra elemental ni poblaciones ni otros signos humanos. Todo era vasto, pero al mismo tiempo era íntimo y, de alguna manera, secreto.

En el campo desaforado,[17] a veces no había otra cosa que un toro. La soledad era perfecta y tal vez hostil, y Dahlmann pudo sospechar que viajaba al
35 pasado y no sólo al Sur. De esa conjetura fantástica lo distrajo el inspector que al ver su boleto, le advirtió que el tren no lo dejaría en la estación de siempre sino en otra, un poco anterior y apenas conocida por Dahlmann. (El hombre añadió una explicación que Dahlmann no trató de entender ni siquiera de oír, porque el mecanismo de los hechos no le importaba.)
40 El tren laboriosamente se detuvo, casi en medio del campo. Del otro lado de las vías quedaba la estación, que era poco más que un andén con un cobertizo.[18] Ningún vehículo tenían, pero el jefe opinó que tal vez pudiera conseguir uno en un comercio que le indicó a unas diez, doce, cuadras.[19]

Dahlmann aceptó la caminata como una pequeña aventura. Ya se había hun-
45 dido el sol, pero un esplendor final exaltaba la viva y silenciosa llanura, antes de que la borrara la noche. Menos para no fatigarse que para hacer durar esas cosas, Dahlmann caminaba despacio, aspirando con grave felicidad el olor del trébol.[20]

[13]*ditches, trenches* [14]*marble* [15]*fields* [16]muy [17]*lawless, outrageous* [18]*shed* [19]*blocks* [20]*clover*

▪▪▪ COMPRENSIÓN

A ¿Cierto (**C**) o falso (**F**)? Corrija las oraciones falsas.

1. _____ Juan Dahlmann subió al tren que esperaba en el último andén y se sentó en uno de los vagones ocupados.

2. _____ A lo largo del viaje, Juan no pudo contemplar el paisaje porque estaba leyendo el último tomo de las *Mil y Una Noches*.

3. _____ El viajero se sentía tan feliz que se distraía de las complicaciones del libro que había comenzado a leer.

4. _____ El viaje transcurre en la primavera.

5. _____ El inspector le avisó que el tren lo dejaría en la misma estación de siempre.

6. _____ Cuando el tren se detuvo en medio del campo, el sol ya se había hundido.

B Complete las oraciones con las palabras o expresiones correctas.

1. Cuando los coches del tren (arrancaron / se detuvieron), Juan sacó el (primer / último) tomo de las *Mil y Una Noches*.

2. Parece que ese libro estaba muy (vinculador / desenlazado) a la historia de su (dicha / desdicha).

3. El almuerzo consistía en (un caldo / un biftec) servido en boles de metal reluciente que le recordaban los veraneos de su (niñez / adolescencia).

4. Dahlmann creyó reconocer algunos (árboles y sembrados / suburbios), pero no pudo nombrarlos porque su conocimiento de la campiña era (superior / inferior) a su conocimiento nostálgico y literario.

5. En sus sueños, Juan pensaba que el coche del tren era (el mismo / distinto) del que abordó en Constitución, al dejar el andén. El vagón se había (quedado igual / transfigurado).

6. Según el narrador, el paisaje del Sur era tan (reducido / vasto) e íntimo que parecía reinar (la soledad perfecta / el caos perfecto).

7. Dahlmann sospechaba que viajaba al (futuro / pasado) y no sólo (al Norte / al Sur).

8. Cuando el protagonista empezó la caminata, el sol se había (salido / hundido), pero todavía podía observar la viva y silenciosa (llanura / montaña).

∎∎∎ INTERPRETACIÓN

A Conteste las siguientes preguntas e incluya información del cuento para apoyar sus respuestas.

EL AMBIENTE

1. ¿Dónde transcurre la acción? ¿Podría haber sucedido en otro(s) lugar(es)?

2. ¿Cómo es el vagón del tren? ¿Cómo se asemeja y se difiere del ambiente físico de la Parte 1 del cuento? ¿Cómo se siente el protagonista en este ambiente?

3. ¿Cuándo ocurre la acción? ¿En qué estación del año? ¿En qué década? ¿En qué siglo?

EL CONFLICTO

4. ¿Cuál es el motivo del viaje en tren? ¿Adónde va el viajero?

5. ¿Qué libro intenta leer durante el viaje? ¿Por qué deja de leerlo?

6. ¿En qué estaba pensando y soñando mientras el tren avanzaba por el paisaje?

7. Describa el paisaje que se podía observar a los lados del tren. ¿Cómo sirvió esta visión para distrae a Juan Dahlmann?

8. ¿Cuánto tiempo ha transcurrido hasta ahora en el cuento?

9. ¿De qué se da cuenta Dahlmann al bajarse del tren? ¿Tuvo una reacción favorable o desfavorable?

10. En sus propias palabras, ¿cómo se mezclan la realidad y los sueños en la Parte 2 del cuento?

B Al final de la Parte 2 de «El Sur», el lector puede observar un cambio en la actitud y la visión del protagonista. ¿Cómo se manifiesta esta transformación? ¿A qué circunstancias se puede atribuir? Explore la idea de vivir en el momento (la realidad) y perderse en los sueños. Explore también el estado de conciencia de Juan durante el viaje.

C ¡NECESITO COMPAÑERO! Hagan una lista de todos los acontecimientos que le han ocurrido a Juan Dahlmann desde el principio del cuento. En su opinión, ¿cuáles son más importantes? ¿Sería posible eliminar u omitir alguno de los acontecimientos sin cambiar el progreso del cuento y, tal vez, el destino del personaje? Comparen sus listas con los demás. Si hay grandes diferencias, apoyen su punto de vista con información del texto.

▪▪▪ APLICACIÓN

A IMPROVISACIONES   Trabaje con otros compañeros/compañeras para hacer los papeles de Juan Dahlmann, otro(s) pasajero(s) y el inspector del tren. Dramaticen la Parte 2 del cuento y entablen una conversación acerca del viaje al Sur. ¿Qué expectativas tienen del viaje? Comenten lo que ven, piensan y hacen para pasar el tiempo. Concluyan con una descripción del lugar donde para el tren y algunas predicciones acerca de cómo va a ser su estancia en el Sur.

B   Identifique un ejemplo de intertextualidad en la Parte 2 del cuento. Compare su pasaje con el de otros estudiantes de la clase. Trate de identificar el intertexto, su conexión con el texto y el impacto del intertexto en cuanto a las ideas y los valores comunicados.

C   ¿Ha hecho Ud. un viaje en tren alguna vez? ¿Adónde fue y por qué? Comente sus expectativas de la experiencia e indique cómo se terminó. ¿Fue una experiencia agradable o desagradable? ¿Cómo compararía o contrastaría Ud. esa situación con la de Juan Dahlmann? ¿En qué aspectos se asemejan y difieren?

D   En la Parte 2 del cuento, el protagonista entra en el mundo del gaucho. ¿Cuánto sabe Ud. acerca de la identidad cultural del gaucho y su existencia en el Sur? Busque información en el Internet o en la biblioteca. ¿Qué papel jugaba en la historia del criollismo en la Argentina del siglo XIX? Detalle todos los datos que pueda.

E   Ya que el protagonista ha llegado al Sur, ¿qué cree Ud. que va a ocurrir en la Parte 3 de «El Sur»? Trate de adivinar cómo el viaje le puede cambiar el destino. Haga algunas predicciones y compártalas con los demás. Si no están de acuerdo, traten de apoyar sus opiniones.

▪▪▪ EL SUR (PARTE 3)
Aproximaciones al texto
La caracterización

The depiction of literary characters, or characterization, is one of the most important elements of a work of fiction. Characters can be revealed in many different ways. Gestures, clothing, actions, physical attributes, relations with and differences from other characters in the same text, identification with a specific setting, given name or surname or lack of name, and insertion within a specific genre or literary code can all reveal a great deal about the psychology, values, origins, and goals of individual characters. In any text, the reader is presented with only a limited amount of information about a character and must fill in the gaps by using his or her own knowledge of cultural and literary conventions. In the third part of "**El Sur**," you will encounter characters that appear to be inextricably bound to a particular time and place. Through careful interplay and juxtaposition of a text within a text, however, they surprise the reader with a series of actions that links together the past and present in a dramatic fusion of reality and dreams.

acomodarse   to fit in (with), comply
agravar(se)   to become worse
burlarse (de)   to mock, make fun (of)
recoger   to pick up
tapar   to cover (up)

el almacén   store, shop; shed
la borrachera   drunkenness
la burla   mockery, sneer
el compadre   mate, chum
el convaleciente   convalescent
la daga   dagger

el duelo   duel
el filo   blade
el muchachón   lad, fellow
el patrón   boss
el peón   laborer
el puñal   dagger
el temor   fear

desarmado/a   unarmed
imprevisible   unforeseeable

■■■ El Sur (Parte 3)

1   EL ALMACÉN, ALGUNA VEZ, HABÍA SIDO PUNZÓ,[1] pero los años habían mitigado para su bien ese color violento. Algo en su pobre arquitectura le recordó un grabado en acero,[2] acaso de una vieja edición de *Pablo y Virginia*.° Atados al palenque[3] había unos caballos. Dahlmann, adentro, creyó reconocer al patrón; luego
5   comprendió que lo había engañado su parecido con uno de los empleados del sanatorio. El hombre, oído el caso, dijo que le haría atar la jardinera; para agregar otro hecho a aquel día y para llenar ese tiempo, Dahlmann resolvió comer en el almacén.

En una mesa comían y bebían ruidosamente unos muchachones, en los
10   que Dahlmann, al principio, no se fijó. En el suelo, apoyado en el mostrador,[4] se acurrucaba[5] inmóvil como una cosa, un hombre muy viejo. Los muchos años lo habían reducido y pulido como las aguas a una piedra o las generaciones de los hombres a una sentencia. Era oscuro, chico y reseco,[6] y estaba como fuera del tiempo, en una eternidad. Dahlmann registró con satisfacción
15   la vincha, el poncho de bayeta, el largo chiripá y la bota de potro[†] y se dijo, rememorando inútiles discusiones con gente de los partidos del Norte o con entrerrianos,[7] que gauchos de ésos ya no quedan más que en el Sur.

[1]*bright red*   [2]*grabado… steel engraving*   [3]*palisade, enclosure*   [4]*counter*   [5]*se… hunkered, squatted on his haunches*   [6]*dried up, wrinkled*   [7]*inhabitants of the province of Entre Ríos*

°A romantic French novel written by Bernardin de Saint-Pierre (1737–1814).

†The headband, the woolen poncho, the large chaps, and the leather boots were typical of gaucho apparel.

Dahlmann se acomodó junto a la ventana. La oscuridad fue quedándose con el campo, pero su olor y sus rumores[8] aún le llegaban entre los barrotes de hierro.[9] El patrón le trajo sardinas y después carne asada; Dahlmann las empujó con unos vasos de vino tinto. Ocioso,[10] paladeaba[11] el áspero sabor y dejaba errar la mirada[12] por el local, ya un poco soñolienta.[13] La lámpara de kerosén pendía de uno de los tirantes,[14] los parroquianos de la otra mesa eran tres: dos parecían peones de chacra,[15] otro, de rasgos achinados[16] y torpes, bebía con el chambergo[17] puesto. Dahlmann, de pronto, sintió un leve roce en la cara. Junto al vaso ordinario de vidrio turbio, sobre una de las rayas del mantel, había una bolita de miga.[18] Eso era todo, pero alguien se la había tirado.

Los de la otra mesa parecían ajenos a[19] él. Dahlmann, perplejo, decidió que nada había ocurrido y abrió el volumen de las *Mil y Una Noches*, como para tapar la realidad. Otra bolita lo alcanzó a los pocos minutos, y esta vez los peones se rieron. Dahlmann se dijo que no estaba asustado, pero que sería un disparate[20] que él, un convaleciente, se dejara arrastrar[21] por desconocidos a una pelea confusa.

Resolvió salir; ya estaba de pie cuando el patrón se le acercó y lo exhortó con voz alarmada:

—Sr. Dahlmann, no les haga caso a esos mozos, que están medio alegres.[22]

Dahlmann no se extrañó de que el otro, ahora, lo conociera, pero sintió que estas palabras conciliadoras agravaban, de hecho, la situación. Antes, la provocación de los peones era a una cara accidental, casi a nadie; ahora iba contra él y contra su nombre y lo sabrían los vecinos. Dahlmann hizo a un lado[23] al patrón, se enfrentó con los peones y les preguntó qué andaban buscando.

---

[8]ruidos [9]barrotes… *iron bars* [10]*Idly* [11]*tasted* [12]errar… *gaze wander* [13]*sleepy, drowsy*
[14]*iron rods* [15]peones… *farm workers* [16]de… *with dark features* [17]*slouched, broad-brimmed hat* [18]*bread crumbs* [19]ajenos… *very different from* [20]*crazy idea* [21]se… *let himself be dragged* [22]medio… *half drunk* [23]hizo… *pushed aside*

El compadrito de la cara achinada se paró, tambaleándose.[24] A un paso de Juan Dahlmann, lo injurió[25] a gritos como si estuviera muy lejos. Jugaba
45 a exagerar su borrachera y esa exageración era una ferocidad y una burla. Entre malas palabras y obscenidades, tiró al aire un largo cuchillo, lo siguió con los ojos, lo barajó, e invitó a Dahlmann a pelear. El patrón objetó con trémula voz que Dahlmann estaba desarmado. En ese punto, algo imprevisible ocurrió.

50 Desde un rincón, el viejo gaucho extático, en el que Dahlmann vio una cifra del Sur (del Sur que era suyo), le tiró una daga desnuda que vino a caer a sus pies. Era como si el Sur hubiera resuelto que Dahlmann aceptara el duelo. Dahlmann se inclinó a recoger la daga y sintió dos cosas. La primera, que ese acto casi instintivo lo comprometía a pelear. La segunda, que el arma, en su
55 mano torpe, no serviría para defenderlo, sino para justificar que lo mataran. Alguna vez había jugado con un puñal, como todos los hombres, pero su esgrima[26] no pasaba de una noción de que los golpes deben ir hacia arriba y con el filo para adentro. «No hubieran permitido en el sanatorio que me pasaran estas cosas», pensó.

60 —Vamos saliendo —dijo el otro.

Salieron, y si en Dahlmann no había esperanza, tampoco había temor. Sintió, al atravesar el umbral,[27] que morir en una pelea a cuchillo, a cielo abierto y acometiendo, hubiera sido una liberación para él, una felicidad y una fiesta, en la primera noche del sanatorio, cuando le clavaron la aguja. Sintió que si él,
65 entonces, hubiera podido elegir o soñar su muerte, ésta es la muerte que hubiera elegido o soñado.

Dahlmann empuña[28] con firmeza el cuchillo, que acaso no sabrá manejar, y sale a la llanura.

[24]*losing his balance*   [25]*offended, insulted*   [26]*fencing (sport)*   [27]*threshold*   [28]*clutches*

∎∎∎ COMPRENSIÓN

A Complete las siguientes oraciones con las palabras correctas.

1. Dahlmann entró en un almacén que antes había sido (de color rojo vivo / una estación de tren) y decidió comer allí.

2. Dahlmann se equivocó cuando vio al (patrón / gaucho) porque creyó reconocerlo.

3. El hombre viejo que se apoyaba en el mostrador era (rubio / oscuro), chico y reseco y llevaba la ropa típica del Sur, una vincha y (un poncho / una corbata) con las botas.

4. Uno de los muchachones de la otra mesa le había tirado (una bolita de miga / una botella de licor) a la cara, pero Dahlmann decidió que nada había ocurrido.

5. Las palabras conciliadoras del patrón (mejoraban / agravaban) la situación y Dahlmann decidió (enfrentarse con / escaparse de) los peones.

6. Antes de aceptar el duelo, Dahlmann recogió (la daga que le había tirado el gaucho / el cuchillo que el peón había barajado) y salió a la llanura.

B ¡NECESITO COMPAÑERO! Resuman la Parte 3 de «El Sur», mencionando sólo los detalles más importantes. ¿Cómo termina la tercera parte del cuento? ¿La conclusión les sorprendió a Uds. o ya tenían buena idea de cómo iba a concluir? Expliquen.

▪▪▪ INTERPRETACIÓN

A ¡NECESITO COMPAÑERO! Hagan y contesten las siguientes preguntas.

EL AMBIENTE

1. ¿Cómo es el almacén, en su opinión? ¿Cómo se ha cambiado a lo largo de los años?
2. ¿Qué elementos del pasado ya quedan en el almacén?
3. ¿Por qué razones decidió Juan Dahlmann comer allí?
4. ¿Qué y quién(es) encuentra cuando entra en el almacén?
5. ¿Parece ser un lugar romántico y acogedor? Expliquen.
6. ¿Cómo se difiere el ambiente físico del almacén de los otros lugares en los cuales transcurrió la acción de la Parte 1 y la Parte 2?

LOS PERSONAJES

7. Describan a los personajes que el protagonista observa en el almacén. ¿Por qué será que no tienen nombres propios?
8. ¿Cómo se asemejan y se difieren de los otros personajes con quienes se ha enfrentado en el viaje al Sur?
9. ¿En qué piensa Dahlmann cuando contempla al viejo gaucho? ¿Qué metáforas emplea el escritor para describirlo?

EL CONFLICTO / EL DESENLACE / EL TEMA

10. ¿Cómo y por qué se instigó la pelea entre Dahlmann y el peón?
11. ¿Qué hace el patrón para evitar una pelea entre los dos? ¿Cuál es el resultado de su acción?
12. ¿Qué papel juega el viejo gaucho en el duelo? Es decir, ¿qué acción tomó para que Dahlmann aceptara el duelo?
13. ¿Cómo se sentía el protagonista al atravesar el umbral?
14. En su opinión, ¿qué espera Dahlmann cuando sale a la llanura? ¿Piensan Uds. que está resignado a morir? Expliquen.
15. ¿Cuáles son algunos de los posibles temas de la obra? ¿Cuál le parece que es el más importante? ¿Por qué?

B Compare las partes del cuento. ¿Cómo se difiere la tercera parte de las primeras dos? Explique su respuesta, dando ejemplos concretos del cuento.

▪▪▪ APLICACIÓN

A ¿Qué importancia tiene el texto *Mil y Una Noches* en el argumento y el tema de «El Sur»? Busque referencias y pasajes en el cuento para apoyar sus ideas.

B ¿Qué expectativas tenía Ud. al principio del cuento? ¿Se realizaron o no? ¿Fue inesperado y sorprendente la conclusión, en su opinión? Explique.

C PAPEL Y LÁPIZ Lea las siguientes consideraciones sobre el cuento. Escoja una o una combinación de ideas para analizar. Escriba uno o dos párrafos, apoyando sus ideas con pasajes del cuento. Luego, compare su análisis con los de otros estudiantes de la clase.

■ Analice la relación entre la realidad y la ficción que se presenta a lo largo del cuento.

■ ¿Cómo establece Borges el Sur como espacio definitivo dentro de la historia argentina tanto como en la historia universal?

■ ¿Cómo figuran los antepasados del protagonista en el comienzo y el desenlace del cuento? Compare y contraste el destino del abuelo materno, Francisco Flores, con el destino de su nieto Juan Dahlmann.

■ La última oración del cuento está escrita en el tiempo presente. ¿Qué importancia tiene el cambio en tiempos verbales? Busque otras referencias temporales para hacer el análisis. Recuerde el gato en Buenos Aires y el viejo en el Sur.

■ Comente el uso de anacronismos para avanzar el tema del gaucho y el criollismo en las tres partes de «El Sur».

■ ¿Cómo desarrolla Borges el tema de la naturaleza doble y conflictiva del hombre que se encuentra con la inevitabilidad de la muerte?

D Detalle la estrategia que Borges emplea para construir y reconstruir un mundo imaginario y soñado en «El Sur». ¿Qué técnicas usa para desorientar al lector y crear una tensión entre el mundo lógico y el mundo sensorial?

E Parece que el protagonista puede relatarle al lector / a la lectora los eventos que llevan a su propia muerte. ¿Cómo intenta torcer y reinventar el pasado, el presente y el futuro? ¿Piensa Ud. que se expresa un sentido fatalista en los últimos momentos de su experiencia en el almacén? ¿Cómo y por qué?

■■■ 1 Syllabication and Stress

A. Syllabication

■ The basic rule of Spanish syllabication is to make each syllable end in a vowel whenever possible.

ci-vi-li-za-do   ca-ra-co-les   so-ñar   ca-sa-do

■ Two vowels should always be divided unless one of the vowels is an unaccented **i** or **u.** Accents on other vowels do not affect syllabication.

fe-o   bue-no   ac-tú-e   des-pués
pre-o-cu-pa-do   ne-ce-sa-rio   rí-o   a-vión

■ In general, two consonants are divided. Although the **Real Academia Española** no longer considers the consonant combinations **ch, ll,** and **rr** to be single letters, for syllabication purposes they are still treated as such and should never be divided. Double **c** and double **n,** however, *are* separated.

en-fer-mo   ban-de-ra   mu-cha-cha   ac-ci-den-te
doc-to-ra   cas-ti-llo   a-rroz   in-na-to

■ The consonants **l** and **r** are never separated from any consonant preceding them, except for **n** and **s.**

ha-blar   a-trás   a-brir   pa-dre   En-ri-que
com-ple-to   is-la   o-pre-si-vo   si-glo

■ Combinations of three and four consonants are divided following the rules above. The letter **s** should go with the preceding syllable.

es-truc-tu-ra   con-ver-tir   ex-tra-ño   obs-cu-ro
cons-tan-te   es-tre-lla   in-fle-xi-ble   ins-truc-ción

B. Stress

How you pronounce a specific Spanish word is determined by two basic rules of stress. Written accents to indicate stress are needed only when those rules are violated. Here are the two rules of stress.

1. For words ending in a vowel, **-n,** or **-s,** the natural stress falls on the next-to-last syllable. The letter **y** is *not* considered a vowel for purposes of assigning stress.

ha-blan   pe-*rri*-to   tar-*je*-tas   a-me-ri-*ca*-na

2. For words ending in *any other letter,* the natural stress falls on the last syllable.

pa-*pel*   di-fi-cul-*tad*   es-*toy*   pa-re-*cer*

If these stress rules are violated by the word's accepted pronunciation, stress must be indicated with a written accent.

re-li-*gión*   e-*léc*-tri-co   fran-*cés*   ha-*blé*
ár-bol   *Pé*-rez   *cés*-ped   ca-*rác*-ter

Note that words that are stressed on any syllable other than the last or next-to-last will always show a written accent. Particularly frequent words in this category include adjectives and adverbs ending in **-ísimo** and verb forms with pronouns attached.

mu-*chí*-si-mo   la-*ván*-do-lo   *dár*-se-las   *dí*-ga-me-lo

Written accents to show violations of stress rules are particularly important when diphthongs are involved. A diphthong is a combination of a weak (**i, u**) vowel and a strong (**a, e, o**) vowel (in either order), or of two weak vowels together. The two vowels are pronounced as a single sound, with one of the vowels being given slightly more emphasis than the other. In all diphthongs the strong vowel or the second of two weak vowels receives this slightly greater stress.

*a*i: paisaje   u*e*: vuelve   i*o*: rioja   u*i*: fui   iu: ciudad

When the stress in a vowel combination does not follow this rule, no diphthong exists. Instead, two separate sounds are heard, and a written accent appears over the weak vowel or the first of two weak vowels.

a-*í*: país   *ú*-e: acentúe   *í*-o: tío   *ú*-i: flúido

C. Use of the Written Accent as a Diacritic

The written accent is also used to distinguish two words with similar spelling and pronunciation but different meaning.

■ Nine common word pairs are identical in spelling and pronunciation; the accent mark is the only distinction between them.

dé	*give*	**de**	*of, from*	**sí**	*yes*	**si**	*if*
él	*he*	**el**	*the*	**sólo**	*only*	**solo**	*alone*
más	*more*	**mas**	*but*	**té**	*tea*	**te**	*you*
mí	*me*	**mi**	*my*	**tú**	*you*	**tu**	*your*
sé	*I know*	**se**	*(pronoun)*				

■ Diacritic accents are used to distinguish demonstrative adjectives from demonstrative pronouns, although this distinction is disappearing in many parts of the Spanish-speaking world.°

°The **Real Academia Española** formally eliminated the use of diacritic accents to distinguish demonstrative pronouns from demonstrative adjectives from the Spanish language in 1994. Nonetheless, this distinction has been retained in *¡Avance!* as a matter of style.

aquellos países	*those countries*	aquéllos	*those ones*
esa persona	*that person*	ésa	*that one*
este libro	*this book*	éste	*this one*

- Diacritic accents are placed over relative pronouns or adverbs that are used interrogatively or in exclamations.

cómo	*how*	como	*as, since*	por qué	*why*	porque	*because*
dónde	*where*	donde	*where*	qué	*what*	que	*that*

■■ 2 Spelling Changes

In general, Spanish has a far more phonetic spelling system than many other modern languages. Most Spanish sounds correspond to just one written symbol. Those that can be written in more than one way are of two main types: those for which the sound/letter correspondence is largely arbitrary and those for which the sound/letter correspondence is determined by spelling rules.

A. In the case of arbitrary sound/letter correspondences, writing the sound correctly is mainly a matter of memorization. The following are some of the more common arbitrary, or *nonpatterned,* sound/letter correspondences in Latin American Spanish.

SOUND	SPELLING	EXAMPLES
/b/ + *vowel*	b, v	barco, ventana
/y/	y, ll, i + *vowel*	haya, amarillo, hielo
/s/	s, z, c	salario, zapato, cielo
/x/ + e, i	g, j	general, gitano, jefe, jinete

Note that, although the spelling of the sounds /y/ and /s/ is largely arbitrary, two patterns occur with great frequency.

1. /y/   Whenever an unstressed **i** occurs between vowels, the **i** changes to **y**.

le**i**ó → le**y**ó   cre**i**endo → cre**y**endo   ca**i**eron → ca**y**eron

2. /s/   The sequence **ze** or **zi** is rare in Spanish. Whenever a **ze** or **zi** combination would occur in the plural of a noun ending in **z** or in a conjugated verb (for example, an **-e** ending on a verb stem that ends in **z**), the **z** changes to **c**.

lu**z** → lu**c**es   vo**z** → vo**c**es   empe**z**- +é → empe**c**é   ta**z**a → ta**c**ita

B. There are three major sets of *patterned* sound/letter sequences.

SOUND	SPELLING	EXAMPLES
/g/	g, gu	gato, pague
/k/	c, qu	toca, toque
/g^w/	gu, gü	agua, pingüino

1. /g/ Before the vowel sounds /a/, /o/, and /u/, and before all consonant sounds, the sound /g/ is spelled with the letter **g.***

   gato   gorro   agudo   grave   gloria

   Before the sounds /e/ and /i/, the sound /g/ is spelled with the letters **gu.**

   guerra   guitarra

2. /k/ Before the vowel sounds /a/, /o/, and /u/, and before all consonant sounds, the sound /k/ is spelled with the letter **c.**

   casa   cosa   curioso   crystal   club   acción

   Before the sounds /e/ and /i/, the sound /k/ is spelled with the letters **qu.**

   queso   quitar

3. /gʷ/ Before the vowel sounds /a/ and /o/, the sound /gʷ/ is spelled with the letters **gu.**

   guante   antiguo

   Before the sounds /e/ and /i/, the sound /gʷ/ is spelled with the letters **gü.**

   vergüenza   lingüista

These spelling rules are particularly important in conjugating, because a specific consonant sound in the infinitive must be maintained throughout the conjugation, despite changes in stem vowels. It will help if you keep in mind the patterns of sound/letter correspondence rather than attempt to conserve the spelling of the infinitive.

/ga/ = **ga**	lle*ga*r	/ge/ = **gue**	lle*gue* (*present subjunctive*)
/ga/ = **ga**	lle*ga*r	/ge/ = **gué**	lle*gué* (*preterite*)
/gi/ = **gui**	se*gui*r	/go/ = **go**	si*go* (*present indicative*)
/gi/ = **gui**	se*gui*r	/ga/ = **ga**	si*ga* (*present subjunctive*)
/xe/ = **ge**	reco*ge*r	/xo/ = **jo**	reco*jo* (*present indicative*)
/xe/ = **ge**	reco*ge*r	/xa/ = **ja**	reco*ja* (*present subjunctive*)
/gʷa/ = **gua**	averi*gua*r	/gʷe/ = **güe**	averi*güe* (*present subjunctive*)
/ka/ = **ka**	sa*ca*r	/ke/ = **qué**	sa*qué* (*preterite*)

■■ 3 Verb Conjugations

The chart on pages A-5 – A-6 lists common verbs whose conjugations include irregular forms. The chart lists only those irregular forms that cannot be easily predicted by a structure or spelling rule of Spanish. For example, the irregular **yo** forms of the present indicative of verbs such as **hacer** and **salir** are listed, but the present subjunctive forms are not, since these forms can be consistently predicted from the present indicative **yo** form. For the same reason, irregular preterites are listed, but not the past subjunctive, since this form is based on the preterite. Affirmative **tú** commands are listed, but not **Ud.** or **Uds.** commands (affirmative or negative), since these are identical to the present subjunctive forms for those persons. Spelling irregularities such as **busqué** and **leyendo** are also omitted, since these follow basic spelling rules (Appendix 2).

---

*Remember that before the sounds /e/ and /i/ the *letter* **g** represents the *sound* /x/: **gente, lógico.**

Verb Conjugations									
Infinitive	Indicative					Present Subjunctive	Affirmative tú Command	Participles	
	Present	Imperfect	Preterite	Future	Conditional			Present	Past
1. abrir									abierto
2. andar			anduve						
3. caber	quepo		cupe	cabré	cabría				
4. caer	caigo								
5. conocer	conozco								
6. cubrir									cubierto
7. dar	doy		di diste dio dimos disteis dieron			dé			
8. decir (i)	digo		dije dijeron	diré	diría		di	diciendo	dicho
9. escribir									escrito
10. estar	estoy		estuve			esté			
11. haber	he has ha hemos habéis han		hube	habré	habría	haya			
12. hacer	hago		hice hizo	haré	haría		haz		hecho
13. ir	voy vas va vamos vais van	iba	fui fuiste fue fuimos fuisteis fueron			vaya	ve	yendo	
14. morir (ue, u)									muerto
15. oír	oigo oyes oye oímos oís oyen								

Infinitive	Indicative					Present Subjunctive	Affirmative tú Command	Participles	
	Present	Imperfect	Preterite	Future	Conditional			Present	Past
16. oler (ue)	huelo hueles huele olemos oléis huelen								
17. poder (ue)			pude	podré	podría			pudiendo	
18. poner	pongo		puse	pondré	pondría		pon		puesto
19. querer (ie)			quise	querré	querría				
20. reír (i, i)	río ríes ríe reímos reís ríen							riendo	
21. romper									roto
22. saber	sé		supe	sabré	sabría	sepa			
23. salir	salgo			saldré	saldría		sal		
24. ser	soy eres es somos sois son	era	fui fuiste fue fuimos fuisteis fueron			sea	sé		
25. tener (ie)	tengo		tuve	tendré	tendría		ten		
26. traducir	traduzco		traduje tradujeron						
27. traer	traigo		traje trajeron						
28. valer	valgo			valdré	valdría				
29. venir (ie)	vengo		vine	vendré	vendría		ven	viniendo	
30. ver	veo	veía	vi						visto
31. volver (ue)									vuelto

■■ 4 Prepositional Pronouns

A. Forms of Prepositional Pronouns

mí	nosotros/as
ti	vosotros/as
Ud., él, ella	Uds., ellos, ellas

With the exception of the first- and second-person singular forms (**mí, ti**), the prepositional pronouns are the same as the subject pronouns. They are used when preceded by **para, por, a, de, en, sin,** and most other prepositions. The preposition and pronoun together form a prepositional phrase.

¿Piensas mucho **en ella**?   *Do you think of her a lot?*
Toma, es **para ti**.   *Take it, it's for you.*

When **mí** or **ti** occurs with **con,** the special forms **conmigo** and **contigo** are used.

Lo siento, pero no puedo ir **contigo**.   *I'm sorry, but I can't go with you.*

Note that the prepositions **según** and **entre** are always used with subject pronouns.

Según tú, el partido fue aburrido,   *According to you, the game was*
    ¿verdad?   *boring, right?*
Entre tú y yo, él es un imbécil.   *Between you and me, he's an idiot.*

B. Uses of Prepositional Pronouns

Third-person indirect-object pronouns may have more than one meaning: **le** = *to you, to him, to her;* **les** = *to you all, to them.* This ambiguity is often clarified by using a prepositional phrase with **a.**

Le doy el libro $\begin{cases} \textbf{a él.} \\ \textbf{a ella.} \end{cases}$ *I'm giving the book* $\begin{cases} \text{to him.} \\ \text{to her.} \end{cases}$

Les escribo $\begin{cases} \textbf{a Uds.} \\ \textbf{a ellos.} \end{cases}$ *I'm writing* $\begin{cases} \text{to you all.} \\ \text{to them.} \end{cases}$

The prepositional phrase with **a** is also used with object pronouns for emphasis.

Me da el libro **a mí,** no **a ella.**   *He's giving the book to me, not to her.*

■■ 5 Possessive Adjectives and Pronouns

Spanish possessive adjectives have two forms: a short form that precedes the noun and a long form that follows it.

A. Possessive Adjectives That Precede the Noun*

English possessive adjectives (*my, his, her, your;* and so on) do not vary in form. Spanish possessive adjectives, like all adjectives in Spanish, agree in number with the noun they modify—that is, with the *object possessed.* The possessive adjectives **nuestro** and

---

*The forms of the Spanish possessive adjectives appear in the **A propósito** box on page 110, **Capítulo 4.**

vuestro agree in gender as well. These forms of the possessive adjective always precede the noun.

Mi coche es viejo.	*My car is old.*
Mis coches son viejos.	*My cars are old.*
Nuestra abuela falleció el año pasado.	*Our grandmother passed away last year.*
Nuestros tíos viven in New Jersey.	*Our aunt and uncle live in New Jersey.*

Since **su(s)** can express *his, her, its, your,* and *their,* ambiguity is often avoided by using a prepositional phrase with **de** and a pronoun object. In this case, the definite article usually precedes the noun.

El padre de él se sentó al lado de **la madre de ella** y viceversa.	*His father sat next to her mother and vice versa.*
Así que su coche venía por esta calle. ¿Y **el coche de él**?	*So, your car was coming up this street. And what about his car?*

B. Possessive Adjectives That Follow the Noun

Emphatic Possessive Adjectives				
	Singular		**Plural**	
	Masculine	**Feminine**	**Masculine**	**Feminine**
mine	mío	mía	míos	mías
your (informal)	tuyo	tuya	tuyos	tuyas
your (formal) *his* *her* }	suyo	suya	suyos	suyas
our	nuestro	nuestra	nuestros	nuestras
your (pl. informal)	vuestro	vuestra	vuestros	vuestras
your (pl. formal) *their* }	suyo	suya	suyos	suyas

The long, or emphatic, possessive adjectives are used when the speaker wishes to emphasize the possessor rather than the thing possessed. Note that all these forms agree in both number and gender and that they always follow the noun, which is usually preceded by an article.

José es **un amigo mío.**	*José is a friend of mine.*
Mi cartera está en la mesa; **la cartera tuya** está en el estante.	*My wallet is on the table; your wallet is on the bookcase.*

Compare the preceding sentences, in which emphasis is given to the possessor, with the following sentences expressed with the nonemphatic possessives.

José es **mi amigo.**	*José is my friend.* (more emphasis on *friend*)
Mi cartera está en la mesa; **tu mochila** está en el estante.	*My wallet is on the table; your backpack is on the bookcase.* (more emphasis on the item)

C. Possessive Pronouns

Whenever a noun is modified by an adjective or an adjective phrase, the noun can be omitted in order to avoid repetition within a brief context (one or two sentences). In such an instance, the definite article and the adjective or adjective phrase are left standing alone.

Prefiero el café regular sobre **el** (café) **descafeinado.**

I prefer regular coffee over decaf (coffee).

Los jóvenes de este país, como **los** (jóvenes) **de otras partes del mundo,** a veces tienen problemas con sus padres.

Young people in this country, like those (the young people) in other parts of the world, sometimes have problems with their parents.

When possessive adjectives stand for nouns, the emphatic form is used, preceded by the appropriate definite article.

Mi disfraz es más impresionante que **su disfraz.** → Mi disfraz es más impresionante que **el suyo.**

My costume is more impressive than her costume. → *My costume is more impressive than hers.*

Su presentación y **nuestra presentación** recibieron un premio. → Su presentación y **la nuestra** recibieron un premio.

Their presentation and our presentation received a prize. → *Their presentation and ours received a prize.*

Su foto se encontró mezclada con **mis fotos.** → Su foto se encontró mezclada con **las mías.**

His photo was found mixed in with my photos. → *His photo was found mixed in with mine.*

The definite article is usually omitted after forms of **ser.**

—¿**Es tuyo** ese libro?
—No, no **es mío.** Será de Ramón.

—Is that book yours?
—No, it isn't mine. It must be Ramón's.

■■ 6 Demonstrative Adjectives and Pronouns

A. Demonstrative Adjectives

To indicate the relative distance of objects from the speaker, English has two sets of demonstrative adjectives: *this/these* for objects close to the speaker and *that/those* for objects farther away. English has two corresponding place adverbs: *here* and *there*. In Spanish, there are three sets of demonstrative adjectives: **este, esta, estos/as** for this/these, **ese, esa, esos/as** for that/those (near), and **aquel, aquella, aquellos/as** for that/those (far).

If **libro** is the noun being described, the phrase **este libro** indicates a book near the speaker: **este libro, aquí. Ese libro** indicates a book away from the speaker but close to the person addressed: **ese libro, allí.**° **Aquel libro, allí (allá)** indicates a book that is at a distance from both the speaker and the person addressed. These relationships are indicated in the following diagram.

°**Ese libro** can also indicate a book away from both speakers. **Aquel libro** would then indicate a book even farther away from both speakers.

X speaker (**este libro** que yo tengo **aquí**)

Y listener (**ese libro** que tú tienes **allí**)

Z third location (far) away from both speaker X and listener Y (**aquel** libro **allá**)

B. Demonstrative Pronouns

You can replace demonstrative adjectives and nouns with demonstrative pronouns to avoid unnecessary repetition by following the pattern that you have already seen with adjectives and possessive constructions (Appendix 5). Like demonstrative adjectives, demonstrative pronouns agree with the noun in number and gender. Note that demonstrative pronouns are accented on the stressed syllable.°

Este coche es de mi padre y **ese coche** es de mi madre. → Este coche es de mi padre y **ése** es de mi madre.

This car is my father's and that car is my mother's → This car is my father's and that one is my mother's.

Esta mujer es mi madre y **aquellas mujeres** son mis tías. → Esta mujer es mi madre y **aquéllas** son mis tías.

This woman is my mother and those women are my aunts. → This woman is my mother and those are my aunts.

C. Neuter Demonstrative Pronouns

The neuter pronouns **esto, eso,** and **aquello** refer to concepts or processes that have no identifiable gender. The neuter forms are also used to ask for the identification of an unknown object. They have no written accent.

No comprendo **esto.**

I don't understand this (concept, idea, action, etc.).

Voy al laboratorio todos los días y **eso** me ayuda.

I go to the lab every day, and that (going there often) helps me.

¿Qué es **esto**?

What is this?

■■ 7 *Tener* and *hacer* Expressions

In addition to **ser** and **estar,** Spanish uses the verbs **tener** and **hacer** to express the concept of *to be.*

Tener combines with certain nouns that are usually expressed with *to be + adjective* in English.

tener _____ años	*to be _____ years old*
cuidado/prisa	*careful / in a hurry*
éxito/suerte	*successful/lucky*
frío/calor	*cold/hot*
hambre/sed/sueño	*hungry/thirsty/sleepy*
miedo/vergüenza	*afraid/embarrassed*
razón (no tener razón)	*right (to be wrong)*

°The **Real Academia Española** formally eliminated the accents distinguishing demonstrative pronouns from demonstrative adjectives in 1994. Nonetheless, this distinction has been retained in *¡Avance!* as a matter of style.

Another common **tener** expression is **tener ganas de** + *infinitive*, which expresses English *to feel like* + *present participle.*

Tengo ganas de dormir.   *I feel like sleeping.*

Weather conditions expressed with *to be* in English are usually expressed with **hacer** in Spanish.

Hace (mucho) frío/calor/fresco.   *It is (very) cold/hot/cool.*
              sol/viento.   *sunny/windy.*
Hace (muy) buen tiempo.   *It is (very) nice out.*
              mal tiempo.   *The weather is (very) bad.*

Verbs that refer to precipitation, such as **nevar (ie), llover (ue),** and **lloviznar,** are conjugated only in the third-person singular. There is no **hacer** expression to describe these conditions.

Nieva mucho en Colorado.   *It snows a lot in Colorado.*
Llueve ahora, pero antes sólo   *It's raining now, but before it was*
  lloviznaba.   *only drizzling.*

■■ 8 Answers to *Repaso* Activities

Capítulo 1

1. son   **2.** están (estamos)   **3.** Es   **4.** las   **5.** considera   **6.** expresa   **7.** son
8. producen   **9.** causan   **10.** muchos   **11.** intentamos   **12.** estamos   **13.** un
14. es   **15.** son   **16.** comprenden (comprendemos)   **17.** vive   **18.** forma
19. hay   **20.** grandes   **21.** hay   **22.** son

Capítulo 2

1. son   **2.** están   **3.** son   **4.** son   **5.** están   **6.** ser   **7.** están   **8.** Es   **9.** son

Capítulo 3

Here is one possible answer to this exercise.

Una conversación en la clase de español del profesor O'Higgins

O'H: Bueno, estudiantes, es hora de entregar la tarea de hoy. Todos tenían que escribirme una breve composición sobre la originalidad, ¿no es cierto? ¿Me *la* escribieron?

J: Claro. Aquí tiene Ud. *la (composición) mía.*

O'H: Y Ud., Sra. Chandler, ¿también hizo la tarea?

CH: Sí, *la* hice, profesor O'Higgins, pero no la tengo aquí.

O'H: Ajá. Ud. *la* dejó en casa, ¿verdad? ¡Qué original!

CH: No, no *la* dejé en casa. Sucede que mi hijo tenía prisa esta mañana, el coche se descompuso y mi marido *lo* llevó al garaje.

O'H: Ud. me perdona, pero no veo la relación. ¿Me *la* quiere explicar?

CH: Bueno, anoche, después de escribir la composición, *la* puse en mi libro como siempre. Esta mañana salimos, mi marido, mi hijo y yo, en el coche. Siempre dejamos a Paul —mi hijo— en su escuela primero, luego mi marido me deja en la universidad y entonces él continúa hasta su oficina. Esta mañana, como le dije, mi hijo tenía mucha prisa y cogió mi libro con *los suyos* cuando bajó del coche. Desgraciadamente no vi que cogió *el mío.*

Supe que *lo* cogió cuando llegamos a la universidad. Como ya era tarde, no pude volver a la escuela de mi hijo. Así que mi marido se ofreció a buscarme el libro. Entonces…

O'H: Bueno, Ud. me *la* puede traer mañana, ¿no?

CH: Sin duda, profesor.

Capítulo 4

1. era **2.** parecía **3.** llegaron **4.** estoy **5.** le dijo **6.** recibió **7.** quien **8.** decidió **9.** tenía (tuve) **10.** me gustaba (me gustó) **11.** me dijo **12.** corto **13.** quería **14.** que **15.** me puse **16.** salí **17.** hacía **18.** estaba **19.** caminamos **20.** comenzó **21.** me preguntó **22.** era **23.** me escuchaba **24.** tenía **25.** volvió **26.** lo visitaba **27.** le pedía **28.** vez

Capítulo 5

1. sea **2.** pasar **3.** Escuche **4.** sea **5.** Compre **6.** se la prepare **7.** se la lave **8.** se preocupe **9.** se lo haga **10.** empiece

Capítulo 6

1. levanté **2.** vi **3.** estaba **4.** pensaba **5.** Sabía **6.** podía **7.** grité **8.** salí **9.** pensaba **10.** llegué **11.** abrí **12.** salía **13.** me preguntó **14.** respondí **15.** sonrió **16.** explicó **17.** venía **18.** le gustaba **19.** Quise **20.** tenía **21.** dije **22.** necesitaba **23.** conocía **24.** pudo **25.** le dije **26.** éramos **27.** hacías **28.** quería **29.** Nos poníamos **30.** me miró **31.** sugirió **32.** volvió **33.** balbuceé **34.** había

Capítulo 7

1. vinieron **2.** llegaron **3.** es **4.** significó **5.** se llamaba **6.** debía **7.** daba **8.** necesitaba **9.** recibía **10.** había **11.** tuvieran **12.** Era **13.** produjeran **14.** se cultivaban **15.** pudiera **16.** odiaban **17.** les imponían **18.** se convirtieron

Capítulo 8

1. hace muchísimos años **2.** fuera **3.** se reunieron **4.** habló **5.** necesitamos **6.** vean **7.** apareció **8.** habitaran **9.** devoraron **10.** destruyeron **11.** pusieron **12.** empezaran **13.** admiraran **14.** devastaron **15.** de los que **16.** pudieron **17.** tuviera **18.** la cual (que) **19.** cubrió **20.** decidieron **21.** Sabían **22.** iban **23.** hicieran **24.** se preparaban **25.** se arrojaron **26.** descubrieron **27.** vivieran **28.** arrojó **29.** estaba **30.** me den **31.** se arrojaron **32.** comió

Capítulo 9

1. Hace veinte años **2.** por **3.** parecía **4.** tiene **5.** se ven **6.** Es **7.** ayudó **8.** es **9.** tienen **10.** Por **11.** se presta (se prestó) **12.** que **13.** para **14.** está **15.** Hace poco **16.** fueron exhibidas **17.** por **18.** se realizó **19.** para **20.** es acogido **21.** se dirigen **22.** son **23.** que **24.** había **25.** se encuentra

Capítulo 10

1. se oyen   **2.** se organizan   **3.** que   **4.** apoye   **5.** causan   **6.** afirman
7. fueran eliminadas (se eliminaran)   **8.** empieza   **9.** acompaña   **10.** conocen
11. Se compra   **12.** se consume   **13.** es   **14.** es   **15.** mantener   **16.** afecta
17. causa   **18.** provoca   **19.** produzca

Capítulo 11

1. para   **2.** Tanto Yogi como Mark (Yogi tanto como Mark)   **3.** que   **4.** han
trabajado   **5.** hacen   **6.** sino   **7.** son   **8.** utiliza   **9.** entrenados   **10.** colaborar   **11.** perdidas   **12.** por   **13.** se han usado los perros (los perros han sido
usados)   **14.** se establecieron   **15.** para   **16.** se desarrolla   **17.** aprenden
18. sean   **19.** las repitan   **20.** lleguen a ser (se hagan)   **21.** sea entrenado por
22. obedezca   **23.** será   **24.** que   **25.** cuidar   **26.** se establezcan   **27.** los dos
(ambos)   **28.** no serán   **29.** sino

Capítulo 12

1. Mira   **2.** es   **3.** por   **4.** vean (veamos)   **5.** conozcan (conozcamos)   **6.** que
7. tenga   **8.** lo haré   **9.** Lo que   **10.** entiendo   **11.** hacerlo   **12.** Debes de
darte cuenta   **13.** habrás   **14.** tendrás   **15.** hacer   **16.** puedas   **17.** es
18. Me siento   **19.** me he sentido   **20.** vine   **21.** por   **22.** que (quienes)
23. tenga   **24.** especializo   **25.** quería (quiere)   **26.** me hiciera (me haga)
27. He   **28.** he   **29.** estén   **30.** hay   **31.** has   **32.** sea   **33.** estabas   **34.** ser
35. consiste   **36.** lo que   **37.** sino   **38.** lo que   **39.** haya   **40.** hayas   **41.** vas
42. seas   **43.** (el) estudiar   **44.** sea   **45.** pero   **46.** fuera   **47.** se harían (nos
haríamos)   **48.** Ríete   **49.** he

This vocabulary does not include exact or close cognates of English. Also omitted are certain common words well within the mastery of second-year students such as cardinal numbers, articles, pronouns, possessive adjectives, and so on. Adverbs ending in **-mente** and regular past participles are not included if the root word is found in the vocabulary or is a cognate. Terms are generally defined according to their use(s) in this text.

The gender of nouns is given except for masculine nouns ending in **-l, -o, -n, -e, -r,** and **-s,** and feminine nouns ending in **-a, -d, -ión,** and **-z.** Nouns with masculine and feminine variants are listed when the English correspondents are different words (*grandmother, grandfather*): in most cases, however, only the masculine form is given (**abogado, piloto**). Adjectives are given only in the masculine singular form. Based on the **Real Academia Española**'s 1994 decision, the letter combinations **ch** and **ll** are no longer treated as separate letters and are alphabetized accordingly. Verbs that have a spelling change in the first-person present indicative indicate the change with **(g), (j), (zc),** and so on. Both present-tense and preterite (if any) stem changes are given for stem-changing verbs. Finally, verbs that have further irregularities are followed by *irreg.*

The following abbreviations are used in this vocabulary.

abbrev.	abbreviation	*interj.*	interjection
adj.	adjective	*inv.*	invariable
adv.	adverb	*irreg.*	irregular
coll.	colloquial	*m.*	masculine
conj.	conjunction	*n.*	noun
f.	feminine	*pl.*	plural
fig.	figurative	*p.p.*	past participle
gram.	grammar	*prep.*	preposition
inf.	infinitive	*s.*	singular

A

abajo *adv.* below; **calle abajo** down the street; **hacia abajo** downward
abalorio glass bead
abandonar to leave, abandon
abanico fan
abarcar to include
abeja bee
abierto (*p.p. of* **abrir**) open; opened
abnegado self-denying, unselfish
abogado lawyer; **abogado defensor** defense attorney
abogar to advocate
abono fertilizer
abordaje *n.* encounter
abordar to address
aborrecer (ze) to hate, abhor
aborto abortion
abrazar(se) to hug (each other)
abrazo hug
abrelatas *m. s., pl.* can opener
abreviatura abbreviation
abrigo overcoat; shelter
abrir (*p.p.* **abierto**) to open: **abrir el paso a** to make way for
abrochar to button up, fasten
absoluto absolute; **en absoluto** not at all
absorber to absorb
absorto: estar (*irreg.*) **absorto** to be entranced, amazed
abundar to abound
abuela grandmother
abuelo grandfather; *pl.* grandparents
aburrido bored; boring
aburrir to bore
abusivo abusive
abuso abuse
acá (over) here; **acá y allá** here and there
acabar to end, finish; **acabar con** to put an end to; **acabar de** + *inf.* to have just (*done something*); **acabarse** to run out of
academia academy
académico academic
acampar to camp
acaparar to hoard
acariciar to caress
acaso perhaps, maybe
acatar to obey
acceso access; **tener** (*irreg.*) **acceso a** to have access to
accidente accident
acción action; stock, share of stock; **Día** (*m.*) **de Acción de Gracias** Thanksgiving Day; **entrar en acción** to take action

accionista *m., f.* stockholder
acelerar to speed up, accelerate
aceptable acceptable
aceptar to accept
acera sidewalk
acerca de about, concerning, with regard to
acercarse (a) to approach, draw near (to)
acero steel
achatado *adj.* flat
achinado Chinese-like
aclamar to acclaim
aclarar to clarify, clear up
acogedor welcoming
acoger (*like* **coger**) to welcome
acogida *n.* welcome
acometer to attack; to rush upon
acomodar to place; **acomodarse** to find oneself a seat; to settle into a comfortable position
acompañar to accompany
aconsejar to advise
acontecer (ze) to happen, occur
acontecimiento event, happening
acordarse (ue) to remember
acorralar to frighten
acostar (ue) to put to bed; **acostarse** to lie down; to go to bed
acostumbrarse (a) to become accustomed (to)
acrobacias *pl.* acrobatics
actitud attitude
activar to activate
actividad activity
activista *n. m., f.* activist
activo active
acto act; ceremony
actriz actress
actual current, present-day
actualidad: en la actualidad at the present time, currently
actualmente at present, now
actuar (actúo) to act, behave
acudir to come; **acudir a** to turn to, resort to
acuerdo agreement, pact; **de acuerdo con** in accordance with; **estar** (*irreg.*) **de acuerdo** to be in agreement; **ponerse** (*irreg.*) **de acuerdo** to come to an agreement
acumular to accumulate, amass
acunar to cradle
acurrucarse to hunker, squat on one's haunches
acusado *n.* accused

acusar to accuse
adaptación adaptation
adaptarse (a) to adapt (to)
adecuado appropriate
adelante: de ahora en adelante from now on; **salir** (*irreg.*) **adelante** to get ahead
ademán *n.* gesture
además (de) in addition (to)
adentro *adv.* inside, indoors
adherencia bond, connection; membership
adhesivo: tira adhesiva adhesive strip; bandage
adicción addiction
adición addition
adicto *adj.* addicted
adiestramiento training
adinerado wealthy, well-to-do
adivinar to guess
adjetival: cláusula adjetival *gram.* adjective clause
adjetivo *gram.* adjective
administración administration; **administración de empresas** business administration
admiración admiration
admirador admirer
admirar to admire
admisible admissible
admitir to admit
adolescencia adolescence
adolescente adolescent
¿adónde? where (to)?
adoptación adoption
adoptar to adopt
adorado adored
adormecido sleepy
adornar to adorn
adquirido: síndrome de inmunodeficiencia adquirida (SIDA) acquired immune deficiency syndrome (AIDS)
adquirir (ie) to acquire
adulto adult
adverbio *gram.* adverb
adversario adversary
advertencia warning
advertir (ie, i) to tell, inform
aéreo *adj.* air; **controlador aéreo** air-traffic controller
aeróbico *n. pl.* aerobics; *adj.* aerobic
aeropuerto airport
afabilidad affability
afectar to affect
afecto affection

afeitar(se) to shave (oneself); **cuchilla de afeitar** razor blade
afición hobby
aficionado enthusiastic; fond
afiliación affiliation
afirmación statement
afirmar to state
afirmativo affirmative
afligido sorrowful, grieving
afortunado fortunate
africano *adj.* African
afroamericano *n., adj.* African American
afrocubano *adj.* Afrocuban
afrontar to face, confront
afuera *adv.* outside, outdoors; *n. pl.* suburbs, outskirts
agacharse to crouch; to squat
agencia agency
agente *m., f.* agent; **agente de cambio y bolsa** stockbroker; **agente doble** double agent; **agente secreto** secret agent
agitar to stir; to shake
agnosticismo agnosticism
agnóstico *n.* agnostic
agobiado overwhelmed
agónico agonizing
agonizante agonizing
agotamiento using up, exhaustion
agradable pleasant
agradar to please
agradecer (zc) to thank
agravar to aggravate, make worse
agraz: en agraz quite short
agregar to add
agresividad aggressiveness
agrícola *m., f.* agricultural
agricultor farmer
agrupar to group, assemble
agua *f. (but* **el agua)** water; **agua corriente** running water; **agua potable** drinking water
aguantar to put up with
aguardar to await
agudizar to heighten, sharpen
agudo acute, extreme
águila *f. (but* **el águila)** eagle
aguja needle; syringe
agujero hole
ahí there
ahijado godchild
ahogar(se) to drown
ahogo oppresion
ahora *adv.* now; **ahora mismo** right now; **ahora que** *conj.* now that; **de ahora en adelante** from now on

ahorrar to save
ahorros savings; **cuenta de ahorros** savings account
aire air
aislado isolated
aislamiento isolation
aislar to isolate
¡ajá! *interj.* aha!
ajedrez *m.* chess
ajeno a unaware of
ajustado tight-fitting
ajustar to adjust; to tighten
ajuste adjustment
ala *f. (but* **el ala)** wing
alarde: hacer (irreg.) alarde to make a show of
alargarse to lengthen
alarma alarm
alarmado alarmed
alarmante alarming
alarmarse to become alarmed
albañil mason
albergar to shelter
albergue *n.* shelter
alcachofa artichoke
alcalde mayor
alcaldía mayor's office
alcanzar to reach
alcoba bedroom
alcohólico alcoholic; **Alcohólicos Anónimos** Alcoholics Anonymous
aldea village, town
alegar to allege
alegrar to make happy; **alegrarse (de)** to get happy (about)
alegre happy
alegría happiness
alejado distant
alemán *n.* German
Alemania Germany
alentador encouraging
alerto alert
aletear to flutter
alfabetización literacy
alfarería pottery (*making*)
alfarero potter
algo something; *adv.* somewhat
algún, alguno some; **algun día** someday; **alguna vez** sometime; once; ever (*with a question*); **algunas veces** sometimes
aliado ally
alianza alliance
alimentación food
alimentar to feed
alimenticio *adj.* food

alimento *n.* food
alisar to smooth (out)
alistar(se) to get (oneself) ready
aliviado relieved
aliviar to alleviate, relieve
alivio relief
allá (over) there; **acá y allá** here and there; **el más allá** the hereafter, life after death; **más allá** further; **más allá de** beyond
allegado follower, supporter
allí there
alma *f. (but* **el alma)** soul
almacén store, department store
almacenar to store
almorzar (ue) to eat lunch
almuerzo lunch
alquiler *n.* rent
alrededor de *adv.* around, about
alternar to alternate
alternativa *n., adj.* alternative
altiplano high plateau
altivez pride
altivo proud
altura height
alto tall; high; **en alta mar** *s.* on the high seas; **en voz alta** in a loud voice; aloud
altruista *n. m., f.* altruist; *adj.* altruistic
altura height; altitude
alucinógeno *n.* hallucinogen; *adj.* hallucinogenic
aludir (a) to allude (to), refer (to)
alumno student
alusión allusion
alzado constucted
amable kind
amado *n.* loved one
amamantar to nurse
amanecer *n.* dawn
amanecer (zc) to dawn; to wake up
amante *m., f.* lover
amar to love
amargar to make bitter
amargo bitter
amarillo yellow
amarrado tied, bound
amasar to knead
amazónica: Selva Amazónica Amazon Forest/Jungle
ambición ambition
ambicioso ambitious
ambiental environmental
ambientalista *m., f.* environmentalist
ambiente atmosphere; **medio ambiente** environment

ámbito ambit, scope, realm

ambos both

ambulante: vendedor ambulante street vendor

amenaza threat

amenazar to threaten

americano *n., adj.* American; **fútbol americano** football

amigo friend

amistad friendship

amnistía amnesty

amo master; **ama** (*f., but* **el ama**) **de casa** homemaker

amonestación admonition, warning

amonestar to warn

amontonado piled up

amor love

amorso *adj.* love

ampliar (amplío) to extend

anacrónicamente anachronistically

anacronismo anachronism

analfabetismo illiteracy

analfabeto illiterate

análisis analysis

analizar to analyze

ancho wide

anciana old woman

anciano *n.* old man; *adj.* old, ancient

andamio scaffold

andar *irreg.* to walk

andén platform (*train station*)

andino *adj.* Andean

ángel angel

anglicano *n., adj.* Anglican

angloamericano *n., adj.* Anglo-American

anglohablante *adj.* English-speaking

angloparlante *adj.* English-speaking

anglosajón *n.* Anglo-Saxon

ángulo angle

angustia anguish

anillo ring; **anillo de compromiso** engagement ring; **anillo de diamantes** diamond ring

animado animated

animar to encourage; **animarse** to become enlivened

aniversario anniversary

anoche last night

anochecer (zc) to grow dark

anónimo anonymous; **Alcohólicos Anónimos** Alcoholics Anonymous; **S.A.** *abbrev. of* **sociedad anónima** corporation (Inc.)

anotar to make a note of

ansia *f.* (*but* **el ansia**) yearning

ansiedad anxiety

ansioso anxious

ante *prep.* before, in front of, in the presence of; **ante todo** above all

antecedentes *pl.* background, record

antena parabólica satellite TV

antepasado ancestor

anterior *adj.* previous; prior; **al día anterior** (on) the previous day; **año anterior** previous year; **mes anterior** previous month

antes *adv.* before; **antes de** before; **antes (de) que** *conj.* before

anticipación anticipation

anticipado: por anticipado in advance

anticipar to anticipate

anticonceptivo *adj.* contraceptive

antifantasma *adj., inv.* antighost, ghostbusting

antiguo old; ancient; former

antiyanqui anti-American

antónimo antonym

antropología anthropology

anual annual, yearly

anudar to tie, knot

anular to annul

anunciar to announce

anuncio announcement; advertisement; commercial

añadir to add

año year; **año anterior** previous year; **año escolar** school year; **año pasado** last year; **cada año** every year; **cumplir… años** to turn . . . years old; **hace… años** . . . years ago; **tener** (*irreg.*)**… años** to be . . . years old; **todos los años** every year

apagado shut off; listless; faded

apagar to blow out (*candles*); to turn off (*a light*)

Apalaches *m. pl.* Appalachians (*mountains*)

aparato appliance; machine

aparecer (zc) to appear

aparencia appearance

apartamento apartment

aparte separate; **aparte de** apart from; **hoja de papel aparte** separate sheet of paper

apasionado passionate

apellido family name, surname

apenas hardly

apetitoso appetizing

apilado piled, stacked

aplacar to assuage

aplastar to crush, squash

aplaudir to applaud

aplicable applicable

aplicación application

aplicado studious

aplicar to apply

apoderarse (de) to take power (over)/control (of)

aportación contribution

aportar to bring; to contribute

aporte contribution

apostólico apostolic

apoyar to support

apoyo *n.* support

apreciar to hold in esteem, think well of

aprecio esteem

aprender to learn; **aprender de memoria** to memorize

aprendizaje learning; apprenticeship

apresurarse to hurry

apretado tight; thick (*beard*)

aprobación approval

aprobar (ue) to approve

apropiado appropriate, correct

aprovechar to make use of; **aprovecharse (de)** to take advantage (of)

aproximadamente approximately

aproximado approximate

aproximarse to approach

aptitud aptitude

apto suitable

apuesto handsome

apuntar to write down

apuntes *pl.* notes

apurado *adj.* hurried, rushed

apuro haste; **sacar de un apuro** to get out of a pinch

aquel, aquella *adj.* that (over there), **en aquel entonces** back then

aquél, aquélla *pron.* that one (over there)

aquello that, that thing

aquí here

árabe *n.* Arab

árbol tree; **tala de árboles** logging

arcilla clay; **arcilla cocida** fired clay

arco arch

ardiente: capilla ardiente funeral chapel

arena sand

arete earring

argentino *n., adj.* Argentine, Argentinian

argumento reasoning; argument

árido dry

arista edge

arma *f.* (*but* **el arma**) weapon; **arma de fuego** firearm

armado armed

armazón frame

armonía harmony

arquitecto architect

arquitectura architecture

arrabal suburb; outskirts

arraigado deeply rooted

arraigarse to become entrenched

arrancar to start (*a motor*); to move out, rush forward

arranque *m.* fit (of anger)

arrastrar to drag

arreglar to arrange

arrepentirse de to regret

arrestado arrested

arresto arrest

arriba *adv.* above; **boca arriba** face up; **calle arriba** up the street; **hacia arriba** upward

arrodillar to kneel down

arrogante arrogant

arrojar(se) to throw, fling (oneself)

arroyo stream

arroyuelo brook

arroz *m.* rice

arruinar to ruin, destroy

arte *f.* (*but* **el arte**) art

artesanal *adj.* pertaining to handicrafts

artesanía handicrafts

artículo article

artificial artificial; **fuegos artificiales** fireworks; **preservativo artificial** artificial preservative

artilugio gadget, contraption

artista *m., f.* artist

artístico artistic

asa *f.* (*but* **el asa**) handle

asado roasted

asaltar to attack

asalto attack, assault

ascendencia ancestry

ascender (a) to amount (to)

ascensor elevator

asco: dar (*irreg.*) **asco** to disgust, sicken

asegurar to assure, guarantee

asentar (ie) to sharpen

asesinar to murder

asesinato murder

asesino murderer

así *adv.* so, thus, in this/that manner; **así como** as well as; **así que** *conj.* so, then

asiático *adj.* Asian

asiento seat

asignar to assign

asimilación assimilation

asimilarse to become assimilated

asimismo in a like manner, in the same way, likewise

asir to take hold of

asistencia attendance; assistance; **asistencia médica** health benefits

asistente *m., f.* assistant; **asistente de vuelo** flight attendant

asistir to attend

asociación association

asociado: estado libre asociado commonwealth

asociar to associate

asomarse to look or lean out

asombrado surprised

asombroso surprising

asopao de pollo *a spicy, brothy soup from Puerto Rico composed mainly of rice and chicken*

aspecto appearance; aspect

áspero sour

aspiración aspiration, goal

aspirante *m., f.* candidate

aspirar (a) to aspire (to); to inhale

aspirina aspirin

astrología astrology

astucia cunning, shrewdness

astuto astute

asumir to assume (*responsibilities*)

asunto matter, affair, issue

asustar to frighten; **asustarse** to become frightened

atacar to attack

ataque attack; **ataque al corazón** heart attack

atar to tie

atardecer (zc) late afternoon

ateísmo atheism

atemorizar to scare; **atemorizarse** to become scared

atención attention; **prestar atención** to pay attention

atender (ie) to take care of; to wait on; to attend to

atenerse (*like* **tener**) to be guided by; to depend on

atentamente attentively

atento attentive

ateo atheist

aterrador frightening

aterrorizar to terrify, frighten

atestado crammed

atinar to manage (to)

atípico atypical

Atlántico: Océano Atlántico Atlantic Ocean

atleta *m., f.* athlete

atlético athletic

atracar to hold up, mug

atraco hold-up, mugging

atractivo *n.* attraction; *adj.* attractive

atraer (*like* **traer**) to attract

atrapar to catch, capture

atrás *adv.* back, backward; behind; ago; **hacia atrás** backward

atrasar to fall behind

atrasado late

atravesar (ie) to cross

atrayente attractive

atreverse (ie) (a) to dare (to)

atribuido (a) attributed (to)

atribuir to attribute

atributo attribute

atrocidad atrocity

atrofiar to atrophy

atroz atrocious

aturdido dazed, stunned

auditorio *n.* auditorium

augurio omen

aumentar to increase

aumento increase

aun *adv.* even

aún *adv.* yet, still

aunque although, even if

auscultar to examine by auscultation

ausencia absence

australiano *adj.* Australian

auténtico authentic

autobiográfico autobiographical

autobús bus

autoedición *n.* self-publishing

autómata *m.* robot

automático automatic; **cajero automático** ATM machine

automovilístico *adj.* automobile, automotive

autonomía autonomy

autopista freeway, superhighway; **autopista de la información** information superhighway

autoprueba self-test

autor author

autoridad authority

autoritario authoritarian

autorización authorization

autorizar to authorize

auxiliar *adj.* auxiliary; **auxiliar** (*m., f.*) **de vuelo** flight attendant; **llanta auxiliar** spare tire

auxilio help, aid, assistance
avance advance
avanzado advanced
avanzar to advance
ave *f.* (*but* **el ave**) bird
avena oat(s); **pan de avena** oatmeal bread
avenida avenue
aventura adventure
aventurero adventurous
averiguar to find out
avestruz *m.* ostrich
ávido avid
avión *m.* airplane
avisar to warn; to notify
ayer yesterday
ayuda help, assistance
ayudar to help
ayuntamiento town hall
azafata flight attendant
azafrán saffron
azotea flat roof
azteca *n., adj. m., f.* Aztec
azúcar sugar
azul blue

B

bahía *n.* bay
bailar to dance
bailarín dancer
baile dance
baja casualty (*military*)
bajar to lower; to get (down), out of; to descend; **bajar de peso** to lose weight
bajo *adj.* short (*height*); low; **bajo riesgo** at risk; *adv.* below; **barrio bajo** slum; **en voz baja** in a low (quiet) voice; *prep.* under
bala bullet
balancearse to rock
balanceo rocking
balbucear to stutter, stammer
balcón balcony
baloncesto basketball
balsa raft
balsámico healing
bananero *adj.* banana; pertaining to bananas
bancario *adj.* bank
banco bank; bench
banda band, gang
bandera flag
bañar to bathe; **bañarse** to take a bath
baño bath; **cuarto de baño** bathroom; **darse** (*irreg.*) **un baño** to take a bath

baraja deck of cards
barajar to catch, intercept
barato cheap, inexpensive
barba beard
barbado bearded
barbarie *f.* barbarism; savagery
barbero barber
barbilla tip of the chin
barco ship, boat
barra de pan baguette
barrer to sweep
barrera barrier
barricada barricade; **predicador de barricada** soapbox orator/preacher
barrio neighborhood; **barrio bajo** slum
barro clay
barrote thick bar
basar(se) (en) to base, found (*an opinion*); to be based (upon)
base *f.* base; **base de datos** database
básico basic
basílica basilica
básquetbol basketball
basquetbolista *m., f.* basketball player
bastante *adj.* enough, sufficient; *adv.* enough; rather, quite
bastar (con) to suffice, be enough
bastardillo *adj.* italic
basura trash; **comida basura** junk food; **sacar la basura** to take out the trash
basurero garbage collector
batalla battle
bateador (*baseball*) batter
batidora beater
batiente door jamb
batir to beat
bautizar to baptize
bayeta thick flannel
bebé baby
beber to drink
bebida drink, beverage
beca scholarship
béisbol baseball
beisbolista *m., f.* baseball player
belgo *n.* Belgian
belleza beauty; **sala/salón de belleza** beauty parlor/salon
bello beautiful; **la Bella Durmiente** Sleeping Beauty
bendecir (*like* **decir**) to bless
bendición blessing
beneficiar to benefit
beneficio benefit; profit, gain
beneficioso beneficial

besar to kiss
beso kiss; **dar** (*irreg.*) **un beso** to kiss; to give a kiss
bíblico biblical
biblioteca library
bibliotecario librarian
bicicleta bicycle
bicolor two-colored
bien *n. pl.* goods; *adv.* well; **bien educado** well-mannered; well educated; **caer** (*irreg.*) **bien** to strike (one) well, make a good impression; **(no) llevarse bien (con)** to (not) get along (with); **pasarlo bien** to have a good time; **portarse bien** to behave
bienestar well-being
bienhechor benefactor
bienvenido *adj.* welcome
biftec *m.* steak
bilingüe bilingual
bilingüismo bilingualism
billar billiards, pool; **salón de billar** billiards, pool hall
billete ticket
biología biology
bisabuela great-grandmother
bisabuelo great-grandfather; *pl.* great-grandparents
bisnieta great-granddaughter
bisnieto great-grandson; *pl.* great-grandchildren
blanco white; **espacio en blanco** blank
bloqueo blockade
boca mouth; **boca arriba** face up
boda wedding
bodega grocery store
bofetada slap in the face
boicoteo boycott
bol bowl
bola ball
boleto ticket
bolígrafo pen
bolita de miga bread crumb
boliviano *n.* Bolivian
bolo: cancha de bolos bowling alley
bolsa bag, sack; **agente** (*m., f.*) **de cambio y de bolsa** stockbroker; **Bolsa** stock market
bolsillo pocket
bombardear to bombard
bombardeo bombing
bombero firefighter; **mujer** (*f.*) **bombero** (female) firefighter
bombilla lightbulb
bondad goodness, kindness

bonito pretty
borrachera drunkenness
borracho *adj.* drunk
borrar to erase
bosque forest; **bosque primario** old-growth forest
bota boot
botar to throw, fling, hurl
bote boat
botella bottle
botón button
boxeador boxer
brazo arm
brecha gap
breve brief
brillante brilliant, bright
brillar to shine
brillo gleam, shine
brisa breeze
británico *adj.* British
brocha brush
broma joke; **broma pesada** practical joke; **gastar una broma** to play a prank; **hacer** (*irreg.*) **bromas** to play jokes
bromista *m., f.* joker
bronca anger
bronco hoarse
brotar to gush
bruja witch; **Día** (*m.*) **de las Brujas** Halloween
brujo wizard; warlock
bruscamente suddenly; unexpectedly
brutalidad brutality
bruto stupid
buceo scuba diving
budista *n., adj. m., f.* Buddhist
buen, bueno *adj.* good; kind; **hacer** (*irreg.*) **buen tiempo** to be good weather
bufanda scarf
bulto form, shape
burla joke
burlarse (de) to make fun (of), poke fun (at)
busca search
buscar to look for
búsqueda search

C

caballerosidad chivalry
caballo: horse; **a caballo** on horseback
cabellera *s.* fronds (*tree*)
cabello hair
caber *irreg.* to fit; **no cabe duda** there is no doubt

cabeza head
cabizbajo head down
cabo: al cabo de at the end of; **al fin y al cabo** after all; at last; **llevar a cabo** to carry out; to fulfill
cacería *n.* hunting
cacha handle
cachorro puppy
cacique *n.* chief
cacto cactus
cada *inv.* each; every; **cada cual** each one; **cada vez más** more and more; **cada vez mayor** greater and greater; **cada vez menor** fewer and fewer; younger and younger; **cada vez menos** fewer and fewer; **cada vez que** whenever, every time that
cadáver corpse, body
cadena chain; **cadena perpetua** life imprisonment
caer *irreg.* to fall; **caer bien/mal** to strike (one) well/badly, make a good/bad impression; **dejar caer** to drop (*an object*)
café coffee; cafe
cafeína caffeine
cafetera coffeepot, coffee maker
cafetería cafeteria
caja box
cajero cashier; teller; **cajero automático** ATM machine; **tarjeta de cajero** ATM card
cajón drawer
calamidad natural natural disaster
calavera skull
calcetín sock
calculadora calculator
calcular to calculate
cálculo: hoja de cálculo spreadsheet
caldo broth
calendario calender
calentarse (ie) to get warm, warm up
calidad quality
cálido warm
caliente hot (*temperature*)
calificado qualified; trained; described
callado quiet
callarse to become quiet
calle *f.* street; **calle abajo** down the street; **calle arriba** up the street
calleja narrow street
callejero *adj.* (of the) street
calmado calm
calmante sedative
calmar(se) to calm (down)
calor heat; **hacer** (*irreg.*) **calor** to be hot

(*weather*); **hacer** (*irreg.*) **un calor de todos los demonios** to be hot as hell
caloría calorie
calvario suffering
calvo bald
calzado shod, wearing shoes
cama bed
cámara camera; **Cámara de Representantes** House of Representatives
camarero waiter
cambiar to change; **cambiar de idea/opinión** to change one's mind
cambio change; **a cambio de** in exchange for; **agente** (*m., f.*) **de cambio y bolsa** stockbroker; **en cambio** on the other hand
camilla stretcher
caminar to walk
caminata *n.* walk, hike; **hacer** (*irreg.*)/ **darse** (*irreg.*) **una caminata** to go on/for a hike
camino road
camión *m.* truck
camioneta pickup truck
camisa shirt
camisería shirt making
camiseta T-shirt
campamento camp
campana bell
campanilla bell
campaña campaign
campesino peasant, country person
campiña country, countryside
campo countryside; field
canadiense *n.* Canadian
canal channel
canalizar to channel
Canarias: Islas Canarias Canary Islands
cancelar to cancel
cáncer cancer
cancha court (*sports*); **cancha de bolos** bowling alley; **cancha de racket** racquetball court; **cancha de squash** squash court; **cancha de tiro** shooting range
canción song
candidato candidate
cansado tired
cansancio fatigue, weariness
cansar to tire; **cansarse** to get tired
cantar to sing
cántaro jug, pitcher
cantidad quantity
cantina saloon
caos *m.* chaos

capa layer; cape

capacidad ability; capacity

capacitado qualified, having the aptitude

capaz capable

Caperucita Roja Little Red Riding Hood

capilla chapel; **capilla ardiente** funeral chapel

capital *f.* capital (city); *adj.* **pena capital** capital punishment

capitalismo capitalism

capitán captain

capítulo chapter

captar to capture

capturar to capture

cara face

carabela caravel (*ship*)

carácter character, disposition, nature

característica *n.* characteristic

característico *adj.* characteristic

caracterizar to characterize

cárcel *f.* jail, prison

carga burden

cargar to charge (*to an account*); to carry; to load

cargo post, office; **estar** (*irreg.*) **a cargo (de)** to be in charge (of); **hacerse** (*irreg.*) **cargo (de)** to take charge (of)

Caribe *n.* Caribbean

caribeño *adj.* Caribbean

caricatura caricature; cartoon

caricaturista *m., f.* cartoonist

caricia caress

cariño affection

cariñoso affectionate

carnaval carnival, Mardi Gras

carnavalesco *adj.* pertaining to carnival, Mardi Gras

carne *f.* meat; **carne de res** beef

carnet *m.* card; **carnet de identidad** I.D. card

carnicero butcher

carnívoro carnivorous

caro expensive

carrera career, profession; university specialty, major; race (*contest*)

carretera highway

carrito shopping cart

carro car

carta letter

Cartago Carthage

cartel cartel; sign

cartelera (*movie*) listings

cartera wallet

cartucho grocery bag

casa house; **ama** (*f., but* **el ama**) **de**

casa homemaker; **casa editorial** publishing house

casarse (con) to marry, get married (to someone)

casco helmet; farmhouse and surrounding buildings

casi almost

casillero locker

caso case; **en caso de (que)** *conj.* in case; **hacer** (*irreg.*) **caso (de)** to pay attention (to), take into account

castaño brown, chestnut

castellano Spanish (*language*)

castigar to punish

castigo punishment

castillo castle

castrista *adj. m., f.* pertaining to Fidel Castro

casualidad chance

catalán *n. language from the Spanish region of Catalonia*

Cataluña Catalonia

catarata waterfall

catástrofe *f.* catastrophe

catastrófico catastrophic

catedral *f.* cathedral

catedrático *n.* university professor

categoría category

categórico categorical

catolicismo Catholicism

católico *n., adj.* Catholic

caucho rubber

caudaloso abundant

caudillo chief, leader

causa cause; **a/causa de** because of

causar to cause

caverna cave

caza hunting

cazar to hunt

cebolla onion

ceder to yield

cegado por la ira blind with rage

cegador blinding

ceguera blindness

celda cell

celebración celebration

celebrar to celebrate

célebre famous

celos *m. pl.* jealousy

celoso jealous

celular: teléfono celular cellular telephone

cementerio cemetery

cena dinner/supper

cenar to eat dinner/supper

ceniza ash

censo census

centrar to center

centro center; downtown; **centro comercial** shopping mall

Centroamérica Central America

centroamericano *adj.* Central American

cepillado: pino cepillado scrubbed pine

cerámica ceramics, pottery

cerca *adv.* nearby, close by; **cerca de** near, close to

cercano *adj.* near, close

cerebro brain

ceremonia ceremony

cerrajería locksmith's trade

cerrar (ie) to close

certidumbre *f.* certainty

cerveza beer

césped lawn

cesto basket, hamper

chacra: peón de chacra farm worker

chambergo slouched, broad-brimmed hat

champaña champagne

chantaje blackmail

chantajear to blackmail

chaqueta jacket

charla chat, discussion

charlar to chat

chatarra: comida chatarra junk food

cheque check; **cobrar un cheque** to cash a check

chica girl

chicanismo Chicanoism

chicano *n., adj.* Mexican American

chicle chewing gum

chico boy

chile (hot) pepper

chileno *n., adj.* Chilean

chimenea chimney

chinitos *pl.* curls (*hair*)

chiripá *gaucho's dress trousers*

chirle dull

chirrido creaking

chisme gossip

chismear to gossip

chiste joke

chistoso funny

chocar to collide, crash

chófer chauffeur, driver

choque crash, collision

chorizo *type of sausage*

chorro gush, stream

chupete pacifier

churrasco grilled steak

churrasquería steakhouse
cicatriz scar
cíclico cyclical
ciclo cycle
ciego blind
cielo heaven; sky
cien, ciento one hundred; **por ciento** percent
ciencia science
científico n. scientist; adj. scientific
cierto certain; sure; true
cifra number, figure
cigarrillo cigarette
cigarro cigar
cima top, summit
cine movie theater; movies (industry)
cinta tape; **libro grabado en cinta** book on tape
cinturón belt; **cinturón de seguridad** safety belt
circulación circulation; traffic
circular to circulate
circunstancia circumstance
cirio candle
cirugía surgery; **cirugía estética** cosmetic surgery; **cirugía plástica** plastic surgery
cirujano surgeon
cita appointment; date; quotation
citado cited
citar to arrange to meet
ciudad city
ciudadanía citizenship
ciudadano citizen
cívico civic
civil: guerra civil civil war
civilización civilization
civilizado civilized
civilizar to civilize
clandestino clandestine, secret
claro clear; light; **¡claro!** of course!; **¡claro que no!** of course not!; **¡claro que sí!** of course!
clase f. class; **clase media** middle class; **compañero de clase** classmate; **ir** (irreg.) **a clase** to go to class
clásico classic
clasificación classification
clasificar to classify
cláusula gram. clause; **cláusula adjetival** adjective clause; **cláusula dependiente/independiente** dependent/independent clause; **cláusula subordinada** subordinate clause

clavar to pierce, stick; to rivet
clave n. key; main element; adj. inv. key
clavo nail; hook
clérigo priest
clero clergy
cliente m., f. client, customer
clima m. climate
climatizado air-conditioned
climatológico climatological
clínica clinic
club m. club
cobardía cowardice
cobertizo shed
cobrar to charge (someone for something); **cobrar un cheque** to cash a check
cobre copper
cobro: valores al cobro accounts payable
cocaína cocaine
coche car
cochino pig
cocido: arcilla cocida fired clay
cocina kitchen
cocinar to cook
cocinero cook, chef
cocotero coconut tree
codificado codified
código postal zip code
coexistencia coexistence
coexistir coexist
coger (j) to catch; to take, pick up; to hold
cohete rocket
coincidencia coincidence
coincidir to coincide
cojear to limp
cola line; **hacer** (irreg.) **cola** to be/stand/wait in line
colaboración collaboration
colaborar to collaborate
colección collection
colectivo collective
colega m., f. colleague
colegio secondary school
colesterol cholesterol
colgante hanging
colgar (ue) to hang
colina hill
colmado: verse (irreg.) **colmado** to reach one's highest point
colocación placement
colocar to place, put
colombiano n. Colombian
Colón: Cristobal Colón Christopher

Columbus; **colón** monetary currency of Costa Rica
colonia colony
colonización colonization, settlement
colonizar to colonize, settle
colono colonist, settler
coloquial colloquial
colorado ruddy; **ponerse** (irreg.) **colorado** to blush
colorido coloring, color
columna column
combatir to fight
combinación combination
combinar to combine
combustible fuel
comedia comedy
comedido restrained
comedor dining room
comentar to comment (on), talk about
comentario comment, remark
comenzar (ie) to begin
comer to eat; **dar** (irreg.) **de comer** to feed
comercial adj. commercial; **centro comercial** shopping mall; **propaganda comercial** advertisement; **secretariado comercial** commercial secretaryship
comercialización commercialization
comerciante m., f. merchant
comercio business; trade; **comercio justo** fair trade; **libre comercio** free trade
comestibles m. pl. foods, provisions
cometer to commit
cómico funny; **dibujo cómico** cartoon; **tira cómica** comic strip
comida food; meal; **comida a domicilio** take-out food; **comida basura** junk food; **comida chatarra** junk food
comienzo beginning
comilón heavy eater
comitiva retinue
como like; as; **así como** as well as; **como consecuencia** as a result; **tal como** such as; **tan... como** as . . . as; **tan pronto como** as soon as; **tanto... como...** both . . . and . . .
comodidad comfort
cómodo comfortable
compacto: disco compacto compact disc
compadre friend, buddy; godfather
compañero companion, partner; **compañero de clase** classmate; **compañero de cuarto** roommate;

compañero de trabajo coworker
compañía company
comparación comparison
comparar to compare
comparativo n., adj. gram. comparative
comparsa costumed group
compartir to share
compasión compassion
competencia competition
competir (i, i) to compete
competitivo competitive
complacer to please
complejo complex
complementar to complement
complemento gram. object, complement; complemento pronominal object pronoun; pronombre de complemento directo direct object pronoun; pronombre de complemento indirecto indirect object pronoun
completar to complete
completo complete; por completo completely; tiempo completo full-time
complicación complication
complicado complicated
componer (like poner) to make up, compose
comportamiento behavior
comportarse to behave (oneself)
composición composition
compra n. shopping; hacer (irreg.) la compra to go shopping; ir (irreg.) de compras to go shopping
comprador buyer
comprar to buy
comprender to understand
comprensión n. understanding
comprensivo adj. understanding
comprobado proven
comprobar (ue) to prove
comprometerse (a) to make a commitment (to)
comprometido committed
compromiso commitment; anillo de compromiso engagement ring
computación programming (computer)
computadora computer
común common; común y corriente common, everyday
comunicación communication; medios de comunicación media
comunicar to communicate
comunidad community
comunismo communism

comunista adj. m., f. communist
con with; con frecuencia frequently
conceder to grant
concentración concentration
concentrarse to be centered
concepto concept
conciencia conscience
concientización consciousness raising
concierto concert
concilliador conciliatory
conciso concise
concluir (y) to conclude
conclusion conclusion
concreto concrete
concurrir to concur
concurso contest
condado county
condena sentence (law); condemnation
condenar to condemn
condición condition; a condición (de) que conj. provided that
condolido feeling pity, sorry
conducir (zc) to drive; to lead; licencia de conducir driver's license
conducta conduct; línea de conducta course of action
conductor driver
conejo rabbit
conexión connection
confección tailoring; clothing industry; corte (m.) confección ready-made clothing
confederación confederation
conferencia lecture
confesión confession
confiable reliable
confianza confidence
confiar (confío) to entrust
confidencia: hacer (irreg.) confidencias to tell secrets
configurarse to become shaped, formed
confín boundary, limit; todos los confines everywhere
confirmar to confirm
conflicto conflict
conformista adj. m., f. conformist
confrontación confrontation
confundido confused
confuso confused
congelado frozen
congreso congress
conjetura conjecture
conjugar to conjugate
conjunto (musical) group
conmemorar to commemorate,

remember
conmemorativo commemorative
conmigo with me
connotación connotation
cono cone
conocer (zc) to know; to meet
conocimiento knowledge
conquista conquest
conquistador conqueror
conquistar to conquer
consabido aforementioned; well-known
consciente aware, conscious
consecuencia consequence; como consecuencia as a result
conseguir (like seguir) to get, obtain
consejero counselor
consejo advice; dar (irreg.) consejos to give advice; pedir (i, i) consejos to ask for advice
conservación conservation
conservador conservative
conservar to keep, maintain
considerar to consider
consiguiente: por consiguiente consequently
consistente consistent
consistir en to consist of
consola wall table
consonante consonant
conspirar to conspire
constante constant
constitución constitution
constituir (y) to compose, make up
construcción construction
construir (y) to build
consultar to consult
consultorio doctor's office
consumidor consumer
consumir to consume, take, use; consumir drogas to take drugs
consumo consumption, use
contabilidad accounting; contabilidad mercantil mercantile bookkeeping
contacto contact
contador accountant, bookkeeper
contaminación pollution
contaminar to pollute
contar (ue) to tell; to count; contar con to count on
contemplar to contemplate
contemporáneo contemporary
contendiente m., f. contender, opponent
contendor contender, opponent
contener (like tener) to contain
contenido n. content
contentarse to be pleased

contento content, happy
conteo count, tally
contestar to answer
contexto context
continente continent
continuación: a continuación following, next
continuar (continúo) to continue
continuo continuous
contra against; in opposition to
contraatacar to counterattack
contrabandista *m., f.* smuggler
contrabando contraband
contradecir (*like* **decir**) to contradict
contradicción contradiction
contradictorio contradictory
contraer (*like* **traer**) to contract
contrario opposite; contrary; **lo contrario** the opposite
contrarrevolucionario counterrevolutionary
contraste contrast
contratar to hire, contract
contrato contract
contribución contribution
contribuir (y) to contribute
contribuyente *adj.* contributing
control de la natalidad birth control
controlador aéreo air-traffic controller
controlar to control
controversia controversy
controvertible controversial
convalecer (zc) to convalesce
convaleciente *m., f.* convalescent (patient)
convencer (z) to convince
convención convention
convencional conventional
convencionalismo conventionalism
conveniente convenient; advisable; worthwhile
convenir (*like* **venir**) to be appropriate
convento convent
conversación conversation
conversador talkative
conversar to converse, talk
conversión conversion
converso convert
convertir(se) (ie, i) to convert
convicción conviction
convidar to invite
convincente convincing
convivencia living together
cooperación cooperation
cooperar to cooperate
cooperativa *n.* cooperative

copa drink; **tomar una copa** to have a drink
copiar to copy
coqueta *n. f.* flirt; *adj. f.* flirtatious
coquetón *n. m.* flirt; *adj. m.* flirtatious
coraje courage
corazón heart; **ataque al corazón** heart attack
corbata tie
cordillera mountain range
cordón cord, braid
cornisa cornice
corolario corolary
corona crown; wreath
corporación corporation
correcto correct
corrector correcting, corrective
corredor corridor
corregir (i, i) (j) to correct
correo post office; mail; **correo electrónico** e-mail; **por correo** by mail
correr to run
corresponder to correspond
correspondiente corresponding
corriente *n.* current month; current trend; *adj.* current; common; running; **agua corriente** running water; **común y corriente** common, everyday; **cuenta corriente** checking account
corrupción corruption
corrupto corrupt
cortacésped *m.* lawn mower
cortar to cut
corte *f.* court (*of law*); *m.* cut; **corte confección** ready-made clothing; **corte de electricidad** power outage; **Corte Suprema** Supreme Court
cortesía courtesy
cortésmente courteously
corto short (*length*)
cosa thing
cosecha harvest
costa coast; cost, price; **a costa de** at the cost of
costado side
costar (ue) to cost; to be difficult
costarricense *n. m., f.* Costa Rican
costoso costly
costumbre *f.* custom, habit
creación creation
crear to create
creatividad creativity
creativo creative
crecer (zc) to grow

creciente growing
crecimiento growth
crédito credit; **tarjeta de crédito** credit card
creencia belief
creer (y) to believe, think
cremallera zipper
crespo unruly, unmanageable
cresta crest
creyente *n. m., f.* believer; **no creyente** nonbeliever
cría raising
criada maid
crianza childrearing; upbringing
criar (crío) to raise, bring up
crimen crime (*in general*)
criminalidad crime, criminality
criollismo *s. custom typical of the Americans*
criollo *adj.* Creole
crisis *f.* crisis
crisol melting pot
cristal crystal; mirror
cristianismo Christianity
cristianizar to Christianize
cristiano *n.* Christian
Cristo Christ
Cristobal Colón Christopher Columbus
criterio criterion
crítica *n.* criticism
criticar to criticize
crítico *adj.* critical
croata *n. m., f.* Croatian
crónico chronic
cronología chronology
cronológico chronological
crucifijo crucifix
crucigrama *m.* crossword puzzle
crudo raw
cruz cross
Cruzada Crusade
cruzar to cross
cuaderno notebook
cuadra city block
cuadro square; table (*chart*); picture; **a cuadros** plaid
cual which, who; **cada cual** each one; **el/la/los/las cual(es)** that/he/she/the one which/who; **lo cual** what
¿cuál? what?, which?; **¿cuál(es)?** which (ones)?
cualidad quality
cualquier *adj.* any
cualquiera *rel. pron.* anyone
cuando when; **de vez en cuando** once in a while

¿cuándo? when?

cuanto *adv.* as much as; **en cuanto** as soon as; **en cuanto a...** as far as . . . is concerned; **unos cuantos** a few

¿cuánto? how much?

cuarto *n.* room; **cuarto de baño** bathroom; **compañero de cuarto** roommate; *adj.* fourth

cubano *n., adj.* Cuban

cubanoamericano *n., adj.* Cuban American

cubierto (*p.p. of* **cubrir**) covered

cubeta bucket

cubrir (*p.p.* **cubierto**) to cover

cucaracha cockroach

cuchilla de afeitar razor blade

cuchillo knife

cuello neck

cuenta account, bill; **cuenta corriente** checking account; **cuenta de ahorros** savings account; **darse** (*irreg.*) **cuenta** to realize, become aware of; **tener** (*irreg.*) **en cuenta** to take into account; to keep in mind

cuento story

cuero leather

cuerpo body

cuestión question, matter

cuestionar to question

cuestionario questionnaire

cuidado care, caution; **con cuidado** carefully, cautiously; **tener** (*irreg.*) **cuidado** to be careful, cautious

cuidar to take care of

culinario culinary

culminación end

culminante culminating, highest

culminar to finish

culpa fault

culpable *n.* culprit: *adj.* guilty

cultivable arable

cultivar to cultivate

cultivo cultivation

culto well-educated

cultura culture

cumpleaños *s., pl.* birthday

cumplidor reliable

cumplir to complete, fulfill; **cumplir... años** to turn . . . years old; **hacer** (*irreg.*) **cumplir** to enforce

cuñada sister-in-law

cuñado brother-in-law; *pl.* sisters- and brothers-in-law

cuota quota

cura *m.* priest; *f.* cure

curación cure, treatment

curandero healer

curar to cure; **curar el ombligo** to tie off the umbilical cord at birth

curativo curative

curiosidad curiosity

curioso curious

cursivo: letra (*s.*) **cursiva** italics

curso course

curtido tanned (*like leather*)

curva curve

custodia custody

cuyo whose

D

daga dagger

daguerrotipo daguerreotype

dama lady

danza dance

danzante *m., f.* dancer

danzar to dance

dañar to damage

dañino harmful

daño harm, injury; damage; **hacer** (*irreg.*) **daño** to harm, hurt, injure

dar *irreg.* to give; **dar a luz** to give birth; **dar al mar** to face the sea; **dar asco** to disgust, sicken; **dar con** to find, come across; **dar consejos** to give advice; **dar de comer** to feed; **dar igual** to be the same to; **dar la gana** (*to do*) whatever one feels like doing; **dar las gracias** to thank; **dar origen a** to cause; **dar pasos** to take steps; **dar regalos** to give gifts; **dar sepultura** to bury; **dar una fiesta** to have a party; **darse cuenta** to realize, become aware of; **darse la mano** to shake hands; **darse palmadas en la espalda** to pat on the back; **darse un baño** to take a bath; **darse una caminata** to go on/for a hike

dato fact, result, datum; **base** (*f.*) **de datos** database

deambular to wander

debajo underneath, below

debatir to debate

deber *n.* duty

deber to owe; **deber** + *inf.* should, must; **deberse a** to be due to

debido a due to

débil weak

debilidad weakness

debilitación weakening, debilitation

década decade

decadencia decadence

decano dean

decidir to decide

decir *irreg.* to say, tell; **es decir** that is to say; **querer** (*irreg.*) **decir** to mean

decisión decision; **tomar una decisión** to make a decision

decisivo decisive

declaración statement, declaration

declarar to declare

decorar to decorate

dedicación dedication

dedicarse (a) to dedicate oneself (to)

dedo finger; toe; **dedo gordo** thumb; **yema del dedo** fingertip

deducir (zc) to deduce

defecto fault

defender (ie) to defend

defendiente *m., f.* defendant

defensa defense

defensor defender; **abogado defensor** defense attorney

deficiente deficient

déficit *m.* deficit

definición definition

definir to define

definitivo definitive, final

deforestado deforested

deformar to deform

degollar (ue) to cut the throat

deidad deity

dejar to leave, leave behind; to allow, permit; to quit; to drop (*a course*); **dejar caer** to drop (*an object*); **dejar de** + *inf.* to stop (*doing something*); **dejar en paz** to leave alone; **dejar plantado** to stand someone up; **no dejar de** + *inf.* to not neglect to (*do something*), not miss out on (*doing something*)

delante de in front of

deleite delight

deletrear to spell

delfín dolphin

delgado thin

deliberado deliberate

deliberar to deliberate

delicado delicate

delicioso delicious

delincuencia delinquency

delincuente *n., adj. m., f.* delinquent

delineante *m., f.* draftsman, draftswoman; *m.* drafting (*profession*)

delirio delirium

delito crime, criminal act

demanda request

demandado defendant

demás other; **los demás** the others

demasiado *adj.* too much; *pl.* too many; *adv.* too; too much

demente crazy

democracia democracy

democrático democratic

demografía demography

demográfico demographic

demoler (ue) to tear down, demolish

demonio: hacer (*irreg.*) **un calor de todos los demonios** to be hot as hell

demora delay

demorar to delay

demostración demonstration

demostrar (ue) to demonstrate

denominarse to be named

denso dense

dentista *m., f.* dentist

dentro de within, in

denunciar to denounce

departamento department

dependencia dependence

depender (de) to depend (on)

dependiente *n.* sales clerk; *adj.* dependent; **clausula dependiente** *gram.* dependent clause

deportar to deport

deporte sport

deportista *m., f.* sportsman, sportswoman

deportivo *adj.* sports

depositar to deposit

depresión depression

deprimido depressed

derecha *n.* right; **a la derecha** on/to the right

derechista *n., adj. m., f.* right-wing

derecho *n.,* right; law; *adj.* right; right-hand

derramar to spill

derretirse (i, i) to melt

derribar to tear down, demolish

derrocamiento overthrow

derrocar to overthrow

derrochado squandered

derrumbamiento collapse

derrumbar to tear down; **derrumbarse** to fall apart, collapse

desabrochado unfastened

desacreditar to discredit

desacuerdo disagreement

desafiar (desafío) to defy

desafío *n.* challenge

desaforado lawless, outrageous

desafortunadamente unfortunately

desafortunado *n.* unfortunate person

desagradable unpleasant, disagreeable

desagradar to displease

desagradecido *n.* ungrateful person

desamparado *n.* homeless person; *adj.* abandoned

desamparo helplessness

desanimar to discourage

desaparecer (zc) (*like* **aparecer**) to disappear

desaparecido *n.* disappeared person

desaparición disappearance

desaprobar (ue) (*like* **aprobar**) to disapprove

desarmado unarmed

desarrollar to develop

desarrollo development; **en vías de desarrollo** developing

desastre disaster

desastroso disastrous

desatar to untie

desatendido ignored

desayunar to have breakfast

desayuno breakfast

descabalado incomplete

descansar to rest; **que en paz descanse** rest in peace

descanso rest, leisure

descarado impudent

descendencia descent

descender (ie) to descend

descendiente *m., f.* descendant

descomponer (*like* **poner**) to break down

desconfianza distrust

desconocer (*like* **conocer**) to not know, be ignorant of

desconsolado dejected

desconocido unknown

descontento *n.* discontent

descortés impolite, discourteous

describir (*p.p.* **descrito**) to describe

descripción description

descriptivo descriptive

descrito (*p.p.* **describir**) described

descubrimiento discovery

descubrir (*like* **cubrir**) to discover

desde *prep.* since (*time*); from; **desde entonces** from then on; **desde hace** + *period of time* for + *period of time*; **desde que** *conj.* since

desdeñoso disdainful, scornful

desdicha unhappiness

desdichado unfortunate; wretched

deseable desirable

desear to want, desire

desechable disposable **producto desechable** disposable product

desembarcar to disembark

desempeñar un papel to play (fulfill) a role

desempleado *n.* unemployed person

desempleo unemployment

desenamorado fallen out of love

desenchufado unplugged

desenfrenado unrestrained

desentonar to be out of place

deseo desire

desequilibrio imbalance

desesperación desperation

desesperado desperate

desesperar to lose hope; to dispair

desfilar to parade

desfile parade

desgajar to break off

desgano reluctance

desgarrador tearing, heartrending

desgarrar to tear, split

desgraciadamente unfortunately

deshacer (*like* **hacer**) to undo

deshonesto dishonest

deshumanizante dehumanizing

desierto desert

designado designated

desigualdad inequality

desilusión disillusion

desilusionarse to become disillusioned

desinflado deflated, flat; **llanta desinflada** flat tire

desinteresado uninterested

deslizarse to slip out; **deslizarse en trineo** to go sledding

desmovilización demobilization

desnudo naked

desnutrición malnutrition

desnutrido undernourished

desobedecer (zc) (*like* **obedecer**) to disobey

desodorante deodorant

desolación desolation

despacho office (*specific room*)

despacio *adv.* slowly

despedir (*like* **pedir**) to fire; **despedirse** to say goodbye

despegar to take off (*airplane*); to remove

despertador alarm clock; **reloj** (*m.*) **despertador** alarm clock

despertar(se) (ie) to awaken, wake up

despiado restless

desplazado *n.* displaced person

desplazamiento displacement; shifting (*from one place to another*)

desplegar (ie) to unfold

despoblación rural movement away from the countryside

despoblado uninhabited

despreciar to look down on

desprecio disdain

desprender to loosen, release

después *adv.* afterwards; **después de** after; **después (de) que** *conj.* after

destacado outstanding

destacarse to stand out

destello sparkle, twinkle

desteñido worn, faded

destinado a destined to, for

destino destination; fate

destreza skill

destrozado shattered

destrucción destruction

destruir (y) to destroy

desventaja disadvantage

desvestirse (*like* **vestirse**) to get undressed

detalladamente in detail

detalle detail

detectivismo *n.* investigating

detención arrest

detener(se) (*like* **tener**) to detain; to stop; to arrest

detenidamente attentively

detenido *n.* detained person

deteriorado deteriorated

deteriorar to deteriorate

deterioro deterioration

determinación determination

determinado specific, fixed

determinar to determine

detestar to detest

detrás de behind

deuda debt

devastador devastating

devastar to devastate

devoción devotion

devolución return

devolver (*like* **volver**) to return (*an object*)

devoto *n.* devotee; *adj.* devout, pious

día *m.* day; **al día** daily; **al día siguiente** (on) the following day; **algún día** someday; **Día de Acción de Gracias** Thanksgiving Day; **Día de las Brujas** Halloween; **Día de los Difuntos/Muertos** All Souls' Day; **Día de Todos los Santos** All Saints' Day; **día festivo** holiday; **hoy (en) día** nowadays; **ponerse** (*irreg.*) **al día** to bring oneself up-to-date; **primer día** first day; **todo el día** all day; **todos los días** every day

diabetes *f.* diabetes

diablo devil

diagonal *n.* diagonal (line), slash

dialecto dialect

diálogo dialog

diamante diamond; **anillo de diamantes** diamond ring

diario *n.* journal, diary; *adj.* daily

diarrea diarrhea

dibujar to draw

dibujo drawing; **dibujo animado** cartoon; **dibujo cómico** cartoon

diccionario dictionary

dicha happiness

dichosamente luckily

dictador dictator

dictadura dictatorship

dictar to dictate

diente tooth

dieta diet; **estar** (*irreg.*) **a dieta** to be on a diet

dietético *adj.* diet; **comida diatética** health food

diezmo tithe

diferencia difference; **a diferencia de** unlike

diferenciar to distinguish; to differ

diferente different

diferir (ie, i) to differ

difícil difficult; **llevar una vida difícil** to lead a difficult life

dificultad difficulty

dificultar to make difficult

difunto dead person; **Día de los Difuntos** All Souls' Day

difusión spreading

digitalizado digital

dignidad dignity

dilema *m.* dilemma

diluido diluted

dimensión dimension

diminutivo *gram.* diminutive

diminuto diminutive, small

dinero money

dios god

Dios God

diosa goddess

diplomacia diplomacy

diplomático diplomatic

dirección address; direction

directo direct; **pronombre de complemento directo** *gram.* direct object pronoun

dirigente *m., f.* leader

dirigir (j) to direct; **dirigirse** to head toward

disciplina discipline

disciplinar to discipline

disco disc; **disco compacto** compact disc (CD); **disco duro** hard drive

discordia discord

discoteca discotheque

discreción discretion

discriminación discrimination

discriminar to discriminate

disculpar to forgive

disculpas: pedir (i, i) disculpas to apologize

discurso speech

discusión discussion

discutir to argue

diseñar to design

diseño design

disfraz *m.* costume, disguise

disfrazar(se) to disguise (oneself); to dress up in costume

disfrutar de to enjoy

disgustar to annoy

disimular to pretend; to hide

disminuir (y) to diminish, reduce, lessen

disparate foolish remark

dispersión dispersion

disponer (de) (*like* **poner**) to have at one's disposal

disponible available, on hand

disposición disposal

dispuesto (*p.p. of* **disponer**) *adj.* clever; **estar** (*irreg.*) **dispuesto (a)** to be ready (to)

disputar to dispute; to debate

disquete diskette

distancia distance; **en larga distancia** for long distance (calling)

distanciar(se) to distance (oneself)

distinción distinction

distinguir (g) to distinguish

distintivo distinctive

distinto different

distorsionado distorted

distorsionar to distort

distracción distraction

distraer (*like* **traer**) to distract

distribución distribution

distribuir (y) to distribute

distrito district

disturbio disturbance

disuadir to dissuade
diversidad diversity
diversión entertainment, amusement
diverso several; diverse
divertido fun
divertirse (ie, i) to enjoy oneself
dividir to divide
divinidad divinity
divino divine
divorciado divorced
divorciarse (de) to get divorced (from)
divorcio divorce
doblar to fold
doble double; **agente** (*m., f.*) **doble** double agent
docena dozen
dócilmente docilely
doctorado doctorate
doctrina doctrine
documento document
dólar dollar
dolencia affliction
dolerse (ue) to hurt
doliente *adj.* mourning
dolor pain, ache
dolorido hurt, saddened
doloroso painful
doméstico domestic; **tarea doméstica** household chore
domicilio: comida a domicilio take-out food
dominación domination
dominar to dominate, have sway over; to control
dominicano *n.* Dominican; **República Dominicana** Dominican Republic
dominio domain; power; command
don *title of respect used with a man's first name*
donar to donate
donativo donation
donde where
¿dónde? where?
donjuán womanizer; a "Don Juan"
doña *title of respect used with a woman's first name*
dorado golden
dormir (ue, u) to sleep; **dormirse** to fall asleep
dormitorio bedroom
dorso *n.* back (*side*)
drama *m.* play
dramático dramatic
dramatismo dramatic nature
dramatización dramatization
dramatizar to act out, dramatize

drástico drastic
droga drug; **consumir drogas** to take drugs; **tráfico de drogas** drug trafficking
drogarse to take drugs
ducha shower
ducharse to take a shower
duda doubt; **no cabe duda** there is no doubt; **sin duda** doubtless
dudar to doubt
dudoso doubtful
duelo duel
dueño owner
dulce *n.* candy, sweet; *adj.* sweet
duque duke
duradero lasting
durante during
durar to last
durmiente: la Bella Durmiente Sleeping Beauty
duro hard; **disco duro** hard drive

E

e and (*used instead of* **y** *before words beginning with* **i** *or* **hi**)
echar to throw; to throw out; **echar de menos** to miss, long for; **echarse a** + *inf.* to begin + *gerund*
eco echo
ecología ecology
ecológico ecological
ecologista *adj. m., f.* ecological
economía economy
económico economical
economizar to economize
ecuatoriano *n.* Ecuadorean
edad age; **Edad Media** Middle Ages
edición edition
edificación building
edificio building
Edipo Oedipus
educación education; upbringing
educado: bien educado well-mannered; well educated; **mal educado** bad-mannered; poorly educated
educar to rear, bring up (*children*); to educate
educativo educational
efectivo *n.* cash; **pagar en efectivo** to pay in cash; *adj.* effective
efecto effect, result
efectuar (efectúo) to carry out
eficaz effective
Egipto Egypt
egoísmo selfishness

egoísta *n. m., f.* egotist; *adj.* egotistical, selfish
ejecutar to execute
ejecutivo *n., adj.* executive
ejemplar *n.* sample
ejemplo example; **por ejemplo** for example
ejercer (z) to practice (*a profession*); to exert (*influence*)
ejercicio exercise; **hacer** (*irreg.*) **ejercicio** to exercise
ejército army
elaborar to make, manufacture; to elaborate
elección election; **elección limpia** fair election
electo elected
electricidad electricity; **corte** (*m.*) **de electricidad** power outage
eléctrico electric
electrodoméstico appliance
electrónica electronics
electrónico electronic; **correo electrónico** e-mail; **por correo electrónico** by e-mail
elegante elegant
elegir (i, i) (j) to elect
elemento element
elevado elevated, high
elevar to elevate
eliminar to eliminate
elocuencia eloquence
embajada embassy
embarazada pregnant
embarazo embarrassment
embargo: sin embargo nevertheless, however
embelesado fascinated; delighted
embobado fascinated
emborracharse to get drunk
embriagador intoxicating
embrujado bewitched
embutir to cram, stuff
emigración emigration
emigrante *m., f.* emigrant
emigrar to emigrate
emisora broadcasting station
emoción emotion
emocionado excited, moved, touched
emocional emotional
emocionarse to be moved, touched
empanada *turnover pie or pastry*
empapado soaked, drenched
emparejar to pair, match
empedrado *n.* cobblestone; *adj.* cobblestoned

empeñarse to insist
empeorar to become worse
empezar (ie) to begin, start
empleado employee, worker
emplear to employ, use
empleo job; work, employment
empollón bookworm
emprender to try; to undertake
empresa business; corporation; **administración de empresas** business administration
empresarial managerial
empresario employer; manager
empujar to push
empuñar to clutch
enamorado *n.* person in love; *adj.* in love
enamorarse (de) to fall in love (with)
enano dwarf
encabezado led
encantador charming
encantar to delight
encarcelado imprisoned
encarcelar to imprison
encargarse (de) + *inf.* to take charge (of)
encender (ie) to light; to turn on (*television, radio*)
encendido lit
encerrar (*like* **cerrar**) to lock up
encima *adv.* in addition; **por encima de** above, over
encontrar (ue) to find; **encontrarse** to be located
encuentro encounter
encuesta survey
endecasílabo hendecasyllabic verse (*verse containing 11 syllables*)
enderezarse to straighten up, stand up straight
endulzar to sweeten
enemigo enemy
energía energy; **energía solar** solar energy
enfadado mad
enfadarse (con) to get angry (with)
énfasis *m.* emphasis; **poner (*irreg.*) énfasis** to emphasize
enfatizar to emphasize, stress
enfermarse to get sick
enfermedad illness, sickness
enfermero nurse
enfermo *n.* sick person; *adj.* sick, ill
enflaquecer (zc) to make/get thinner
enfocar(se) (en) to focus (on)
enfrentamiento confrontation

enfrentarse con to face
enfrente de in front of
enfriarse (enfrío) to get cold, cool down
engañar to deceive
engendrar to cause, produce
enjabonar to soap
enlace link
enlatado canned
enloquecido crazed, insane
enmascarado masked
enojarse (con) to get angry (with)
enorme huge, enormous
enredarse to become tangled
enriquecer (zc) to enrich; **enriquecerse** to become rich
enrollar to roll (up)
ensalada salad
ensayar to try out; to rehearse
ensayista *m., f.* essayist
ensayo essay
enseguida immediately
enseñar to teach
ensombrecer (zc) to darken
ensuciar to dirty, soil
entender (ie) to understand
enterarse (de) to find out
entero entire
enterrar (ie) to bury
entierro burial
entonces then, at that moment; **desde entonces** from then on; **en aquel entonces** back then
entornar to half-close
entrada entrance; admission ticket; entrée
entrar to enter; **entrar en acción** to take action
entre between; among
entregar to turn over; to hand in
entrenador trainer
entrenamiento training
entrenar to train
entrerriano *inhabitant of Entre Ríos*
entretenerse (*like* **tener**) to entertain oneself
entretenimiento entertainment
entrevista interview
entrevistado *n.* interviewee; *adj.* interviewed
entrevistador interviewer
entrevistar to interview; **entrevistarse con** to have an interview with
entumecido numb
entusiasmado enthusiastic, excited
entusiasmar(se) to become enthusiastic
entusiasmo enthusiasm

enumeración enumeration
envase (food) container; **envase de lata** (tin) can; **envase de vidrio** (glass) jar
envejecer (zc) to grow old
enviar (envío) to send
¡epa! (*interj.*) hey!
episodio episode
época period (*time*)
equilibrar to balance
equilibrio balance
equipo equipment; team
equivalente equivalent
equivaler (a) (*like* **valer**) to equal, be equivalent (to)
equivocarse to be mistaken, wrong
erizar to bristle
erradicar to eradicate
errar (*irreg.*) to wander
erudito learned, erudite
erupción: estar (*irreg.*) **en erupción** to be erupting
esbelta slender
escala scale
escalera stairs, staircase
escandalizarse to be scandalized
Escandinavia Scandinavia
escandinavo *n.* Scandinavian
escapar(se) (de) to escape (from)
escarlata *adj. m., f.* scarlet
escarmentar (ie) to learn a lesson
escasez scarcity
escaso scarce
escena scene
escenario setting
escéptico skeptic
esclavo slave
escoger (*like* **coger**) to choose
escolar *adj.* school; **año escolar** school year
escombros *pl.* debris
esconder to hide
escribir (*p.p.* **escrito**) to write; **máquina de escribir** typewriter
escritor writer
escritorio desk
escritura writing
escuadrón squadron
escuchar to listen
escuela school; **escuela primaria** elementary school; **escuela secundaria** middle/high school
ese/a *adj.* that
ése/a *pron.* that (one)
esencial essential
esforzarse (*like* **forzar**) to strive, make an effort

esfuerzo effort

esgrima fencing (*sport*)

esmero: con esmero painstakingly

eso *neuter pron.* that (stuff); **por eso** for that reason

espacio space; **espacio en blanco** blank

espada sword

espagueti spaghetti

espalda back; **darse** (*irreg.*) **palmadas en la espalda** to pat on the back

espanto fright

España Spain

español *n.* Spaniard; Spanish (*language*); *adj.* Spanish; **de habla española** Spanish-speaking

españolizar to Hispanicize

especia spice

especial special

especialista *m., f.* specialist

especialización specialization; major (*university*)

especializarse (en) to specialize (in); to major (in)

especie *f.* species

especificar to specify

específico specific

espectacular spectacular

espectáculo spectacle; show

especular to speculate

espejo mirror

espera: sala de espera waiting room

esperanza hope

esperar to hope, wish; to wait for; to expect

espía *m., f.* spy

espiar (espío) to spy

espinacas *pl.* spinach

espionaje spying, espionage

espíritu spirit

espiritual spiritual

espléndido splendid, magnificent

esplendor splendor, magnificence

esplendoroso magnificent, radiant

esposa wife

esposo husband

espuma foam, froth

esquela obituary notice

esqueleto skeleton

esquema *m.* diagram

esquiar (esquío) to ski

esquina corner

esquinado angular, having corners

estabilidad stability

estabilizarse to stabilize

estable *adj.* stable

establecer (zc) to establish; **establecerse** to get settled, established

establecimiento establishment

estación season; station

estadio stadium

estadística statistic

estado state; **Estados Unidos** United States; **estado libre asociado** commonwealth; **golpe de estado** coup d'etat

estadounidense *n. m., f.* person from the United States; *adj. m., f.* U.S., from the United States

estafa graft, fraud

estafador person who commits graft, fraud

estallar to break out

estancia ranch

estante bookshelf; shelf

estaño tin

estar *irreg.* to be; **estar a cargo (de)** to be in charge (of); **estar a dieta** to be on a diet; **estar a favor de** to be for/in favor of; **estar a la venta** to be on/for sale; **estar absorto** to be entranced, amazed; **estar de acuerdo** to be in agreement; **estar de vacaciones** to be on vacation; **estar de visita** to be visiting; **estar dispuesto (a)** to be ready (to); **estar en erupción** to be erupting; **estar para** + *inf.* to be about to (*do something*); **estar por** + *inf.* to remain to be done; **sala de estar** living room

estatal *adj.* state, relating to the state

estatura height; stature

estatuto statute

este/a *adj.* this; **esta noche** tonight; **este año** this year

éste/a *pron.* this (one)

estereo stereo

estereotipado stereotyped

estereotípico stereotypical

estereotipo stereotype

esterilidad sterility

estético: cirugía estética cosmetic surgery

estiércol manure

estilo style

estimable worthy

estimación estimation; evaluation

estimar to estimate; to think, consider

estimulante stimulant

estimular to stimulate

estirar to stretch

esto *neuter pron.* this (stuff)

estoicismo stoicism

estorbo hindrance

estrafalario outlandish, eccentric

estrategia strategy

estratégico strategic

estrechar(se) to shake (oneself); **estrechar(se) la mano** to shake hands

estrechez closeness

estrecho tight

estrella star

estrellado starry

estrellarse to crash

estremecedor terrifying

estrenar(se) to debut, premiere

estreno debut, premiere

estrés *m.* stress

estresante stressful

estricto strict

estrofa stanza; verse

estructura structure

estuche case; sheath

estudiante student

estudiantil *adj.* student; **residencia estudiantil** dormitory

estudiar to study

estudio study

estudioso *n.* bookworm; scholar; *adj.* studious

estupendo wonderful

estúpido stupid

estupor stupor

etapa stage, step, era

etcétera et cetera

eternidad eternity

ético ethical

étnico ethnic

eucalipto eucalyptus

Europa Europe

europeo *n., adj.* European

euskera *m.* Basque (*language*)

evaluar (evalúo) to evaluate

evangélico evangelical

evangelizador evangelist

evento event

evidencia evidence

evidente obvious

evitar to avoid

evocar to evoke

evolucionar to evolve

exactitud accuracy, exactness

exacto exact, accurate; correct

exageración exaggeration

exagerar to exaggerate

exaltar to praise

examen test
examinador examiner
examinar to examine
exceder to exceed
excelente excellent
excepción exception
excesivo excessive
exceso excess
excluir (y) to exclude
exclusivo exclusive
excursión excursion
excursionismo hiking
excusa excuse
excusar to excuse
exequias *pl.* funeral rites
exhibir to exhibit
exhortar to warn
exigente demanding
exigir (j) to demand; to require
exiliado *n.* exile (*person*); *adj.* exiled
exilio exile
existencia existence
existir to exist
éxito success; **tener** (*irreg.*) **éxito** to be successful
exorcizar to exorcise
exótico exotic
expandir to expand
expansión expansion
expectativa expectation
expedición expedition
experiencia experience
experimentación experience
experimentar to experience
experimento experiment
experto expert
explicación explanation
explicar to explain
explicativo explanatory
exploración exploration
explorar to explore
explosión explosion
explotación exploitation
explotar to exploit; to explode
exponer (*like* **poner**) to explain, expound
exportar to export
exposición exposition, exhibition
expresar to express
expresión expression
expulsar to expel
exquisito exquisite
éxtasis *f.* ecstasy
extático ecstatic
extender (ie) to extend, expand
extendido widespread

extenso extensive
exterior outside
externo external
extracto extract
extradición extradition
extraer (*like* **traer**) to extract
extranjero *n.* abroad, overseas; *adj.* foreign; **idioma** (*m.*) **extranjero** foreign language
extrañar to miss, long for
extraño strange
extraordinario extraordinary; **hacer** (*irreg.*) **horas extraordinarias** to work overtime
extraterrestre extraterrestrial
extremista *m., f.* extremist
extremo *n., adj.* extreme
extrovertido extroverted, outgoing

F

fábrica factory
fabricación manufacture, production
fabricar to manufacture, make
fachada facade
fácil easy
facilidad facility, ease
facilitar to facilitate, make easier
factoría factory
facultad faculty, power
falda skirt
fallecer (zc) to die
fallecido deceased
falsificación forgery
falsificar to forge, falsify
falso false
falta lack
faltar a to miss, not attend
fama fame; reputation
familia family
familiar *n.* relative; *adj.* familiar; (of the) family
famoso famous
fanatismo fanaticism
fantasía fantasy
fantasma *m.* ghost
fantástico fantastic
farmacéutico *n.* pharmacist; *adj.* pharmaceutical
farmacia pharmacy
fascinar to fascinate
fase *f.* phase, stage
fastidiar to bother
fatalista *adj. m., f.* fatalistic
fatiga fatigue
fatigarse to become fatigued, weary

favor favor; **estar** (*irreg.*) **a favor de** to be for/in favor of; **por favor** please
favorecer (zc) to favor
favorito favorite
fe *f.* faith
febril feverish
fecha date
felicidad happiness
feliz happy; **llevar una vida feliz** to lead a happy life
femenino feminine
feminista *n., adj. m., f.* feminist
fenómeno phenomenon
feo ugly
ferocidad ferocity
feroz ferocious
férreo: vía férrea railway, railroad
ferrocarril railroad
ferroviario pertaining to railroads or railways
fértil fertile
fertilidad fertility
festejar to celebrate; to wine and dine
festividad festivity
festivo: día (*m.*) **festivo** holiday
fibra fiber
ficción fiction
ficticio fictitious
fidelidad fidelity
fiebre *f.* fever
fiel faithful
fiesta party; **dar** (*irreg.*) **una fiesta** to have a party
figura figure, shape
figurar to figure, be/take part in; **figurarse** to imagine
fijarse to notice
fijo stationary; set, definite
Filadelfia Philadelphia
Filipinas: Islas Filipinas Philippine Islands
filmado filmed
filo cutting edge (*of a knife*)
filosofía philosophy; **filosofía y letras** humanities
filosófico philosophical
fin end; purpose; **a fin de** + *inf.* in order to (*do something*); **a fin de que** *conj.* so that; **al fin y al cabo** after all; at last; **en fin** in short; **fin de semana** weekend; **por fin** finally
final end; **a finales de** at the end of; **al final** at the end
financiar to finance
financiero financial

finca farm

fincar to rest, reside

firma signature

firmar to sign

fiscal prosecuting attorney

física physics

físico physical

fisiología physiology

flaco skinny

flautista *m., f.* flautist

flecha arrow

flor *f.* flower

florecer (zc) to flourish

fluidez fluidity

folclórico folkloric

folleto brochure

fomentar to promote

fonda restaurant

fondo background; back; fund; bottom; **en el fondo** if the truth be told; **retirar fondos** to withdraw funds; **reunir (reúno) fondos** to raise funds

fonógrafo phonograph, record player

forma form, shape; manner, way

formación training, education; formation

formar to form, shape; **formar parte** to make up

formato format

formular to formulate

formulario form

fortalecer (zc) to strengthen

fortuna fortune

forzar (ue) to force

forzoso forceful

foto *f.* photo; **sacar una foto** to photograph, take a picture

fotografía photograph; photography

fracasar to fail

fracaso failure

fraile friar, monk

francés *n.* French (*language*); French person; *adj.* French

Francia France

franquista *adj. m., f.* pertaining to Franco, former dictator of Spain

frase *f.* phrase

fraternal: vínculo fraternal fraternal bond

frecuencia frequency; **con frecuencia** frequently

frecuente frequent

frenar to brake

freno brake

frente *m.* front; *f.* forehead; **frente a** faced with; in front of; **hacer** (*irreg.*) **frente a** to face

fresa strawberry

fresco *n.* coolness; *adj.* cool; fresh; **hacer** (*irreg.*) **fresco** to be cool (*weather*)

frescura coolness; freshness

fricasé: pollo en fricasé chicken fricassee

frígido frigid

frigorífico refrigerator

frío *n., adj.* cold; **hacer** (*irreg.*) **frío** to be cold (*weather*); **tener** (*irreg.*) **frío** to be cold

frito fried; **patatas fritas** French fries; **pollo frito** fried chicken

frontera border

frustración frustration

frustrado frustrated

frustrar to frustrate

fruta fruit

frutal fruitful

fruto fruit (*as part or name of a plant*); fruit (*product, result*)

fuego fire; **arma de fuego** firearm; **fuegos artificiales** fireworks

fuente *f.* source

fuera *adv.* outside; **por fuera** from the outside

fuerte strong

fuerza strength

fumador smoker

fumar to smoke

función function

funcionamiento functioning

funcionar to function

funda sheath

fundador founder

fundar to found

fúnebre *adj.* funereal

furia fury

furioso furious

fusilar to shoot

fusilamiento shooting, execution

fútbol soccer; **fútbol americano** football

futbolista *m., f.* soccer/football player

futuro *n., adj.* future

G

gabinete cabinet

gafas (eye)glasses

galería gallery

galleta cookie; cracker

gallina hen

gallo rooster

galón gallon

gamba prawn

gamín street child

gana: dar (*irreg.*) **la gana** (to do) whatever one feels like doing; **de buena gana** willingly; **tener** (*irreg.*) **ganas de** + *inf.* to feel like (*doing something*)

ganadería cattle industry

ganado cattle

ganancia earning, profit

ganar to earn; to win

gandul pigeon pea

ganga bargain

garaje garage

garantía guarantee

garantizar to guarantee

gasa gauze, muslin

gasolina gasoline

gastar to spend; **gastar una broma** to play a prank

gasto expense

gato cat

gemelo twin

gemir to moan

generación generation

generacional generational

general *n., adj.* general; **por lo general** in general

generalización generalization

generalizado generalized

generar to generate

género gender

generoso generous

genético genetic

genio genius; genie

gente *f. s.* people

geografía geography

geográfico geographic

gerencia management

gerente *m., f.* manager

germánico *adj.* Germanic

gerundio *gram.* gerund

gestión management

gesto grimace; gesture

gigante *n., adj.* giant

gigantesco gigantic

gimnasia *s.* gymnastics

gimnasio gymnasium

Ginebra Geneva

girar to turn

giro: hacer (*irreg.*) **un giro** to take a turn, tour

glorioso glorious

glosario glossary

glotón glutton

gobernador governor

gobernante *m., f.* ruler

gobernar (ie) to govern

gobierno government

goce delight

goloso sweet-toothed; greedy (*about food*)

golpe blow, hit; **golpe de estado** coup d'etat

golpear to hit

gordo: dedo gordo thumb

gorra cap

gota drop (*of water*)

gozar de to enjoy

grabado recorded; **libro grabado en cinta** book on tape

grabadora recorder

grabar to record

gracia grace

gracias thank you; **dar** (*irreg.*) **las gracias** to thank; **Día** (*m.*) **de Acción de Gracias** Thanksgiving Day

grado degree, grade

graduarse (me gradúo) to graduate

gráfica graph, diagram

grafología graphology

gramática grammar

gran, grande great; large, big; **Gran Bretaña** Great Britain; **no es gran novedad** it's nothing new

grano grain

grasa fat

gratis free

gratitud gratitude

grave serious

gravedad seriousness

gris gray

gritar to shout

grito shout, cry

grocería *n.* grocery store

grúa tow truck

grueso thick

grumo blob

grupo group; **grupo de presión** lobbyist

guante glove

guapo handsome

guardar to keep; to set aside; to save

guardería day care center

guatemalteco *n.* Guatemalan

gubernamental governmental

guerra war; **guerra civil** civil war

guerrero warrior

guerrillero *n., adj.* guerrilla

guía *f.* guidebook; *m., f.* guide (*person*)

guiar (guío) to guide

guión script

guisado stew; stewed meat

guisante pea

guitarra guitar

guitarrista *m., f.* guitarist

gustar to be pleasing to

gusto taste

H

haber *irreg.* to have (*auxiliary*); **hay** there is; there are

habilidad skill, ability

habitación room

habitante *m., f.* inhabitant

habitar to live in; to inhabit

hábito habit

habituado (a) accustomed (to)

habitual customary, usual

habla *f.* (*but* **el habla**) speech; **de habla española** Spanish-speaking

hablador talkative

hablar to talk, speak

hacelotodo *m., f.* do-it-all

hacer *irreg.* (*p.p.* **hecho**) to do; to make; **desde hace** + *period of time* for + *period of time;* **hace...** *period of time . . . period of time* ago; **hace... años** . . . years ago; **hace un mes / una hora** one month/hour ago; **hacer a un lado** to push aside; **hacer alarde** to make a show of; **hacer bromas** to play jokes; **hacer buen/mal tiempo** to be good/bad weather; **hacer calor/fresco** to be hot/cool (*weather*); **hacer caso (de)** to pay attention (to), take into account; **hacer cola** to be/stand/wait in line; **hacer confidencias** to tell secrets; **hacer cumplir** to enforce; **hacer daño** to harm, hurt, injure; **hacer ejercicio** to exercise; **hacer frente a** to face; **hacer hincapié en** to insist on; to stress, emphasize; **hacer horas extraordinarias** to work overtime; **hacer la compra** to go shopping; **hacer la maleta** to pack a suitcase; **hacer noticia** to make the news; **hacer referencia a** to refer to; **hacer sol** to be sunny; **hacer trampa(s)** to cheat; **hacer travesuras** to play pranks; **hacer trucos** to play tricks; **hacer un calor de todos los demonios** to be hot as hell; **hacer un giro** to take a turn, tour; **hacer un sondeo** to conduct a survey; **hacer un viaje** to take a trip; **hacer una caminata** to go on/for a walk/hike; **hacer una pregunta** to ask a question; **hacer una visita** to pay a visit; **hacerse** to become; to turn into; **hacerse cargo (de)** to take charge (of); **hacerse una idea** to conceive, imagine; **máquina para hacer palomitas de maíz** popcorn popper

hacia toward; **hacia abajo** downward; **hacia arriba** upward; **hacia atrás** backward

hacinado stacked up

hada *f.* (*but* **el hada**) fairy; **hada madrina** fairy godmother

halagado flattered

hallar to find

hallazgo finding, discovery

hambre *f.* (*but* **el hambre**) hunger; **tener** (*irreg.*) **hambre** to be hungry

hamburguesa hamburger

harto full, stuffed

hasta *adv.* even; *prep.* until; up to; **hasta luego** see you later; **hasta pronto** see you soon; **hasta que** *conj.* until

hastío boredom

hebilla belt buckle

hecho *n.* fact; matter; **de hecho** in fact; (*p.p. of* **hacer**) done; made; **hecho a mano** handmade

helado ice cream

hemisferio hemisphere

heredero *m., f.* heir

herencia inheritance; heritage

herida wound

hermana sister

hermano brother; *pl.* siblings; **hermanos políticos** brothers- and sisters-in-law

hermoso beautiful

héroe hero

heroína heroin; heroine

heroinómano heroin addict

heroísmo heroism

herrería blacksmithing

hervido boiled

heterogéneo heterogeneous

hielo ice

hierba grass

hierro iron

hija daughter

hijo son; *pl.* children; **hijo único** only child; **hijos políticos** sons- and daughters-in-law

hilera row

hincapié: hacer (*irreg.*) **hincapié en** to insist on; to stress, emphasize

hipermercado large supermarket; large discount store

hipnotismo hypnotism

hipnotizado hypnotized

hipócrita *m., f.* hypocrite

hipotético hypothetical

hispánico *n., adj.* Hispanic

hispano *n., adj.* Hispanic

Hispanoamérica Hispanic America

hispanoamericano *n., adj.* Hispanic American

hispanohablante *n. m., f.* Spanish speaker; *adj.* Spanish-speaking

historia history; story

histérico hysterical

histórico historical

hogar home

hoguera bonfire

hoja leaf; blade (*of a knife*); **hoja de cálculo** spreadsheet; **hoja de papel** sheet of paper

holgazanería laziness

hombre man; **hombre de negocios** businessman

hombro shoulder

homicidio homicide

homogéneo homogeneous, similar

homosexualidad homosexuality

hondo deep

hondureño *n.* Honduran

honesto honest

honra honor

honradamente honorably

honradez honesty, integrity

honrar to honor

hora hour; time of day; **¿a qué hora?** at what time?; **hace una hora** an hour ago; **hacer** (*irreg.*) **horas extraordinarias** to work overtime; **¿qué hora es?** what time is it?

horario schedule

horizonte horizon

horno oven; **horno microondas** microwave oven

horrendo horrendous

horrorizar to horrify, terrify

hostil hostile

hostilidad hostility

hotelería hotel industry

hoy today; **hoy (en) día** nowadays

hoya hole, pit

huelga strike

huella track; trace

huérfano orphan

hueso bone

huesped *m., f.* guest

huir (y) to flee

humanidad humanity

humanitario humanitarian

humano *adj.* human; **ser humano** human being

humilde humble

humillación humiliation

humillado humiliated

humo smoke

humor mood; humor

hundir to sink; **hundirse** to set (*sun*)

huracán hurricane

I

ibérico Iberian

ida: pasaje de ida one-way passage/ ticket

idea idea; **cambiar de idea** to change one's mind; **hacerse** (*irreg.*) **una idea** to conceive, imagine

idealista *adj. m., f.* idealistic

idéntico identical

identidad identity; **carnet** (*m.*) **de identidad** I.D. card

identificar to identify

ideología ideology

idioma *m.* language

idiomático idiomatic

iglesia church

ignorancia ignorance

ignorante ignorant

ignorar to not be aware of, not know

igual equal; same; **al igual que** just as; **dar** (*irreg.*) **igual** to be the same to

igualdad equality

igualitario egalitarian

ilegal illegal

iluminado enlightened

iluminar to illuminate

ilusión illusion

ilusorio illusory

ilustración illustration

ilustrar to illustrate

imagen *f.* image, picture

imaginación imagination

imaginario imaginary

imaginar(se) to imagine

imán magnet; **piedra imán** lodestone

imborrable indelible

imitar to imitate

impacientarse to become impatient

impaciente impatient

impacto impact

impedir (*like* **pedir**) to impede, prevent

imperar to reign

imperativo *gram.* imperative

imperfecto *gram.* imperfect

imperialista *n. m., f.* imperialist

imperioso imperious

ímpetu *m.* impetus; drive

implementar to implement

implicar to imply; to involve

imponer (*like* **poner**) to impose

importancia importance

importante important

importar to matter; to import

importe cost

imposible impossible

imposición imposition

imprescindible indispensable

impresión impression

impresionante impressive

impresionar to impress

impresora printer

imprevisible unforeseeable

imprimir to print

improbable improbable

improvisación improvisation

improvisar to improvise

improviso: de improviso unexpectedly

impuesto *n.* tax; *adj.* (*p.p. of* **imponer**) imposed

impulsar to impel, force

impulsivo impulsive

impulso impulse

inadmisible inadmissible

inalámbrico: teléfono inalámbrico cordless telephone

inaugurar to inaugurate

inca *n. m., f.* Inca; *adj.* Incan

incaico *adj.* Incan

incautado confiscated

incedencia incidence

incendio fire

incesante incessant

incitar to incite

inclinación inclination

inclinar(se) to bend (over); **inclinarse a** + *inf.* to be inclined to (*do something*)

incluir (y) to include

inclusive including

incluso including

incómodo uncomfortable

incomprensible incomprehensible

incomprensión incomprehension

inconformidad nonconformity

incontenible unstoppable
inconveniente: no tener (*irreg.*) **inconveniente** to have nothing against
incorporar to incorporate; **incorporarse** to sit up
incorpóreo fictitious
increíble incredible
incriminar to incriminate
incurable incurable; hopeless; irremediable
indeciso indecisive
indefenso defenseless
indefinido indefinite
independencia independence; **Día de la Independencia** Independence Day
independiente independent; **cláusula independiente** *gram.* independent clause
independizarse to become independent
indeterminado indeterminate
indicación indication; instruction
indicar to indicate
indicativo *gram.* indicative
índice index
indiferente indifferent
indígena *n. m., f.* native; *adj.* indigenous, native
indignante indignant
indio Native American
indirecto: pronombre de complemento indirecto *gram.* indirect object pronoun
individuo *n.* individual
indócil unruly
indolencia carelessness
indulto pardon
industria industry
industrialización industrialization
inédito unpublished
ineficaz ineffective; inefficient
inesperado unexpected
inestabilidad instability
inestable unstable
inevitable unavoidable
inexacto inexact
inexpresivo inexpressive
infancia infancy
infantería de línea infantry of the line
infantil *adj.* children's; **tasa de mortalidad infantil** infant mortality rate
infeliz unhappy
inferior lower
inferioridad inferiority

inferir (ie, i) to infer
infiel *n. m., f.* infidel, unbeliever; *adj.* unfaithful
infierno hell
infinitivo *gram.* infinitive
infinito *n.* infinity; *adj.* infinite
inflación inflation
influencia influence
influenciar to influence
influir (y) to influence
información information; **autopista de la información** information super-highway
informado informed
informal: mandato informal *gram.* informal command
informar to inform; **informarse** to find out
informática computer science
informe report
infracción infraction
infranqueable unsurmountable
infundir to infuse
ingeniería engineering; **ingeniería genética** genetic engineering
ingeniero engineer
ingenio ingenuity
ingeniosidad ingenuity
ingestión ingestion
Inglaterra England
inglés *n.* English person; English (*language*); *adj.* English
ingrediente ingredient
ingresar to deposit (*funds*)
ingresos *pl.* earnings, revenue
inhalar to inhale
iniciar to initiate
injuriar to insult, offend
injusticia injustice
injusto unjust, unfair
inmaduro immature
inmediato immediate
inmensamente immensely
inmenso enormous
inmersión immersion
inmigración immigration
inmigrante *m., f.* immigrant
inmigrar to immigrate
inminente imminent
inmortal immortal
inmóvil immobile
inmunodeficiencia: síndrome de inmunodeficiencia adquirida (SIDA) acquired immune deficiency syndrome (AIDS)
innecesario unnecessary

inocente innocent
inolvidable unforgettable
inquietud concern
inquilino tenant, boarder
inquisición Inquisition
inquisitivo inquisitive
insatisfacción dissatisfaction
insatisfecho (*p.p.* of **insatisfacer**) *adj.* dissatisfied
inscribirse (*p.p.* **inscrito**) to enroll, join
insecto insect
inseguridad insecurity
inseguro unsure
insignificante insignificant
insinuarse (me insinúo) to wheedle, work one's way
insistir en to insist on
insólito unusual
insoportable unbearable, intolerable
inspiración inspiration
inspirar to inspire; to cause
instalado set up
instalarse to establish oneself
instante instant
instar to urge
instaurar to establish
instigador instigator
instigar to instigate
instintivo instinctive
institución institution
instituir (y) to institute
instituto institute
institutriz governess
instrucción instruction
instruirse (y) to be informed
insultante insulting
insulto insult
insurgente *n.* insurgent
intachable irreproachable; exemplary
integración integration
integrar to make up; **integrar(se)** to integrate (oneself)
intelectual intellectual
inteligencia intelligence
inteligente intelligent
intención intention
intensificación intensification
intenso intense
intentar to try, attempt
intento attempt
interamericano inter-American
intercambiar to exchange
intercambio exchange, interchange
interés interest
interesante interesting

interesar to be interesting to; **interesarse (en)** to become interested (in)

interiormente internally

internacional international

internarse to go deep into (*an area*)

Internet *m.* Internet; **navegar el Internet** to surf the Internet

interno internal

interpretación interpretation

interpretar to interpret

intérprete *m., f.* interpreter

interrogatorio interrogation

interrumpir interrupt

interrupción interruption

intervención intervention

intervencionismo interventionism

intervencionista *adj. m., f.* interventionist

intervenir (*like* **venir**) to intervene

íntimo intimate

intolerancia intolerance

intransferible nontransferable

introducir *irreg.* to introduce

introvertido introverted

intuición intuition

inundación *f.* flood

inundar to flood

inútil useless

inválido disabled person

invasor invader

inventar to invent

invento invention

inversión investment

invertir (ie, i) to invest

investigación investigation

investigador investigator; **investigador privado** private investigator

investigar to investigate

invierno winter

invitación invitation

invitado guest

invitar to invite

involucrado involved

ir *irreg.* to go; **ir a** + *inf.* to be going (*to do something*); **ir a casa** to go home; **ir a clase** to go to class; **ir de compras** to go shopping; **ir de vacaciones** to take a vacation; **irse** to go away; **¡vaya!** *interj.* really!; well!

ira: cegado por la ira blind with rage

Irak Iraq

Irlanda Ireland

irónico ironic

irreflexivo unthinking, rash

irresponsable irresponsible

irritar to irritate

isla island; **Islas Canarias** Canary Islands; **Islas Filipinas** Philippine Islands

israelita *m., f.* Israeli

Italia Italy

italiano *n., adj.* Italian

itinerante *adj.* traveling

izquierda *n.* left; **a la izquierda** on/to the left

izquierdista *n. m., f.* leftist; *adj. m, f.* left-wing

izquierdo *adj.* left

J

jabón soap

jamaicano *n.* Jamaican

jamaiquino *n.* Jamaican

jamás never

Japón Japan

japonés *m.* Japanese (*language*); *adj.* Japanese

jaquemate checkmate (*chess*)

jardín garden

jardinero gardener

jefe boss, supervisor

jerez *m.* sherry

jerga slang; jargon

Jesucristo Jesus Christ

jesuita *n., adj. m., f.* Jesuit

jíbaro Puerto Rican peasant

jinete horseman, rider

joder *sl.* to bug, annoy

jornada workday

joven *n. m., f.* young person, youth; *adj.* young

joya jewel

joyería jewelry making

jubilación retirement

jubilarse to retire

judaísmo Judaism

judeocristiano Judeo-Christian

judío Jewish person

juego game; **en juego** in play

juez *m.* judge

jugada play, move (*in a game*)

jugador player

jugar (ue) (a) to play

jugo juice

juguete toy

juguetón playful

juicio judgment; **someter a juicio** to try (*in court*)

junta board; assembly; **junta militar** military junta

juntarse to gather

junto a near, next to; **junto con** along with, together with

juntos together

jurado jury

juramentar to swear in

jurar to swear

jurídico judicial

justicia justice

justificación justification

justificar to justify

justo just, fair; **comercio justo** fair trade

juvenil juvenile

juventud youth

juzgar to judge

K

kayac *m.* kayak

kepis *m.* kepi (*military cap*)

kerosén kerosene

kilo kilogram

kilómetro kilometer

L

laberinto labyrinth

labio lip

labor *f.* labor, work, task

laboral *adj.* pertaining to work

laboratorio laboratory

laboriosamente laboriously

laborioso hard-working

labrador laborer

labrar to plow

laca hair spray

lácteo: producto lácteo dairy product

lado side; **al lado de** next to; **de al lado** next door; **hacer** (*irreg.*) **a un lado** to push aside; **ningún lado** nowhere; **por otro lado** on the other hand

ladrar to bark

ladrillo brick

ladrón robber, thief

lago lake

lágrima tear

laguna small lake

lamentar to lament, regret

lamento cry, lament

lamer to lick

lámpara lamp

lana wool

lancear to wound with a lance

lanzador pitcher (*baseball*)

lanzar to launch; to let out; **lanzarse a** + *inf.* to set off (on), take off

lapicero mechanical pencil

lápiz *m.* pencil

largo long; **a largo plazo** in the long run; **a lo largo de** throughout; **en larga distancia** for long distance (calling)

lástima shame, pity

lastimar to hurt, injure

lata (tin) can, tin; **envase de lata** (tin) can

latifundio large landed estate

latino n., adj. Latino, Latin American

Latinoamérica Latin America

latinoamericano n., adj. Latin American

latitud lattitude

lavabo sink

lavaplatos m. s., pl. dishwasher

lavar to wash; **lavar los platos** to wash the dishes; **lavarse** to wash (oneself)

lazo bond, tie

lealtad loyalty

lección lesson

leche f. milk

lechera adj. dairy

lecho bed

lector reader

lectura reading

leer (y) to read

legalización legalization

legalizar to legalize

legítimo legitimate

legumbre f. vegetable

lejano distant, far away

lejos far; **a lo lejos** in the distance

lema m. sound bite; slogan

lempira monetary unit of Honduras

lengua language; tongue

lenguaje language, speech

lentamente slowly

lentes pl. (eye)glasses; **lentes de sol** sunglasses

lentilla contact lens

lento slow

leña firewood

león lion

letra letter (alphabet); handwriting; **filosofía y letras** humanities; **letra** (s.) **cursiva** italics; **sopa de letras** word search puzzle

levantar to raise, pick up; **levantarse** to get up; to stand up

leve slight

ley f. law; **violar la ley** to break the law

leyenda legend

liberación liberation, freedom

liberar(se) to liberate, free (oneself)

libertad freedom

libra pound

libre free; **estado libre asociado** commonwealth; **libre comercio** free trade; **tiempo libre** free time

librería book store

libro book; **libro grabado en cinta** book on tape

licencia de conducir driver's license

licenciado person holding a university degree

líder leader

liderar to lead

lienzo canvas

ligarse to join together

lima file (tool)

limitar to limit

límite limit; **límite de velocidad** speed limit

limón lemon

limonada lemonade

limosna: pedir (i, i) limosna to panhandle

limpiar to clean

limpio clean

limpieza cleanliness

linaje lineage

linchamiento hanging, lynching

línea line; **en línea** on-line; **infantería de línea** infantry of the line; **línea de conducta** course of action

lingüístico linguistic

lío mess

lirismo lyricism

lista list

listo ready; bright, smart

literario literary

literatura literature

litro liter

llama m. llama

llamador caller

llamar to call; **llamar a la puerta** to knock at the door; **llamar por teléfono** to call on the telephone; **llamarse** to call oneself, be named

llano n. pl. plains; adj. flat

llanta tire; **llanta auxiliar / de repuesto** spare tire; **llanta desinflada** flat tire

llanto crying; sob; lament

llanura plain, prairie

llave f. key

llegada arrival

llegado: recién llegado newcomer

llegar to arrive, reach; **llegar a + inf.** to manage to, get to (do something); **llegar a ser** to get to be, become;

llegar a un acuerdo to reach an agreement

llenar to fill (out)

lleno full

llevar to carry; to wear; to take; **llevar a cabo** to carry out; to fulfill; **llevar una vida (feliz/difícil)** to lead a (happy/difficult) life; **(no) llevarse bien (con)** to (not) get along (with)

llorar to cry

Llorona legendary figure of a weeping woman

llover (ue) to rain

lluvia rain

lluvioso rainy

lobo wolf

local place; premises; **red local** local area network

localidad location

loco crazy

locución locution, public speaking

lógico logical

lograr to achieve

logro achievement

loma hill

lombriz earthworm

Londres London

longitud longitude

lotería lottery

lucha fight, struggle

luchar to fight, struggle

lucir (zc) to look

lucrativo lucrative

luego then, next, later; **hasta luego** see you later

lugar place; **en primer lugar** in the first place; **tener** (irreg.) **lugar** to take place

lujo luxury

lujoso luxurious

luminoso shining; **señal** (f.) **luminosa** traffic light, signal

luna moon

luz light; **dar** (irreg.) **a luz** to give birth; **salir** (irreg.) **a la luz** to come to light

M

machismo male chauvinism

machista n. m., f. male chauvinist; adj. male-chauvinistic

madera wood

madrastra stepmother

madre f. mother; **Día** (m.) **de la Madre** Mother's Day; **madre patria** mother country; **madre soltera** single mother

madrileño *adj.* of or from Madrid

madrina: hada (*f.,* but **el hada**) **madrina** fairy godmother

madrugada dawn

madurez maturity; adulthood

maduro mature

maestría master's degree

maestro teacher; **maestro particular** tutor

magia *n.* magic

mágico *adj.* magic

magnífico magnificent

maíz *m.* corn; **máquina para hacer palomitas de maíz** popcorn popper; **palomitas de maíz** *pl.* popcorn

mal *n.* evil; illness; *adv.* badly; **caer** (*irreg.*) **mal** to strike (one) badly, make a bad impression; **hacer** (*irreg.*) **mal tiempo** to be bad weather; **mal educado** ill-mannered; poorly educated; **portarse mal** to misbehave

mal, malo *adj.* bad; sick

malcriado bad-mannered, ill-mannered

maldecir (*like* **decir**) to curse

maldito cursed, damned

maleducado *n.* bad/ill-mannered person; *adj.* bad/ill-mannered

maleta suitcase; **hacer** (*irreg.*) **la maleta** to pack a suitcase

maletín small case, bag

malévolo evil

malgastar to waste, misspend

malhablado foulmouthed

maligno evil

Malinche *interpreter to Cortés, considered a traitor to the Mexican people*

maltratado ill-treated

maltrecho battered

malvado wicked

mamá mother, mom

mancha stain

manchar(se) to stain (oneself)

mandados groceries

mandamiento commandment

mandar to order, command; to send

mandarina mandarin orange

mandato command, order; **mandato informal** *gram.* informal command

mandón bossy

manejar to drive; to handle; to manage

manera way, manner; **de manera que** *conj.* so that

manifestación demonstration, protest, rally

manifestar (ie) to demonstrate, show, express

manipulación manipulation

manipular to manipulate

mano *f.* hand; **a mano** by hand; **darse** (*irreg.*) **la mano** to shake hands; **de segunda mano** secondhand; **estrechar(se) la mano** to shake hands; **hecho a mano** handmade; **mano de obra** workforce; **pedir la mano** to propose

manso tame; docile

mantel tablecloth

mantener (*like* **tener**) to maintain; to support

mantenimiento maintenance

manual: trabajo manual manual labor

manuscrito manuscript

manzana apple; Adam's apple

mañana morning; tomorrow; **cada mañana** every morning; **por la mañana** in the morning

mapa *m.* map

maquillarse to put on makeup

máquina machine; **máquina de escribir** typewriter; **máquina para hacer palomitas de maíz** popcorn popper

maquinalmente mechanically

mar *m., f.* sea; **dar al mar** to face the sea; **en alta mar** *s.* on the high seas

maratón marathon

maravilla wonder

maravillar to amaze

maravilloso wonderful, marvelous

marca brand

marcar to mark; to dial (*a telephone*)

marchar to proceed; **marcharse** to leave, go away

marchito withered

marco frame

margen: al margen de to the side of

marginado marginalized

marginación marginalization

marido husband

marielito *immigrant to the United States who had been in Mariel prison in Cuba*

marihuana marijuana

marinero sailor

marino *adj.* sea, marine

mariposa butterfly

mármol marble (*stone*)

martillazo blow from a hammer

martillo hammer

más more; **cada vez más** more and more; **el más allá** the hereafter, life after death; **más allá** further; **más allá de** beyond; **más que nada** more than anything; **más tarde** later

masacre massacre

masaje massage

masculino masculine; **sastrería masculina** tailor's trade

masivo massive

masticar to chew

matar to kill; **matar a puñaladas** to stab to death

matemáticas *pl.* mathematics

materia subject (*school*); **materia prima** raw material

materialista *n. m., f.* materialist

maternidad maternity

materno maternal

matrícula tuition

matricularse to register, enroll

matrimonio matrimony; married couple

máximo maximum

maya *adj. m., f.* Mayan

mayor *n.* elder; *adj.* older; greater; greatest; **la mayor parte** most, the majority

mayoría *n.* majority

mayorista *m., f.* wholesaler

mayoritario *adj.* majority

mecánica mechanics

mecánico mechanic

mecanismo mechanism

mecanización mechanization

medallón medallion

media average, mean; stocking

mediano medium

medianoche *f.* midnight

mediante through

medicamento medicine (*drug*)

medicina medicine (*practice; drug*)

médico *n.* doctor; *adj.* medical; **asistencia médica** health benefits; **receta médica** prescription

medida measure, means; **a la medida** in accordance with; **a medida que** as, at the same time as

medio *n.* middle; half; means; environment, milieu; **clase** (*f.*) **media** middle class; **Edad Media** Middle Ages; **medio ambiente** environment; **medios de comunicación** media; *adj.* average; half; middle, mid; **Oriente Medio** Middle East

mediodía *m.* midday, noon

medir (i, i) to measure

mejilla cheek

mejillón mussel

mejor better; best

mejora improvement
mejoramiento improvement
mejorar to improve
melancolía *n.* melancholy
melancólico *adj.* melancholy
melaza molasses
melocotón peach
memoria memory; **aprender de memoria** to memorize; **saber** (*irreg.*) **de memoria** to know by heart
memorizado memorized
mencionar to mention
mendigo beggar
menonita *n. m., f.* Mennonite
menor *n.* minor; *adj.* smaller, smallest; younger, youngest
menos less, lesser, least; **a menos que** *conj.* unless; **cada vez menor** fewer and fewer; younger and younger; **echar de menos** to miss, long for; **ni mucho menos** not by any means; **por lo menos** at least
menospreciar to underestimate
mensaje message
mensajero messenger
mensual monthly
mente *f.* mind
mentir (ie, i) to lie
mentira lie
mentiroso lying, deceitful
menudo: a menudo often
mercado market
mercancía merchandise
mercantil: contabilidad mercantil mercantile bookkeeping
mercantilismo mercantilism, commercialism
merecer (zc) to deserve
mérito merit
mes month: **cada mes** every month; **hace un mes** one month ago; **mes pasado** last month
mesa table; **poner** (*irreg.*) **la mesa** to set the table
mesero waiter
meseta plateau
mestizo of mixed race
meta goal, aim
metafórico metaphorical
metálico metallic
metamorfosis metamorphosis
meterse to get into, enter
metódico methodical
método method
metro meter
metrópolis metropolis

metropolitano metropolitan
mexicano *n., adj.* Mexican
mexicanoamericano *n., adj.* Mexican American
México Mexico
mezcla mixture
mezclar to mix
mezquita mosque
microondas: horno microondas microwave oven
miedo fear; **tener** (*irreg.*) **miedo** to be afraid
miel *f.* honey
miembro member
mientras *adv.* meanwhile; **mientras que** *conj.* while, as long as
miga: bolita de miga bread crumb
migración migration
migrante *n. m., f.* migrant
migratorio migratory, migrating
milagro miracle
milagroso miraculous
milanesa chicken-fried steak
milicia militia
militar *n.* career military person; *adj.* military; **junta militar** military junta
milla mile
millonario millionaire
mimar to indulge, spoil (*a person*)
mina mine
minero miner
minidiálogo minidialogue
mínimo minimum
ministerio ministry
ministro minister
minoría *n.* minority
minoritario *adj.* minority
minuciosamente meticulously
minuta *breaded cutlet of fish, fowl, or meat*
minuto minute
miopía nearsightedness
mirada look
mirador watchtower; balcony
mirar to watch; to look (at); **¡mira!** look (here)!
misa Mass
miseria misery
misión mission
misionero missionary
mismo self; same; **ahí mismo** right there; **ahora mismo** right now; **al mismo tiempo** at the same time; **lo mismo** the same thing
misterio mystery
misterioso mysterious

mitad *n.* half
mitigador mitigating, alleviating
mitigar to alleviate
mitigativo mitigating, moderating
mito myth
mitología mythology
mobilario set of furniture
mochila backpack
moda fashion
modales *pl.* manners, behavior
modelo model
moderación moderation
moderado moderate
modernización modernization
modernizar to modernize
moderno modern; **lo moderno** modern things
modesto modest
módico reasonable, moderate
modificación modification
modificar to modify
modistería ladies' dress wear
modo way, manner; mood (*gram*); **de modo que** *conj.* so that
mojado wet
mojar(se) to get wet
molde mold
moler (ue) to grind
molestar to bother, annoy
molestia annoyance
molesto annoyed
momentáneo momentary; temporary
momento moment
moneda coin
monetario monetary
monja nun
monje monk
mono monkey
monopolio monopoly
monotonía monotony
monótono monotonous
monstruo monster
montanismo mountain climbing
montaña mountain; **Montañas Rocosas** Rocky Mountains
montañero mountaineer, climber
montar to ride
morado purple
moreno dark-skinned
morir (ue, u) (*p.p.* **muerto**) to die
morocho brunette
mortalidad mortality; **tasa de mortalidad infantil** infant mortality rate
mostrador counter (*in a shop*)
mostrar (ue) to show
motivación motivation

motivar(se) to motivate; to provide a reason for

motivo motive; cause

moto(cicleta) *f.* motorcycle

mover(se) (ue) to move (*an object or body part*)

móvil mobile; **teléfono móvil** cellular telephone

movilizar to mobilize

movimiento movement

mozo young man

muchacha girl

muchacho boy

muchedumbre *f.* crowd, multitude

mucho much, a lot; **muchas veces** often, frequently; **ni mucho menos** not by any means

mudarse to move (*residence*)

mudo silent

mueble piece of furniture

muerte *f.* death; **pena de muerte** death penalty

muerto *n.* dead person *adj.* (*p.p.* of **morir**) dead; **Día** (*m.*) **de los Difuntos/Muertos** All Souls' Day; Day of the Dead

muestra sample

mujer *f.* woman; wife; **mujer bombero** (female) firefighter; **mujer de negocios** businesswoman; **mujer policía** (female) police officer; **mujer soldado** (female) soldier

mulero mule driver

mulo mule

multa fine; **poner** (*irreg.*) **una multa** to (give a) fine

multinacional multinational

múltiple multiple

mundial *adj.* world, worldwide

mundo world

municipio municipality

muñeca doll

muralismo muralism

muralista *m., f.* muralist

muralla wall

murciélago bat (*animal*)

muro wall

museable museum piece

museo museum

música music

musicalizar to add music to

músico musician

musulman *n., adj.* Muslim

mutilación mutilation

mutilar to mutilate

mutuo mutual

muy very

N

nacer (zc) to be born

nacido: recien nacido newborn

naciente growing, emerging

nacimiento birth

nación nation

nacional national

nacionalidad nationality

nacionalismo nationalism

nacionalización nationalization

nacionalizar to nationalize

nacionalizado naturalized

nada nothing; **más que nada** more than anything

nadar to swim

nadie no one

náhuatl Nahuatl (*indigenous language of the Aztecs*)

naranja orange

naranjo orange tree

narcóticos *pl.* narcotics

nariz nose

narración narration

narrador narrator

narrar to narrate

narrativo narrative

natal *adj.* native; pertaining to birth

natalidad: control de la natalidad birth control; **tasa de natalidad** birth rate

nativo *adj.* native

natural: calamidad natural natural disaster; **recurso natural** natural resource

naturaleza nature

naturalización naturalization

naturismo natural energy, healing

naufragar to shipwreck

náuseas: con náuseas nauseous

navaja knife

navegar to navigate; **navegar la red** to surf the net

Navidad Christmas

necesario necessary

necesidad necessity; **tener** (*irreg.*) **necesidad** to have a need

necesitar to need

necio foolish

negar (ie) to deny; **negarse a** + *inf.* to refuse to (*do something*)

negativo negative

negociación negotiation

negociante *m., f.* negotiator

negociar to negotiate

negocio business; **hombre de negocios** businessman; **mujer** (*m.*) **de negocios** businesswoman

negro black; **tener** (*irreg.*) **el pelo negro** to have black hair

nene baby

neolítico neolithic

neoyorquino New Yorker

nerviosidad nervousness

nervioso nervous

neurótico neurotic

neutro neutral

nevada snowfall

ni nor; **ni… ni…** neither . . . nor . . .; **ni mucho menos** not by any means; **ni siquiera** not even

nicaragüense *n.* Nicaraguan

nicho niche

nicotina nicotine

nieta granddaughter

nieto grandson; *pl.* grandchildren

nieve *f.* snow

Nilo Nile

ningún, ninguno none, no; **ningún lado** nowhere

niña little girl

niñero babysitter

niñez childhood

niño little boy; *pl.* children; **de niño** as a child

nivel level; standard

no obstante nevertheless

noche *f.* night; **cada noche** every evening/night; **esta noche** tonight; **por la noche** in the evening, at night

noción notion

Noél: Papá Noél Santa Claus

nogal walnut tree

nombrar to name

nombre name; **nombre de pila** first name

noreste northeast

norma norm, standard

noroeste northwest

norte north

Norteamérica North America

norteamericano *n., adj.* North American

nostálgico nostalgic

nota grade

notar to notice, note

notario notary public

noticia (piece of) news; **hacer** (*irreg.*) **noticia** to make the news

notorio notorious

novedad: no es gran novedad it's nothing new

novedoso new, novel

novela *n.* novel

novia girlfriend; fiancée; bride
noviazgo courtship; engagement
novio boyfriend; fiancé; bridegroom; *pl.* (engaged) couple; bride and groom
nube *f.* cloud
nudo knot
nuera daughter-in-law
Nueva York New York
nuevo new; **de nuevo** again; **Nuevo Testamento** New Testament
numeración numbering
número number
numeroso numerous
nunca never, not ever
nutrición nutrition
nutrido abundant
nutriente nutrient, nourishment
nutrimento nourishment

O

o or
oaxaqueño person from Oaxaca
obedecer (zc) to obey
obediencia obedience
obediente obedient
obesidad obesity
objetividad objectivity
objetivo goal, objective
objeto object, target
oblicuo oblique
obligación obligation
obligar (a) to oblige, force
obligatorio compulsory
obra work; **mano** (*f.*) **de obra** work-force; manual labor
obrero worker
obsenidad obscenity
observación observation
observador observer
observar to observe
obsesión obsession
obstáculo obstacle
obstante: no obstante nevertheless
obtener (*like* **tener**) to obtain
obviamente obviously
obvio obvious
ocasión occasion
ocasionar to cause
occidental western
océano ocean; **Océano Atlántico** Atlantic Ocean; **Océano Pacífico** Pacific Ocean
ocio leisure time, relaxation
ocioso idle, lazy
ocultar to hide
ocupación occupation

ocupado busy
ocupar to occupy
ocurrencia occurrence
ocurrir to occur
odiar to hate
odio hatred
oeste west
ofender to offend; **ofenderse** to get one's feelings hurt, be offended
oferta offer
oficial official
oficina office (*general*)
oficinista *m., f.* office clerk
oficio trade, occupation
ofrecer (zc) to offer
ofrenda offering
oír *irreg.* to hear; **¡oye!** *interj.* hey!, listen!
ojalá I wish that; I hope that
ojera dark circle under the eye
ojo eye; **¡ojo!** *interj.* watch out!
ola wave (*ocean*)
oleada wave
oler *irreg.* to smell
olfato sense of smell
olivo olive
olla pot
olor smell
oloroso a smelling like
olvidar(se) (de) to forget
ombligo navel; **curar el ombligo** to tie off the umbilical cord at birth
ominoso ominous
omitir to omit
onda wave
ondular to undulate
opción option
ópera opera
operación operation
opinar to think, have an opinion
opinión opinion; **cambiar de opinión** to change one's mind
oponerse a (*like* **poner**) to be opposed to
oportunidad opportunity
oposición opposition
opositor *n.* opponent; *adj.* opposing
opresión oppression
optimista *n. m., f.* optimist; *adj.* optimistic
opuesto (*p.p. of* **oponer**) opposite
oración sentence; prayer
oratoria public speaking
orden *m.* order, arrangement; *f.* order, command; **a sus órdenes** at your service

ordenación arrangement, putting in order
ordenador computer
ordenar to order
ordinario ordinary
organismo organism
organización organization
organizador organizer
organizar to organize
órgano organ (*of the body*)
orgullo pride
orgulloso proud
orientación orientation, direction
orientado (a) directed (at)
orientar to orientate
oriente east; **Oriente Medio** Middle East
origen origin; **dar** (*irreg.*) **origen a** to cause
originalidad originality
originar to originate
originario originating
orilla shore; (*river*) bank
orillar to skirt, go around the edge of
oro gold
ortodoxo orthodox
ortografía spelling
oscurecer (zc) to get dark
oscuridad darkness
oscuro dark; obscure
oso bear
ostentoso ostentatious
otoñal autumnal
otoño autumn
otorgar to grant, award
otro another; other; **el uno al otro** one another; **otra vez** again; **por otra parte** on the other hand; **por otro lado** on the other hand
ovación ovation
oxigenado bleached (*hair*)

P

paciencia patience
paciente *n., adj. m., f.* patient
pacífico peaceful; **Océano Pacífico** Pacific Ocean
pacifista *n. m., f.* pacifist
padecer (zc) to suffer
padre father; priest; **Día** (*m.*) **del Padre** Father's Day
paella *rice dish from Spain*
pagano *n.* pagan
pagar to pay for; **pagar a plazos** to pay in installments; **pagar en efectivo**

to pay in cash; **pagar la cuenta** to pay the bill

página page; **página Web** Web page

país *m.* country

paisaje landscape

pájaro bird

palabra word

palacio palace

paladear to taste

palenque palisade, enclosure

pálido pale

paliza beating

palmada: darse (*irreg.*) **palmadas en la espalda** to pat on the back

palmera palm tree

palo stick

paloma dove

palomitas (*pl.*) **de maíz** popcorn; **máquina para hacer palomitas de maíz** popcorn popper

palpar to touch, feel

palustre *m.* trowel

pan *m.* bread; **barra de pan** baguette; **pan de avena** oatmeal bread; **ser** (*irreg.*) **pan comido** to be a piece of cake

panameño *n.* Panamanian

pancarta placard

pantalla screen

pantalón *m. s., pl.* pants

pañal *m.* diaper

pañuelo handkerchief

papa *m.* Pope; *f.* potato

papá *m.* dad, father; **Papá Noél** Santa Claus

papel paper; role; **desempeñar un papel** to play (fulfill) a role; **hoja de papel aparte** separate sheet of paper

papelina *coll.* hit, fix (*drugs*)

paquete package

par pair; **un par de** a couple of

para for; in order to; toward; by; **estar** (*irreg.*) **para** + *inf.* to be about to (*do something*); **para que** *conj.* so that; **para siempre** forever

parabólica: antena parabólica satellite TV

parabrisas *m. s., pl.* windshield

paradójico paradoxical

paraguas *m. s., pl.* umbrella

paraguayo *n.* Paraguayan

paraíso paradise

paramilitar *adj.* paramilitary

páramo *s.* plains

parasicología parapsychology

parar to stop, halt; **pararse** to stand up

parcela plot, parcel (*of land*)

parcial partial; **tiempo parcial** part-time

parecer *n.* opinion; **a mi parecer** in my opinion

parecer (**zc**) to seem, appear; **parecerse a** to look like, resemble

parecido likeness

pared wall

pareja pair; couple; partner

parejo even

paréntesis *s., pl.* parentheses

pariente relative (*family*)

parque park

parqueadero parking (*lot*)

parquear to park

párrafo paragraph

parricidio parricide

parrilla *grilled meats*

parroquial parochial, pertaining to the parish

parroquiano parishoner

parsimonia moderation

parte *f.* part; **en parte** in part; **en/por todas partes** everywhere; **formar parte** to make up; **la mayor parte** most, the majority; **por otra parte** on the other hand; **por parte de** by; **por una parte** on the one hand

participación participation

participante *m., f.* participant

participar to participate

participio *gram.* participle

particular particular; private; **maestro particular** tutor

particularmente individually

partida: punto de partida starting point

partidario supporter, follower

partido game, match; (political) party

partir to leave, depart; **a partir de** as of, starting from

pasa raisin

pasado *n.* past; *adj.* past, last; **año/mes pasado** last year/month; **semana pasada** last week

pasaje passage; **pasaje de ida** one-way passage/ticket

pasaporte passport

pasar to pass; to spend (*time*); to happen; **pasarlo bien** to have a good time

pasatiempo pastime, hobby

Pascuas *pl.* Easter

pasear to take a walk/ride

paseo walk; ride; **sacar de paseo** to take for a walk/ride; **salir de paseo** to go on a walk; to take a ride

pasillo hallway

pasivo passive; nonworking

pasmar to astonish

paso step; **abrir el paso a** to make way for; **dar** (*irreg.*) **pasos** to take steps

pasta paste

pastel pastry

pastilla pill

pastor shepherd; pastor

pata paw

patata potato; **patatas fritas** French fries

patear to kick

paterno paternal

patilla sideburn

patinar to skate

patria country; native land; **madre** (*f.*) **patria** mother country

patriótico patriotic

patrocinar to sponsor

patrón boss; patron; **santo patrono** patron saint

pausa pause, break

pauta standard, guide

payaso clown

paz peace; **dejar en paz** to leave alone; **que en paz descanse** rest in peace

pecho chest

pedagógico pedagogical

pedalear to pedal

pedazo piece

pedir (**i, i**) to ask for; **pedir consejos** to ask for advice; **pedir disculpas** to apologize; **pedir la mano** to propose; **pedir limosna** to panhandle; **pedir prestado** to borrow; **pedir un préstamo** to request / take out a loan

pegar to stick

pegatina sticker

peinado hairstyle

peinarse to comb one's hair

pelaje fur

pelea fight

pelear(se) to fight

película movie; **ver** (*irreg.*) **una película** to watch a movie

peligro danger

peligrosidad dangerousness

peligroso dangerous

pelo hair; **secador de pelo** hair dryer; **tener** (*irreg.*) **el pelo negro/rojo/ rubio** to have black/red/blond hair

pelota ball

peluquería hair salon

pena embarassment; sorrow; shame; **a penas** hardly, barely; **pena capital** capital punishment; **pena de muerte** death penalty; **valer** (*irreg.*) **la pena** to be worthwhile

penal *adj.* criminal; **antecedentes penales** criminal record

pender to hang

pendiente *n.* earring; *adj.* pending

penetrar to penetrate

penicilina penicillin

penoso difficult; embarassing

pensamiento thought

pensar (ie) to think; **pensar** + *inf.* to plan to (*do something*); **pensar de** to think of (*opinion*); **pensar en** to think about, focus on

penúltimo next-to-last

penumbra semi-darkness

peón laborer; **peón de chacra** farm worker

peor worse, worst

pequeño small

percepción perception

percibir to perceive

perder (ie) to lose; to miss (*an opportunity, deadline, or train*); **perder tiempo** to waste time; **perder el trabajo** to lose one's job; **perderse** to get lost

pérdida loss; waste (*of time*)

perdón pardon, forgiveness

perdonar to forgive

perezoso lazy

perfección perfection

perfeccionar to perfect

perfecto perfect

perfume fragrance, smell

periferia periphery

periódicamente periodically

periódico newspaper

periodista *m., f.* journalist

período period (*time*)

perito expert

perjudicar to harm

perjudicial damaging, harmful

perla pearl

permanecer (zc) to remain, stay

permiso permission

permitir to allow

pero but

perpetuo perpetual; **cadena perpetua** life imprisonment

perplejo perplexed

perro dog

persecución persecution

perseguido pursued

perseguir (*like* **seguir**) to pursue

persona person

personaje character (*in fiction*); personality, personage

personalidad personality

perspectiva perspective

persuadir to persuade

pertenecer (zc) to belong

Perú *m.* Peru

peruano *n.* Peruvian

pesadilla nightmare

pesado heavy; dull, uninteresting; **broma pesada** practical joke

pesar to weigh; **a pesar de** despite, in spite of

pesca fishing

pescado fish (*to eat*)

pese a despite

pesimismo pessimism

pesimista *n. m., f.* pessimist; *adj.* pessimistic

peso weight; *monetary unit of Mexico;* **bajar de peso** to lose weight; **subir de peso** to gain weight

pestaña eyelash

pestañear to blink

pétalo petal

petición petition

petroleo petroleum

petrolero *adj.* oil

pez *m.* fish (*live*)

pianista *m., f.* pianist

picadillo hash

picante spicy

picar to chop

pie foot; **a pie** on foot; **al pie de** at the bottom of (*page*); **de pie** standing

piedra stone; **piedra imán** lodestone

piel *f.* skin

pierna leg

pieza piece; **traje de tres piezas** three-piece suit

pijama *m. s.* pajamas

pila battery; pile; **nombre de pila** first name

Pilato: Poncio Pilato Pontius Pilate

píldora pill

piloto pilot

pimiento pepper

pino cepillado scrubbed pine

pintar to paint; **pintarse** to put on makeup

pintor painter

pintura paint

pipa pipe

pirata *m., f.* pirate

piratería piracy

piscina swimming pool

piso floor

pista trail; clue

pistola pistol, gun

pitar to whistle

pizarra chalkboard

pizzería pizza parlor

placa plaque

placentero pleasant

placer pleasure

plácidamente placidly

plagar to plague

plagiar to plagiarize

plagio plagiarism

planchar to iron

planear to plan

planeta *m.* planet

planificar to plan

plano map

planta plant

plantación plantation

plantado: dejar plantado to stand someone up

plantear to raise, pose (*problems*)

plástico *n., adj.* plastic; **cirugía plástica** plastic surgery

plata silver

plataforma platform

plateado *adj.* silver

platillo volador/volante flying saucer

plato plate; dish; **lavar los platos** to wash the dishes

playa beach

plazo: a largo plazo in the long run; **pagar a plazos** to pay in installments

pleno full

pluscuamperfecto *gram.* pluperfect, past perfect

población population

poblador settler

poblar (ue) to populate; **poblarse de** to be covered with

pobre *n. m., f.* poor person; *adj.* poor

pobreza poverty

poco *n.* a little bit; *adj., adv.* little, few; **poco a poco** little by little

poder *n.* power

poder *irreg.* to be able to, can; **poder** + *inf.* to be able to + *inf.*

poderoso powerful

poema *m.* poem

poesía poetry

poeta *m., f.* poet

poetisa poetess

polaco Pole

polémica *n.* debate, controversy

polémico *adj.* controversial

policía *f.* police (force); *m.* police officer; **mujer** (*f.*) **policía** (female) police officer

poliéster polyester

polígono handball court

política *s.* politics; policy

político *n.* politician; *adj.* political; **hermanos políticos** brothers- and sisters-in-law; **hijos políticos** sons- and daughters-in-law

pollo chicken; **asopao de pollo** *a spicy, brothy soup from Puerto Rico, composed mainly of rice and chicken;* **pollo en fricasé** chicken fricassee; **pollo frito** fried chicken

polvo dust

polvoriento dusty

Poncio Pilato Pontius Pilate

ponderado exaggerated

poner *irreg.* to put; **poner énfasis** to emphasize; **poner la mesa** to set the table; **poner una multa** to (give a) fine; **ponerse** to put on (clothing); to become; **ponerse al día** to bring oneself up-to-date; **ponerse colorado** to blush; **ponerse de acuerdo** to come to an agreement

popularidad popularity

por for; because of; by; through; per; **por anticipado** in advance; **por causa de** because of; **por ciento** percent; **por completo** completely; **por consiguiente** consequently; **por correo electrónico** by e-mail; **por ejemplo** for example; **por eso** for that reason; **por favor** please; **por fin** finally; **por fuera** from the outside; **por la mañana/noche/ tarde** in the morning/evening (at night)/afternoon; **por lo general** in general; **por lo menos** at least; **por lo tanto** therefore; **por otra parte** on the other hand; **por otro lado** on the other hand; **por primera vez** for the first time; **por supuesto** of course; **por teléfono** by telephone; **por todas partes** everywhere; **por último** finally; **por un lado** on one hand; **por una parte** on the one hand

¿por qué? why?

porcelana porcelain

porcentaje percentage

poro pore

porque because

portarse bien/mal to behave/misbehave

portón gate

portugués *n.* portuguese (*language*); *adj.* Portuguese

porvenir *n.* future

posarse to alight

poscomunista post-Communist

poseer *irreg.* to possess

posesión possession; **toma de posesión** taking over of power

posgrado postgraduate

posibilidad possibility

posibilitar to make possible

posible possible

posición position

positivo positive

postal: código postal zip code; **tarjeta postal** postcard

posterior subsequent

posteriormente after, later

postigo window shutter

postre dessert

postularse to apply (*for a position or job*)

postura stance

potable drinkable; **agua potable** drinking water

potencial *n.* potential

potente potent

potro leather

poyo stone bench

pozo pit; well

práctica practice

practicante *m., f.* believer, person practicing a religion

practicar to practice

práctico practical

pragmático pragmatic

precaución precaution

preceder to precede

preciar to value

precio price

precipicio cliff

precipitadamente hastily

preciso precise

precolombino pre-Columbian

preconcebido preconceived

predecir (*like* **decir**) to predict

predicador de barricada soapbox preacher

predicar to preach

predicción prediction

predominar to prevail, predominate

predominio predominance

preescolar pre-school

preferencia preference

preferible preferable

preferir (ie, i) to prefer

pregunta question; **hacer** (*irreg.*) **una pregunta** to ask a question

preguntar to ask (a question)

prehistórico prehistoric

prejuicio prejudice

premio prize

prenda garment

prendido full

prensa press

preocupación worry, concern

preocupado worried

preocupar(se) to worry

preparación preparation

preparar to prepare; **prepararse** to get ready, prepare oneself

preposición *gram.* preposition

prescindir to do without

presencia presence

presenciar to witness

presentación presentation

presentador host

presentar to present, introduce

presente *n., adj.* present (*time*)

presentimiento feeling

preservativo: preservativo artificial artificial preservative

presidencia presidency

presidencial presidential

presidente president

presidir to preside

presión pressure; **grupo de presión** lobbyist

presionar to press

preso *n.* prisoner; *adj.* imprisoned

prestado: pedir (i, i) **prestado** to borrow; **tomar prestado** to borrow

préstamo loan; **pedir** (i, i) **un préstamo** to request / take out a loan

prestar to lend; **prestar atención** to pay attention

prestigio prestige

prestigioso prestigious

presunto supposed

presupuesto budget

pretender (ie) to seek, endeavor

pretérito *gram.* preterite

prevalecer prevail

prevención prevention

prevenir (*like* **venir**) to prevent

previo previous
previsible forseeable
previsión foresight
primario primary; **bosque primario** old-growth forest; **escuela primaria** elementary school
primavera spring
primer, primero first; **en primer lugar** in the first place; **por primera vez** for the first time; **primer día** first day
primicia early results, news
prima: materia prima raw material
primo cousin
primogénito *n.* first-born
princesa princess
principal main
príncipe prince
principio beginning; **a principios de** at the beginning of; **al principio** at first, in the beginning
prisa haste; **tener** (*irreg.*) **prisa** to be in a hurry
prisionero prisoner
privación lack, want
privado private; **investigador privado** private investigator
privilegio privilege
probar (ue) to try; to test; to taste; **probarse** to try on
problema *m.* problem
problemático problematic
procedente de coming from
procedimiento procedure
procesador de texto word processor
procesión procession
proceso process
proclamar to proclaim
prodigioso prodigious
producción production
producir (zc) to produce
productivo productive
producto product; **producto desechable** disposable product; **producto lácteo** dairy product
profesión profession
profesional professional
profesor teacher, professor
profundidad depth
profundo deep
programa *m.* program
programación programming
programador programmer
programar to program (a computer)
progresar to progress
progresivo progressive

progreso progress
prohibir (prohíbo) to outlaw, prohibit
promedio *n., adj.* average
promesa promise
prometedor hopeful, promising
prometer to promise
promoción promotion
promocional promotional
promocionar to promote, advertise
promover (ue) to promote
pronombre *gram.* pronoun; **pronombre de complemento directo/indirecto** direct/indirect object pronoun
pronominal: complemento pronominal *gram.* object pronoun
pronto soon; **de pronto** suddenly; **tan pronto como** as soon as
pronunciar to pronounce
propaganda comercial advertisement
propiedad property
propietario owner
propina tip
propio one's own; appropriate
proponente *m., f.* supporter
proponer (*like* **poner**) to propose
proporcionar to provide
propósito purpose; end; goal; **a propósito** by the way
prosperar to prosper
prosperidad prosperity
próspero prosperous
prostituta prostitute
protagonista *m., f.* protagonist
protección protection
proteger (j) to protect
proteína protein
protesta protest
protestante *n., adj. m., f.* Protestant
protestantismo Protestantism
protestar to protest
provechoso profitable
provincia province
provisión provision
provocación provocation
provocar to provoke
proximidad proximity
próximo next; upcoming
proyectar to plan
proyecto project
prudencia prudence
prudente cautious, prudent
publicación publication
publicar to publish
publicidad *n.* publicity, advertising
publicitario *adj.* advertising, publicity

público *n., adj.* public
pueblo town; people; nation
puerta door; **llamar a la puerta** to knock at the door
puerto port
puertorriqueño *n., adj.* Puerto Rican
pues then; well
puesto job, position; (*p.p. of* **poner**) placed; put; set; **puesto que** *conj.* since, given that
pulcritud neatness; perfection
pulcro neat, orderly
pulgada inch
pulido polished
pulir to polish
pulmón lung
pulpa pulp
pulpo octopus
punta del pie tiptoe
puntaje score
puntiagudo pointy
punto point; **a punto de** about to, on the verge of; **punto de partida** starting point; **punto de vista** point of view
puntuación punctuation
puntual punctual
punzó bright red (color)
puñal dagger
puñalada: matar a puñaladas to stab to death
puñetazo stab
puro pure

Q

quechua Quechua (*language*)
quedar to be left; to have left; to fit (*clothing*); to meet; **quedarse** to stay, remain
quehacer household chore
queja complaint
quejarse (de) to complain (about)
quemar to burn
querer *irreg.* to want; to love; **no querer** (*preterite*) to refuse; **querer decir** to mean
querido *adj.* dear
queso cheese
quiebra bankruptcy
quien(es) who, whom
¿quién(es)? who?, whom?
quieto still, calm
química chemistry
químico *n.* chemist; *adj.* chemical
quinta (estate) house
quirúrgico surgical

quitar to remove, take away; **quitarse** to take off (*clothing*)

quizá(s) perhaps

R

rabino rabbi

racional *adj.* rational

racionamiento rationing

racismo racism

racket: cancha de racket racquetball court

radicado established

radicalmente radically

radio *m.* radio (*instrument, set*); radium; *f.* radio (*medium*)

radiografía X-ray

raíz root

rana frog

rancho ranch

rapar to shave

rápido *adj.* fast, rapid; *adv.* quickly, rapidly

raptar to abduct

raqueta racket

raro strange, odd; rare

rascacielos *m. s., pl.* skyscraper

rasgar to scrape

rasgo trait, feature

rastreo tracking

rastro trace

rato brief period of time

ratón mouse

raya stripe

rayo ray

raza race (*ethnic*)

razón *f.* reason; **tener** (*irreg.*) **razón** to be right

razonamiento reasoning

reacción reaction

reaccionar to react

reaccionario *n.* reactionary

real real; royal

realidad reality

realista *m., f.* realistic

realización accomplishment, carrying out

realizar to accomplish, carry out; **realizarse** to be realized/completed

reanimar to revive

reanudar to renew, resume

reaparición reappearance

rebanada slice

rebelarse to rebel

rebelde *n. m., f.* rebel; *adj.* rebellious

rebeldía rebellion

rebelión rebellion

rebosante dripping

rebotar to bounce; **rebotar la pelota** to bounce the ball

recado message, note

recámara bedroom

recelo distrust

recepcionista *m., f.* receptionist

receptividad receptivity

receptivo receptive

receta médica prescription

rechazar to reject

rechazo rejection

rechoncho chubby

recibir to receive

reciclaje recycling

reciclar to recycle

recién + *p.p.* recently, newly + *p.p.*; **recién llegado** newcomer; **recién nacido** newborn

reciente recent

recipiente container

recíproco reciprocal

recitar recite

recluta *m., f.* recruit

recobrar to recover

recoger (*like* **coger**) to pick up; to collect, gather

recolección harvest

recomendación recommendation

recomendar (ie) to recommend

reconciliar to reconcile

reconocer (*like* **conocer**) to recognize

reconquistar to reconquer

reconstrucción reconstruction

recopilar to compile

recordar (ue) to remember

recorrer to travel through or across

recorrido route

recortar to outline

recorte newspaper clipping

recreativo recreational

rectificar to rectify

rector president (*of a university*)

recuerdo memory

recuperar to recuperate

recurrir a to resort to

recurso resource; **recurso natural** natural resource

red *f.* net(work); **navegar la red** to surf the net; **red local** local area network; **trabajar en red** to be networked

redactar to edit

redondo round

reducción reduction

reducir *irreg.* to reduce

reemplazado replaced

reencarnación reincarnation

referencia reference; **hacer referencia a** to refer to; **punto de referencia** point of reference

referirse (ie, i) (a) to refer (to)

refinado refined

refinar to refine

reflejar to reflect

reflejo reflection

reflexión reflection

reflexivo reflexive

reforma reform

reformular to reformulate

reforzar (*like* **forzar**) to reinforce

refrenar to curb

refrendado authenticated

refrescante refreshing

refresco refreshment

refrigerador refrigerator

refugiado refugee

refugiarse to take refuge

refugio refuge

regalar to give (*a gift*)

regalo gift; **dar** (*irreg.*) **regalos** to give gifts

regaño nagging; scolding

régimen special diet; regime

regio *fig.* super, fantastic

región region

regionalismo regionalism

registrar to search

registro register

regla rule

reglamento regulation

regresar to return

regular to regulate

regularidad regularity

rehacerse (*like* **hacer**) to pull oneself together

rehén hostage

rehuir (y) to avoid

reina queen

reino reign; realm

reír(se) (í, i) to laugh

rejas *pl.* bars (*of prison*)

rejilla caned work

rejuvenecer (zc) to rejuvenate

relación relation

relacionado (con) related (to)

relacionar to connect, relate

relajar(se) to relax

relativo *adj.* relative

relevante relevant

religión religion

religioso religious

reloj *m.* clock; watch; **reloj desperta-dor** alarm clock

relojería watch making, clock making

reluciente shining

remedio solution

rememorar to recall

remolino swirling

remontarse to go back (*in time*)

remoto remote

remozado rejuvenated

Renacimiento Renaissance

rendir (i, i) culto to worship

rendirse (i, i) to surrender

renta income

rentabilidad profitability

renunciar (a) to quit

reparación repair

reparar to repair

repartir to distribute, divide up

repasar to review

repaso review

repente: de repente suddenly

repercusión repercussion

repetición repetition

repetir (i, i) to repeat

reponerse (*like* **poner**) to recover

reportar to report

reporte report

reportero reporter

reposo repose, rest

represalia retaliation

representación representation

representante *n. m., f.* representative;
   Cámara de Representantes
   House of Representatives

representar to represent

representativo *adj.* representative

represión repression

represivo repressive

reproducido reproduced

reproducirse (zc) to reproduce

república republic; **República
   Dominicana** Dominican Republic

republicano *n.* Republican

repudiar to repudiate

repuesto: llanta de repuesto spare
   tire

requerir (*like* **querer**) to require

requeterrico very, very rich

requisito requirement

res: carne (*f.*) **de res** beef

resaca hangover

resbalar to glide

rescafado rescued

rescate rescue

reseco thoroughly dry

resentamiento resentment

reservar to reserve

resfriado common cold

residencia residence; **residencia
   estudiantil** dormitory

residencial residential

residente *m., f.* resident

resistencia resistance

resistir to resist

resolución resolution

resolver (ue) (*p.p.* **resuelto**) to solve;
   to resolve

respaldo backing

respectivamente respectively

respecto: al respecto in regard to the
   matter; **con respecto a** with respect
   to, with regard to

respetar to respect

respeto respect

respirar to breathe

respiratorio respiratory

respiro rest

resplandor brightness

responder to answer, respond

responsabilidad responsibility

responsable responsible

respuesta answer, response

restablecido reestablished

restauración restoration

restaurado restored

restaurante restaurant

resto rest

restricción restriction

resuelto determined

resultado result

resultante resulting

resultar to turn out to be

resumen summary

resurgimiento resurgence

retener (*like* **tener**) to retain

retentiva memory

retirar (fondos) to withdraw (funds)

reto challenge

retoño *fig.* child, kid

retornar to return, go back

retraso delay

retratar to portray

retrato portrait

retroceder to back up

reunión meeting; reunion

reunir (reúno) to unite, assemble;
   reunir fondos to raise funds;
   reunirse to meet, get together

revelar to reveal

revista magazine

revocar to plaster or whitewash

revolución revolution

revolucionario revolutionary

revolver (*like* **volver**) to stir up; to turn
   over

rey *m.* king

rezar to pray

ribeteado trimmed

rico rich; delicious

ridiculizar to ridicule, make fun of

ridículo ridiculous

riesgo risk; **bajo riesgo** at risk; **tomar
   riesgos** to take risks

riflero rifleman

rincón corner

riña quarrel, dispute

río river

riqueza wealth, riches

risa laughter

ritmo rhythm; pace

rival *n. m., f.* rival

rivalidad rivalry

robar to rob, steal

robo theft, robbery

roca rock

roce rubbing

rocoso: Montañas Rocosas Rocky
   Mountains

rodear to surround

rodeo twist, turn

rodilla knee

rogar (ue) to beg

roído damaged

rojo red; **Caperucita Roja** Little Red
   Riding Hood; **tener** (*irreg.*) **el pelo
   rojo** to have red hair

rollo roll

romántico romantic

romper (*p.p.* **roto**) to break; to tear

ropa clothing; **ropa vieja** *braised
   shredded beef*

ropero closet

roquero rock musician

rosado pink

rosbif *m.* roast beef

rosquilla sweet fritter

rostro face

rozar to rub

rubio blond; **tener** (*irreg.*) **el pelo
   rubio** to have blond hair

ruborizar to blush

rueda wheel

rugido roar

ruido noise

ruidoso noisy

ruina ruin

rumano Rumanian (*language*)

rumbo a on the way to
ruptura break
rural rural; **despoblación rural** movement away from the countryside
ruso *n., adj.* Russian
ruta route
rutina routine

S

S.A. *abbrev. of* **sociedad anónima** corporation (Inc.)
sábana sheet
sabelotodo *m., f.* know-it-all
saber *irreg.* to know; (*preterite*) to find out; **saber** + *inf.* to know how to (*do something*); **saber de memoria** to know by heart
sabiduría knowledge, wisdom
sabio wise
sabor taste, flavor
saborear to taste
sabroso delicious
sacar to take out; to obtain, get; **sacar de paseo** to take for a walk/ride; **sacar de una apura** to get out of a pinch; **sacar la basura** to take out the trash; **sacar una foto** to photograph, take a picture
sacarosa sucrose
sacerdote priest
sacramento: Santo Sacramento Holy Sacrament
sacrificar to sacrifice
sacrificio sacrifice
sagrado sacred
sala room; **sala de belleza** beauty parlor/salon; **sala de espera** waiting room; **sala de estar** living room
salario salary
salida way out; departure; exit
saliente outgoing, exiting
salir *irreg.* to leave, go out; **salir a la luz** to come to light; **salir adelante** to get ahead
salón room, salon, reception room; **salón de belleza** beauty parlor/salon; **salón de billar** pool hall
salpicar to sprinkle
saltado cracked
saltar to jump
salud health
saludable healthy
saludar to greet
salvación salvation
salvadoreño *n.* Salvadorean

salvaje savage
salvar to save
salvavidas *m., f. s., pl.* lifeguard (*person*)
salvo: a salvo out of danger
sanatorio sanitarium; hospital
sanción sanction
sancionar to sanction
sandalia sandal
sándwich *m.* sandwich
sangre *f.* blood
sangriento bloody
sanidad health
sano healthy
santería *a class of religious rites or practices originating from West Africa, a form of voodoo*
santidad: Su Santidad His Holiness
santo *n.* saint; **Día de Todos los Santos** All Saints' Day; *adj.* holy; **santo patrono** patron saint; **Santo Sacramento** Holy Sacrament; **Semana Santa** Holy Week; **Tierra Santa** Holy Land
saqueo sacking, pillaging
sardina sardine
sargento sergeant
sastrería masculina tailor's trade
satisfacción satisfaction
satisfecho (*p.p. of* **satisfacer**) satisfied
saturado saturated
secador de pelo hair dryer
secar(se) to dry
sección section
seco dry
secretariado secretaryship; **secretariado comercial** commercial secretaryship
secretario secretary
secreto secret; **agente** (*m., f.*) **secreto** secret agent
secta sect
secuencia sequence
secuestrar to kidnap, hijack
secuestro kidnapping; hijacking
secundario: escuela secundaria middle/high school
sed *f.* thirst; **tener** (*irreg.*) **sed** to be thirsty
seda silk
sedentario sedentary
segmento segment
seguida: en seguida immediately, right away
seguidamente immediately, forthwith
seguir (i, i) (g) to follow; to continue
según according to

segundo second; **de segunda mano** secondhand
seguridad security; **cinturón de seguridad** safety belt
seguro *n.* insurance; *adj.* sure
selección selection
sellar to seal
selva jungle; **Selva Amazónica** Amazon Forest/Jungle
semáforo traffic light
semana week; **cada semana** every week; **fin de semana** weekend; **semana pasada** last week; **semana que viene** next week; **Semana Santa** Holy Week
semántico semantic
sembrado planted field
semejante similar
semejanza similarity
semestre semester
semicerrado half-closed
seminario seminarian
senado Senate
sencillo simple
sendero path
sensación sensation
sensibilidad sensitivity
sensible sensitive
sentarse (ie) to sit down
sentencia judgment, sentence (*law*)
sentido sense (*physical*); meaning; **tener** (*irreg.*) **sentido** to make sense
sentimental emotional
sentimiento feeling
sentir (ie, i) to feel (*with nouns*); to regret; **lo siento** I'm sorry; **sentirse** to feel (*with adjectives*)
señal *f.* signal; **señal luminosa** traffic light, signal
señalar to point out
señalización system of signs, signals (*traffic*)
señor (*Sr.*) Mr.; man
señora (*Sra.*) Mrs.; lady
señorita (*Srta.*) Miss; young lady
separación separation
separar to separate
septicemia blood poisoning
sepulcro tomb
sepultura: dar (*irreg.*) **sepultura** to bury
sequía drought
ser *n.* being; **ser humano** human being
ser *irreg.* to be; **es decir** that is to say; **llegar a ser** to get to be, become; **ser pan comido** to be a piece of cake

serbio Serb
sereno calm
serie *f.* series
serio serious
sermón sermon
serpiente *f.* snake
servicio service
servidumbre *f.* servitude; inevitable obligation
servir (i, i) to serve
sesión session
severidad severity
severo severe
sevillano person from Seville
sexismo sexism
sexo sex
si if
sí yes
sicología psychology
sicológico psychological
sicólogo psychologist
SIDA *m. s. (abbrev. for* **síndrome de inmunodeficiencia adquirida)** AIDS (acquired immune deficiency syndrome)
siempre always
siesta nap
sigla acronym; abbreviation
siglo century
significado meaning
significar to mean
significativo significant, meaningful
signo sign, mark
siguiente following; **al día siguiente** (on) the following day
sílaba syllable
silencio silence
silencioso quiet
sílfide *f.* sylph, nymph
silla chair
sillón armchair
silvestre wild
simbolizar to symbolize
símbolo symbol
simetría symmetry
similitud similarity, resemblance
simpatía sympathy
simpático nice
simpatizante sympathizer
simplemente simply
simplista *m., f.* simplistic
simultáneamente simultaneously
sin without; **sin duda** doubtless; **sin embargo** nevertheless, however; **sin que** *conj.* without
sinagoga synagogue

sincero sincere
sincretismo syncretism
sindicalista *m., f.* union leader
sindicato labor union
síndrome de inmunodeficiencia adquirida (SIDA) acquired immune deficiency syndrome (AIDS)
sinfín endless number
sino but, except, but rather; **sino que** *conj.* but rather
sinónimo synonym
síntesis synthesis
síntoma *m.* symptom
sintonía theme song
siquiera: ni siquiera not even
sistema *m.* system
sistemático systematic
sitio place
situación situation
situado located
SMS *(short message service)* text message
sobornar to bribe
soborno bribery
sobre over; on; about; regarding
sobredosis *f. s., pl.* overdose
sobremanera exceedingly
sobrenatural supernatural
sobrenombre nickname
sobrepoblación overpopulation
sobrepoblado overpopulated
sobrevivir to survive
sobrina niece
sobrino nephew; *pl.* nieces and nephews
socialista *m., f.* socialist
socialización socialization
socializar to socialize
sociedad society; **sociedad anónima (S.A)** corporation (Inc.)
socio partner, associate
socioeconómico socioeconomic
sociólogo sociologist
sociopolítico sociopolitical
sofá *m.* sofa
sofisticado sophisticated
sol sun; *unit of currency of Peru;* **hacer** *(irreg.)* **sol** to be sunny; **lentes de sol** sunglasses; **tomar el sol** to sunbathe
solamente only
solar: energía solar solar energy
soldado soldier; **mujer** *(f.)* **soldado** (female) soldier
soledad solitude; loneliness
soler (ue) to be in the habit of
solicitar to apply *(for a job);* to request

solicitud application
solidaridad solidarity
solitario alone
sollozo moan, sob
solo *adj.* alone; only, sole; **a solas** by oneself
sólo *adv.* only
soltar (ue) *(p.p.* **suelto)** to let go
soltero *adj.* single, unmarried; **madre** *(f.)* **soltera** single mother
soluble soluble, solvable
solución solution
solucionar to solve
sombra shadow
sombrero hat
sombrilla parasol
someter to submit; to subdue; **someter a juicio** to try *(in court)*
sonar (ue) to ring; to sound; to go off
sondeo survey; **hacer** *(irreg.)* **un sondeo** to conduct a survey
sonreír *(like* **reír)** to smile
sonriente smiling
sonrisa smile
soñador dreamy, dreaming
soñar (ue) (con) to dream (about)
soñoliento sleepy, drowsy
sopa soup; **sopa de letras** word search puzzle
soportar to tolerate, put up with; to bear, endure
soporte base; support
sórdido sordid
sordo deaf; dull
sorprendente surprising
sorprender to surprise
sorpresa surprise
sorpresivamente unexpectedly
sosegar (ie) to calm, quiet
sospecha suspicion
sospechar to suspect
sospechoso suspicious
sostener *(like* **tener)** to hold up, support; to maintain
soviético: Unión Soviética Soviet Union
squash: cancha de squash squash court
suave soft; smooth
subir to raise; to go up, climb; to take up; **subir de peso** to gain weight
subjuntivo *gram.* subjunctive
subordinación subordination
subordinado subordinate: **cláusula subordinada** *gram.* subordinate clause

subrayar to underline
suburbio suburb; slum
subvención subsidy
subversivo subversive
suceder to happen, occur
sucesión succession
sucesivo successive
suceso event, happening
sucio dirty
Sudamérica South America
sudamericano *adj.* South American
sudar to sweat
sudor sweat
suegra mother-in-law
suegro father-in-law; *pl.* in-laws
sueldo salary
suelo floor; ground
sueño dream; **tener** (*irreg.*) **sueño** to be sleepy
suerte *f.* luck: **tener** (*irreg.*) **suerte** to be lucky
suéter sweater
suficiente enough, sufficient
sufrimiento suffering
sufrir to suffer; to undergo
sugerencia suggestion
sugerir (ie, i) to suggest
Suiza Switzerland
suizo *adj.* Swiss
sujetar to hold down
sujeto subject
sumamente extremely
sumar to add up
sumergir (j) to submerge
suministrar to supply, provide
sumiso submissive
superar to overcome; to surpass
superficie *f.* surface
superfluo superfluous
superior higher; superior
superioridad superiority
superlativo *gram.* superlative
supermercado supermarket
supermoderno very modern
superserio very serious
superstición superstition
supervisado supervised
supervivencia survival
suplemento supplement
suplicar to entreat, implore
suponer (*like* **poner**) to suppose, assume
supremo: Corte (*f.*) **Suprema** Supreme Court
suprimir to supress
supuestamente supposedly
supuesto: por supuesto of course

sur south
sureste southest
surgir (j) to arise, come forth
suroeste southwest
suscitar to provoke
suspender to fail, flunk (*someone*); to suspend
sustancia substance
sustantivo *gram.* noun
sustituir (y) to substitute
susurrante rustling
susurro whisper, murmur

T

tabaco tobacco; cigarettes
taberna tavern
tabla table, chart; plank
tabú taboo
tabulador tabulator
tacaño stingy
taco stud (*construction*)
tacón heel
táctica tactic
tal such (a); **con tal (de) que** provided that; **tal como** such as; **tal vez** perhaps, maybe
tala de árboles logging
talco powder, talc
talento talent
talla size (*clothing*)
taller shop, workshop
tamaño size
tambalear to totter
también also
tampoco neither, not either
tan so, as; such **tan... como** as . . . as; **tan pronto como** as soon as
tanto so much; as much; *pl.* so many; as many; **por lo tanto** therefore; **tanto... como...** both . . . and . . .
tapar to cover (up)
taquito building block (*toy*)
tardar (en) to take (*time*)
tarde *n. f.* afternoon; *adv.* late; **tarde o temprano** sooner or later
tarea homework; task; **tarea doméstica** household chore
tarjeta card; **tarjeta de cajero** ATM card; **tarjeta de crédito** credit card; **tarjeta postal** postcard
tasa rate; **tasa de mortalidad infantil** infant mortality rate; **tasa de natalidad** birth rate
tatuaje tattoo
tatuarse (tatúo) to get a tattoo
taza cup

teatro theater
techo roof
tecla key (*computer, piano*)
teclado keyboard
técnica technique
técnico *n.* technician; *adj.* technical
tecnología technology
tecnológico technological
tecnólogo technologist
teja roof tile
tejer to weave
tela fabric, cloth
teleadicción addiction to television
teleadicto television addict
telefónico *adj.* telephone
teléfono telephone; **llamar por teléfono** to call on the telephone; **por teléfono** by telephone; **teléfono celular/móvil** cellular telephone; **teléfono inalámbrico** cordless telephone
telemaratón telethon
telenovela soap opera
tele(visión) television (*programming*)
televisor television (*set*), TV (*set*)
tema *m.* theme; subject
temblar to tremble
temer to fear
temerario foolhardy
temeroso afraid
temible frightening
temor fear
temperatura temperature
templado temperate; soft
templo temple
temporada season
temporal temporary
temporáneo temporary
temprano early; **tarde o temprano** sooner or later
tenaz tenacious
tendencia tendency
tenderse (ie) to stretch out
tener *irreg.* to have; **no tener inconveniente** to have nothing against **tener... años** to be . . . years old; **tener aceso a** to have access to; **tener calor/frío** to be hot/cold; **tener confianza en** to have confidence in, trust; **tener cuidado** to be careful, cautious; **tener el pelo negro/rojo/rubio** to have black/red/blond hair; **tener en cuenta** to take into account; to keep in mind; **tener éxito** to be successful; **tener fama de** to have a reputation for; **tener ganas de** + *inf.*

to feel like (*doing something*); **tener hambre** to be hungry; **tener lugar** to take place; **tener miedo** to be afraid; **tener necesidad** to have a need; **tener prisa** to be in a hurry; **tener que** + *inf.* to have to (*do something*); **tener que ver con** to have to do with; **tener sentido** to make sense; **tener sueño** to be sleepy; **tener suerte** to be lucky; **tener tiempo** to have time

tenis tennis

tenista *m., f.* tennis player

tensión tension

tentación temptation

tentativa tentative

teñirse (i, i) to dye

teoría theory

terapéutico therapeutic

tercer, tercero third

tercio *n.* third

terminar to finish, end

término term

terrateniente landholder

terraza terrace

terreno terrain, land

terrestre terrestrial, earthly

territorio territory

terrorismo terrorism

terrorista *n., adj. m., f.* terrorist

terroso earthy

terso smooth

tesis *f. s., pl.* thesis

testamento: Nuevo Testamento New Testament

testigo *m., f.* witness

testimonio testimony

texto text; **procesador de texto** word processor

tía aunt

tibio lukewarm

tiempo time (*general*); weather; tense (*gram.*); **a tiempo** on time; **al mismo tiempo** at the same time; **hacer (irreg.) buen/mal tiempo** to be good/bad weather; **perder (ie) tiempo** to waste time; **tener tiempo** to have time; **tiempo completo** full-time; **tiempo libre** free time; **tiempo parcial** part-time

tienda store

tierno tender

tierra land, earth; Earth (*planet*); **Tierra Santa** Holy Land

tímido shy, timid

tinaja big jar

tinto: vino tinto red wine

tío uncle; *pl.* aunts and uncles

típico typical

tipo type, kind, sort; guy

tiquete ticket

tira: tira adhesiva adhesive strip; bandage; **tira cómica** comic strip

tirante iron rod

tirar to throw

tiro: cancha de tiro shooting range

titular capital letter; title

título title

tocadiscos *m. s., pl.* record player, stereo

tocar to touch; to knock (*at the door*); to play (*an instrument*); **tocar a** to be someone's turn

todavía still, yet

todo all, everything, all of; **ante todo** above all; **Día (*m.*) de Todos los Santos** All Saints' Day; **en/por todas partes** everywhere; **todo el día** all day; **todos los años** every year; **todos los confines** everywhere; **todos los días** every day

tolerancia tolerance

tolerar to tolerate

toma intake; taking

tomar to take; to drink; to eat; **tomar el sol** to sunbathe; **tomar riesgos** to take risks; **tomar una copa** to have a drink; **tomar una decisión** to make a decision; **tomar (unas) vacaciones** to take a vacation

tomatazo blow or hit with a tomato

tomate tomato

Tomatina *festival in Spain during which participants throw tomatoes at one another*

tomo volume (*in a series*)

tono tone

tonto silly, dumb

torcido twisted; turned up

torero bullfighter

tormento torment

tornero lathe operator

torno pottery wheel

toro bull

toronja grapefruit

torpe clumsy, awkward

torre *f.* tower

torrente torrent

tortuga turtle

tortura torture

torturar to torture

tosco rough

toser to cough

toxicomanía (drug) addiction

toxicómano (drug) addict

trabajador *n.* worker; *adj.* hard-working

trabajar to work; **trabajar en red** to be networked

trabajo job; work; paper (*academic*); **compañero de trabajo** coworker; **perder el trabajo** to lose one's job; **trabajo manual** manual labor

trabajosamente laboriously

tradición tradition

tradicional traditional; **lo tradicional** traditional things

traducción translation

traducir *irreg.* to translate

traer *irreg.* to bring

traficante *m., f.* drug dealer

tráfico traffic

tragedia tragedy

trágico tragic

traicionar to betray

traicionero treacherous

traje suit

trampa: hacer (*irreg.*) trampa(s) to cheat

tramposo cheater

tranquilidad tranquility

tranquilo calm, tranquil

transacción transaction

transcrito (*p.p. of* **transcribir**) *adj.* transcribed

transcurrir to pass (*time*)

transfigurado transfigured

transformar to transform

transición transition

tránsito traffic

transitoriamente temporarily

transmitido passed on

transmitir to transmit; to broadcast

transparente transparent

transplante transplant

transportar to transport

transporte transportation

tranvía tram, trolley car

traquetear to clatter, rattle

tras *prep.* after, behind

trasladar(se) to move, transfer (*to another place*)

trasnochar to stay up all night

trastornado upset

tratado treaty

tratamiento treatment

tratar to treat; **se trata de** it's a question of, it's about; **tratar de** + *inf.* to try to (*do something*); **tratar de** + *noun* to deal with (*a topic*)

trato treatment

través: a través de through, across

travesura trick, prank; **hacer** (*irreg.*) **travesuras** to play pranks

travieso mischievous

trébol clover

trecho: a trechos partially; at intervals

tregua break; truce

tremendo tremendous

trémulo trembling

tren train

tribu *f.* tribe

tribunal court

tricolor *traffic signals consisting of three colors: red, yellow, and green*

trigo wheat

trimestre trimester

trineo: deslizarse en trineo to go sledding

trino trill

triplicar to triple

tripulante *m., f.* rider

triste sad

tristeza sadness

triunfar to triumph

triunfo triumph

trono throne

tropa troupe

tropezar con to run into

trozo piece, chunk

truco trick; **hacer** (*irreg.*) **trucos** to play tricks

tubería tubing, pipes

tumba tomb, grave

tumbar to knock down, knock over

túnel tunnel

turbar to disturb

turbio cloudy

turco Turkish bath

turismo tourism

turista *n. m., f.* tourist

turno (work) shift

U

u or (*used instead of* **o** *before words beginning with* **o** *or* **ho**)

ubicarse to be located

ubicuo ubiquitous

ufano self-satisfied

últimamente lately

último last; most recent, latest; **por último** finally

ultraconservador ultraconservative

ultraliberal ultraliberal

umbral doorway; threshold

único only, sole; unique; **hijo único** only child

unidad unit

unido: Estados Unidos United States

uniforme *n., adj.* uniform

unión union; marriage

Unión Soviética Soviet Union

unir to join, unite; **unirse a** to join together

universidad university

universitario *adj.* university, pertaining to the university

universo universe

urbanismo urban development

urbanista *m., f.* developer, city planner

urbanización migration into the cities; subdivision or residential area

urbanizar to urbanize

urbano urban

urgente urgent

uruguayo *n.* Uruguayan

usar to use

uso use

usuario user

útil useful

utilizar to use, utilize

uva grape

V

vaca cow

vacaciones *pl.* vacation; **estar** (*irreg.*) **de vacaciones** to be on vacation; **ir** (*irreg.*) **de vacaciones** to take a vacation; **tomar (unas) vacaciones** to take a vacation

vacante vacant

vacilación hesitation

vacilante hesitant

vacío empty

vagabundo bum

vagamente vaguely

vagar to wander

vagón train car

valentía bravery

valer *irreg.* to be worth; **valer la pena** to be worthwhile

válido valid

valiente brave

valija valise; luggage

valioso valuable

valle vally

valor value; **valores al cobro** accounts payable

valorar to value

vampiro vampire

vanidad vanity

vano opening

vapor steam

vaquera cowgirl

vaquero cowboy

variado varied

variante varying

variar to vary

variedad variety

varios several

vasco *adj.* Basque

vascuence Basque (*language*)

vaso glass

vasto vast, immense

¡vaya! *interj.* well!; really!

vecindario neighborhood

vecino *n.* neighbor; *adj.* neighboring

vedar to forbid, ban

vegetariano vegetarian

vehículo vehicle

vejez old age

vela candle

velocidad speed; **límite de velocidad** speed limit

vena vein

vencer (**z**) to conquer, beat; **vencerse** to control or restrain oneself

vendado bandaged

vendaje bandage

vendedor salesperson; **vendedor ambulante** street vendor

vender to sell

venezolano *n., adj.* Venezuelan

vengador *n.* avenger; *adj.* vengeful

venir *irreg.* to come; **la semana que viene** next week

venta sale; **estar** (*irreg.*) **a la venta** to be on/for sale

ventaja advantage

ventana window

ventanilla ticket window

ver *irreg.* to see; **tener** (*irreg.*) **que ver con** to have to do with; **verse colmado** to reach one's highest point

veraneo summering, vacation

verano summer

veras: de veras really, truly

verbo *gram.* verb

verdad truth

verdadero real, genuine; true

verde green

verdugo hangman, executioner

verdura vegetable

veredicto verdict

vergonzoso shameful

vergüenza shame

vericueto rough part

verificar to verify
versión version
verso verse; line of poetry
vestido dress
vestigios remains
vestir(se) (i, i) to dress
veterano veteran
vez time, instance; **a la vez** at the same time; **a su vez** in turn; at times; **a veces** sometimes; **alguna vez** sometime; once; ever (*with a question*); **algunas veces** sometimes; **cada vez más** more and more; **cada vez mayor** greater and greater; **cada vez menor** fewer and fewer; younger and younger; **cada vez menos** fewer and fewer; **cada vez que** whenever, every time that; **de vez en cuando** once in a while; **en vez de** instead of; **muchas veces** often, frequently; **otra vez** again; **por primera vez** for the first time; **tal vez** perhaps, maybe; **una vez** once
vía: en vías de desarrollo developing; **vía férrea** railway, railroad
viajar to travel
viaje trip; **hacer** (*irreg.*) **un viaje** to take a trip
vicio bad habit, vice
víctima victim
vida life; **llevar una vida (feliz/difícil)** to lead a (happy/difficult) life
vídeo video
videocasetera videocassette recorder (VCR)
videojuego video game
vidrio glass; **envase de vidrio** (glass) jar
viejo *n.* old person; *adj.* old; **ropa vieja** *braised shredded beef*

viento wind
vigilante vigilant
vigilar to watch; to guard
vil vile
vincha hair band
vinculado tied, bound
vínculo link, bond; **vínculo fraternal** fraternal bond
vino wine; **vino tinto** red wine
violación rape
violar to rape; **violar la ley** to break the law
violencia violence
violento violent
virtud virtue
visión vision
visita visit; **estar** (*irreg.*) **de visita** to be visiting; **hacer** (*irreg.*) **una visita** to pay a visit
visitante *m., f.* visitor
visitar to visit
víspera eve, day before
vista: punto de vista point of view
viuda widow
viudo widower
víveres *m. pl.* foodstuffs
vivienda housing, dwelling place
vivir to live
vivo alive; vivid
vocabulario vocabulary
vocal *f.* vowel
volador: platillo volador flying saucer
volante: platillo volante flying saucer
volar (ue) to blow up; to fly
volcán volcano
volumen volume
voluntad will; **a voluntad** as you wish; **de buena voluntad** willingly

voluntario volunteer
volver (ue) (*p.p.* **vuelto**) to return, come/go back; **volver a** + *inf.* to (*do something*) again; **volverse** to become
votar to vote
voto vote
voz voice; **a grandes voces** in a loud voice; **en voz alta** in a loud voice; aloud; **en voz baja** in a low/quiet voice
vuelo: asistente (*m., f.*) **de vuelo** flight attendant; **auxiliar** (*m., f.*) **de vuelo** flight attendant
vuelta return

W

Web: página Web Web page

Y

y and
ya already; right away; now; **ya no** no longer; **ya que** since, given that
yacimiento bed, field (*geology*)
yanqui *n., adj.* Yankee
yema del dedo fingertip
yerno son-in-law

Z

zafío boorish
zaguán doorway
zanja ditch, trench
zapatería shoe store
zapatilla dress shoe; slipper
zapato shoe (*general*)
zona area, zone
zozobrar to sink

CREDITS

Grateful acknowledgment is made for use of the following:

Photographs: *Page v* (top) © Bob Daemmrich Photos; *v (bottom)* © Allen Russell/Index Stock; *vi (top)* © Danilo Boschung/Leo dy Wys Inc.; *vi (bottom)* © Larry Mangino; *vii (top)* © Bill Bachmann Photography; *vii (bottom)* © John Neubauer/PhotoEdit; *viii (top)* © AFP/Getty Images; *viii (bottom)* © Joe Viesti/The Viesti Collection; *ix* © Karl Kummels/Superstock; *x (top)* Beryl Goldberg, Photographer ©; *x (bottom)* © Robert Frerck/Odyssey/Chicago; *xi (top)* © Stuart Cohen; *xi (bottom)* © 2006 Ulrike Welsch; *xx* © Bob Daemmrich Photos; *1* © Allen Russell/Index Stock; *5* © Robert Frerck/Odyssey/Chicago; *20* © Alex Webb/Magnum Photos; *28* © Robert Frerck/Odyssey/Chicago; *37* © Danilo Boschung/Leo des Wys, Inc.; *40* © Jimmy Dorantes/Latinfocus.com; *71* © Larry Mangino/The Image Works; *75* © Bonnie Kamin/PhotoEdit; *90* © Reuters New Media Inc./Corbis; *107* © Bill Bachmann Photography; *111* © David Urbina/PhotoEdit; *137* © John Neubauer/PhotoEdit; *141* © Dave G. Houser/Corbis; *154* © 2006 Ulrike Welsch; *155* © Francene Keery/Stock Boston; *169* © AFP/Getty Images; *173* © Gary Hershorn/Reuters/Corbis; *199* © Joe Viesti/The Viesti Collection; *203* © AFP/Getty Images; *210* © C. J. Collins/ Photo Researchers, Inc.; *229 (left)* © Jean Dominique Dallet/Superstock; *229 (top right)* © Karl Kummels/Superstock; *229 (bottom right)* © 2006 Ulrike Welsch; *233* © Fernando Botero, The Presidential Family, courtesy, Marlborough Gallery, New York, The Museum of Modern Art/Licensed by Scala/Art Resource, NY; *234* © Jimmy Dorantes/Latin Focus.com; *263* Beryl Goldberg, Photographer ©; *267* © Jimmy Dorantes/Latin Focus.com; *281* © Bob Daemmrich Photos; *286* © Contact Press Images Inc./Leo de Wys; *290* © 2006 Ulrike Welsch; *305* © Robert Frerck/Odyssey/Chicago; *309* Jeff Greenberg/PhotoEdit; *337* © Stuart Cohen; *341* © FotosBolivia/The Image Works; *352* © Timothy Ross/The Image Works; *354* © Enrique Shore/Woodfin Camp Associates; *367* © 2006 Ulrike Welsch; *371* © Jeffrey Allan Salter/Corbis Saba

Literature & Realia: *Page 46* © Quino/Quipos; *119* "El nieto" by Antonio Benítez-Rojo. Reprinted with permission of the author; *172* El Perich; *182* "Rosamunda" by Carmen Laforet from *La niña y otros relatos*, Courtesy of the heirs of Carmen Laforet; *216* © *Muy Interesante; 222* © Quino/Quipos; *245* "Espuma y nada más" by Hernando Téllez. Reprinted with permission of Editorial Norma; *268* Reprinted with permission of Joral Productions, Inc.; *273* Reprinted with permission of Goya Food, Inc.; *273*